Juliette Benzoni

Juliette Benzoni est née à Paris. Fervente lectrice d'Alexandre Dumas, elle nourrit dès l'enfance une passion pour l'Histoire. Elle commence en 1964 une carrière de romancière avec la série des *Catherine*, traduite en 22 langues, qui la lance sur la voie d'un succès jamais démenti à ce jour. Depuis, elle a écrit une soixantaine de romans, recueillis notamment dans les séries *La Florentine* (1988-1989), *Les Treize Vents* (1992), *Le boiteux de Varsovie* (1994-1996) et *Secret d'État* (1997-1998). Outre la série des *Catherine* et *La Florentine*, *Le Gerfaut* et *Marianne* ont fait l'objet d'une adaptation télévisuelle.

Du Moyen Âge aux années trente, les reconstitutions historiques de Juliette Benzoni s'appuient sur une ample documentation. Vue à travers les yeux de ses héroïnes, l'Histoire, ressuscitée par leurs palpitantes aventures, bat au rythme de la passion. Figurant au palmarès des écrivains les plus lus des Français, Juliette Benzoni a su conquérir 50 millions de lecteurs dans 22 pays du monde.

MARIANNE

****

TOI, MARIANNE...

DU MÊME AUTEUR
CHEZ POCKET

Marianne

Le jeu de l'amour et de la mort

Secret d'État

Le boiteux de Varsovie

Les Treize Vents

Les loups de Lauzargues

(suite en fin du volume)

JULIETTE BENZONI

MARIANNE

****

TOI, MARIANNE...

ÉDITIONS JC LATTÈS

© 1972, Opera Mundi, Jean-Claude Lattès.
ISBN : 2-266-10845-X

PREMIÈRE PARTIE

DANS VENISE LA ROUGE...

CHAPITRE PREMIER

PRINTEMPS DE FLORENCE

En contemplant Florence, étalée au soleil dans le nid de ses collines d'un gris-vert si doux, Marianne se demandait pourquoi cette ville la séduisait et l'irritait tout à la fois. De l'endroit où elle se trouvait, elle n'en découvrait qu'une partie, entre le jet noir d'un cyprès et le foisonnement rose d'un massif de lauriers, mais ce lambeau de ville accumulait la beauté comme un avare empile de l'or : un peu n'importe comment pourvu qu'il y en ait beaucoup !

Derrière la longue mèche blonde de l'Arno, nouée de ponts qui avaient l'air prêts à s'effondrer sous leur entassement d'échoppes médiévales, c'était un fouillis de tuiles rose fané posé à la diable sur l'ocre chaud, le gris doux ou le blanc laiteux des murs. Et de tout cela émergeaient des joyaux ; une bulle de corail posée sur une marqueterie étincelante qui était le Duomo, un lys de pierre argenté qui n'éclorait jamais tout à fait sur le vieux palais des Seigneurs, des tours sévères dont les créneaux, cependant, avaient l'air de papillons et des campaniles qui ressemblaient à ces cierges de Pâques dans la gaieté de leurs marbres polychromes. Pourtant cela jaillissait souvent au hasard d'une ruelle tortueuse et noire, entre le mur presque aveugle d'un palais verrouillé comme un coffre-fort et les lézardes malodorantes d'une masure. Mais parfois aussi les pierres s'effondraient sous l'écroulement embaumé d'un jardin que personne n'avait eu le mauvais goût de discipliner.

Et Florence, qui chauffait au soleil ses ors passés et ses broderies ternies, paressant sous un ciel indigo où errait, solitaire, un petit nuage blanc qui n'avait pas l'air de bien savoir où il allait, ne semblait pas non plus se douter qu'il y eût un avenir et que le cours du Temps fût inexorable. Le passé, sans doute, suffisait à nourrir ses rêves...

Et c'était à cause de cela peut-être que Florence irritait Marianne. Le passé, pour la jeune femme, n'avait de valeur qu'en ses prolongements dans la vie présente et dans les menaces qu'il faisait peser sur son avenir. Cet avenir brumeux, difficilement déchiffrable mais vers lequel tout son être se tendait.

Bien sûr, elle eût voulu, à cette minute où elle se laissait baigner par la beauté ambiante de ce jardin, partager le fugitif instant de grâce avec l'homme qu'elle aimait! Quelle femme n'en eût souhaité autant? Mais il s'en fallait de deux grands mois qu'elle ne retrouvât Jason Beaufort dans la lagune de Venise, ainsi qu'ils se l'étaient juré au cours de la plus étrange et de la plus dramatique des nuits de Noël. Et, en admettant, encore, qu'ils parviennent à se rejoindre car, entre Marianne et le rendez-vous de sa vie, se dressaient l'ombre angoissante du prince Corrado Sant'Anna, son invisible mari, et l'explication inévitable, dangereuse peut-être, et si proche maintenant que la jeune femme devait avoir avec lui!

Dans quelques heures, il faudrait quitter Florence et la sécurité relative qu'elle lui avait donnée pour reprendre le chemin du palais blanc où la chanson légère des fontaines n'avait pas assez de puissance pour chasser des fantômes maléfiques.

Que se passerait-il alors ? Quelle compensation le prince masqué exigerait-il de celle qui n'avait pas su remplir sa part du contrat en lui donnant l'enfant de sang impérial dont l'espoir avait déterminé le mariage ? Quelle compensation... ou quelle punition ?

Le destin des princesses Sant'Anna n'était-il pas de finir tragiquement, depuis plusieurs générations ?

Dans l'espoir de s'assurer le meilleur des défenseurs, le plus compréhensif et aussi le mieux informé, elle avait, dès son arrivée à Florence, fait porter, par un messager, une lettre pressante à Savone, un appel au secours adressé à son parrain, Gauthier de Chazay, cardinal de San Lorenzo, l'homme qui l'avait mariée dans des conditions incroyables afin d'assurer, à elle-même et à son enfant, un sort plus qu'enviable tout en procurant à un malheureux séquestré volontaire la descendance qu'il ne pouvait, ou ne voulait pas se constituer lui-même. Il lui semblait que le petit cardinal, mieux que quiconque, était à même de dénouer une situation devenue involontairement tragique et de lui trouver une solution convenable.

Mais le messager, après des jours d'attente, était revenu seul et les mains vides. Il avait eu beaucoup de peine à approcher l'entourage restreint du Saint Père, que les hommes de Napoléon gardaient presque à vue, et les nouvelles qu'il rapportait étaient décevantes : le cardinal de San Lorenzo n'était pas à Savone et nul ne pouvait dire où il se trouvait.

Bien sûr, Marianne avait été déçue, mais pas autrement surprise : depuis qu'elle était en âge de comprendre, elle savait que son parrain passait la majeure partie de sa vie en mystérieux voyages effectués pour le service de l'Église, dont il était de toute évidence l'un des plus actifs agents secrets, ou pour celui du roi en exil Louis XVIII. Il était peut-être au bout du monde, et à cent lieues d'imaginer les nouveaux tourments de sa filleule. Il lui fallait se faire à l'idée que ce secours-là aussi manquerait...

Les jours qui venaient ne s'annonçaient donc pas sans nuages, tant s'en fallait ! songea Marianne avec un soupir. Mais elle savait depuis longtemps déjà que les dons généreux dispensés par le sort à sa naissance, beauté, charme, intelligence, courage n'étaient pas des cadeaux gratuits mais les armes grâce auxquelles, peut-être, il lui serait donné de conquérir le bonheur. Restait à savoir si le prix n'en serait pas trop lourd à payer...

— Qu'avez-vous décidé, Madame ? fit, auprès d'elle une voix dont l'obligatoire politesse cachait mal l'impatience.

Brusquement arrachée à sa songerie mélancolique, Marianne déplaça légèrement l'ombrelle rose qui était censée abriter son teint des ardeurs du soleil, et leva sur le lieutenant Benielli un regard absent où l'agacement allumait cependant une inquiétante lueur verte.

Dieu que ce dragon était insupportable !... Depuis tantôt six semaines qu'elle avait quitté Paris avec l'escorte militaire dont il était le chef, Angelo Benielli s'était attaché à ses pas et ne l'avait plus quittée d'une semelle !

C'était un Corse. Obstiné, vindicatif, jaloux de la moindre parcelle de son autorité et doué, de surcroît, d'un effroyable caractère. Le lieutenant Benielli n'admirait au monde que trois personnes : l'Empereur, bien sûr (et encore parce que c'était un « pays » !), le général Horace Sébastiani parce qu'il était du même village que lui-même, et un troisième militaire, issu également de l'île de Beauté, le général-duc de Padoue, Jean-Thomas Arrighi de Casanova parce qu'il était son cousin et, accessoirement, parce qu'il était un authentique héros. En dehors de ces trois-là, Benielli tenait pour quantité négligeable tout ce qui portait un nom dans la Grande Armée, fût-ce ceux de Ney, de

Murat, de Davout, de Berthier ou de Poniatowski. Cette indifférence tenait à ce que ces maréchaux n'avaient pas l'honneur d'être corses et c'était là, selon Benielli, un défaut regrettable mais rédhibitoire.

Inutile d'ajouter que, dans ces conditions, la mission d'escorter une femme, même princesse, même ravissante, même honorée de la toute particulière attention de Sa Majesté l'Empereur et Roi, ne représentait pour Benielli qu'une effroyable corvée.

Avec la belle franchise qui constituait le côté le plus attirant de son caractère, il le lui avait laissé entendre avant que l'on eût atteint le relais de Corbeil et, de cette minute, la princesse Sant'Anna s'était demandé sérieusement si elle était ambassadrice ou prisonnière. Angelo Benielli la surveillait avec l'attention d'un policier poursuivant un voleur à la tire, réglait tout, décidait tout, que ce soit la longueur des étapes ou le genre de chambre qu'elle devait occuper dans les auberges (sa porte était gardée militairement toutes les nuits) et c'était tout juste s'il n'exigeait pas d'être consulté sur le choix de ses toilettes.

Cet état de choses n'avait pas manqué de provoquer d'assez sérieuses frictions avec Arcadius de Jolival dont la patience n'était pas la vertu dominante. Les premières soirées du voyage avaient été marquées par autant de joutes oratoires entre le vicomte et l'officier. Mais les meilleurs arguments de Jolival se heurtaient à l'unique postulat sur lequel Benielli eût établi son siège : il devait veiller sur la princesse Sant'Anna jusqu'à une date déterminée à l'avance par l'Empereur lui-même et veiller de telle sorte qu'il n'arrive pas le plus léger accident, de quelque ordre que ce fût, à ladite princesse. Il entendait, dans ce but, prendre toutes les précautions nécessaires. Sorti de là, il n'y avait rien à en tirer.

D'abord irritée, Marianne s'était assez rapidement

résignée à voir le lieutenant se confondre avec son ombre et elle avait même calmé Jolival. Elle avait, en effet, réfléchi à ce que cette surveillance, odieuse pour le moment, pouvait avoir de singulièrement précieux quand, flanquée de ses dragons, elle franchirait la grille de la *villa* Sant'Anna pour l'entrevue qui l'y attendait. Si le prince Corrado Sant'Anna songeait à tirer de Marianne une quelconque vengeance, le dogue entêté que Napoléon avait attaché aux pas de son amie représentait peut-être une assurance sur la vie. Mais il n'en était pas moins obsédant !...

Mi-amusée, mi-mécontente, elle le considéra un instant. C'était une pitié, en vérité, que ce garçon eût toujours l'air d'un chat en colère, car il pouvait plaire, même à une femme difficile. Pas très grand, bâti en force, il avait un visage buté, à la bouche serrée, qu'un nez arrogant, en proue de navire, prolongeait jusqu'à la limite de l'ombre du casque. Sa peau, couleur d'ivoire foncé rougissait avec une facilité surprenante mais les yeux, que l'on découvrait avec surprise sous de broussailleux sourcils noirs et des cils aussi longs que ceux de Marianne, étaient d'un joli gris clair qui, au soleil, avait des reflets d'or.

Par jeu, et peut-être aussi par inconscient (et si féminin !) désir de mater ce récalcitrant, la jeune femme avait fait, durant le voyage, quelques nonchalantes tentatives de séduction. Mais Benielli était demeuré aussi imperméable au charme de son sourire qu'à l'éclat de ses yeux verts.

Un soir même où, pour dîner dans une auberge un peu moins sale que les autres, elle lui avait tendu le piège d'une robe blanche pourvue d'un décolleté digne de Fortunée Hamelin, le lieutenant s'était livré, tout le temps du repas, à la plus extraordinaire gymnastique oculaire. Il avait tout regardé, depuis les chapelets d'oignons pendus aux poutres du plafond, jusqu'aux gros landiers noirs de la cheminée, en passant par son assiette et de nombreuses boulettes de mie de pain, mais pas une fois il n'avait posé les yeux sur la gorge dorée que révélait la robe.

Le lendemain soir, Marianne, furieuse et beaucoup plus vexée qu'elle ne voulait l'avouer, avait dîné seule, dans sa chambre et dans une robe dont le haut ruché de mousseline remontait jusqu'à ses oreilles, à la joie silencieuse de Jolival que le manège de son amie avait prodigieusement amusé.

Pour le moment, Benielli regardait avec attention un escargot qui venait de quitter l'ombre propice du laurier et s'aventurait sur le désert de pierre de la balustrade où s'appuyait Marianne.

— Décidé quoi, lieutenant ? demanda-t-elle enfin.

La note ironique de sa voix n'avait pas dû échapper à Benielli qui vira instantanément au rouge ponceau.

— Mais de ce que nous faisons, Madame la Princesse ! Son Altesse Impériale la grande-duchesse Élisa quitte demain Florence pour sa *villa* de Marlia. Est-ce que nous la suivons ?

— Je ne vois pas bien ce que nous pourrions faire d'autre, lieutenant ! Est-ce que vous imaginez que je vais rester toute seule là-dedans ? Quand je dis seule, cela sous-entend, bien sûr, en votre aimable compagnie ! dit-elle tandis que, du bout de son ombrelle soudain refermée, elle désignait l'imposante façade du palais Pitti.

Benielli eut un haut-le-corps. Visiblement, l'impertinent « là-dedans » visant une résidence quasi impériale le choquait. C'était un homme qui avait un grand respect de la hiérarchie et qui révérait de confiance tout ce qui touchait à Napoléon, résidences comprises. Mais il n'osa rien dire car il savait déjà que cette étrange princesse Sant'Anna savait se montrer aussi désagréable que lui-même.

— Nous partons donc?

— Nous partons! Au surplus, le domaine familial des Sant'Anna où vous devez me conduire est très proche de la villa de Son Altesse Impériale. Il est donc naturel que je l'accompagne.

Pour la première fois, depuis Paris, Marianne vit apparaître sur le visage de son garde du corps quelque chose qui, à la rigueur, pouvait passer pour un sourire. La nouvelle lui faisait plaisir... Aussitôt, d'ailleurs, il claqua des talons, rectifia la position et salua militairement.

— Dans ce cas, dit-il, et avec la permission de Madame la Princesse, je vais prendre les dispositions nécessaires et avertir Monsieur le duc de Padoue que nous partons demain.

Puis, avant même que Marianne ait pu ouvrir la bouche, il pivota sur ses talons et prit sa course vers le palais sans paraître autrement gêné par le sabre d'ordonnance qui lui battait les mollets.

— Le duc de Padoue? murmura Marianne au comble de la stupeur. Mais qu'est-ce qu'il vient faire ici?

Elle ne comprenait pas, en effet, quel rapport sa vie pouvait avoir avec cet homme, extraordinaire il est vrai, mais totalement inconnu d'elle, qui était apparu à Florence deux jours plus tôt, à la joie visible de Benielli dont il était l'un des trois dieux familiers.

Venu en Italie afin d'y faire respecter les lois du recrutement et donner la chasse aux déserteurs et aux réfractaires, Arrighi, cousin de l'Empereur et inspecteur général de la Cavalerie, était arrivé chez la grande-duchesse à la tête d'un simple escadron de la 4e Colonne Mobile amenée par lui au Prince Eugène, Vice-Roi d'Italie. Son voyage en Toscane n'avait apparemment d'autre but que saluer sa cousine Élisa et rencontrer, auprès d'elle, les principaux membres de sa famille corse qui, ne l'ayant pas vu depuis des années, devaient faire tout exprès le voyage de Corte pour le rejoindre. Mais nul, à la cour de Toscane, ne connaissait la raison profonde d'une visite familiale en plein milieu d'une mission militaire.

La grande-duchesse, qui avait réservé à la princesse Sant'Anna, ambassadrice chargée de lui annoncer la naissance du Roi de Rome, un accueil flatteur, avait reçu le général Arrighi avec enthousiasme car elle aimait la gloire et les héros presque autant que Napoléon et Benielli. Et Marianne, au grand bal donné la veille au soir en l'honneur du duc de Padoue, avait vu s'incliner sur sa main un personnage hors du commun, au visage tragique, dont les nombreuses et graves blessures reçues au service de l'Empereur, certaines même mortelles pour tout autre que lui, n'empêchaient pas d'être demeuré l'un des meilleurs cavaliers du monde.

Dûment édifiée par ce que lui en avaient dit Élisa et Angelo Benielli, Marianne avait regardé, avec un naturel intérêt un homme qui avait eu le crâne fendu d'un coup de cimeterre au combat de Salahieh, en Égypte, la carotide externe coupée par une balle devant Saint-Jean-d'Acre, la nuque profondément entamée par un furieux coup de sabre à Wertingen, plus quelques autres « éraflures sans importance » et qui, pratiquement décapité par morceaux, n'abandonnait un lit d'hôpital que pour charger à la tête de ses dragons... avant d'y retourner plus abîmé que par le passé. Mais, dans l'intervalle, c'était un lion dont on ne comptait plus les vies humaines qu'il avait sauvées ni les fleuves (récemment les torrents espagnols) qu'il avait traversés à la nage.

Et Marianne avait éprouvé un choc étrange quand leurs yeux s'étaient croisés... Elle avait eu l'impression bizarre, fugitive mais réelle, de se trouver tout à coup en face de l'Empereur lui-même. Le regard d'Arrighi avait le même reflet d'acier que le regard impérial et il était entré en elle avec l'impitoyable sûreté d'une lame. Mais la voix du nouveau venu avait bien vite rompu le charme : c'était un timbre bas et rauque, à demi brisé sans doute par les commandements hurlés dans la charge furieuse des escadrons de cavalerie, aussi éloigné que possible des accents métalliques de Napoléon, et Marianne en avait éprouvé un vague soulagement. Rencontrer un reflet aussi fidèle de l'Empereur au moment même où elle s'apprêtait à négliger ses ordres et à s'enfuir loin de France avec Jason, était, en vérité, la dernière chose qu'elle souhaitât !

Ce premier contact avec Arrighi s'était borné à un échange de phrases courtoises qui ne laissaient en rien supposer que le général eût quoi que ce soit à voir dans les affaires de Marianne. Aussi éprouvait-elle quelques difficultés à comprendre la phrase sibylline de Benielli. Qu'avait-il donc besoin de courir annoncer son départ au duc de Padoue ?

Mécontente et peu disposée à attendre le retour de son bouillant garde du corps, Marianne quitta la terrasse du théâtre de verdure et se dirigea vers les rampes qui descendaient vers le palais. Elle désirait regagner son appartement pour y donner, à Agathe, sa femme de chambre, quelques ordres concernant le départ du lendemain. Mais, comme elle atteignait la fontaine de l'Artichaut, elle réprima un mouvement de contrariété : Benielli revenait. Mais il ne revenait pas seul. A cinq pas devant lui marchait un général en uniforme bleu et or, coiffé d'un immense bicorne crêté de plumes blanches : le duc de Padoue en personne qui se dirigeait rapidement vers Marianne.

La rencontre étant inévitable, la jeune femme s'arrêta et attendit, vaguement inquiète et cependant curieuse, malgré tout, d'apprendre ce que pouvait bien avoir à lui dire le cousin de l'Empereur.

Parvenu à proximité, Arrighi saisit son bicorne par une pointe et salua correctement, mais son regard gris s'était déjà planté dans celui de Marianne et ne lâchait plus prise. Puis, sans se retourner, il lança :

— Vous pouvez disposer, Benielli !

Le lieutenant claqua les talons, vira sur lui-même et disparut comme par enchantement laissant face à face le général et la princesse.

Assez peu satisfaite de s'être vu barrer le passage en quelque sorte, celle-ci ferma calmement son ombrelle, en planta la pointe en terre et s'appuya des deux mains sur la poignée d'ivoire comme si elle cherchait à affermir ses positions. Puis, avec un léger froncement de sourcils, elle s'apprêta à attaquer. Arrighi ne lui en laissa pas le temps :

— A voir votre visage, Madame, je suppose que vous êtes peu satisfaite de cette rencontre et je vous prie de m'excuser si, en vous rejoignant, j'ai interrompu votre promenade.

— Ma promenade était achevée, général ! Je me disposais à rentrer chez moi. Quant à être satisfaite ou non, je vous en ferai part lorsque je saurai ce que vous avez à me dire. Car vous avez quelque chose à me dire, n'est-ce pas ?

— Naturellement ! Mais... oserai-je vous demander de faire quelques pas, avec moi, dans ces magnifiques jardins ? J'y vois fort peu de monde, tandis que le palais est livré à l'agitation qui précède les départs... et cette cour résonne comme un tambour !

Courtoisement, il se penchait vers elle, offrant son bras. Les graves blessures reçues au cou, et que dissimulait le haut col brodé de lauriers d'or et la cravate noire, l'obligeaient à se mouvoir tout d'une pièce depuis la taille, mais cette raideur seyait assez à l'aspect massif de sa silhouette.

Il continuait à la regarder attentivement, dans les

yeux, et Marianne se mit à rougir sans trop savoir pourquoi. Peut-être parce qu'elle ne parvenait pas à déchiffrer ce qu'il y avait dans ces yeux-là.

Pour se donner une contenance, elle accepta le bras offert, posa sa main gantée sur la manche brodée et eut tout à coup l'impression d'être appuyée sur quelque chose d'aussi solide qu'une rambarde de navire. Cet homme-là devait être construit en granit !

Lentement, sans parler, ils firent quelques pas, évitant le grand amphithéâtre de pierre et de verdure pour rechercher le calme d'une longue allée de chênes et de cyprès où l'éclatante lumière n'arrivait qu'en flèches diffuses.

— Vous semblez souhaiter que l'on ne nous entende pas, soupira Marianne. Est-ce si important ce que nous avons à nous dire ?

— Quand il s'agit des ordres de l'Empereur, Madame, c'est toujours important.

— Ah !... Des ordres ! Je pensais que l'Empereur m'avait fait connaître, lors de notre dernière entrevue, tous ceux qu'il souhaitait me donner ?

— Aussi n'est-ce pas des vôtres qu'il s'agit, mais bien des miens. Il est normal que je vous en fasse part puisqu'ils vous concernent.

Marianne n'aimait guère ce préambule. Elle connaissait trop Napoléon pour ne pas s'inquiéter d'ordres « la concernant » donnés à un personnage aussi important que le duc de Padoue. C'était anormal. Aussi, occupée à deviner quel genre de tour lui réservait l'empereur des Français, elle se contenta d'un « vraiment ? » si distrait qu'Arrighi s'arrêta net au beau milieu de l'allée, l'obligeant à en faire autant.

— Princesse, fit-il nettement, je conçois volontiers que cet entretien ne soit pas un plaisir pour vous, mais je vous prie de croire que j'aimerais infiniment mieux vous parler de choses agréables et profiter paisiblement d'une promenade qui, en votre compagnie et dans ce lieu, devrait être pleine de charme. Il n'en est rien, je le regrette, mais je ne m'en vois pas moins contraint de vous demander votre attention entière !

« Mais... il se fâche ! » constata Marianne avec plus d'amusement que de confusion. « Décidément, ces Corses ont les plus affreux caractères du monde ! »

Pour l'apaiser et parce qu'elle avait conscience de n'avoir pas montré une excessive politesse, elle lui adressa un sourire si éclatant que le rude visage du guerrier en rougit.

— Pardonnez-moi, général, je ne voulais pas vous offenser, mais j'étais perdue dans mes pensées. Voyez-vous, je suis toujours inquiète quand l'Empereur se donne la peine de formuler, à mon sujet, des ordres particuliers. Sa Majesté a... l'affection énergique !

Aussi brusquement qu'il était fâché, Arrighi éclata de rire puis, reprenant la main de Marianne qui avait glissé, il la porta à ses lèvres avant de la remettre sur son bras.

— Vous avez raison, admit-il avec bonne humeur, c'est toujours inquiétant ! Mais si nous sommes amis...

— Nous sommes amis ! confirma Marianne avec un nouveau sourire.

— Puisque, donc, nous sommes amis, écoutez-moi quelques instants : j'ai ordre de vous escorter, personnellement, au palais Sant'Anna et, une fois sur les terres de votre mari, de ne plus vous quitter un seul instant ! L'Empereur m'a dit que vous aviez à débattre, avec le prince, d'un problème d'ordre intime mais dans lequel il devait, lui aussi, faire entendre sa voix. Il désire donc que j'assiste à l'entretien que vous aurez avec votre époux.

— L'Empereur vous a-t-il dit que vous n'aurez, sans doute pas plus que moi, le privilège de « voir », de vos yeux, le prince Sant'Anna ?

— Oui. Il me l'a dit. Il n'en désire pas moins que j'entende au moins ce que le prince vous dira et ce qu'il exigera de vous.

— Il se peut... qu'il exige simplement que je demeure désormais auprès de lui? murmura Marianne, exprimant ainsi ce qui était sa crainte la plus secrète et la plus grave, car elle ne voyait pas comment la protection impériale pourrait empêcher le prince d'obliger son épouse à rester à la maison.

— C'est justement là que commence mon rôle. L'Empereur désire que je fasse entendre au prince son désir formel que votre entrevue de ce jour-là n'excède pas quelques instants, quelques heures tout au plus. Elle devra seulement lui permettre de constater que l'Empereur a fait droit à sa requête et d'envisager, avec vous, un plan d'existence pour l'avenir. Pour le présent...

Il s'arrêta un instant et prit, dans sa poche, un grand mouchoir blanc dont il s'épongea le front. Même sous la voûte verte des arbres, la chaleur se faisait sentir et devait rendre pénible le port d'un uniforme en drap épais, encore alourdi de broderies d'or. Mais Marianne, qui commençait à trouver cette conversation des plus intéressantes, le pressa de continuer.

— Pour le présent?

— Il n'appartient ni au prince, ni même à vous, Madame, du moment où l'Empereur a besoin de vous!

— Besoin de moi? Pour quoi faire?

— Ceci, je pense, vous l'expliquera.

Comme par enchantement, un pli scellé aux armes impériales apparut au bout des doigts d'Arrighi. Une lettre que Marianne, avant de la prendre, contempla quelques instants avec méfiance, une méfiance si visible qu'elle arracha un sourire au général.

— Vous pouvez la prendre sans crainte : elle ne contient aucun explosif!

— Je n'en suis pas si sûre !

La lettre entre les mains, Marianne alla s'asseoir au pied d'un chêne, sur un vieux banc de pierre où sa robe de batiste rose s'étala avec la grâce d'une corolle. D'un doigt nerveux, elle fit sauter le cachet de cire, déplia la missive et se mit à la lire. Comme la plupart des lettres de Napoléon, elle était assez brève :

« *Marianne,* écrivait l'Empereur, *il m'est revenu que la meilleure façon de te mettre à l'abri des rancunes de ton mari était de te faire entrer au service de l'Empire. Tu as quitté Paris sous le couvert d'une vague mission diplomatique, tu es désormais investie d'une véritable mission, importante pour la France. Monsieur le duc de Padoue, que je charge de veiller à ce que tu puisses partir sans inconvénients pour cette mission, te communiquera mes instructions détaillées. Je compte que tu sauras te montrer digne de ma confiance et de celle des Français. Je saurai t'en récompenser. — N.* »

— Sa confiance ?... Celle des Français ? Qu'est-ce que tout cela veut dire ? articula Marianne.

Le regard qu'elle levait sur Arrighi contenait un univers de stupéfaction. Elle n'était pas loin de penser que Napoléon était subitement devenu fou. Pour s'en assurer, elle relut soigneusement la lettre, mot par mot, à mi-voix, mais cette seconde lecture achevée, se retrouva devant la même conclusion déprimante, que son compagnon put lire aisément sur son visage expressif.

— Non, dit-il doucement en venant s'asseoir auprès d'elle, l'Empereur n'est pas fou. Il cherche seulement à vous faire gagner du temps, dès l'instant où vous serez fixée sur les intentions de votre époux. Pour cela, il n'existait qu'un moyen : vous enrôler, comme il le fait, au service de sa diplomatie !

— Moi, diplomate? Mais c'est insensé! Quel gouvernement acceptera d'écouter une femme...

— Peut-être celui d'une autre femme. Et, d'ailleurs, il n'est pas question de vous investir de pouvoirs officiels. C'est au service... secret de Sa Majesté que vous êtes conviée à entrer, celui qu'il réserve à ceux qui ont sa confiance et à ses amis chers...

— Je sais, coupa Marianne en s'éventant nerveusement avec la lettre impériale. J'ai entendu parler des services « immenses » que les sœurs de l'Empereur lui ont déjà rendus, sur un plan qui n'ajoute rien à mon enthousiasme. Abrégeons, si vous le voulez bien, et dites-moi, sans tergiverser, ce que l'Empereur attend de moi. Et, d'abord, où prétend-il m'envoyer?

— A Constantinople!

Le grand chêne qui l'ombrageait, en s'abattant sur Marianne, ne l'aurait pas foudroyée davantage que ces quelques mots. Elle scruta le visage impassible de son compagnon, y cherchant peut-être le reflet de cette folie furieuse qui, selon elle, s'était subitement emparée de Napoléon. Mais, non seulement Arrighi semblait parfaitement calme et maître de lui, mais encore il posait, sur celle de la jeune femme, une main aussi ferme que compréhensive.

— Écoutez-moi un instant avec calme et vous verrez que l'idée de l'Empereur n'est pas si folle! Je dirais même plus : c'est l'une des meilleures qu'il puisse avoir dans les conjonctures présentes, aussi bien pour vous-même que pour sa politique.

Patiemment, il développa pour sa jeune compagne une vue panoramique de la situation européenne en ce printemps de 1811 et, en particulier, des rapports franco-russes. Malgré les grandes embrassades nautiques de Tilsit, les relations avec le Tzar se détérioraient à vive allure. Le radeau de l'entente allait à la dérive. Alexandre II, bien qu'il eût pratiquement refusé sa sœur Anna à son « frère » Napoléon, avait vu d'un mauvais œil le mariage autrichien. L'annexion par la France du grand-duché d'Oldenbourg, qui appartenait à son beau-frère, et celle des villes hanséatiques n'avaient pas amélioré sa vision. Pour exprimer sa mauvaise humeur, il s'était empressé d'ouvrir de nouveau ses ports aux navires anglais en même temps qu'il frappait les importations venues de France de surtaxes importantes et les navires qui les transportaient de droits prohibitifs.

En revanche, Napoléon s'étant enfin aperçu du rôle exact joué à sa cour par le beau colonel Sacha Tchernytchev, qui y entretenait un agréable réseau d'espionnage par jolies femmes interposées, avait dépêché sans tambour ni trompette les gens de la police à son domicile parisien. Trop tard pour prendre l'oiseau au nid. Prévenu à temps, Sacha avait choisi de disparaître sans esprit de retour mais les papiers que l'on avait pu saisir n'étaient que trop révélateurs.

Dans ces conditions, auxquelles se joignait l'appétit de puissance de deux autocrates, la guerre apparaissait comme inévitable aux observateurs attentifs de la situation. Or, depuis 1809, la Russie était en guerre avec l'empire ottoman pour les forteresses danubiennes : une guerre d'usure mais qui, vu la valeur des soldats turcs, donnait à Alexandre et à son armée pas mal de fil à retordre.

— Il faut que cette guerre continue, affirma Arrighi avec force, car elle retiendra une partie des forces russes du côté de la mer Noire, tandis que nous marcherons sur Moscou, l'Empereur n'ayant aucune intention d'attendre que les cosaques apparaissent à nos frontières. C'est là que vous intervenez !

Marianne avait noté au passage, et avec un vif plaisir, l'ampleur des ennuis de son ennemi Tchernytchev, ennuis auxquels le traitement barbare qu'il lui avait infligé n'était peut-être pas étranger. Mais c'était tout de même insuffisant pour lui faire admettre sans discussion les ordres impériaux.

— Voulez-vous dire que je devrai persuader le Sultan de poursuivre la guerre ? Mais vous ne vous rendez pas compte de ce que...

— Si ! coupa le général avec impatience, de tout ! Et d'abord du fait que vous êtes une femme et que le Sultan Mahmoud, en bon musulman, considère les femmes en général comme des êtres inférieurs avec lesquels il ne convient pas de discuter. Aussi n'est-ce pas à lui que vous êtes envoyée, mais à sa mère. Vous l'ignorez sans doute, mais la sultane-haseki, l'impératrice-mère, est une Française, une créole de la Martinique et la propre cousine de l'impératrice Joséphine avec laquelle elle a été en partie élevée. Une grande affection unissait les deux enfants, une affection que la sultane n'a jamais oubliée. Aimée Dubucq de Rivery, rebaptisée par les Turcs Nakhshidil, est non seulement une femme d'une grande beauté mais encore une femme intelligente et énergique. Rancunière aussi : elle n'a admis ni la répudiation de sa cousine, ni le remariage de l'Empereur et, comme elle possède, sur son fils Mahmoud qui la vénère, une immense influence, nos relations en ont subi un singulier rafraîchissement. Notre ambassadeur là-bas, M. de Latour-Maubourg, crie à l'aide et ne sait plus à quel saint se vouer. On n'accepte même plus de le recevoir au Sérail.

— Et vous pensez que les portes s'ouvriront plus facilement devant moi ?

— L'Empereur en est certain. Il s'est souvenu de ce que si vous êtes quelque peu cousine de notre ex-souveraine, vous l'êtes donc certainement de la sultane. C'est à ce titre que vous demanderez audience... et l'obtiendrez. D'autre part, vous aurez en votre possession une lettre du général Sébastiani qui a défendu Constantinople contre la flotte anglaise quand il était notre ambassadeur là-bas, et dont la femme, Françoise de Franquetot de Coigny, morte dans cette ville en 1807, était l'intime amie de la sultane. Vous serez chaudement recommandée et, ainsi armée, je crois que vous n'aurez aucune peine à vous faire admettre. Vous pourrez pleurer tout à votre aise avec Nakhshidil sur le sort de Joséphine et même maudire Napoléon puisque vous n'êtes pas investie de pouvoirs officiels... mais sans perdre de vue le bien de la France. Votre charme et votre habileté feront le reste... mais les Russes de Kaminski doivent rester sur le Danube. Commencez-vous à comprendre ?

— Je crois que oui. Pourtant, pardonnez-moi d'hésiter encore : tout ceci est tellement nouveau pour moi, tellement étrange... jusqu'à cette femme devenue sultane et dont je n'ai jamais entendu parler ! Pourriez-vous, au moins m'en dire quelques mots ? Comment est-elle arrivée là ?

En fait, Marianne, en faisant parler Arrighi, souhaitait surtout se donner le temps de réfléchir. Ce qu'on lui demandait était très grave car, si cette ambassade inattendue offrait l'avantage de la soustraire à la vengeance du prince Corrado, momentanément tout au moins, elle avait aussi toutes les chances de lui faire manquer son rendez-vous avec Jason. Or, cela, elle ne le voulait, elle ne le pouvait à aucun prix ! Elle attendait depuis trop longtemps, avec une impatience qui parfois allait jusqu'à la douleur, le moment où elle pourrait enfin se jeter dans ses bras, partir avec lui pour le pays et pour la vie que le destin et sa propre stupidité leur avaient toujours refusés. De tout son cœur, elle souhaitait aider l'homme qu'elle avait aimé et qu'elle aimait toujours d'une certaine façon... mais cela signifiait la perte de son amour, la destruction d'un bonheur qu'elle estimait avoir bien mérité...

Néanmoins, elle entendit tout de même, presque inconsciemment, l'histoire d'une petite créole blonde aux yeux bleus qui, enlevée en mer par les pirates barbaresques à la suite d'un bizarre concours de circonstances et conduite à Alger, avait été envoyée en présent par le dey de cette ville au Grand Seigneur. Elle apprit aussi comment, après avoir charmé les derniers jours du vieux sultan Abdul Hamid Ier, qui avait eu d'elle un fils, Aimée avait conquis l'amour de Selim, l'héritier du trône. Grâce à cet amour, qui pour elle était allé jusqu'au sacrifice suprême, et à celui de son fils Mahmoud, la petite créole était parvenue à la souveraineté.

L'histoire, en passant par le verbe coloré d'Arrighi, en prenait un reflet si vivant, si attachant que Marianne souhaita spontanément, au fond d'elle-même, connaître cette femme, l'approcher, conquérir son amitié peut-être, parce que cette vie extraordinaire lui semblait plus passionnante que les romans dont elle avait nourri sa jeunesse... et peut-être aussi parce qu'elle était plus étrange encore que son propre destin. Mais qui pouvait avoir, à ses yeux, plus d'attraits que Jason ?

Prudente, malgré tout, et afin d'être complètement éclairée sur ce que Napoléon avait préparé pour elle, la jeune femme demanda après une toute légère hésitation :

— Ai-je... le choix ?

— Non, fit Arrighi nettement, vous ne l'avez pas ! Quand le bien de l'Empire l'exige, Sa Majesté ne laisse jamais le choix. Il ordonne ! Aussi bien, d'ailleurs, à moi qu'à vous-même. Je « dois » vous escorter, assister aux... négociations que vous aurez avec le prince et faire en sorte que le résultat en soit conforme aux vœux de l'Empereur. Vous « devez » accepter ma présence et vous conformer en tout et pour tout aux directives que je vous donnerai. J'ai déjà fait déposer dans votre chambre, et afin que vous puissiez les étudier ce soir, les instructions détaillées de Sa Majesté concernant votre mission (vous voudrez bien les apprendre par cœur et les détruire ensuite) et la lettre d'introduction écrite par Sébastiani !

— Et... en quittant la *villa* Sant'Anna, vous me conduirez jusqu'à Constantinople ? Il me semblait avoir entendu dire que vous aviez affaire dans ce pays-ci ?

Arrighi prit un temps et l'employa à examiner une nouvelle fois le visage détourné de Marianne qui, ainsi qu'elle le faisait chaque fois qu'elle ne pouvait livrer le fond de sa pensée, préférait ne pas regarder son interlocuteur. Et, de ce fait, elle ne vit pas le sourire amusé qui glissa sur la figure du duc de Padoue.

— Bien sûr que non, dit-il enfin d'une voix curieusement détachée. Je dois vous conduire simplement à Venise.

— A... souffla Marianne qui crut avoir mal entendu.

— Venise ! reprit Arrighi, imperturbable. C'est le port le plus commode, le plus proche et le plus plausible à la fois. De plus, c'est un lieu tout à fait propre à séduire une jeune et jolie femme qui s'ennuie.

— Sans doute, mais je trouve tout de même bizarre que l'Empereur m'envoie embarquer dans un port autrichien.

— Autrichien ? Où prenez-vous cela ?

— Mais... dans la politique. J'ai toujours entendu dire que Bonaparte avait remis la Vénétie à l'Autriche au traité de... je ne sais plus !

— Campo-Formio ! compléta Arrighi. Mais, depuis, nous avons eu Austerlitz et son corollaire Presbourg. Il est vrai que nous avons eu aussi un mariage avec Vienne mais la Vénétie est à nous. Sinon, comment expliquer le choix du titre de princesse de Venise, au cas où l'Empereur eût été père d'une fille ?

C'était l'évidence même. Pourtant, quelque chose clochait. Jason lui-même, le coureur des mers qui, en général, savait de quoi il parlait, lui avait indiqué Venise comme autrichienne et Arcadius, l'esprit universel, n'avait pas rectifié... L'explication vint, d'ailleurs sans que Marianne ait eu à la solliciter :

— Votre erreur, expliqua le duc de Padoue, vient sans doute de ce qu'il a été fortement question de rendre Venise à l'Autriche à l'occasion du mariage et, d'ailleurs, le statut de la ville est toujours assez particulier. En fait, sinon politiquement parlant, elle jouit d'une sorte d'immunité. C'est ainsi que, depuis la mort récente de son gouverneur, le général Menou, qui était d'ailleurs un bien curieux personnage converti à l'Islam, elle n'a pas encore reçu de remplaçant officiel. C'est une ville beaucoup plus cosmopolite que française. Vous y serez plus à l'aise que sous la surveillance étroite dont jouissent les autres ports pour y jouer le rôle d'une grande dame désœuvrée et désireuse de voyager. Ainsi, vous pourrez y attendre tranquillement le passage d'un vaisseau... neutre pour le Levant. Il en vient beaucoup à Venise.

— Un vaisseau... neutre ? articula Marianne dont le cœur battait à tout rompre et qui, cette fois, cherchait à croiser le regard de son vis-à-vis.

Mais Arrighi s'intéressait tout à coup de fort près à un papillon qui voletait autour d'eux.

— Oui... par exemple un vaisseau... américain ? L'Empereur a entendu dire que certains relâchaient parfois dans la lagune.

Cette fois, Marianne ne trouva rien à répondre. La surprise lui avait, à ce point, coupé le souffle qu'elle se trouvait sans voix... mais pas sans réactions !

En regagnant ses appartements, quelques instants plus tard, la jeune femme faisait de louables efforts pour retrouver un tant soit peu de dignité. Elle avait conscience, en effet, de l'avoir gravement compromise en oubliant totalement le lieu, l'heure et l'élémentaire notion de son rang au moment où elle avait réalisé tout ce que sous-entendait le rapprochement de ces trois mots : Venise et vaisseau américain. Elle avait tout bonnement sauté au cou de monsieur le duc de Padoue et appliqué deux baisers sonores sur ses joues fraîchement rasées !...

A dire vrai, Arrighi n'avait pas paru autrement surpris de ce traitement, à la fois familier et spectaculaire. Il avait ri de bon cœur puis comme, confuse et rouge de honte, elle s'apprêtait à balbutier quelques excuses, il l'avait à son tour saisie aux épaules, embrassée avec une chaleur toute paternelle avant d'ajouter :

— L'Empereur m'avait dit que vous seriez heureuse mais je n'espérais pas voir mon ambassade récompensée de si agréable façon ! Cela dit, et afin de bien mettre les choses au point, il vous faut tout de même considérer la gravité de votre mission. Elle est parfaitement réelle et importante. Ce n'est pas un simple prétexte et Sa Majesté compte expressément sur vous !

— Sa Majesté a tout à fait raison, monsieur le duc ! N'a-t-elle pas, d'ailleurs, toujours raison ? Et, quant à moi, j'aimerais mieux mourir que décevoir l'Empereur au moment où il daigne, non seulement veiller sur moi avec tant de diligence, mais encore s'inquiéter de mon bonheur à venir.

Et, sur une révérence, elle avait laissé Arrighi profiter seul des beaux ombrages des jardins Boboli. Elle débordait de gratitude et tandis qu'elle se hâtait vers le palais, ses pieds chaussés de soie rose ne pesaient plus vraiment sur le sable des allées.

Les trois mots d'Arrighi avaient déchiré les nuages d'orage, chassé le cauchemar de ses nuits, ouvert, à travers l'angoissante brume de l'avenir une grande faille lumineuse vers laquelle Marianne allait pouvoir marcher sans peur. Tout devenait merveilleusement simple !

Sous la garde attentive du général Arrighi, elle n'aurait rien à craindre des décisions de son étrange époux et, qui plus était, elle n'avait même plus à s'inquiéter du moyen de fausser compagnie à l'insupportable Benielli !

On la conduirait presque dans les bras de Jason. Et Jason, elle le savait bien, ne refuserait pas de l'aider à remplir une mission ordonnée par un homme auquel tous deux devraient tant ! Quel merveilleux voyage ne feraient-ils pas ensemble, sur le grand voilier qu'avec tant de douleur elle avait vu disparaître dans le brouillard du petit matin, au large de Molène ! Cette fois, la « Sorcière » cinglerait vers les terres odorantes de l'Orient, traversant avec sa cargaison d'amour les vagues bleues, les jours brûlés de soleil et les nuits scintillantes d'étoiles sous lesquelles il devait faire si bon s'aimer !

Toute au rêve azuré où son imagination, brisant ses amarres, l'emportait déjà, Marianne ne s'était demandé qu'à peine comment Napoléon avait pu être informé de ses plus secrètes pensées et d'un projet hâtivement chuchoté, de bouche à oreille, dans l'ultime étreinte qu'elle avait échangée avec son amant.

Elle était tellement habituée à ce qu'il sût toujours tout sans qu'on eût à l'en informer ! C'était un homme qui était doué de pouvoirs plus qu'humains et qui savait lire au fond des cœurs. Et puis... il était possible, après tout, que ce miracle-là fût encore l'œuvre de François Vidocq ?... Le forçat-policier semblait doué d'une ouïe singulièrement fine, surtout quand il se donnait la peine d'écouter.

Tout occupés d'eux-mêmes et déchirés qu'ils étaient par cette nouvelle séparation, Jason ni Marianne n'avaient cherché à savoir si Vidocq s'était approché d'eux. Quoi qu'il en soit, son indiscrétion, si indiscrétion il y avait, était à l'origine d'une trop grande joie pour que la jeune femme ne lui en fût pas profondément reconnaissante...

Parvenue au palais, Marianne, le cœur en fête, gravit le grand escalier de pierre sans prêter la moindre attention à l'incessant va-et-vient dont il était le théâtre. Valets et femmes de service l'encombraient, transportant coffres de cuir ou sacs de tapisserie quand ce n'étaient pas des meubles et des tentures. L'escalier résonnait comme un tambour du vacarme des voix et de l'agitation d'un déménagement princier.

La grande-duchesse ne regagnerait pas Florence avant l'hiver et elle aimait à emporter, outre une imposante garde-robe, tous les objets familiers de sa vie quotidienne. Seuls, les gardes des portes conservaient une immobilité protocolaire contrastant joyeusement avec tout ce remue-ménage domestique.

Courant presque, Marianne gagna, au second étage, les trois pièces qu'on lui avait assignées comme logement et s'y engouffra. Elle avait hâte de retrouver Jolival pour lui raconter son bonheur. Elle étouffait presque de joie et il lui fallait absolument faire partager cette joie. Mais elle chercha en vain : la chambre du vicomte, comme leur petit salon commun, était vide...

Un valet, interrogé, lui apprit que « Monsieur le Vicomte était au musée ». Cette information l'agaça et la déçut car elle en connaissait la signification. Vraisemblablement, Arcadius rentrerait très tard et elle allait devoir garder son bonheur pour elle seule durant des heures.

En effet, depuis son arrivée à Florence, Jolival fréquentait beaucoup, officiellement, le palais des Offices, et officieusement certaine maison aristocratique de la via Tornabuoni où l'on jouait un jeu d'enfer entre gens bien élevés. Au cours d'un précédent voyage, le cher vicomte avait été introduit par un ami dans ce cercle, assez fermé d'ailleurs, et en avait gardé un souvenir plein de nostalgie, tant à cause de quelques sourires épisodiques de la Fortune qu'en mémoire de la beauté, mourante, mais très romantique de l'hôtesse, une comtesse aux yeux de violette qui prétendait au sang des Médicis.

Et, tout compte fait, Marianne ne pouvait pas en vouloir beaucoup à son vieil ami de s'être rendu, pour la dernière fois, chez son enchanteresse. Ne devait-il pas quitter Florence avec Marianne le lendemain matin ?

Remettant donc à plus tard ses confidences, Marianne pénétra dans sa chambre. Elle y trouva Agathe, sa femme de chambre parisienne, voguant au jugé sur un océan de dentelles, de satin, de gazes, de batistes, de taffetas et de colifichets en tout genre qu'elle engloutissait méthodiquement dans de grandes caisses doublées de toile de Jouy rose.

Rouge d'application et le bonnet légèrement de travers, Agathe n'en lâcha pas moins une pile de lingeries pour remettre à sa maîtresse deux lettres qui l'attendaient : un grand pli terriblement officiel fermé par le sceau particulier de l'Empereur et un petit billet artistement plié sur lequel s'étalait un charmant cachet de cire verte frappé d'une colombe. Et comme Marianne savait à quoi s'en tenir sur le contenu du grand pli, elle préféra le petit billet :

— Sais-tu qui a apporté ceci ? demanda-t-elle à sa camériste.

— Un valet de Mme la baronne Cenami qui est arrivé quelques instants tout juste après le départ de Madame la princesse. Il a dit que c'était pressé et il a insisté.

Marianne approuva d'un hochement de tête et s'approcha de la fenêtre pour lire la lettre de sa nouvelle amie, la seule, en fait, qu'elle se fût acquise depuis son arrivée en Italie. Mais, à son départ de Paris, Fortunée Hamelin lui avait remis un mot de recommandation pour une jeune créole de ses compatriotes, la baronne Zoé Cenami.

Celle-ci, avant de rejoindre la maison de la princesse Élisa et d'y rencontrer le mariage, avait beaucoup fréquenté, à Saint-Germain, la maison d'éducation de Mme Campan où Fortunée faisait élever sa fille Léontine. L'identité d'origine avait créé l'amitié entre Mme Hamelin et Mlle Guilbaud et cette amitié s'était poursuivie, par écrit, lorsque Zoé était partie pour l'Italie où, peu après son arrivée, elle épousait l'aimable baron Cenami, frère du chambellan favori de la princesse, et l'un des hommes les mieux en cour par la vertu du grand pouvoir de séduction de son aîné. De son côté, Zoé, gracieuse et intelligente, avait su se faire apprécier d'Élisa qui lui avait confié l'éducation de sa fille, la turbulente Napoléone-Élisa, un vrai garçon manqué qui mettait à rude épreuve la patience de la jeune créole.

Tout naturellement, Marianne, recommandée par son amie, avait lié amitié à son tour avec cette charmante femme qui l'avait guidée à travers Florence et introduite dans l'agréable cercle d'amis qui se réunissait presque chaque jour dans son charmant salon du Lungarno-Accaiuoli.

La princesse Sant'Anna y avait été reçue avec une simplicité réconfortante et, peu à peu, elle y avait pris ses habitudes. Aussi était-il étonnant que Zoé, qui l'attendait ce soir-là comme de coutume, ait jugé bon de lui écrire.

Le billet était court mais inquiétant. Zoé semblait en proie à un grave souci :

*Il faut que je vous voie en dehors de chez moi, ma
chère princesse...*

écrivait-elle d'une plume hachée, trop nerveuse,

*... il y va de mon repos et peut-être de la vie d'un
être cher. Je vous attendrai, vers cinq heures, dans
l'église d'Or San Michele, dans la nef de droite, celle
où se trouve le tabernacle gothique. Venez voilée afin
que nul ne vous reconnaisse. Vous seule pouvez sauver
votre pauvre Z...*

Perplexe, Marianne relut soigneusement le billet
puis se dirigea vers la cheminée où malgré la saison
déjà chaude on continuait à faire du feu à cause de
l'humidité du palais et jeta dedans la lettre de Zoé. Elle
fut consumée en un instant, mais Marianne ne la quitta
pas de l'œil tant qu'il demeura une bribe de papier
blanc. Et, en même temps, elle réfléchissait.

Il fallait que Zoé fût dans un bien grand embarras
pour l'appeler ainsi à l'aide. La discrétion et la timidité
de la jeune femme étaient bien connues ainsi que son
extrême talent à se faire des amis dont beaucoup
étaient plus anciens que Marianne. Pourquoi donc
l'appeler, elle ? Peut-être parce qu'elle lui inspirait plus
de confiance que d'autres ? Parce qu'elle était française, comme elle ? A cause de son intimité avec Fortunée, cet inlassable terre-neuve ?

Quoi qu'il en soit, Marianne jeta un rapide coup
d'œil à la pendule de la cheminée, vit que l'heure du
rendez-vous n'était plus tellement éloignée et appela
Agathe pour l'habiller.

— Donne-moi ma robe de drap vert olive garnie de
velours noir, une capote de paille noire et un voile de
Chantilly assorti.

Agathe émergea lentement de la malle où elle disparaissait jusqu'à mi-corps et considéra sa maîtresse avec inquiétude.

— Où prétend aller Votre Altesse dans cet attirail funèbre ? Certainement pas chez madame Cenami comme d'habitude.

Agathe, en servante dévouée, avait son franc-parler et d'ordinaire Marianne lui tolérait ses réflexions ; mais aujourd'hui, elle tombait mal. Inquiète pour Zoé, Marianne avait oublié sa belle humeur.

— Depuis quand poses-tu des questions ? coupa-t-elle sèchement. Je vais où il me plaît. Fais ce que je te demande et tout sera bien !

— Mais, si Monsieur le vicomte rentre et demande...

— Tu lui diras ce que tu sais : que je suis sortie et tu ajouteras qu'il m'attende. Je ne sais quand je rentre-rai.

Agathe n'insista pas et s'en alla chercher les vête-ments demandés tandis que Marianne se hâtait de quit-ter ses atours de batiste rose qui lui avait paru un peu voyants pour un rendez-vous discret dans une église, d'autant plus que Zoé lui avait recommandé de venir voilée.

Tout en lui passant sa robe sombre, Agathe, vexée d'avoir été rabrouée, demanda d'un petit ton pincé :

— Dois-je faire demander la voiture et Gracchus ?

— Non. J'irai à pied. La marche est excellente pour la santé et Florence est une ville où il faut aller à pied si l'on veut bien voir les choses.

— Madame sait qu'elle sera crottée jusqu'à la taille ?

— Tant pis ! Ceci vaut bien cela !

Quelques instants plus tard, habillée de pied en cap elle sortait du palais. La grande voilette de Chantilly mettait entre elle et la lumière joyeuse du dehors un écran fragile et noir de feuillage et de fleurs, mais d'un pas vif, relevant un pan de sa robe pour lui éviter un contact trop pénible avec la poussière malodorante des rues où quelques trous conservaient, à l'ombre, l'eau boueuse de la dernière pluie, Marianne se dirigea vers le Ponte-Vecchio qu'elle franchit sans un regard aux séduisantes boutiques d'orfèvres qui s'y agglutinaient en grappes pittoresques.

Dans sa main gantée, elle tenait un gros missel de maroquin à coins dorés qu'elle avait pris sous l'œil interrogatif d'une Agathe dévorée de curiosité mais rendue muette par la prudence. Et, ainsi équipée, elle ressemblait tout à fait à une dame de bonne maison s'en allant au salut du soir. Cela eut l'avantage de lui éviter les propos toujours un peu trop galants que tout Italien normalement constitué se croit tenu d'adresser à toute femme pourvue d'une tournure acceptable. Et Dieu seul savait combien les Italiens aimaient errer dans leurs rues vers la fin du jour !

Quelques minutes de marche rapide amenèrent Marianne en vue de la vieille église d'Or San Michele, jadis propriété des riches corporations florentines et ornée par elles de statues inestimables érigées dans des niches gothiques. Sous son drap foncé et sa dentelle noire, Marianne avait très chaud. La sueur coulait de son front et le long de son dos. En vérité c'était péché que de s'affubler de la sorte quand le temps était si doux et que le ciel changeant offrait des teintes si ravissantes ! Florence avait l'air de flotter dans une énorme bulle d'air irisé avec laquelle le soleil au déclin jouait encore un peu.

La ville, si secrète et si close à l'heure chaude, ouvrait ses portes pour déverser dans ses rues et sur ses places une humanité bavarde et communicative, tandis que les cloches grêles des couvents appelaient à la prière ceux et celles qui ont choisi de ne plus parler qu'à Dieu.

La fraîcheur de l'église surprit la visiteuse mais lui fit du bien. L'intérieur, où la clarté pénétrait à peine par les vitraux était si sombre que Marianne dut s'arrêter un instant près du bénitier afin d'accoutumer ses yeux à l'obscurité.

Bientôt, cependant, elle distingua mieux la double nef et, dans celle de droite, la douce splendeur d'un tabernacle médiéval, chef-d'œuvre d'Orcagna, dont les flammes tremblantes de trois cierges faisaient à peine briller les ors assourdis. Mais aucune silhouette, féminine ou masculine, ne priait auprès. L'église semblait vide et son grand vaisseau répercutait seulement l'écho traînant des savates du bedeau qui regagnait la sacristie.

Ce vide et ce silence mirent Marianne mal à l'aise. Elle était venue avec une bizarre répugnance, partagée entre le désir profond d'aider une amie charmante en difficulté et un vague pressentiment. De plus, elle était certaine d'être à l'heure et Zoé était la ponctualité même. C'était étrange et c'était inquiétant. Tellement même que Marianne songea à tourner les talons et à rentrer chez elle. Tout était si anormal dans ce rendez-vous à l'ombre d'une église...

Machinalement, elle fit quelques pas en direction de la sortie mais les termes de la lettre de Mme Cenami lui revinrent en mémoire :

« Il y va de mon repos et peut-être de la vie d'un être cher... »

Non, elle ne pouvait pas laisser sans réponse un tel appel au secours. Zoé qui lui donnait ainsi une extraordinaire preuve de confiance ne comprendrait pas et Marianne se le reprocherait toute sa vie si un drame se produisait sans qu'elle eût tout fait pour l'empêcher.

Fortunée Hamelin, toujours prête à se jeter dans le feu pour un ami ou à l'eau pour sauver un chat, n'aurait pas eu, elle, ce mouvement de défiance, cette tentation de fuir. Et, si l'église était vide, c'est que, pour une raison ou pour une autre, Zoé s'était mise en retard, voilà tout.

Pensant qu'elle pouvait, au moins, attendre quelques minutes, Marianne s'avança lentement vers le lieu du rendez-vous. Elle contempla un instant le tabernacle puis, pliant les genoux, s'abîma dans une prière fervente. Elle avait trop de gratitude à offrir au Ciel pour négliger si belle occasion... C'était encore la meilleure manière de passer le temps.

Profondément absorbée dans son action de grâces, elle ne remarqua pas l'approche d'un homme drapé, de la nuque aux mollets, dans une cape noire à triple collet. Elle tressaillit seulement quand une main pesa soudain sur son épaule, tandis qu'une voix chuchotait, pressante et angoissée :

— Venez, Madame, venez vite ! Votre amie m'envoie vous chercher ! Elle vous supplie de venir jusqu'à elle...

Vivement, Marianne s'était relevée et considérait l'homme qui lui faisait face. Elle ne connaissait pas son visage. C'était d'ailleurs l'un de ceux dont on ne dit rien, que l'on ne remarque pas, un visage large, paisible mais, pour l'heure présente, empreint d'une grande inquiétude.

— Pourquoi ne vient-elle pas ? Qu'est-il arrivé ?

— Un grand malheur ! Mais je vous en supplie, Madame, venez ! Chaque minute compte et je...

Marianne n'avait pas encore bougé. Elle comprenait mal. Ce rendez-vous étrange et maintenant cet inconnu... Tout cela ressemblait si peu à la calme Zoé.

— Qui êtes-vous ? demanda-t-elle.

L'homme s'inclina avec toutes les marques du respect.

— Rien qu'un serviteur, Excellenza !... mais les miens ont toujours servi la famille du baron et

Madame m'honore de sa confiance. Dois-je aller lui dire que Madame la Princesse refuse ?

Vivement, Marianne tendit la main et retint le messager qui faisait mine de se retirer.

— Non, je vous en prie, n'en faites rien ! Je vous suis.

A nouveau il s'inclina mais en silence et l'escorta jusqu'au portail à travers les ombres de l'église.

— J'ai là une voiture, dit-il quand on atteignit l'air et la lumière. Nous serons plus tôt rendus !

— Allons-nous donc si loin ? Le palais est tout proche.

— A la *villa* de Settignano ! Maintenant, que Madame veuille bien me pardonner mais je ne peux lui en dire davantage, Madame comprendra : je ne suis qu'un serviteur...

— Dévoué, je sais ! Eh bien, allons !

La voiture, un élégant coupé de ville sans armoiries, attendait un peu plus loin, sous l'arche reliant l'église à l'antique palais des Lainiers, alors à demi ruiné. Le marchepied en était baissé et un homme en noir se tenait à la portière. Le cocher, tassé sur son siège, avait l'air de somnoler. Mais dès que Marianne fut installée, il fit claquer son fouet et les chevaux partirent au grand trot.

Le serviteur dévoué avait pris place à côté de la jeune femme à qui cette familiarité avait arraché un froncement de sourcils, mais elle n'avait rien dit, mettant cet impair sur le compte du grand trouble dans lequel semblait se trouver le bonhomme.

On sortit de Florence par la porte San Francesco. Depuis que l'on avait quitté Or San Michele, Marianne n'avait pas dit un mot. Inquiète, elle se torturait l'esprit à essayer d'imaginer le genre de catastrophe qui avait pu s'abattre si soudainement sur Zoé Cenami et n'en voyait qu'une seule possible. Zoé était charmante et de nombreux hommes, séduisants parfois, lui faisaient une cour empressée. Se pouvait-il que l'un d'eux eût obtenu ses faveurs et qu'une indiscrétion, volontaire peut-être, eût averti Cenami de son infortune ? En ce cas, Marianne voyait mal quel secours elle pourrait offrir à son amie, hormis peut-être tenter de calmer l'époux outragé. Cenami faisait grand cas, en effet, de la princesse Sant'Anna... Bien sûr, cette hypothèse était peu flatteuse pour la vertu de Zoé... mais quelle autre pouvait justifier un appel au secours si pressant et des précautions si extraordinaires ?

Il faisait, dans cette voiture fermée, une chaleur de four et Marianne, incommodée, releva sa voilette et se pencha pour baisser une glace. Mais son compagnon la retint :

— Mieux vaut ne pas ouvrir, Madame. D'ailleurs, nous arrivons !

La voiture, en effet, quittait le grand chemin et s'engageait dans un sentier en pente cahotant entre les ruines habillées de lierre de ce qui semblait être un ancien couvent. Au bout de ce chemin l'Arno brillait d'un éclat cuivré sous le soleil couchant.

— Mais... ce n'est pas Settignano ! s'écria Marianne. Qu'est-ce que cela ? Où sommes-nous ?

Elle tournait vers son compagnon un regard où la colère le disputait à une brusque angoisse. Mais l'homme garda tout son calme et se contenta de répondre, doucement :

— Là où j'avais ordre de conduire Madame la Princesse. Une confortable berline de voyage nous y attend. Madame y sera parfaitement. Il le fallait ainsi car nous roulerons toute la nuit.

— Une berline ?... Un voyage ? Mais, pour aller où ?

— En un lieu où Madame la Princesse est attendue avec impatience. Madame verra.

La voiture s'arrêtait dans les ruines. Instinctivement,

Marianne se cramponna des deux mains au rebord de la portière comme pour s'accrocher à un ultime asile. Elle avait peur maintenant, une peur horrible, de cet homme trop poli, trop aimable, dans les yeux duquel il lui semblait déceler maintenant la fausseté et la cruauté.

— Attendue par qui? Et, d'abord, à quels ordres obéissez-vous? Vous n'êtes pas au service des Cenami.

— En effet! Mes ordres sont ceux que je reçois de mon maître... Son Altesse Sérénissime le Prince Corrado Sant'Anna!

CHAPITRE II

LE RAVISSEUR

Avec un cri, Marianne s'était rejetée dans le fond de la voiture, regardant avec horreur la portière qui s'ouvrait sur un décor à la fois romantique et paisible et tout baigné d'un somptueux coucher de soleil, mais qui, à ses yeux, préfigurait assez bien une prison.

Son compagnon descendit, rejoignit auprès du marchepied celui qui venait de le baisser et offrit sa main en s'inclinant avec respect.

— Si Madame la Princesse veut se donner la peine...

Hypnotisée par ces deux hommes noirs qui lui paraissaient tout à coup les envoyés du destin, Marianne descendit avec la passivité d'un automate. Elle comprenait que toute lutte serait inutile. Elle était seule, dans un lieu désert, avec trois hommes dont le pouvoir était d'autant plus grand qu'ils représentaient une autorité qu'elle n'avait pas le droit de rejeter : celle de son mari, d'un homme qui avait sur elle toute puissance et dont, désormais, elle avait tout à craindre. S'il en était autrement, Sant'Anna n'aurait jamais osé la faire enlever ainsi, dans Florence même et presque sous le nez de la grande-duchesse, par ses valets !...

Sous l'arche ruinée d'un fantôme de cloître qu'en d'autres circonstances elle eût trouvé charmant,

Marianne vit qu'en effet une grande berline de voyage attendait, tout attelée. Un homme, debout à la tête des chevaux, immobile, les tenait par la bride. Cette berline, sans être neuve, était bien construite et visiblement conçue pour pallier, le mieux possible, les inconvénients et fatigues d'un voyage.

Pourtant, comme Dante sur la porte redoutable de l'Enfer, la jeune femme crut y lire l'ordre d'abandonner toute espérance. Elle avait espéré pouvoir berner l'homme qui, cependant, lui avait fait confiance. Et elle avait été bernée à son tour. Elle comprenait trop tard que jamais Zoé Cenami n'avait écrit ce billet, qu'elle n'avait aucun besoin de son aide et devait, à cette heure, se disposer paisiblement à recevoir ses amis habituels. Quant à Marianne, sûre de la protection et de la puissance de Napoléon, elle s'y était réfugiée comme dans une île escarpée où se brisaient, où ne pouvaient que se briser, les vagues les plus effrayantes. Elle avait cru, enfin, que son amour pour Jason la faisait invulnérable et qu'une éclatante victoire était sa suite logique. Elle avait joué ; elle avait perdu !

L'invisible mari avait réclamé ses droits. Déçu, il en imposait rudement le respect. Et quand, enfin, la fugitive se retrouverait en face de lui, même si c'était encore devant un miroir vide, elle serait seule, les mains nues et l'âme sans défense. La carrure puissante du duc de Padoue, sa voix autoritaire ne se dresseraient pas en rempart pour réclamer les droits imprescriptibles de l'Empereur...

Une faible lueur s'infiltra tout à coup dans le désespoir de Marianne, y traçant une mince faille brillante. Tout à l'heure on s'apercevrait qu'elle avait disparu. Arcadius, Arrighi, même Benielli la chercheraient... L'un d'eux, peut-être, devinerait la vérité. Dès lors, ils iraient tout droit à Lucques à seule fin de s'assurer, tout au moins, que le prince n'était pour rien dans cet enlèvement. Et Marianne les connaissait suffisamment pour savoir qu'ils ne se laisseraient pas aisément éconduire ni décourager. Jolival, pour sa part, était capable de démolir pierre par pierre la *villa dei Cavalli* pour la retrouver !

Insensible, en apparence, car, pour rien au monde elle n'eût consenti à montrer ses craintes à des valets dans lesquels elle ne voyait que des sbires, mais fiévreuse jusqu'au fond de l'âme, Marianne avait assisté à ce nouveau départ comme s'il ne la concernait pas. Elle avait vu l'homme qui tenait les chevaux les remettre au cocher puis s'en aller tranquillement avec le coupé dans la direction de Florence. La berline, alors, s'était lentement ébranlée. Elle avait remonté le chemin des ruines, repris la route. C'était cette route qui avait tiré Marianne de son impassibilité.

En effet, au lieu de diriger sa course vers le disque rouge du soleil près de disparaître derrière les campaniles de la ville, afin de la contourner pour rejoindre le chemin de Lucques, la pesante voiture poursuivait, vers l'Orient, la route suivie jusqu'à présent par le coupé. On allait vers l'Adriatique en tournant franchement le dos au pays lucquois. Évidemment, cela pouvait être une feinte afin de tromper les éventuelles poursuites, mais Marianne ne put retenir une question déguisée :

— Si vraiment vous êtes des gens de mon époux, remarqua-t-elle sèchement, vous devez me conduire à lui. Or, vous n'en prenez guère le chemin.

Sans se départir d'une politesse et d'une humilité que Marianne devait rapidement trouver excessives encore que nécessaires, l'homme noir répondit, la voix toujours aussi onctueuse :

— Beaucoup de chemins mènent au Maître, Excellenza. Il suffit de savoir lequel choisir. Son Altesse n'habite pas toujours la *villa dei Cavalli* ! Nous allons vers un autre de ses domaines, s'il plaît à Madame !

L'ironie des derniers mots glaça Marianne. Non, il ne lui plaisait pas ! Mais avait-elle le choix ? Une sueur froide mouilla désagréablement son front et elle se sentit pâlir. Son mince espoir d'être rapidement retrouvée par Jolival et par Arrighi s'évanouissait. Naturellement elle n'ignorait pas, pour l'avoir entendu dire par dona Lavinia, que son époux ne résidait pas continuellement à Lucques, mais aussi, parfois, dans l'une de ses autres propriétés. Vers laquelle l'emmenait-on ? Et comment ses amis parviendraient-ils à l'y retrouver alors qu'elle-même ignorait tout de ces propriétés ?

Elle avait perdu, en n'écoutant pas la lecture du contrat, la nuit de son mariage, une bien belle occasion de se renseigner... mais combien d'occasions n'avait-elle pas laissé fuir déjà au cours de sa courte vie ? La plus belle, la plus grande lui avait été offerte à Selton Hall, lorsque Jason lui avait proposé de fuir avec lui ; la seconde quand, à Paris, elle avait refusé une seconde fois de le suivre...

La pensée de Jason la submergea de chagrin tandis qu'un amer découragement s'emparait d'elle. Cette fois, le destin s'était mis en marche contre elle et rien ni personne ne viendrait déposer, dans ses rouages, le grain de sable sauveur.

Le mari aurait le dernier mot. Le peu d'espoir que Marianne pouvait conserver résidait dans son propre charme, son intelligence, la bonté de dona Lavinia qui ne quittait pas le prince et qui au moins plaiderait pour elle et, peut-être... dans une éventuelle occasion de fuite. Cette chance-là, si elle se présentait, Marianne était bien décidée à la saisir et, bien entendu, à la faire naître dans la mesure de ses moyens. Ce ne serait pas la première fois qu'elle s'évaderait !

Avec un certain plaisir et un brin d'orgueil elle se rappela son évasion de chez Morvan le naufrageur, puis, plus récemment, sa fuite des granges de Mortefontaine. La chance l'avait servie à chaque fois, mais, après tout, elle-même n'était pas si sotte !

Le besoin qu'elle avait de retrouver Jason, un besoin viscéral qui partait de sa chair profonde pour envahir son cœur et son esprit, lui servirait de stimulant, en admettant qu'elle en eût besoin dans sa passion de la liberté !

Enfin... elle avait peut-être tort de tellement se tourmenter sur l'avenir que lui réservait Sant'Anna. Ses angoisses prenaient naissance dans les sanglantes confidences d'Eleonora Sullivan et dans les circonstances dramatiques de cet enlèvement. Mais, il fallait bien avouer qu'elle n'avait guère laissé le choix à son invisible époux. Et, après tout, peut-être se montrerait-il clément, compréhensif...

Pour ranimer son courage, Marianne repassa dans sa mémoire l'instant où Corrado Sant'Anna l'avait sauvée de Matteo Damiani durant la terrible nuit du petit temple. Elle avait cru mourir de frayeur quand elle l'avait vu surgir des ténèbres, fantôme noir masqué de cuir clair et dressé sur l'éclatante blancheur d'Ilderim cabré. Pourtant, cette terrifiante apparition lui avait apporté le salut et la vie.

Il avait, ensuite, pris soin d'elle avec une sollicitude qu'il eût été facile de prendre pour de l'amour. Et s'il l'aimait... Non, mieux valait s'efforcer de ne plus penser, de faire le vide dans son esprit afin qu'il pût retrouver un peu de calme, un peu de paix...

Mais malgré elle, son esprit tournait toujours autour de l'énigmatique silhouette de son époux inconnu et sa pensée se retrouvait prisonnière, à la fois, de la crainte et d'une irrépressible et trouble curiosité. Peut-être, cette fois, arriverait-elle à percer le secret du masque blanc ?...

La voiture roulait toujours vers les ombres envahissantes du soir. Bientôt, elle y entra, s'y fondit et, de relais en relais, poursuivit à travers la montagne son voyage au bout de la nuit.

Marianne, épuisée, finit par s'endormir après avoir refusé la nourriture que Giuseppe (son ravisseur lui apprit que c'était là son nom) lui offrait. Elle était trop tourmentée pour pouvoir avaler quoi que ce soit.

Le grand jour la réveilla. Et aussi un arrêt brutal de la berline qui s'apprêtait à relayer devant une maisonnette enguirlandée de vigne et de plantes grimpantes. On était au flanc d'une colline que couronnait une petite ville rousse serrée autour d'une forteresse trapue dont les créneaux dépassaient fort peu ses toits. Le soleil éclairait un paysage de champs rectangulaires bien dessinés, creusés de fossés d'irrigation au bord desquels des arbres fruitiers servaient de supports à de larges festons de vignes et, à l'horizon, derrière une épaisse ligne d'un vert très sombre, scintillait un immense voile d'azur argenté : la mer...

La tête de Giuseppe, qui était descendu dès l'arrêt de la voiture, apparut à la portière :

— Si Madame désire descendre pour se dégourdir les jambes et se rafraîchir, je serais heureux de l'escorter !

— M'escorter ? Il ne vous vient pas à l'esprit que je peux souhaiter m'isoler ? J'aimerais, oui j'aimerais faire un peu de toilette. Ne voyez-vous pas que je suis couverte de poussière ?

— Il y a, dans cette maison, une pièce où Madame peut se retirer à son aise. Je me contenterai d'en garder la porte... et elle n'a qu'une très petite fenêtre !

— Autrement dit, je suis prisonnière ! Ne feriez-vous pas mieux de l'avouer honnêtement ?

Giuseppe s'inclina avec un respect trop théâtral pour n'être pas ironique :

— Prisonnière ? Quel mot pour une dame confiée aux soins d'une escorte dévouée ! Je dois simplement veiller à ce que Madame parvienne à destination sans accident et c'est pour cela, pour cela seulement, que j'ai reçu l'ordre de ne la quitter sous aucun prétexte.

— Et si je crie, si j'appelle ! gronda Marianne exaspérée, que ferez-vous, maître geôlier ?

— Je ne conseille ni les cris ni les appels d'aucune sorte, Excellenza, car, en ce cas, mes ordres sont fort précis... et fort affligeants !

Brusquement, la jeune femme, outrée, vit luire dans la main grassouillette du « dévoué serviteur » le canon noir d'un pistolet.

Giuseppe lui laissa tout le temps de le considérer avant de le repasser négligemment dans sa ceinture.

— Au surplus, ajouta-t-il, crier ne servirait de rien. Ce petit domaine et ce relais appartiennent à son Altesse. Personne ne comprendrait que la Princesse y réclamât du secours contre le Prince !

Le visage de Giuseppe était toujours aussi bonasse mais, à une petite lueur cruelle qui brilla dans son œil, Marianne comprit qu'il n'hésiterait pas un instant à l'assassiner froidement en cas de rébellion.

Battue, sinon résignée, elle décida que, pour le moment, mieux valait capituler. En effet, malgré le confort indéniable de la berline, les mauvais chemins l'avaient rompue et elle souhaitait beaucoup changer de position.

Escortée à trois pas par Giuseppe toujours fidèle à son personnage de serviteur de grande maison, elle entra dans la maisonnette où une paysanne en jupon coquelicot et fichu pervenche lui offrit sa plus belle révérence. Puis, quand Marianne se fut retirée un moment dans la chambre annoncée pour se rafraîchir, cette femme lui servit un pain bis, du fromage, des olives, des oignons et du lait de brebis sur lesquels la voyageuse se jeta affamée. Son refus de se nourrir la veille au soir avait été surtout de gloriole et d'un

50

simple mouvement de mauvaise humeur, stupide d'ailleurs car elle avait plus que jamais besoin de ses forces. Et, dans l'air vif du matin, elle avait découvert qu'elle mourait de faim.

Pendant ce temps, des chevaux frais avaient été attelés à la voiture. Dès que la princesse se fut déclarée prête, l'équipage reprit sa route vers une plaine basse et plate qui semblait s'étendre à l'infini.

Restaurée et rafraîchie, Marianne, malgré les questions qui lui brûlaient les lèvres, choisit de se renfermer dans un silence hautain. Elle était, en effet, persuadée d'arriver bientôt à destination, ce qui rendait les questions inutiles. Ne piquait-on pas tout droit sur la mer, sans dévier ni à gauche ni à droite ? Le but du voyage devait donc se situer au bord de la mer...

Vers le milieu du jour, on atteignit un gros village de pêcheurs qui boursouflait de ses maisons basses le bord d'un canal sablonneux. Au sortir de l'épaisse pinède dont les grands arbres noirs étalés largement donnaient une ombre fraîche, la chaleur parut plus forte qu'elle n'était en réalité et le village plus morose.

Ici, c'était le domaine du sable. Le rivage, à perte de vue, n'était qu'une immense plage chevelue d'herbes folles par endroits ; et le village lui-même avec sa tour de guet croulante et ses quelques pans de murs romains, semblait directement issu de ce sable envahissant.

Près des maisons, de grands filets tendus dans l'air immobile séchaient sur des perches, semblables à de gigantesques libellules et, dans le canal qui servait de port, quelques bateaux étaient à l'ancre. Le plus grand, le plus pimpant aussi était une tartane effilée dont un pêcheur en bonnet phrygien préparait les voiles rouges et noires.

La berline s'arrêta au bord du canal et le pêcheur fit un grand geste d'appel. Une nouvelle fois, Giuseppe vint inviter Marianne à descendre :

— Sommes-nous donc arrivés ? demanda-t-elle.

— Nous sommes au port, Excellenza, non au bout du voyage ! La seconde étape doit s'accomplir par voie de mer !

L'étonnement, l'inquiétude et l'irritation furent plus puissants que l'orgueil de Marianne.

— Par mer ? s'écria-t-elle. Mais enfin, où allons-nous ? Vos ordres spécifient-ils que je doive être tenue dans l'ignorance ?

— Nullement, Excellenza, nullement ! répondit Giuseppe avec un salut. Nous allons à Venise ! Le voyage, ainsi, sera moins pénible.

— A Ve...

C'était une gageure ! Et, en vérité, en d'autres circonstances, c'eût été presque drôle cette espèce de rendez-vous universel qui semblait faire de la reine de l'Adriatique le centre même de toutes les préoccupations. En effet, et même s'il y avait mis quelque complaisance, il était important pour Napoléon que Marianne s'embarquât à Venise et voilà que le prince son époux avait choisi cette même Venise pour lui signifier sa volonté ! Si une obscure menace n'avait plané sur elle, Marianne aurait pu en rire...

Pour se ressaisir, elle descendit et fit quelques pas au bord du canal. La paix qui enveloppait ce petit port des sables était profonde. L'absence de vent laissait toutes choses immobiles et le chant des cigales régnait seul sur le village où tout semblait dormir. Hormis le pêcheur qui sautait le bordage pour venir vers les voyageurs, aucun être humain n'était en vue.

— Ils font la sieste en attendant le vent, commenta Giuseppe. Ils sortiront avec le soir, mais nous allons tout de même monter à bord. Madame pourra s'installer...

Il précéda Marianne sur la planche qui reliait le bateau à la terre et l'aida à franchir cet isthme branlant avec tout le respect d'un serviteur stylé tandis que le cocher et l'autre valet, après l'avoir saluée, faisaient demi-tour et disparaissaient dans la pinède avec la voiture.

En apparence et pour un observateur non prévenu, la princesse Sant'Anna offrait la parfaite image d'une grande dame voyageant en toute quiétude, mais, évidemment, ledit observateur n'était pas obligé de savoir que ce serviteur si dévoué cachait à sa ceinture un gros pistolet et que ce pistolet était destiné, non aux détrousseurs de grands chemins, mais bien à sa maîtresse elle-même s'il lui prenait fantaisie de se rebeller.

Pour l'heure présente, il n'y avait d'autre observateur que le pêcheur, mais, au moment où elle posa le pied sur le bateau, Marianne surprit le regard admiratif dont il l'enveloppait. Planté auprès de la planche, il l'avait regardée monter à bord de cet œil émerveillé que l'on réserve en général aux apparitions. Et, une bonne minute plus tard, il était encore plongé dans son extase.

A son tour, Marianne l'examina sans trop en avoir l'air et tira de cet examen d'intéressantes conclusions. Sans être de haute taille, le pêcheur était un superbe garçon : une tête dans la manière de Raphaël sur le corps de l'Hercule Farnèse. Sa chemise de grosse toile jaune, ouverte jusqu'à la taille, montrait des muscles qui semblaient faits de bronze. Les lèvres étaient pleines, les yeux sombres et brillants et, du bonnet rouge drapé sur un côté de la tête, s'échappait une forêt de boucles drues, noires comme du jais.

A le jauger ainsi, Marianne se surprit à penser que, dans les mains d'un tel homme, la ronde personne de l'onctueux Giuseppe ne devrait pas peser bien lourd...

Tandis qu'on l'installait dans l'abri ménagé à l'arrière du bateau l'imagination de Marianne lui montra tout le parti qu'avec un peu d'habileté il serait possible de tirer du beau pêcheur. Le séduire devait être facile. Alors, peut-être se laisserait-il convaincre de réduire Giuseppe à l'impuissance puis d'aller déposer Marianne elle-même en un point de la côte où il lui serait possible soit de se cacher et d'alerter Jolival, soit de trouver un moyen de regagner Florence. D'ailleurs, en admettant qu'il fût, lui aussi, au service du prince, il devait être possible, en alléguant sa qualité d'épouse, d'obtenir son obéissance. Giuseppe ne se donnait-il pas un mal infini pour garder à cet étrange voyage toutes les formes extérieures ? Le pêcheur devait ignorer que sa belle passagère n'était rien d'autre qu'une prisonnière que l'on traînait vers son juge... et qui en avait de moins en moins envie, surtout dans de telles circonstances.

En effet, si son honnêteté naturelle et son courage la poussaient à accepter l'affrontement et le règlement définitif des comptes, son orgueil ne pouvait admettre d'y être contrainte par la force et d'arriver devant Sant'Anna dans une situation si défavorable...

La tartane n'était pas équipée pour recevoir des passagers, encore moins des femmes, mais on avait aménagé pour Marianne une sorte de niche assez confortable où elle trouva un matelas de paille et quelques rudimentaires instruments de toilette en grosse faïence. Le beau pêcheur vint lui apporter une couverture. Marianne, alors, lui adressa un sourire dont elle connaissait depuis longtemps le pouvoir. L'effet en fut instantané : le visage brun parut s'illuminer de l'intérieur et le garçon demeura debout près de la jeune femme, la couverture étroitement serrée sur son cœur, sans plus songer à la lui offrir.

Encouragée par ce succès, elle demanda doucement :

— Comment t'appelles-tu ?

— Il s'appelle Jacopo, Excellenza, intervint aussitôt

Giuseppe, mais Madame aura quelque peine à s'en faire entendre : le malheureux est sourd et parle à peine. Il faut l'habitude pour s'en faire entendre, mais, si Madame désire s'adresser à lui, elle peut employer mon truchement...

— En aucune façon, je vous remercie ! fit-elle très vite puis, plus doucement et, cette fois, sincère, elle ajouta : Pauvre garçon ! Comme c'est dommage !...

La pitié venait à son secours et lui permettait de masquer sa déception. Elle comprenait, maintenant, l'apparente imprudence de l'odieux Giuseppe s'embarquant, seul avec sa prisonnière, à bord d'un navire dont l'unique matelot se montrait tellement sensible à la séduction d'une femme : lui seul était capable de communiquer avec Jacopo et, en fait, ses mesures étaient bien prises. Mais le bonhomme avait encore quelque chose à dire :

— Il ne faut pas trop le plaindre, Excellenza. Jacopo est heureux : il a une maison, un bateau et une jolie fiancée... et puis il a la mer ! Il ne souhaite ni changer ni tenter les aventures incertaines !

L'avertissement était clair et laissait entendre que le beau sourire de Marianne ayant été percé à jour, il valait mieux ne pas se livrer à des tentatives hasardeuses et vouées d'avance à l'échec. Une fois de plus l'ennemi gagnait.

Furieuse, lasse et au bord des larmes, la passagère forcée alla s'asseoir sur son matelas et s'efforça de faire le vide dans son esprit. Ne valait-il pas mieux, au lieu d'épiloguer interminablement sur une déconvenue, prendre un peu de repos puis chercher d'autres moyens d'échapper à un époux dont elle ne pouvait s'empêcher de craindre qu'il ne voulût pas la lâcher de si tôt... en admettant qu'il n'imaginât pas de la punir plus cruellement.

Elle ferma les yeux, ce qui obligea Giuseppe à s'éloigner. D'ailleurs, une petite brise se levait et, entre ses paupières mi-closes, elle le vit donner à Jacopo l'ordre d'appareiller à grand renfort de gestes. Le bateau glissa le long du canal et gagna lentement la mer libre.

La traversée, en dehors d'un léger grain qui se leva dans la nuit, fut sans histoire mais, le lendemain, en fin d'après-midi, quand apparut à l'horizon bleuâtre une ligne rose, capricieuse et aérienne, qui avait l'air d'un mince volant de dentelle posé au col de la mer, Jacopo diminua la voilure.

A mesure que l'on avançait, le mirage parut s'évanouir et fit place à une longue île plate au-delà de laquelle il semblait n'y avoir rien d'autre qu'un désert vert. C'était une île mélancolique, nue à l'exception de quelques arbres et composée en majeure partie d'une longue frange de sable. Le bateau s'en approcha, la longea un moment puis, comme le rivage semblait fuir vers l'intérieur en une sorte de passe, mit en panne et jeta l'ancre.

Appuyée à la lisse, Marianne cherchait à retrouver le mirage de tout à l'heure. L'île, elle le savait, le lui cachait. L'arrêt la surprit.

— Que faisons-nous ici? demanda-t-elle. Pourquoi n'avançons-nous plus?

— Avec votre permission, fit Giuseppe, nous allons attendre la nuit pour gagner le port. Les Vénitiens sont gens curieux et Son Altesse souhaite que l'arrivée de Madame soit aussi discrète que possible. Nous franchirons la passe du Lido dès qu'il fera sombre. La lune, heureusement, se lève tard.

— Mon mari souhaite une arrivée discrète... ou une arrivée secrète?

— C'est la même chose, il me semble?

— Pas pour moi! Je n'aime guère les secrets entre

mari et femme ! Mais mon époux semble les affectionner.

Elle avait peur, maintenant, et elle essayait de le cacher. L'angoisse éprouvée quand elle s'était sue au pouvoir du prince lui revenait irrésistiblement malgré les efforts qu'elle avait faits pour la combattre durant le voyage. Les paroles de Giuseppe, son sourire mielleux qui se voulait rassurant, les raisons même qu'il lui donnait, tout cela l'épouvantait. Pourquoi tant de précautions ? Pourquoi cette arrivée furtive si c'était une simple explication qui l'attendait, si elle n'était pas, d'avance, condamnée ? Elle ne pouvait plus s'empêcher de penser qu'elle allait trouver au bout de ce chemin d'eau, une sentence de mort, une exécution sommaire au fond de quelque cave, ces caves vénitiennes qui devaient communiquer si aisément avec l'eau. S'il en était ainsi, qui le saurait jamais ? Qui pourrait seulement retrouver son corps ? Les Sant'Anna, on le lui avait répété, faisaient aisément bon marché de la vie de leurs femmes !

Brusquement, une folle panique s'empara de Marianne, primitive et nue, aussi vieille que la mort ! Périr ici, dans cette ville dont elle rêvait depuis des mois comme du lieu enchanté où devait commencer son bonheur, mourir à Venise où l'amour, dit-on, régnait en maître ! Quelle grimaçante plaisanterie du destin ! Et quand le vaisseau de Jason entrerait dans la lagune, il passerait peut-être, sans le savoir, sur son corps en train de se dissoudre lentement...

Affolée par cette idée atroce et d'un mouvement presque convulsif, elle se jeta vers l'avant du bateau avec l'intention de sauter par-dessus bord. Cette tartane portait sa mort, elle le sentait, elle en était sûre ; elle voulait la fuir...

Au moment où elle se hissait sur le bordage, son élan fut arrêté brutalement par une force irrésistible.

Elle se sentit empoignée à bras-le-corps et se retrouva sur la large poitrine de Jacopo, réduite à l'impuissance totale par la seule étreinte de ses bras.

— Allons, allons ! fit la voix trop douce de Giuseppe. Quel enfantillage ! Madame voulait donc nous quitter ? Mais pour aller où ? Il n'y a ici que de l'herbe, du sable et de l'eau... alors qu'un fastueux palais attend Madame !

— Laissez-moi partir ! gémit-elle en se débattant de toutes ses forces mais en serrant les dents pour les empêcher de claquer. Que vous importe ? Vous direz que je me suis jetée à l'eau... que je suis morte ! C'est cela : dites que je me suis donné la mort ! Mais laissez-moi quitter ce bateau ! Je vous donnerai ce que vous voudrez ! Je suis riche...

— Mais bien moins que Son Altesse... et surtout moins puissante ! Or, j'ai une vie modeste, Excellenza, mais j'y tiens. Je ne veux pas la perdre... et c'est sur elle que j'ai dû répondre de la bonne arrivée de Madame !

— C'est insensé ! Nous ne sommes plus au Moyen Age !

— Ici nous y sommes encore dans certaines maisons ! fit Giuseppe avec une soudaine gravité ! Je sais, Madame va me parler de l'Empereur Napoléon. J'ai été prévenu ! Mais ici, c'est Venise et la puissance de l'Empereur s'y fait plus souple et plus discrète. Soyez donc raisonnable !...

Dans les bras de Jacopo qui ne l'avait pas lâchée, Marianne, maintenant, sanglotait, les nerfs brisés, toute résistance anéantie. Elle ne songeait même pas au ridicule qu'il y avait à pleurer ainsi dans les bras d'un inconnu : elle s'appuyait à lui comme elle se serait appuyée à un mur et elle ne pensait plus qu'à une seule chose : tout était fini ; désormais, rien n'empêcherait le prince d'exercer sur elle la vengeance qui lui plairait et elle ne pouvait plus compter que sur elle-même. C'était bien peu.

Pourtant, elle eut soudain conscience de quelque chose d'anormal : l'étreinte de Jacopo, peu à peu, se resserrait et sa respiration se faisait plus courte. Le corps du garçon, pressé contre le sien, se mit à trembler puis elle sentit qu'une de ses mains glissait sur sa taille, remontait sournoisement le long de son buste et cherchait la rondeur d'un sein...

Elle comprit brusquement que le beau pêcheur cherchait à profiter de la situation tandis que Giuseppe s'était éloigné de quelques pas et attendait, d'un air ennuyé, que la crise de larmes fût passée.

La caresse du pêcheur lui fit l'effet d'un révulsif et lui rendit courage : cet homme la désirait assez pour risquer un geste insensé presque sous le nez de Giuseppe. L'espoir d'une autre récompense le pousserait peut-être à prendre d'autres risques...

Au lieu de gifler Jacopo comme elle en avait envie, elle se serra plus étroitement contre lui, puis, s'assurant que Giuseppe, les bras croisés, regardait ailleurs, se haussa sur la pointe des pieds et, rapidement, posa ses lèvres sur celles du garçon. Ce ne fut qu'un instant, après quoi elle le repoussa mais en plongeant dans le sien un regard chargé de supplication.

Il la regarda s'éloigner de lui avec une sorte d'angoisse, cherchant visiblement à comprendre ce qu'elle espérait de lui, mais Marianne n'avait aucun moyen de le lui exprimer. Le moyen de lui faire entendre, par gestes, qu'elle souhaitait le voir assommer Giuseppe et le ligoter proprement, quand celui-ci revenait vers eux ? Cent fois au cours de ces dernières vingt-quatre heures, elle avait espéré trouver sur le bateau un outil lui permettant d'agir elle-même, après quoi obtenir de Jacopo une obéissance totale eût été un jeu d'enfant sans doute, mais le bonhomme était rusé et se gardait bien. Rien ne traînait sur la tartane qui pût servir d'arme et presque jamais il n'avait perdu Marianne de vue. Il n'avait même pas fermé l'œil de la nuit...

Il n'y avait pas non plus, à portée de sa main, la moindre chose qui lui permit d'écrire, de griffonner à l'intention du pêcheur un appel au secours sur le bois du bateau... en admettant toutefois qu'il sût lire !

Et le jour tomba sans que Marianne eût trouvé le moyen de communiquer avec son étrange amoureux. Assis entre eux deux sur un tas de cordages, Giuseppe avait tourné et retourné son pistolet dans ses mains durant une grande heure, comme s'il devinait qu'une menace planait sur lui. En vérité, toute tentative eût été mortelle pour l'un comme pour l'autre...

La mort dans l'âme, Marianne vit, au crépuscule, l'ancre se relever et la tartane s'engager dans la passe. Malgré l'angoisse qui l'étreignait, la jeune femme ne put retenir une exclamation admirative : l'horizon s'était chargé d'une étonnante fresque bleue et violette où s'attardaient des touches d'or pourpré. C'était comme une couronne aux fantastiques fleurons posée sur la mer, mais une couronne qui lentement s'enfonçait dans la nuit.

L'obscurité tombait vite. Elle était presque totale quand la tartane doubla l'île de San Giorgio et s'engagea dans le canal de la Giudecca. Voilure réduite, elle n'avançait plus qu'à très petite vitesse, cherchant peut-être à passer aussi inaperçue que possible. Marianne, elle, retenait son souffle. Elle avait conscience d'être désormais enfermée dans Venise comme dans un poing fermé et c'était avec une avidité douloureuse qu'elle regardait les grands vaisseaux aux fanaux allumés qui, sitôt passée la Douane de Mer, ses colonnes blanches et sa Fortune dorée, somnolaient au pied de la coupole aérienne et des volutes aux pâleurs d'albâtre de la Salute, dans l'attente des lendemains chargés de vents marins qui les emporteraient loin de cette dangereuse sirène de pierre et d'eau.

Le petit navire vint mouiller à l'écart du quai, près d'un groupe de bateaux de pêche, et Marianne, profitant de ce que Giuseppe s'éloignait enfin pour se pencher sur la lisse, s'approcha vivement de Jacopo occupé à ferler ses voiles et posa sa main sur son bras. Il tressaillit, la regarda puis, abandonnant ses toiles, chercha aussitôt à l'attirer à lui.

Elle secoua la tête, doucement, puis eut un geste violent du bras, désignant le dos de Giuseppe, essayant de faire comprendre qu'elle voulait être débarrassée de lui très vite... tout de suite !

Elle vit alors Jacopo se raidir, regarder tour à tour l'homme auquel, sans doute, il devait obéir et la femme qui le tentait. Il hésitait, visiblement partagé entre sa conscience et son désir... Il hésita une seconde de trop : déjà Giuseppe se retournait, revenait vers Marianne.

— Si Madame veut se donner la peine, murmura-t-il, la gondole l'attend et nous devons nous hâter...

Deux têtes, en effet, apparaissaient au-dessus du bordage. La gondole devait être tout contre la tartane et, désormais, il était trop tard puisque Giuseppe avait du renfort.

Avec un haussement d'épaules dédaigneux, Marianne tourna le dos à ce garçon devenu d'un seul coup sans le moindre intérêt, alors qu'un instant elle avait été jusqu'à envisager de se donner à lui en échange de sa liberté, sans plus hésiter que jadis sainte Marie l'Égyptienne envers les bateliers dont elle avait besoin.

Le long de la tartane, en effet, une mince gondole noire attendait. Sa proue relevée et les dents d'acier qui l'armaient la faisaient ressembler à quelque minuscule drakkar.

Sans même un dernier regard à la tartane, Marianne escortée de Giuseppe alla s'installer dans le felze, sorte de boîte noire garnie de rideaux où les passagers prenaient place dans un large fauteuil bas à double dossier, et la gondole, sous l'impulsion des longs avirons, glissa sur l'eau noire. Elle s'engagea dans un étroit canal au flanc de la Salute dont la croix d'or continuait de veiller silencieusement sur la santé de Venise depuis la grande peste du xviie siècle.

Giuseppe se pencha et voulut tirer les rideaux de cuir noir :

— Que craignez-vous ? coupa Marianne avec dédain. Je ne connais pas cette ville et personne ne m'y connaît ! Laissez-moi au moins la regarder !

Giuseppe hésita un instant puis, avec un soupir résigné, vint reprendre sa place aux côtés de la jeune femme, laissant les rideaux dans leur position première.

La gondole tourna et se lança sur le Grand Canal. Cette fois, Marianne s'aperçut que le magnifique fantôme était une cité vivante. De nombreuses lumières brillant aux vitres des palais, chassaient, par endroits, les ténèbres. L'eau miroitante, alors, étincelait de paillettes d'or. Par les fenêtres ouvertes sur la douceur de cette nuit de mai, les échos des conversations, les accords de musique s'évadaient pour peupler la nuit. Un grand palais gothique ruisselait de lumières sur un air de valse auprès d'un jardin dont les retombées luxuriantes trempaient dans le canal. Une troupe de gondoles attachées ensemble dansait au rythme des violons, devant les marches majestueuses d'un escalier qui semblait monter des profondeurs même des flots.

Du fond de son réduit obscur, la prisonnière de Giuseppe aperçut des femmes en toilettes brillantes, des hommes élégants mêlés à des uniformes de toutes couleurs dont le blanc autrichien n'était pas exclu. Elle crut sentir les parfums, entendre les éclats de rire. Une fête !... La vie, la joie !... Et puis, tout à coup, il n'y eut plus rien que la nuit et une vague odeur de vase : la gondole, tournant brusquement, s'était engagée dans un mince rio encaissé entre les façades muettes.

Comme dans un mauvais rêve, Marianne aperçut des fenêtres grillées, des portes blasonnées, des murs lépreux parfois, mais aussi des ponts gracieux sous lesquels la gondole glissait comme un fantôme.

Enfin, il y eut au bord d'un petit quai, dans une rouge muraille crêtée de lierre noir, le linteau fleuronné d'un petit portail de pierre entre deux barbares lanternes de fer forgé.

Le frêle bateau s'arrêta. Marianne comprit que, cette fois, c'était bien là le but du voyage et son cœur manqua un battement... Elle était, à nouveau, chez le prince Sant'Anna.

Mais, cette fois, aucun serviteur ne l'attendait sur le perron verdi dont les marches plongeaient dans l'eau, ni dans l'étroit jardin où, autour d'un puits ciselé comme un coffret, une végétation drue semblait jaillir des antiques pierres elles-mêmes. Personne non plus sur le bel escalier rampant vers les minces colonnettes d'une galerie gothique derrière laquelle les bleus et les rouges d'un vitrail éclairé brillaient comme des joyaux. Sans cette lumière, on eût pu s'imaginer que ce palais était vide...

Pourtant, en escaladant les marches de pierre, Marianne, curieusement, retrouva d'un seul coup tout son courage et toute sa combativité. Il en allait toujours ainsi pour elle : la proximité immédiate du danger la galvanisait et lui rendait un équilibre que l'attente et l'incertitude lui enlevaient. Et elle savait, elle sentait, dans son instinct quasi animal, qu'une menace était cachée derrière les grâces de cette demeure d'un autre âge... ne fût-ce que le souvenir effrayant de Lucinda, la

Sorcière, dont, selon toute probabilité, elle avait été autrefois la maison.

Si Marianne se souvenait bien de ce que lui avait dit Eleonora, c'était là le palais Soranzo, la maison natale de la terrible princesse. Et la jeune femme se prépara à lutter !

La somptuosité du vestibule qui s'ouvrit devant elle lui coupa le souffle. De grands fanaux dorés, magnifiquement ouvragés et provenant visiblement d'anciennes galères, faisaient chatoyer les marbres multicolores d'un dallage, fleuri comme un jardin persan, et les ors d'un plafond à longues poutres enluminées. Le long des murs, couverts d'une série de grands portraits, d'imposants bancs de bois armoriés alternaient avec des consoles de porphyre où se gonflaient les voiles des caravelles en réduction. Quant aux portraits, ils montraient tous des hommes ou des femmes vêtus avec une incroyable magnificence. Il y avait même ceux de deux doges en grand costume, le *corno* d'or en tête, l'orgueil sur le visage...

La vocation maritime de cette galerie était évidente et Marianne éblouie se surprit à penser que Jason, ou Surcouf, eussent aimé peut-être cette maison vouée à la mer. Malheureusement, elle était silencieuse comme une tombe.

Aucun bruit ne s'y faisait entendre, sinon celui des pas des arrivants. Et cela se révéla bientôt si angoissant que Giuseppe lui-même y parut sensible. Il toussota, comme pour se donner du courage, puis, marchant vers une porte à double battant située vers le milieu de la galerie, il chuchota comme dans une église :

— Ma mission s'achève ici, Excellenza ! Puis-je espérer que Madame ne gardera pas un trop mauvais souvenir...

— De ce délicieux voyage ? Mais, mon ami, soyez assuré que je m'en souviendrai toujours avec le plus vif plaisir !... si j'ai le temps de me souvenir de quelque chose ! ajouta-t-elle avec une ironie amère.

Giuseppe ne répondit pas, courba le dos et se retira. Cependant, la porte s'ouvrait en grinçant un peu, mais, apparemment, sans le secours d'aucune main humaine.

Dressée au milieu d'une salle aux imposantes dimensions, une table apparut, toute servie et d'un luxe inouï. C'était un véritable parterre d'or : or des assiettes ciselées, des couverts, des gobelets émaillés, des flacons incrustés, du surtout garni d'admirables roses pourpres, et des grands chandeliers dont les branches se déployaient gracieusement, avec leur charge de bougies allumées, au-dessus de cette splendeur presque barbare mais qui centralisait la lumière, laissant dans l'ombre les murs tendus d'anciennes tapisseries et les sculptures précieuses de la grande cheminée.

C'était une table mise pour un repas de fête mais Marianne tressaillit en constatant qu'il n'y avait que deux couverts. Ainsi donc... le prince avait finalement décidé de se montrer. Sinon, quelle autre signification donner à ces deux couverts ? Et elle allait, enfin, se trouver en face de lui, le voir dans sa réalité peut-être atroce ?... Ou bien porterait-il encore son masque blanc en prenant place ici tout à l'heure ?

Malgré sa volonté, la jeune femme sentit l'appréhension lui griffer le cœur. Elle réalisait maintenant que, si sa curiosité naturelle la poussait avec insistance à percer le mystère dont s'entourait son étrange époux, elle avait toujours craint, instinctivement et depuis la nuit ensorcelée, de se trouver en face de lui, seule avec lui ! Et pourtant, cette table fleurie n'annonçait pas des intentions bien redoutables ! C'était une table mise pour séduire... presque une table d'amoureux.

La porte par laquelle Marianne était entrée se referma avec le même grincement. Au même instant une autre porte, étroite et basse celle-là, s'ouvrit au flanc de la cheminée, lentement, très lentement, comme au théâtre dans un drame bien réglé.

Figée sur place, les yeux agrandis, les tempes moites et les doigts crispés, Marianne la regarda tourner sur ses gonds comme elle eût regardé la porte d'un tombeau sur le point de livrer passage à un spectre.

Une silhouette brillante apparut à contre-jour, trop loin de la table pour être bien visible, éclairée seulement de dos par la lumière de la pièce voisine : celle d'un homme corpulent, vêtu d'une longue robe tissée d'or. Mais Marianne vit tout de suite que ce n'était pas la forme élégante du maître d'Ildérim. Celle-là était plus courte, plus lourde, moins noble. Elle pénétra dans l'immense salle à manger et la jeune femme, incrédule et indignée, regarda Matteo Damiani, vêtu comme un doge, s'approcher du foyer lumineux de la table.

Il souriait...

CHAPITRE III

LES ESCLAVES DU DIABLE

Les mains enfouies dans les larges manches de sa dalmatique, l'intendant et homme de confiance du prince Sant'Anna vint, d'un pas solennel, jusqu'à l'une des grandes chaises rouges qui marquaient les places à table, posa sur le dossier une main couverte de bagues et désigna l'autre d'un geste qui se voulait noble et courtois. Le sourire qu'il arborait paraissait appliqué sur son visage à la manière d'un masque.

— Asseyez-vous, je vous en prie, et soupons ! Ce long voyage a dû vous fatiguer.

Un instant, Marianne crut que ses yeux et ses oreilles lui jouaient un mauvais tour, mais elle se convainquit rapidement qu'elle n'était pas aux prises avec un rêve grotesque.

C'était bien Matteo Damiani qui se trouvait là, en face d'elle, le serviteur équivoque et dangereux dont elle avait bien failli devenir la victime au cours d'une nuit affreuse.

C'était la première fois qu'elle le revoyait depuis ce moment affolant où, en transe, il avait marché sur elle, les mains en avant, le meurtre dans ses yeux qui n'avaient plus rien d'humain. Sans l'irruption d'Ildérim et de son tragique cavalier...

Mais, à évoquer ce terrible souvenir, la peur de la

jeune femme faillit bien se changer en panique. Il lui fallut faire, sur elle-même, un effort inouï pour non seulement lui résister mais encore réussir à la cacher. Avec un homme de cette sorte, dont elle connaissait l'inquiétant passé, sa seule chance de s'en tirer était justement de cacher la terreur qu'il lui inspirait. S'il s'apercevait qu'elle le craignait, son instinct lui soufflait qu'elle était perdue.

Elle ne comprenait pas encore ce qui s'était passé, ni par quelle espèce de magie Damiani pouvait se pavaner ainsi, en costume de doge (elle avait remarqué cette robe fastueuse dans l'un des portraits du vestibule) au cœur d'un palais vénitien et s'y donner des airs de maître, mais l'heure n'était pas aux devinettes.

Instinctivement, la jeune femme passa à l'attaque.

Croisant calmement les bras sur sa poitrine, elle dévisagea le personnage avec un clair dédain. Entre leurs longs cils ses yeux s'étrécirent jusqu'à n'être plus que de minces et brillantes fentes vertes.

— Le carnaval se poursuit-il jusqu'en mai, à Venise, demanda-t-elle sèchement, ou bien allez-vous au bal masqué?

Surpris, peut-être par l'ironie du ton, Damiani eut un petit rire, mais ne s'attendant pas à être attaqué sur ce point, il jeta sur son costume un regard incertain, presque gêné!

— Oh! cette robe? Je l'ai mise pour vous faire honneur, Madame, de même que j'ai fait dresser cette table afin de vous fêter et de donner à votre arrivée dans cette maison le maximum d'éclat. Il m'a semblé...

— Je? coupa Marianne. J'ai sans doute mal entendu ou bien vous oubliez-vous au point de vous substituer à votre maître? Et, en passant, voulez-vous me dire qui vous a permis de vous adresser à moi à la seconde personne, comme si j'étais votre égale? Reprenez-vous, mon ami, et, d'abord, dites-moi où est le prince? Et comment se fait-il que dona Lavinia ne soit pas encore venue me recevoir ?

L'intendant tira la chaise placée devant lui et s'y laissa tomber si lourdement qu'elle gémit sous son poids. Il avait grossi depuis la nuit terrible où, dérangé dans ses pratiques occultes, il avait tenté, dans sa fureur, de tuer Marianne. Le masque romain qui conférait alors à son visage une certaine distinction s'amollissait dans la graisse et ses cheveux, naguère encore si épais, se clairsemaient dangereusement tandis que, sous les bagues qui les couvraient avec une prétentieuse profusion, ses doigts se boudinaient. Mais le ridicule de ce gros homme vieillissant s'arrêtait à son regard pâle et impudent qui ne prêtait nullement à rire.

« Le regard d'un serpent ! » songea la jeune femme avec un frisson de répulsion devant la froide cruauté qu'il exprimait.

Le sourire de tout à l'heure s'était effacé comme si Matteo jugeait inutile de se donner encore la peine de feindre. Marianne sut qu'elle avait, en face d'elle, un implacable ennemi. Aussi fut-elle très peu surprise de l'entendre grommeler :

— Cette sotte de Lavinia ! Vous pouvez prier pour elle si le cœur vous en dit ! Pour moi, j'étais excédé de ses jérémiades et de ses grands airs de sainte... je l'ai...

— Vous l'avez tuée ? gronda Marianne, à la fois indignée et envahie d'une peine aussi amère qu'inattendue car elle ne croyait pas avoir laissé la douce femme de charge prendre une telle place dans son cœur. Vous avez été assez abject pour vous attaquer à cette sainte femme qui n'avait jamais fait de mal à qui que ce soit ? Et le prince ne vous a pas fait abattre comme le chien enragé que vous êtes ?

— Il aurait fallu pour cela qu'il en eût la possibilité, s'emporta Damiani en se levant si brusquement que la table, cependant lourdement chargée, vacilla et que les objets d'or s'entrechoquaient. J'avais commencé par me débarrasser de lui ! Il était grand temps, pour moi, de reprendre la place qui m'était due, la première ! ajouta-t-il en ponctuant chaque mot d'un coup de poing.

Cette fois, le coup porta. Si rudement même que Marianne recula, comme sous un choc brutal, avec un gémissement d'horreur !

Mort ! Son étrange époux était mort ! Mort, le prince au masque blanc ! Mort l'homme qui, un soir d'orage, avait pris dans la sienne sa main tremblante, mort le merveilleux cavalier que, du fond de sa crainte et de son incertitude, elle avait admiré ! Ce n'était pas possible ! Le destin ne pouvait pas lui jouer ce tour de mauvais bateleur.

D'une voix blanche mais tranchante elle affirma :

— Vous mentez !

— Pourquoi donc ? Parce qu'il était le maître et moi l'esclave ? Parce qu'il m'imposait une vie humiliée, servile, indigne de moi ? Voulez-vous me dire quelle raison valable pouvait me retenir de supprimer ce fantoche ? Je n'ai pas hésité un instant à tuer son père parce qu'il avait assassiné la femme que j'aimais ! Pourquoi donc l'aurais-je épargné, lui qui avait été la cause première de ce crime ? Je l'ai laissé vivre tant qu'il ne me gênait pas, tant que je n'étais pas prêt ! Voici peu de temps, il s'est mis à me gêner !

Un affreux sentiment d'horreur, de répulsion, de déception aussi et, chose étrange, de pitié et de chagrin envahit la jeune femme. Tout cela était absurde, grotesque et profondément injuste. L'homme qui, spontanément, avait accepté de donner son nom à une inconnue enceinte d'un autre, fût-ce d'un empereur, l'homme qui l'avait accueillie, comblée de luxe et de trésors, sauvée en outre de la mort, ne méritait pas de tomber sous les coups d'un fou sadique.

Un instant, grâce à l'infaillible fidélité de sa mémoire, elle revit, fuyant parmi les ombres du parc, la double silhouette du grand étalon blanc et de son silencieux cavalier. Quelle qu'ait pu être la disgrâce cachée de l'homme, il réalisait alors, avec l'animal, une image d'une extraordinaire beauté, faite à la fois de force et d'élégance, qui s'était gravée dans son esprit. Et la pensée que cette image inoubliable venait d'être détruite à jamais par la faute d'un misérable perdu de vices et de crimes fut à ce point intolérable à Marianne qu'elle chercha instinctivement, autour d'elle, une arme quelconque. Elle voulait faire justice, immédiatement, de ce meurtrier. Elle le devait à celui dont elle savait, maintenant, qu'elle n'avait jamais rien eu à redouter et que peut-être, il l'avait aimée! Qui pouvait dire s'il n'avait pas payé de sa vie son intervention dans la nuit du parc?

Mais les élégants couteaux à lame d'or qui brillaient sur la table ne pouvaient être d'aucun secours. Il ne restait, pour le moment, à la princesse Sant'Anna que la seule parole pour essayer de frapper ce misérable, la parole à laquelle, cependant, il ne devait pas être fort sensible. Mais la suite viendrait. Cela, Marianne en faisait tout bas le serment solennel. Elle vengerait son époux...

— Assassin! cracha-t-elle enfin avec un immense dégoût. Vous avez osé abattre l'homme qui vous faisait confiance, celui qui s'était si totalement remis entre vos mains, votre maître!

— Il n'y a plus ici d'autre maître que moi! cria Damiani d'une curieuse voix de fausset. C'est le juste retour des choses car j'avais infiniment plus de droit au titre de prince que ce malheureux rêveur! Vous l'ignorez, pauvre sotte, et c'est là votre excuse, ajouta-t-il avec une suffisance qui porta à son comble l'exaspération de la jeune femme, mais je suis, moi aussi, un Sant'Anna! Je suis...

— Je n'ignore rien du tout! Et il ne suffit pas, pour être un Sant'Anna, que le grand-père de mon époux ait engrossé une malheureuse à demi folle qui, d'ailleurs, n'a pu résister à son déshonneur! Il faut un cœur, une âme, une classe! Vous, vous n'êtes qu'un misérable indigne même du couteau qui l'égorgera, une bête puante...

— Assez!

Il avait hurlé, dans un paroxysme de fureur, et son visage empâté était devenu blême avec de vilaines infiltrations fielleuses mais le coup avait porté et Marianne le nota avec satisfaction.

Il haletait, comme si le souffle lui manquait. Et quand il parla de nouveau, ce fut d'une voix basse et feutrée, comme s'il étouffait.

— Assez! répéta-t-il... qui vous a dit tout cela? Comment... savez-vous?

— Cela ne vous regarde pas! Je sais, cela doit suffire!...

— Non! Il faudra bien... qu'un jour vous me disiez! Je saurai bien vous faire parler... car... maintenant c'est à moi que vous obéirez! A moi, vous entendez?

— Cessez de déraisonner et de retourner les rôles! Pourquoi vous obéirais-je?

Un mauvais sourire glissa comme une tache d'huile sur sa figure décomposée. Marianne attendit une réplique venimeuse. Mais, aussi subitement qu'elle était venue, la colère de Matteo Damiani tomba d'un seul coup. Sa voix reprit son registre normal, et ce fut d'un ton tout à fait neutre, presque indifférent, qu'il reprit:

— Excusez-moi. Je me suis laissé emporter mais il est des événements que je n'aime pas évoquer.

— Peut-être mais cela ne me dit toujours pas ce que je fais ici et puisque, si je vous ai bien compris, je suis désormais... libre de ma personne, je vous serais reconnaissante de ne pas prolonger cet entretien sans objet et de prendre des dispositions pour que je quitte cette maison.

— Il ne saurait en être question. Vous ne pensez tout de même pas que j'ai pris la peine de vous faire amener jusqu'ici, au prix de beaucoup d'argent et de nombreuses complicités qu'il a fallu acheter jusque chez vos amis, pour le mince plaisir de vous apprendre que votre époux n'avait plus rien à faire avec vous ?

— Pourquoi non ? Je vous vois mal m'apprenant, par lettre, que vous avez assassiné le prince. Car c'est bien cela, n'est-ce pas ?

Damiani ne répondit pas. Nerveusement, il cueillit une rose dans le surtout et se mit à la tourner dans ses doigts d'un air absent, comme s'il cherchait une idée. Puis tout à coup, il se décida :

— Entendons-nous bien, princesse, fit-il sur le ton morne d'un notaire s'adressant à un client, vous êtes ici pour remplir un contrat : celui-là même que vous aviez passé avec Corrado Sant'Anna.

— Quel contrat ? Si le prince est mort, le seul contrat existant, celui de mon mariage, est caduc, il me semble ?

— Non. On vous a épousée en échange d'un enfant, d'un héritier pour le nom et la fortune des Sant'Anna.

— J'ai perdu cet enfant accidentellement, s'écria Marianne avec une nervosité dont elle ne fut pas maîtresse, car le sujet lui était encore pénible.

— Je ne nie pas le côté accidentel et je suis persuadé qu'il n'y a pas eu de votre faute. Toute l'Europe a su combien avait été dramatique le bal de l'ambassade d'Autriche, mais en ce qui concerne l'héritier des Sant'Anna, vos obligations demeurent. Vous devez mettre au monde un enfant qui puisse, officiellement, continuer la famille.

— Peut-être auriez-vous pu avoir ce grand souci-là avant de supprimer le prince ?

— Pourquoi donc? Il n'était d'aucune utilité sous ce rapport, votre mariage en est la meilleure preuve. Quant à moi, je ne peux malheureusement pas reprendre au grand jour le nom qui me revient de droit. Il me faut donc un Sant'Anna, un héritier...

Le cynisme et le détachement avec lesquels Matteo parlait du maître qu'il avait abattu indignaient Marianne en qui, d'ailleurs, une crainte imprécise s'infiltrait. Peut-être parce qu'elle avait peur de comprendre, elle s'obligea à l'ironie :

— Vous n'oubliez qu'un détail : cet enfant était celui de l'Empereur... et je ne pense pas que vous poussiez l'audace jusqu'à faire enlever Sa Majesté pour l'amener à moi, pieds et poings liés.

Damiani hocha la tête et s'avança vers la jeune femme qui recula d'autant.

— Non. Il nous faut renoncer à ce « sang impérial » qui avait si fort séduit le prince. Nous nous contenterons du sang familial pour cet enfant que je pourrai former à mon gré et dont j'administrerai avec bonheur les grands biens durant de longues années... un enfant qui me sera d'autant plus cher qu'il sera mien !

— Quoi ?

— Ne faites pas semblant de vous étonner : vous avez fort bien compris. Tout à l'heure, vous m'avez traité de misérable, madame, mais les insultes ne peuvent ni effacer ni même rabaisser un sang tel que le mien ; même s'il vous plaît de le nier, je n'en suis pas moins le fils du vieux prince, l'oncle du pauvre insensé que vous aviez épousé. C'est donc moi, Princesse, moi votre intendant, qui vous ferai cet enfant !

Suffoquée par une telle impudence, la jeune femme eut besoin d'un instant pour retrouver l'usage de la parole. Son jugement de tout à l'heure était erroné : cet homme n'était rien d'autre qu'un fou dangereux ! Il suffisait de le voir croiser et décroiser ses gros doigts, tout en passant machinalement sa langue sur ses lèvres, à la manière d'un chat qui se pourlèche, pour s'en convaincre. C'était un maniaque, prêt à n'importe quel crime pour assouvir un orgueil et une ambition démesurés, sans même parler de ses instincts !...

Elle prit soudain conscience de sa solitude en face de cet homme, plus fort qu'elle, évidemment, et qui, sans doute, possédait des complices dans cette maison trop silencieuse, ne fût-ce que l'affreux Giuseppe... Il avait tout pouvoir sur elle, même celui de la forcer. Sa seule chance était, peut-être, de l'intimider.

— Si vous vouliez réfléchir un instant, vous verriez tout de suite que ce projet insensé est irréalisable. Si je suis revenue en Italie c'est sous la protection spéciale de l'Empereur et dans un but bien défini qu'il ne m'appartient pas de vous révéler. Mais soyez certain qu'à l'heure présente, on me cherche, on s'inquiète de moi. Bientôt, l'Empereur sera averti. Espérez-vous lui faire admettre une disparition de plusieurs mois, de ma part, suivie d'une naissance plus que suspecte ? On voit bien que vous ne le connaissez pas et, si j'étais vous, j'y regarderais à deux fois avant de me faire un ennemi de cette taille !

— Loin de moi la pensée de méconnaître la puissance de Napoléon ! Mais les choses se passeront beaucoup plus simplement que vous ne l'imaginez : l'Empereur recevra très prochainement une lettre du prince Sant'Anna le remerciant chaleureusement d'avoir bien voulu lui rendre une épouse devenue infiniment chère à son cœur, et lui annonçant leur départ commun pour l'une de ses possessions lointaines afin d'y goûter enfin les délices d'une lune de miel trop longtemps différée.

— Et vous vous imaginez qu'il se contentera de cela ? Il n'ignore rien des circonstances anormales de mon mariage. Soyez sûr qu'il fera faire une enquête et, si éloignée que soit la destination annoncée, l'Empereur en vérifiera la véracité. Il n'avait aucune confiance dans le sort que l'on me réservait ici...

— Peut-être, mais il faudra bien qu'il se contente de ce qu'on lui dira... d'autant plus qu'un mot de vous, un mot enthousiaste naturellement, lui confirmera votre bonheur et implorera son pardon. J'ai, entre autres dépenses, acquis les services d'un fort habile faussaire ! Les artistes pullulent toujours à Venise, mais ils meurent de faim ! L'Empereur comprendra, croyez-moi : vous êtes assez belle pour justifier toutes les folies, même celle que je commets en ce moment ! Le plus simple, en effet, ne serait-il pas pour moi de vous tuer, puis, dans quelques mois, de produire un enfant nouveau-né dont la naissance aurait coûté la vie à sa mère ? Avec une parfaite mise en scène, cela passerait sans peine. Seulement, depuis le jour où ce vieux fou de cardinal vous a menée à la *villa,* je vous désire comme je n'ai jamais désiré personne. Ce soir-là, souvenez-vous, j'étais caché dans votre cabinet de toilette tandis que vous quittiez vos vêtements... votre corps n'a pas de secret pour mes yeux, mais mes mains n'en connaissent pas encore les courbes. Et, depuis votre départ, je n'ai vécu que dans l'attente du moment qui vous ramènerait ici... à ma merci. L'enfant que je veux, c'est ce beau corps qui me le donnerait... Cela valait bien, n'est-ce pas, la peine de tout risquer ?... même le mécontentement de votre empereur ! Avant qu'il ne vous trouve, s'il y parvient, je vous aurai possédée des dizaines de fois et l'enfant mûrira en vous sous mes yeux !... Ah ! comme je vais être heureux !...

Il avait repris, lentement, sa marche vers elle. Ses mains, chargées de pierreries, se tendaient, en frémissant, vers la mince forme de la jeune femme qui, révulsée à la simple idée de leur contact, cherchait désespérément une issue en reculant vers les ombres de la salle. Mais il n'y en avait pas d'autre que les deux portes déjà mentionnées...

Néanmoins, elle essaya d'atteindre celle par laquelle elle était entrée. Il était possible qu'elle ne fût pas fermée à clef... qu'en agissant rapidement la fuite fût possible, même s'il lui fallait se jeter dans l'eau noire du rio. Mais son ennemi devina sa pensée. Il éclata de rire :

— Les portes ? Elles ne s'ouvrent que sur mon ordre ! Inutile de compter dessus ! Vos jolis doigts s'y briseraient vainement !... Allons, belle Marianne, où sont votre logique et votre sens des réalités ? N'est-il pas plus sage d'accepter ce que l'on ne peut éviter, surtout lorsque l'on a tout à gagner ? Qui vous dit qu'en vous rendant à mon désir vous ne ferez pas de moi le plus obéissant des esclaves... comme l'avait fait jadis dona Lucinda ? Je connais l'amour... jusque dans ses plus affolants secrets. C'est elle qui me les a appris. A défaut de bonheur, vous aurez le plaisir...

— N'avancez pas !... Ne me touchez pas !...

Cette fois elle avait peur, vraiment peur ! L'homme ne se possédait plus. Il n'écoutait rien, n'entendait rien. Il avançait mécaniquement, indéniablement, et cet automate aux yeux luisants avait quelque chose d'effrayant.

Pour lui échapper, Marianne tourna autour de la table, s'en fit un rempart. Son regard alors accrocha, près du surtout de table, une pesante salière d'or, véritable joyau ciselé représentant deux nymphes enlaçant une statue du dieu Pan. C'était une authentique œuvre d'art sans doute due au ciseau inimitable de Benvenuto Cellini, mais Marianne ne lui reconnut alors qu'une qualité : elle devait être lourde. D'une main nerveuse, elle s'en saisit et la lança en direction de son agresseur.

Un brusque mouvement de côté sauva celui-ci et la salière, passant au ras de son oreille, alla s'écraser sur les dalles de marbre noir. Le but était manqué, mais, sans laisser à son ennemi le temps de réaliser, Marianne empoignait déjà, à deux mains, l'un des lourds chandeliers, sans même sentir la douleur de la cire brûlante coulant sur ses doigts.

— Si vous approchez, je vous assomme ! gronda-t-elle les dents serrées.

Docilement, il s'arrêta mais ce ne fut pas par prudence. Il n'avait pas peur, cela se voyait à son sourire gourmand, à ses narines frémissantes. Bien au contraire, il semblait goûter cette minute de violence comme si elle préludait pour lui à des moments d'intense volupté. Mais il ne dit rien.

Levant les bras, ce qui fit glisser ses manches pour découvrir de larges bracelets d'or dignes de parer un prince carolingien, il frappa simplement dans ses mains, par trois fois, tandis que Marianne demeurait interdite, le chandelier déjà levé au-dessus de sa tête, prête à frapper...

La suite fut rapide. Le chandelier fut arraché de ses mains puis quelque chose de noir et d'étouffant s'abattit sur sa tête tandis qu'une poigne irrésistible la renversait. Après quoi elle se sentit saisie aux épaules et aux chevilles et emportée comme un simple paquet.

Le voyage à travers plusieurs montées et descentes ne dura guère, mais parut interminable à Marianne qui se sentait suffoquer. Le tissu dont elle était enveloppée dégageait une odeur bizarre d'encens et de jasmin joints à une senteur plus sauvage. Pour y échapper, la prisonnière avait bien tenté de se débattre mais ceux qui la portaient semblaient doués d'une singulière vigueur et elle réussit tout juste à faire resserrer douloureusement les prises rivées à ses chevilles.

Elle sentit que l'on gravissait un dernier escalier, puis que l'on parcourait une certaine distance. Une porte grinça. Enfin il y eut la douceur de coussins moelleux sous le corps de Marianne et, presque en même temps, elle revit la lumière. Il était temps. L'étoffe qui l'aveuglait devait être singulièrement épaisse car l'air n'y pénétrait pas.

La jeune femme prit quelques profondes respirations puis, se redressant, chercha du regard ceux qui l'avaient apportée là. Ce qu'elle découvrit fut si étrange qu'elle se demanda un instant si elle n'était pas l'objet d'un rêve : debout à quelques pas du lit, trois femmes la regardaient avec curiosité, trois femmes comme elle n'en avait jamais vu.

Très grandes, identiquement vêtues de draperies bleu sombre rayées d'argent sous lesquelles de multiples bijoux s'entrechoquaient, elles étaient toutes trois aussi noires que l'ébène et si semblables l'une à l'autre que Marianne crut à une illusion due à la fatigue.

Mais l'une des femmes se détacha du groupe, glissa comme un fantôme vers la porte demeurée ouverte et disparut aussitôt. Ses pieds nus n'avaient fait aucun bruit sur le sol dallé de marbre noir et, sans le tintement argentin qui accompagnait ses mouvements, Marianne aurait pu croire à une apparition.

Cependant, les deux autres, sans plus s'occuper d'elle, se mirent à allumer de gros cierges de cire jaune fichés dans de hauts candélabres de fer posés à même le sol et les détails de la pièce, peu à peu, se révélèrent.

C'était une très grande chambre, à la fois somptueuse et sinistre. Les tapisseries qui pendaient des murailles de pierre étaient rebrodées d'or mais représentaient des scènes de carnage d'une violence presque insoutenable. Le mobilier composé d'un énorme coffre de chêne garni de serrures et de sièges d'ébène couverts de velours rouge était d'une raideur toute médiévale. Une lourde lanterne de bronze doré et de cristal rouge pendait des poutres du plafond mais ne portait aucune lumière.

Quant à la couche sur laquelle Marianne était étendue, c'était un immense lit à colonnes, assez grand pour contenir une famille entière, et tout enveloppé de pesantes courtines de velours noir doublé de taffetas rouge, assorties à la courtepointe brodée d'or. Le bas de ces rideaux se perdait dans les peaux d'ours noir qui couvraient les deux marches sur lesquelles le lit, comme un autel voué à quelque divinité démoniaque, était posé.

Pour secouer la pénible impression qui l'envahissait, Marianne voulut parler :

— Qui êtes-vous? demanda-t-elle. Pourquoi m'avez-vous amenée ici?

Mais sa voix lui parut venir de très loin, dépasser à peine ses lèvres, exactement comme cela se produit dans les pires cauchemars. D'ailleurs, les deux Noires ne firent pas le moindre geste prouvant qu'elles avaient entendu. Les cierges étaient maintenant tous allumés et formaient des bouquets de flammes qui se reflétaient dans le dallage noir, luisant comme un lac sous la lune. Un autre chandelier, posé sur le coffre, s'était aussi éclairé.

La troisième femme revint bientôt, portant un plateau lourdement chargé qu'elle déposa sur le coffre. Mais, quand elle s'approcha du lit en appelant les autres d'un geste autoritaire, Marianne vit que la ressemblance de ces femmes tenait surtout à une similitude de formes, de tailles et de costumes, car la dernière était beaucoup plus belle que ses compagnes. Chez elle, les caractères négroïdes, assez accentués chez les autres, s'affinaient et se stylisaient. Ses yeux froids, à la cornée bleutée, étaient bien fendus en amande et son profil, malgré la sensualité quasi animale des lèvres lourdement ourlées, aurait pu appartenir à quelque fille de pharaon. La femme en avait d'ailleurs la grâce orgueilleuse et l'autorité méprisante. Vue dans la lumière lugubre des cierges, elle formait avec ses compagnes un groupe étrange mais qui mettait bien en valeur son autorité : les deux autres étaient là pour lui obéir, cela se sentait.

D'ailleurs, sur un signe d'elle, Marianne fut de nouveau empoignée et remise debout. La belle Noire s'approcha et sans paraître même remarquer ses velléités de résistance, d'ailleurs instantanément maîtrisées, se mit à dégrafer la robe fripée de la jeune femme et la lui ôta. Elle la débarrassa également de sa lingerie et de ses bas.

Nue, Marianne fut transportée par ses deux gardiennes qui semblaient douées d'une force peu commune jusqu'à un tabouret placé au centre d'un bassin creusé à même le sol. Armée d'une éponge et d'un savon parfumé, la Noire se mit à la laver à grande eau mais sans prononcer une parole. Les tentatives de Marianne pour essayer de percer ce mutisme obstiné furent parfaitement infructueuses.

Pensant que peut-être ces femmes étaient aussi muettes que le beau Jacopo, Marianne se laissa faire sans protester davantage. Le voyage l'avait fatiguée. Elle se sentait lasse et sale. Cette douche énergique était la bienvenue et Marianne se sentit mieux quand, après l'avoir vigoureusement séchée, la femme, dont les mains se firent soudain d'une étonnante douceur, se mit à enduire tout son corps d'une huile à l'odeur étrange et pénétrante qui ôta soudain toute fatigue à ses muscles. Puis ses cheveux dénoués furent brossés et rebrossés jusqu'à ce qu'ils crépitent sous le peigne.

La toilette terminée, Marianne fut de nouveau transportée sur le lit dont la couverture avait été faite, montrant des draps de soie pourpre. L'une des femmes apporta le plateau qu'elle déposa sur un petit meuble placé au chevet. Puis, se rangeant au pied du lit sur une seule ligne, les trois étranges caméristes s'inclinèrent légèrement d'un même mouvement et gagnèrent la sortie en file indienne.

Ce fut quand la dernière eut disparu que Marianne, trop surprise pour être capable de la moindre manifestation, s'aperçut qu'elles avaient emporté ses vêtements et qu'elle était abandonnée dans cette chambre sans autre voile que ses longs cheveux et, bien entendu, les différentes étoffes du lit dans lequel, d'ailleurs, on n'avait pas jugé bon de l'introduire.

L'intention qui avait conduit ces femmes à la laisser entièrement nue sur ce lit ouvert était si évidente qu'une brutale poussée de colère balaya d'un seul coup, chez Marianne, l'impression de bien-être physique qu'elle avait retiré de son bain. On l'avait préparée, déposée sur l'autel du sacrifice afin d'y accueillir le désir de l'homme qui se voulait son maître, comme jadis les vierges ou les génisses blanches offertes aux dieux barbares. Il ne manquait en vérité qu'une couronne de fleurs posée sur sa tête !...

Ces trois femmes noires devaient être des esclaves achetées par Damiani dans quelque comptoir africain mais il n'était pas difficile de deviner la place qu'occupait la plus belle auprès de ce misérable ! Malgré la douceur de ses gestes, ses yeux, tandis qu'elle prodiguait des soins attentifs au corps de la nouvelle venue, trahissaient des sentiments sur lesquels il était impossible de se tromper : cette femme la haïssait et voyait sans doute en elle une dangereuse rivale et la nouvelle favorite.

Le mot, en traversant l'esprit de Marianne, la fit rougir de honte et de fureur. Arrachant vivement l'un des draps de soie rouge, elle s'y enroula aussi étroitement qu'une momie dans ses bandelettes. Aussitôt, elle se sentit mieux, plus sûre d'elle-même. Quelle dignité, en effet, garder aux yeux d'un ennemi en exposant un corps aussi dévêtu que celui d'une esclave au marché ?

Ainsi équipée, elle fit le tour de sa chambre, cherchant une issue, un trou par lequel se glisser pour retrouver la liberté. Mais, en dehors de la porte, basse et rébarbative, véritable porte de prison encastrée dans un mur de plus d'un mètre d'épaisseur, il n'y avait que deux étroites fenêtres à colonnettes donnant sur une cour intérieure parfaitement aveugle. Encore étaient-elles défendues, de l'extérieur, par une sorte de cage faite de barreaux entrecroisés.

Aucune fuite n'était possible de ce côté, à moins de desceller les barreaux et de risquer une chute sérieuse sur le pavé d'une espèce de puits qui n'avait peut-être pas d'autre issue. Une odeur peu agréable, d'humidité et de moisi, en montait.

Pourtant, il devait y avoir, en bas, un passage quelconque, peut-être une porte ou une fenêtre, car elle vit, dans la cour, voleter une feuille qu'un courant d'air poussait. Mais ce n'était qu'une hypothèse et, outre cela... comment s'évader, sans vêtements, d'une demeure où l'on n'accédait que par voie d'eau ? Nager empêtrée dans ce drap était impossible et Marianne se voyait mal surgissant, telle Vénus à sa naissance, des eaux du Grand Canal et cherchant refuge en ville dans une tenue aussi sommaire !

Ainsi, le but poursuivi en la privant de ses vêtements était double : la préparer à subir les assauts de Damiani avec le minimum de défense et lui ôter toute possibilité d'évasion.

Découragée, le cœur lourd, elle revint s'asseoir sur le lit, cherchant à coordonner ses pensées et à maîtriser son angoisse. Ce n'était pas facile !... Son regard tomba alors sur le plateau préparé à son intention. Machinalement elle souleva l'un des couvercles de vermeil qui recouvraient les deux plats disposés sur un napperon de dentelle, en compagnie d'un pain doré et d'un flacon de vin en verre diapré de Murano, svelte et gracieux comme un col de cygne.

Une odeur appétissante s'échappa du couvercle. Ce plat-là contenait une sorte de ragoût si odorant que les narines de la jeune femme se dilatèrent. Elle s'aperçut ensuite qu'elle mourait de faim et, saisissant vivement la cuillère d'or, elle la plongea dans une sauce d'une belle couleur de caramel. Mais le mouvement ébauché s'arrêta au moment de porter la cuillère à la bouche, tandis qu'une crainte subite traversait l'esprit de Marianne : qui pouvait dire si ce plat appétissant, aux senteurs exotiques, ne recelait pas quelque drogue capable de la livrer à son ennemi, sans plus de défense qu'une mouche prise dans une toile d'araignée, quand son esprit se trouverait englué dans les pièges du sommeil ?...

L'appréhension fut plus forte que la faim. Marianne reposa la cuillère et souleva l'autre couvercle. Le second plat contenait du riz, mais accommodé lui aussi à une sauce tellement inhabituelle que la prisonnière y renonça également.

Elle redoutait déjà suffisamment le moment, inévitable, où la fatigue la terrasserait et la contraindrait à prendre quelque repos. Il était inutile d'aller au-devant du danger.

Avec un soupir, elle mordit dans le petit pain qui, seul, lui semblait parfaitement innocent mais qui se montra tout à fait insuffisant pour apaiser sa faim. Le flacon de vin, sur lequel Marianne promena un nez prudent, fut écarté lui aussi et, soupirant de nouveau, elle quitta son lit, empêtrée dans le drap rouge, dont elle s'était enveloppée, et alla boire quelques gorgées à la grande aiguière d'argent dont la belle Noire s'était servie, tout à l'heure, pour sa toilette.

L'eau était tiède, avec un arrière-goût de vase assez désagréable, mais elle étancha un peu une soif qui, d'instant en instant, se faisait plus impérieuse. Malgré l'épaisseur des murs de la chambre, la chaleur qui régnait sur Venise et que la tombée de la nuit n'avait pas vaincue, s'infiltrait et semblait, au contraire, se faire plus oppressante. La soie pourpre du drap collait à la peau de Marianne qui, un instant fut tentée de s'en débarrasser et de s'étendre nue sur les dalles qui rafraîchissaient un peu ses pieds. Mais, ce drap, c'était sa seule défense, son dernier rempart et elle se résigna, non sans répugnance, à regagner la couche somptueuse qui l'inquiétait presque autant que les mets du plateau.

Elle venait à peine de s'y installer que la belle Noire entra, glissa jusqu'au lit de son pas félin de fauve à peine dressé.

Instinctivement, Marianne recula sur la couche et se pelotonna contre les oreillers. Mais, indifférente à ce geste de défense qui pouvait aussi bien signifier crainte que dégoût, la femme souleva les deux couvercles des plats. Sous leurs paupières peintes en bleu, ses yeux laissèrent filtrer un regard ironique. Puis, saisissant la cuillère, elle se mit à manger aussi tranquillement que si elle eût été seule.

En quelques instants, les deux plats et le flacon se trouvèrent vides. Un soupir de satisfaction clôtura le repas et Marianne ne put s'empêcher de trouver cette paisible démonstration infiniment plus mortifiante qu'une litanie de reproches car il y entrait de la moquerie et du dédain. Cette fille semblait prendre un vif plaisir à lui démontrer que sa prudence ressemblait à de la lâcheté.

Piquée au vif, et ne voyant, par ailleurs, aucune raison de rester plus longtemps sur sa faim, Marianne déclara sèchement :

— Je n'aime pas ces plats étrangers. Allez me chercher des fruits !

A sa grande surprise, la Noire acquiesça d'un battement de paupières et frappa aussitôt dans ses mains. A celle de ses compagnes qui apparut, elle adressa quelques paroles dans une langue inconnue, assez guttu-rale. C'était la première fois que Marianne entendait sa voix. Elle avait un timbre étrange et bas, presque sans inflexions, et qui convenait à son personnage énig-matique. Mais, une chose était certaine : si cette femme ne parlait pas l'italien employé par Marianne, du moins le comprenait-elle parfaitement car les fruits demandés arrivèrent au bout de quelques minutes. Et, au moins, elle n'était pas muette.

Encouragée par ce résultat, Marianne choisit une pêche, puis, d'un ton très naturel, réclama des vête-ments, ou, tout au moins, une chemise de nuit. Mais, cette fois, la belle Noire secoua la tête.

— Non, dit-elle nettement. Le maître défend !

— Le maître ? s'insurgea Marianne. Cet homme n'est pas le maître ici. Il est mon serviteur et rien, dans ce palais qui est à mon époux, ne lui appartient.

— Moi, je lui appartiens !

Ce fut dit avec un calme apparent mais une curieuse passion vibrait sous la simplicité des mots. Marianne s'en étonna fort peu. Dès qu'elle avait vu la belle Noire, elle avait senti les liens intimes qui l'attachaient à Damiani. Elle était à la fois son esclave et sa maî-tresse, elle servait ses vices et le dominait sans doute par la puissance de sa beauté sensuelle. S'il en allait autrement, la présence, dans ce palais vénitien, de l'étrange trio noir ne s'expliquait pas.

La prisonnière n'eut cependant pas le temps de poser la question qui lui montait aux lèvres. La porte, en s'ouvrant, livra passage à Matteo Damiani en per-sonne, toujours affublé de sa dalmatique dorée, mais ivre à faire peur.

D'un pas incertain, il se lança à travers le dallage luisant, une main tendue devant lui, à la recherche d'un point d'appui. Il le trouva dans l'une des colonnes du lit et s'y agrippa de tout ce qui lui restait d'énergie.

Marianne vit, avec dégoût, s'approcher d'elle ce visage couleur lie-de-vin dont les traits, assez nobles naguère, se liquéfiaient maintenant dans la graisse. Les yeux, qu'elle avait connus clairs, insolents, voire implacables, s'injectaient de sang. Le regard y vacillait comme la flamme d'une chandelle sous le vent.

Damiani soufflait comme s'il venait de fournir une longue course et son haleine parvenait, lourde et acide, jusqu'à la jeune femme écœurée. Il grogna :

— Alors... mes belles ? On a... fait connaissance ?

Partagée entre le dégoût, la crainte et la stupeur, Marianne cherchait vainement à comprendre comment cet homme, naguère bizarre, inquiétant mais apparemment doué d'une certaine dignité et d'une insurpassable vanité, ce démon que Leonora lui avait peint aux couleurs d'un subtil génie du mal (ne l'avait-elle pas vu, elle-même, se livrer aux plus noires pratiques de la magie ?) avait pu en arriver là : se ravaler en un paquet de graisse mariné dans l'alcool ? Était-ce le fantôme du maître, malheureux et trop confiant, assassiné par lui qui hantait le mauvais serviteur ? Cela, bien sûr, en admettant que le remords eût quelque prise sur Matteo Damiani...

Cependant, il se laissait tomber de tout son poids sur le lit, agrippait de ses mains tremblantes le drap de soie rouge où se réfugiait Marianne.

— Enlève-lui ça, Ishtar !... Il fait si chaud !... Et puis je t'avais dit que je ne voulais pas qu'on lui laisse le moindre vêtement ! C'est... c'est une esclave et les... esclaves vont... nues dans ton pays du diable ! Les bêtes aussi ! Et ce n'est qu'une belle petite jument dont je tirerai... le poulain princier qu'il me... faut !

— Tu es ivre ! gronda la Noire avec colère. Si tu continues à boire ainsi, tu ne l'auras jamais ton poulain princier. A moins de le faire faire par un autre ! Regarde-toi ! Vautré sur ce lit ! Tu n'es pas capable de faire l'amour !

Il eut un rire d'ivrogne qui se termina dans un hoquet.

— Allons donc! Donne-moi ta drogue, Ishtar, et je serai plus fort... qu'un taureau! Va... me chercher le breuvage qui brûle le sang... ma belle sorcière! Et n'oublie pas de lui en donner, à elle aussi... pour qu'elle ronronne comme une chatte en folie! Mais d'abord... aide-moi à lui ôter ça! Rien que la vue de son corps me rendra mes forces! J'en ai rêvé... des nuits entières!

De ses mains rendues malhabiles par l'ivresse, il froissait le drap tout en détaillant, avec un soin maniaque, les charmes de la jeune femme révulsée d'horreur. A deux doigts de la nausée, Marianne cherchait éperdument comment lutter contre un ivrogne assisté d'un démon noir. La panique lui rendit des forces inespérées. D'un geste brutal, elle arracha l'étoffe soyeuse des mains du gros homme puis, d'une rapide torsion des reins, se glissa hors du lit, courut à travers la salle en nouant de son mieux le drap autour de sa poitrine. Comme tout à l'heure dans la salle, elle saisit à deux mains le chandelier de fer posé sur le coffre avec sa charge de bougies allumées. Des gouttes brûlantes tombèrent sur ses bras et ses épaules nus, mais la peur et la rage, en décuplant ses forces, la rendaient insensible à la douleur. Dans l'ombre, ses yeux verts se mirent à briller comme ceux d'une panthère à l'affût.

— J'assomme le premier de vous deux qui m'approche! siffla-t-elle entre ses dents serrées.

Ishtar, qui la regardait avec un intérêt nouveau, haussa les épaules.

— Ne dépense pas tes forces en vain! Il ne te touchera pas cette nuit. La lune n'est pas en son plein et les astres sont contraires. Tu ne concevrais pas... et lui en est bien incapable!

— Je ne veux pas qu'il me touche, ni ce soir, ni jamais !

Le sombre visage se durcit, prit une expression implacable qui, un instant, lui donna l'aspect rigide d'une statue d'ébène.

— Tu es là pour faire un enfant, dit-elle rudement, et tu le feras ! Rappelle-toi ce que je t'ai dit : je lui appartiens et je l'aiderai quand l'heure sera venue...

— Comment pouvez-vous être à lui ? cria Marianne. Regardez-le donc ! Il est ignoble, répugnant : une masse graisseuse confite dans le vin.

En effet, Damiani, comme si le débat ne le concernait pas, demeurait affalé sur le lit, dans son drap d'or froissé, respirant avec peine et si visiblement perdu dans les brumes de l'ivresse que Marianne reprit un peu espoir. Cet homme aimait boire et, apparemment, les efforts d'Ishtar pour l'en empêcher demeuraient stériles. Il s'écoulerait peut-être beaucoup de temps avant que les astres ne soient « favorables », et, d'ici là, Marianne aurait peut-être trouvé le moyen de fuir cette maison de fous, quitte à plonger, sans le moindre vêtement, dans le rio et à en sortir dans la même tenue sommaire, en plein midi et au cœur même de Venise. On l'arrêterait sans doute, mais du moins échapperait-elle à ce cauchemar.

Sous le poids du candélabre, les muscles de ses bras tremblaient. Lentement, elle le reposa. Ses forces l'abandonnaient et, d'ailleurs, en avait-elle vraiment besoin ? Là-bas Ishtar venait d'empoigner Matteo à bras-le-corps, le jetait sur son épaule comme un simple sac de farine et, sans même se courber sous un tel poids, se dirigeait vers la porte.

— Recouche-toi ! conseilla-t-elle dédaigneusement à Marianne. Pour cette nuit, tu peux dormir tranquille !

— Et... les nuits suivantes ?

— Tu le verras bien ! De toute façon, ne t'imagine

pas qu'il boira autant à l'avenir car j'y veillerai. Pour ce soir, disons qu'il a... un peu trop fêté ton arrivée ! Il y a longtemps qu'il t'attend ! Bonne nuit !

L'étrange fille noire disparut avec son fardeau et Marianne se retrouva seule avec la perspective de longues heures en face d'elle-même. L'impression de cauchemar s'attardait, même dans son cerveau fatigué où les événements s'enchaînaient mal et où ne parvenait pas à s'implanter l'idée de la mort de son mystérieux époux et de l'incroyable retournement de situation qui en résultait.

Malgré la chaleur, elle s'aperçut qu'elle tremblait, mais c'était d'excitation et elle savait qu'il ne lui serait pas possible de dormir malgré la fatigue de ses nerfs. Tout ce qu'elle voulait, c'était fuir, et le plus tôt possible ! Le ridicule et répugnant épisode qui venait de se dérouler l'avait plongée dans une sorte de stupeur dont seul l'instinct animal de conservation l'avait tirée un instant, tout à l'heure, quand elle avait saisi le chandelier.

Il fallait dissiper cette brume mortelle, débarrasser son esprit de la peur paralysante qui l'engluait, tenter de reprendre pleine possession de ses nerfs. Après tout, ce n'était pas la première fois qu'elle se trouvait prisonnière et, jusqu'à présent, elle avait toujours réussi à s'échapper, même dans des circonstances difficiles. Pourquoi donc sa chance et son courage l'abandonneraient-ils ? L'homme qui l'avait capturée était un demi-fou et ses gardiennes des créatures plus qu'à moitié sauvages. Son intelligence et sa patience devaient la tirer de ce mauvais pas.

Ces quelques idées la réconfortèrent un peu. Pour rentrer encore davantage en possession d'elle-même, Marianne alla passer son visage à l'eau, en but quelques gorgées et revint manger un fruit dont la fraîcheur parfumée lui fit du bien. Ensuite, elle déchira en deux le drap qu'elle retenait toujours et dont l'ampleur la gênait, se drapa dans l'un des morceaux qu'elle noua solidement autour de sa poitrine. De se sentir ainsi presque vêtue, elle tira une espèce d'assurance nouvelle malgré la fragilité de ce rempart de soie.

Ainsi équipée, elle reprit, avec un soin minutieux et le vague espoir d'un indice oublié à son premier examen, la visite de sa chambre, passa de longues minutes devant la porte à scruter le jeu compliqué des serrures pour en venir à la déprimante conclusion qu'à moins de disposer d'un canon il n'était pas possible de l'ouvrir sans en avoir la clef : cette sinistre chambre était défendue aussi vigoureusement qu'un coffre-fort.

La prisonnière revint alors vers la fenêtre et en examina les barreaux. Ils étaient épais mais leur réseau n'était pas serré et Marianne était mince. Si elle pouvait seulement en enlever un, il lui serait possible de se glisser dans l'intervalle ainsi ménagé puis, à l'aide de ses draps, de descendre dans la petite cour intérieure où elle était certaine de trouver un passage. Mais comment parvenir à desceller ce barreau ? Avec quoi ? Le ciment qui le retenait à la pierre était vieux et se laisserait peut-être attaquer facilement avec un outil assez solide. La difficulté consistait justement à trouver cet outil solide...

Il y avait bien le couvert demeuré sur le plateau mais il se composait de fragiles objets de vermeil parfaitement incapables de fournir un travail efficace. Ils ne pouvaient être d'aucune utilité.

Pourtant, Marianne, possédée du démon de la liberté, refusa de se laisser décourager. Il lui fallait un morceau de fer et elle continua obstinément de le chercher, examinant recoins, meubles et murailles dans l'espoir d'y trouver une réponse, un objet utilisable.

Sa persévérance trouva sa récompense avec le grand coffre où elle constata que d'élégantes, mais fort médiévales volutes de fer forgé se terminant en pointe, ornaient la serrure. Passant dessus des doigts à la fois avides et précautionneux, elle eut une exclamation de joie vite étouffée : l'une d'elles, assujettie par des clous rouillés, tenait mal. Il était peut-être possible de la détacher.

Tremblant d'excitation, Marianne alla prendre sur le plateau la serviette pour éviter de se déchirer les doigts, s'assit à terre près du coffre et se mit à secouer la ferrure afin d'accentuer le jeu des clous dans le bois antique. C'était moins aisé qu'elle ne l'avait cru tout d'abord. Les clous étaient longs et le bois solide. En fait, ce fut un travail pénible et fatigant que la chaleur ne facilitait pas. Mais, tendue vers son but, Marianne ne la sentait pas plus que les piqûres des moustiques qui la harcelaient sans discontinuer, attirés par la flamme du chandelier posé près d'elle.

Quand, enfin, la ferrure convoitée tomba dans sa main, la nuit était déjà fort avancée et la jeune femme, en sueur, était épuisée. Elle regarda un moment la lourde pièce forgée puis, se relevant avec peine, alla revoir le scellement du barreau et poussa un soupir. Il était impossible d'en venir à bout à moins de plusieurs heures et le jour serait là bien avant qu'elle n'eût fini son travail !

Comme pour lui donner raison, une horloge du voisinage sonna quatre heures. Il était trop tard. Pour cette nuit, elle ne pouvait rien faire de plus. D'ailleurs, elle se sentait maintenant si lasse et si courbatue par sa longue station accroupie, que la descente au moyen des draps se fût révélée problématique. La sagesse commandait d'attendre la nuit prochaine, en priant seulement pour que la journée qui l'en séparait ne fût pas catastrophique. Et, jusque-là, il fallait dormir, dormir le plus possible afin de reprendre des forces !

Sa décision prise, Marianne reposa calmement la

ferrure à sa place et remit les clous qui la retenaient. Puis, murmurant une prière pleine de supplication, elle revint s'étendre sur le grand lit et, ramenant sur elle les couvertures, car la fraîcheur et la brume du matin envahissaient lentement la chambre, elle s'endormit comme on plonge.

Elle dormit longtemps, s'éveilla seulement quand une main toucha son épaule. En ouvrant les yeux, elle vit Ishtar qui, drapée dans une ample tunique blanche rayée de noir, de larges anneaux d'or aux oreilles, se tenait assise au bord du lit et la regardait :

— Le soleil se couche, lui dit-elle simplement, mais je t'ai laissée dormir car tu étais lasse. Et puis tu n'avais pas grand-chose d'autre à faire. Maintenant, l'heure de ta toilette est venue.

En effet, les deux autres femmes attendaient déjà au milieu de la chambre avec tout l'arsenal utilisé la veille. Mais au lieu de se lever, Marianne s'enfonça davantage sous les couvertures et jeta, sur Ishtar, un regard farouche :

— Je n'ai pas envie de me lever. Pour le moment, j'ai surtout faim ! La toilette peut attendre.

— Ce n'est pas mon avis ! Tu seras servie ensuite. Mais si tu es encore trop lasse pour te lever, mes sœurs peuvent t'aider.

Une menace, ironique mais indéniable, vibrait sous le feutrage de la voix. Se rappelant avec quelle aisance la grande fille noire avait chargé sur son épaule le pesant Matteo, Marianne comprit que toute résistance serait inutile. Et, comme elle ne voulait pas gaspiller, en un combat stérile, des forces dont elle pensait avoir le plus grand besoin, elle se leva et, sans un mot de plus, se livra aux soins de ses bizarres servantes.

Les mêmes rites de propreté que le soir précédent se renouvelèrent mais avec plus de soin encore. Au lieu d'huile, on enduisit tout son corps d'un parfum lourd qui montait à la tête et qu'elle jugea bientôt insupportable.

— Cessez d'employer ce parfum, protesta-t-elle en voyant l'une des femmes en verser encore une bonne dose dans le creux de sa main. Je ne l'aime pas !

— Ce que tu aimes ou n'aimes pas n'a aucune importance, riposta calmement Ishtar. C'est le parfum de l'amour. Aucun homme, même moribond, ne peut rester insensible à celle qui le porte !

Le cœur de Marianne manqua un battement. Elle avait compris : ce soir, ce soir même, elle allait être livrée à Damiani. Apparemment, les astres devaient être favorables... Envahie brusquement d'une sorte de terreur mêlée de rage et de déception, elle fit une tentative désespérée pour se libérer de ces soins odieux qui, maintenant, lui donnaient la nausée. Mais aussitôt, six mains qui lui parurent aussi lourdes que le granit s'abattirent sur elle et l'immobilisèrent.

— Reste tranquille ! lui enjoignit rudement Ishtar. Tu agis comme une enfant ou comme une folle ! Il faut être l'une ou l'autre pour se battre contre l'inévitable !

C'était peut-être vrai mais Marianne ne pouvait se résigner à être ainsi livrée, parée et embaumée comme une odalisque à sa première nuit chez le sultan, au répugnant bonhomme qui la convoitait. Des larmes de colère montèrent à ses yeux, tandis que, sa toilette achevée, on la revêtait, cette fois, d'une ample tunique de mousseline noire, parfaitement translucide mais semée, ici et là, d'étranges figures géométriques brodées en fil d'argent. Sur ses cheveux tressés en une multitude de fines nattes, qui semblaient autant de serpents noirs, Ishtar posa un cercle d'argent sur le devant duquel se tordait une vipère aux yeux d'émeraude. Puis, à l'aide de khôl, elle agrandit jusqu'aux limites du possible les yeux de Marianne qui, vaincue momentanément, se laissait faire.

La toilette achevée, Ishtar recula de quelques pas pour juger de son œuvre.

— Tu es belle ! constata-t-elle froidement. La reine Cléopâtre ou même la déesse-mère Isis ne l'étaient pas plus que toi ! Le maître sera content ! Viens prendre ton repas maintenant...

Cléopâtre ? Isis ?... Marianne secoua la tête comme si elle cherchait à s'éveiller d'un mauvais rêve. Que venait faire ici l'ancienne Égypte ? Car enfin, on était au XIXe siècle, dans une ville habitée par des gens normaux, gardée par les soldats de son pays ! Mais enfin, Napoléon régnait sur la majeure partie de l'Europe ! Comment les vieux dieux osaient-ils reparaître ?

Elle sentit le vent de la folie toucher son front. Pour tenter de revenir sur terre, elle goûta les plats qu'on lui avait préparés, but un peu de vin, mais la nourriture lui parut fade et le vin sans bouquet. C'était, justement, comme ces nourritures que l'on absorbe en rêve et dont on ne parvient pas à saisir la saveur...

Elle allait mordre, sans plaisir, dans un fruit quand cela se produisit. La chambre, tout à coup, se mit à tourner lentement autour d'elle, puis bascula tandis que les objets semblaient reculer à l'infini comme si Marianne avait été, soudain, aspirée par un long tunnel. Les bruits s'éloignèrent et aussi les sensations... Et Marianne, avant d'être emportée par une grande vague bleuâtre qui se gonfla soudain devant elle, put tout juste comprendre, le temps d'un éclair, que cette fois, on avait drogué sa nourriture...

Mais elle n'en éprouva ni angoisse, ni colère. Son corps, allégé, semblait avoir rompu ses amarres terrestres y compris ses facultés de souffrance, de peur ou même de simple répugnance. Il flottait, détendu, merveilleusement aérien dans un univers brillamment coloré aux teintes chaleureuses de l'aurore. Les murs avaient reculé, la prison s'écroulait. Le vaste monde, diapré de fulgurances, irisé comme un verre de Venise, s'offrait à Marianne, en un flot mouvant, chatoyant, vers lequel, dans une sorte d'ivresse, elle s'élançait. C'était comme si elle se trouvait, tout à coup, sur un navire de haut bord... peut-être celui-là même dont elle avait tant rêvé la venue et que menait une sirène verte ? Elle voguait, des hauteurs de la proue, vers des rivages étranges où les maisons aux formes fantastiques brillaient comme du métal, où les plantes étaient bleues et la mer pourpre. Le navire aux voiles chantantes avançait sur un tapis d'Orient aux nuances somptueuses et l'air marin avait des senteurs d'encens mais, à le respirer, Marianne, délivrée des étonnements, sentait un bizarre bonheur animal envahir jusqu'aux fibres les plus intimes de son corps...

C'était une curieuse sensation que cette joie ressentie dans le plus petit nerf et jusqu'au bout de chacun de ses ongles. C'était un peu comme après l'amour, quand le corps comblé, parvenu à la cime de ses sensations, chancelle... à l'extrême limite de l'anéantissement. Et ce fut, d'ailleurs, une sorte d'anéantissement. D'un seul coup, tout changea, tout devint noir... Le paysage fabuleux sombra dans une nuit opaque et la douce chaleur parfumée fit place à une fraîcheur moite mais le bonheur où flottait Marianne demeura intact.

L'obscurité où elle se mouvait maintenant lui était douce, famillière. Elle la sentait autour d'elle comme une caresse. C'était celle de la prison, sordide et merveilleuse, où elle s'était, pour l'unique fois de sa vie, donnée à Jason. Et le temps reculait. Marianne retrouvait, sous son dos nu, la rugosité des planches qui leur avaient servi de lit nuptial, leur dureté râpeuse que compensaient si bien les caresses de son amant.

Ces caresses, Marianne les sentait encore. Elles glissaient le long de son corps, l'enveloppant d'un réseau brûlant sous lequel, à son tour, sa chair s'enflammait, s'épanouissait, s'ouvrait comme une fleur à la chaleur d'une serre. Et Marianne fermait les yeux de toutes ses forces, essayant même de ne plus respirer tant elle s'appliquait à retenir en elle cette merveilleuse sensation qui, cependant, n'était que le prélude à la volupté suprême qui allait venir... Elle sentait se gonfler dans sa gorge les gémissements et les râles du plaisir, mais ils moururent, avant même que de naître, tandis que le rêve changeait une fois encore d'orientation et plongeait dans l'absurde.

Il y eut, lointain d'abord mais se rapprochant d'instant en instant, le battement d'un tambour, un battement lent, désespérément lent, sinistre comme un glas, mais qui, peu à peu, précipitait son rythme. C'était comme la pulsation d'un cœur énorme qui s'affolerait, en approchant, et cognerait de plus en plus vite, de plus en plus fort.

Un instant, Marianne imagina que c'était le cœur de Jason qu'elle entendait ainsi mais, à mesure que cela devenait plus distinct, l'obscurité amoureuse se diluait comme un brouillard et se teintait d'une lueur pourpre. Et, brusquement, la prisonnière se trouva précipitée des hauteurs de son rêve d'amour au centre même du cauchemar qu'elle croyait évanoui...

Par un curieux dédoublement de sa personnalité, elle se vit elle-même, étendue dans ces transparences noires qui mettaient de sombres moirures sur sa nudité. Elle était couchée sur une table de pierre, assez basse, une espèce d'autel derrière lequel se dressait un serpent d'airain couronné d'or.

Le lieu était sinistre, un caveau sans fenêtre, à la voûte basse suintant l'humidité, aux murs bourgeonnants et visqueux, éclairé par d'énormes cierges de cire noire qui donnaient une lumière verdâtre et dégageaient une âcre fumée. Au pied de cet autel, deux des femmes noires étaient assises dans leurs draperies sombres, avec, entre leurs genoux, de petits tambours ronds sur lesquels elles frappaient. Mais seules leurs mains bougeaient. Tout le reste de leur personne était parfaitement immobile, même leurs lèvres dont cependant s'échappait une sorte de bourdonnement musical, une bizarre mélopée sans parole. Et, sur ce rythme étrange, Ishtar dansait...

A l'exception d'un mince serpent d'or qui se tordait autour de ses reins, elle était entièrement nue et, sur sa peau luisante, les flammes des cierges avaient des reflets bleuâtres. Les yeux clos, la tête rejetée en arrière, les bras haut levés accusant le galbe de ses seins lourds et pointus, elle tournait sur place et sur elle-même, à la manière d'une toupie, de plus en plus vite, toujours plus vite...

Et, tout à coup, l'esprit vagabond de Marianne qui planait détaché et comme insensible sur cette scène étrange, regagna le corps étendu qu'il envahit. Avec lui revint la peur, l'angoisse mais quand Marianne voulut bouger, se lever, s'enfuir, elle s'aperçut qu'il lui était impossible de faire le moindre mouvement. Sans qu'aucun lien, visible ou tangible, la retint à la table de pierre, ses membres, sa tête refusèrent de lui obéir, comme si elle était en catalepsie...

C'était une sensation si affolante qu'elle voulut crier mais aucun son ne sortit de sa bouche. Tout près d'elle, Ishtar tournait maintenant à une allure folle. La sueur traçait sur sa peau noire de minces rigoles brillantes et une odeur fauve, presque insupportable, se dégageait de son corps surchauffé.

Mais Marianne ne put même pas détourner son visage.

Alors, d'un coin sombre du caveau, elle vit grandir Matteo Damiani et souhaita être morte. Il s'avançait lentement, les yeux grands ouverts et absolument fixes, hagards, portant à deux mains une coupe d'argent où bouillonnait quelque chose. Il était vêtu d'une longue robe noire, assez semblable à celle que Marianne lui avait vue, la terrible nuit de la *villa* Sant'Anna, quand elle avait arraché Agathe à ses pratiques démoniaques. Mais, sur celle-ci s'entrelaçaient de longs serpents d'argent et de soie verte, et sa profonde ouverture laissait voir une poitrine grasse, velue, grise et presque aussi mamelue que celle d'une femme...

A son approche, Ishtar cessa brusquement sa danse frénétique. Haletante, elle s'abattit à terre, couchée sur les pieds nus de l'homme où elle colla ses lèvres. Mais comme s'il n'avait rien senti, Matteo continua d'avancer, rejetant la femme du bout de sa sandale noire.

Il vint jusqu'à Marianne, tendit une main et, saisissant la tunique de voile, l'arracha d'un seul coup. Puis ramassant à terre un petit plateau, il le lui plaça sur le ventre et posa dessus la coupe d'argent. Cela fait, il se laissa tomber à genoux et commença à réciter d'étranges litanies dans une langue inconnue.

Du fond de sa torpeur paralysante, Marianne révulsée d'horreur comprit qu'il allait accomplir sur elle les rites sataniques dont elle avait été le témoin aux ruines du petit temple mais, que cette fois, elle était au centre même de cette magie noire. C'était son corps, son propre corps qui servait d'autel au sacrilège...

Ishtar s'était relevée. A genoux auprès de Matteo, elle tenait le rôle d'acolyte dans l'infernale cérémonie, psalmodiant des réponses dans son incompréhensible langage.

Quand son maître saisit la coupe et la vida jusqu'à la dernière goutte, elle jeta un cri sauvage qui se prolongea en incantation. Sans doute appelait-elle sur lui la protection de quelque sombre et terrible divinité, probablement ce serpent couronné d'or dont les yeux d'émeraude semblaient doués d'une vie menaçante.

Matteo s'était mis à trembler. Il paraissait possédé

d'une sorte de fureur sacrée. Ses prunelles dilatées roulaient dans leurs orbites et une écume lui venait aux dents. Un grondement sourd montait de ses poumons comme d'un volcan à l'instant de l'éruption... Ishtar, alors, lui tendit un coq noir dont il trancha la tête d'un seul coup à l'aide d'un grand couteau. Le sang gicla et se répandit sur le corps nu de la femme étendue...

A cette minute, l'horreur s'enfla en Marianne au point de lui permettre de vaincre le pouvoir paralysant de la drogue dont elle était captive. Un hurlement atroce, inhumain jaillit de sa gorge cependant raidie par la transe. C'était comme si, seules, ses cordes vocales s'étaient remises à vivre mais cette faible résurrection entraîna avec elle les réactions de défense : à peine le cri d'effroi eût-il empli le caveau que Marianne, miséricordieusement, perdit connaissance...

Elle ne vit pas Matteo, en pleine crise de folie, rejeter sa robe et se pencher sur elle, les mains tendues. Elle ne le sentit pas quand il s'abattit de tout son poids sur son ventre rouge de sang et la posséda avec une fureur démente... Elle était partie dans un monde sans couleur et sans échos où rien ne pouvait l'atteindre.

Combien de temps demeura-t-elle ainsi inconsciente ? C'était impossible à déterminer, mais quand elle revint réellement à la surface du monde, elle était couchée dans le grand lit à colonnes et elle était malade à mourir...

Peut-être, afin de neutraliser sa résistance, lui avait-on fait absorber une dose de drogue trop forte pour son organisme, ou peut-être aussi les moustiques qui, dès la nuit close et les chandelles allumées, emplissaient Venise de leur bourdonnement, avaient-ils déposé déjà dans son sang leur fièvre des eaux mortes, mais une soif ardente la torturait tandis que de douloureux élancements vrillaient ses tempes.

Elle se sentait si mal que sa conscience de la réalité était à peine claire. Le peu qui lui en restait était centré sur une idée unique, à la fois fixe et obstinée : fuir ! S'en aller loin... le plus loin possible, hors de portée de ces démons !

En effet, elle avait tout de même retrouvé suffisamment de lucidité pour sentir que le long rêve, si tragiquement naufragé dans les pires pratiques de la magie, n'en était pas véritablement un, mais qu'au moins dans sa dernière phase il revêtait une révoltante réalité : Damiani, avec l'aide de sa sorcière noire, l'avait violée sans rencontrer la moindre résistance.

C'était une pensée à la fois répugnante et destructrice car, Marianne en avait maintenant la certitude, à moins de se laisser mourir de faim et de soif, il ne lui serait plus possible d'échapper à la déchéance où Damiani l'avait contrainte. Rien ni personne n'empêcherait ses bourreaux d'employer, à leur gré, la drogue mystérieuse qui la livrait, tellement impuissante, au désir de l'intendant...

La ronde des pensées, dans la tête de Marianne, augmentait la fièvre et la fièvre attisait la soif ! Jamais elle n'avait eu aussi soif ! Elle avait l'impression que sa langue, doublée de volume, emplissait sa bouche et son palais...

Au prix d'un pénible effort, elle parvint à se redresser sur ses oreillers, cherchant à évaluer la distance qui la séparait du pot à eau. Le mouvement augmenta les élancements de sa tête et un gémissement lui échappa. Une main noire, alors, approcha une tasse de ses lèvres :

— Bois ! fit la voix tranquille d'Ishtar. Tu brûles !

C'était vrai, mais l'apparition de la sorcière noire lui arracha un frisson d'horreur. De la main elle repoussa la tasse. Ishtar ne bougea pas.

— Bois ! insista-t-elle. Ce n'est qu'une tisane. Elle calmera ta fièvre.

Glissant un bras sous l'oreiller pour soulever la jeune femme, elle approcha de nouveau le récipient des lèvres sèches qui, instinctivement, aspirèrent le liquide tiède. Marianne n'avait plus la force de résister. D'ailleurs, cela sentait bon les plantes forestières, la menthe fraîche et la verveine. Rien de suspect dans cette senteur familière et, finalement, Marianne avait tout avalé jusqu'à la dernière goutte quand Ishtar la reposa sur l'oreiller.

— Tu vas dormir encore, ordonna-t-elle, mais d'un bon sommeil. Quand tu te réveilleras, tu te sentiras mieux.

— Je ne veux pas dormir! Je ne veux plus jamais dormir, balbutia Marianne reprise par la crainte des rêves trop beaux qui finissent mal.

— Pourquoi donc? Le sommeil est le meilleur des médecins. Et puis tu es trop lasse pour lui résister...

— Et... lui? Ce... ce misérable?

— Le maître dort, lui aussi, riposta Ishtar impavide. Il est heureux car il t'a prise à une heure favorable et il espère que les dieux agréeront son sacrifice et te donneront un bel enfant!

A la tranquille évocation de l'affreuse scène où elle avait joué le rôle principal, une nausée tordit Marianne puis la rejeta, haletante et en sueur, sur son oreiller. Elle prenait conscience, tout à coup, de la souillure de son corps et elle en avait horreur. La Providence avait bien voulu lui permettre d'être absente, en esprit, au pire moment, mais la honte et l'humiliation demeuraient les mêmes et aussi le dégoût de sa chair que l'autre avait faite sienne.

Comment, après cela, pourrait-elle regarder encore Jason en face, si même Dieu permettait qu'elle le revît un jour? L'esprit du corsaire américain était clair, net, assez positif et peu enclin aux superstitions. Admettrait-il la conspiration maléfique dont Marianne venait d'être la victime? Il était jaloux et, dans la jalousie, violent, sans mesure. Il avait accepté, non sans peine d'ailleurs, que Marianne fût la maîtresse de Napoléon, il n'admettrait jamais qu'elle fût asservie à un Damiani. Il la tuerait peut-être... ou alors il s'éloignerait d'elle, plein de répugnance et pour toujours.

Dans la tête malade de Marianne, les pensées se battaient, s'entrechoquaient avec une violence d'où naissaient souffrance et désespoir. Les nerfs brisés, elle éclata soudain en sanglots convulsifs que la grande Noire, immobile et muette à quelque pas du lit, écouta silencieusement, sourcils froncés.

Sa science des potions demeurait impuissante devant un tel désespoir et, finalement, haussant les épaules, elle quitta la pièce sur la pointe des pieds, laissant la prisonnière pleurer tout son saoul et pensant qu'arrivée au bout de ses larmes elle finirait par s'endormir.

Ce fut ce qui se produisit. Quand Marianne fut parvenue au dernier degré de l'épuisement nerveux, elle cessa de se défendre contre les effets bienfaisants de la tisane et s'endormit, le visage enfoui dans la soie rouge inondée de ses larmes avec pour dernière et déprimante pensée qu'il lui resterait toujours la ressource de se tuer si Jason la repoussait...

Grâce à trois autres tasses administrées à heures régulières par Ishtar, la fièvre céda au petit matin. Marianne se retrouva faible encore, mais l'esprit clair et pleinement consciente, hélas, du tragique de sa situation.

Pourtant, le désespoir qui l'avait submergée au plus fort de sa fièvre s'était écroulé comme une vague qui s'étale avant de se retirer et Marianne se retrouvait elle-même, avec ce goût secret du combat qu'elle portait en elle. Plus l'ennemi se révélait puissant et perfide et plus le désir de vaincre, de vaincre à tout prix, s'ancrait au fond de son cœur.

S'efforçant, pour commencer, de faire calmement le tour de son problème, Marianne voulut se lever afin d'éprouver ses forces. Là-bas, au flanc du coffre ancien, la ferrure qu'elle avait réussi à détacher lui semblait briller d'un éclat plus neuf que les autres et l'attirer comme un aimant. Mais en s'asseyant sur son lit, elle s'aperçut qu'elle avait une garde-malade : l'une des femmes noires était assise sur les marches qui supportaient la couche, sa tunique bleue étalée sur les peaux d'ours.

Elle ne faisait rien. Accroupie, les bras ceinturant les genoux remontés presque sous le menton, elle avait l'air dans ses voiles sombres d'un bizarre oiseau méditatif.

Entendant remuer, elle se contenta de tourner les yeux vers la jeune femme et, la voyant réveillée, frappa dans ses mains. Sa compagne, si semblable qu'elle pouvait passer pour son ombre, entra avec un plateau, le déposa sur le lit et prit, exactement dans la même pose, la place de sa sœur qui, avec un salut, disparut.

Durant des heures, la femme demeura là, sans plus bouger qu'une souche, sans proférer un son et sans paraître entendre ce qu'on lui disait.

— Tu ne dois plus jamais demeurer seule, lui dit un peu plus tard Ishtar, comme Marianne se plaignait de cette espèce de faction montée au pied de son lit. Nous ne désirons pas que tu nous échappes.

— M'échapper ? d'ici ? s'écria la jeune femme avec une colère où la déception qu'elle éprouvait à se voir ainsi gardée à vue entrait pour la plus grande part. Comment le pourrais-je ? Les murs sont épais, il y a des barreaux à ma fenêtre... et je suis nue !

— Il existe bien des manières de quitter une prison, même quand le corps en demeure captif !

Marianne comprit alors la raison profonde de cette

surveillance; Damiani craignait que le désespoir et l'humiliation ne la poussent au suicide.

— Je ne me tuerai pas, affirma-t-elle. Je suis chrétienne et les chrétiens considèrent la mort volontaire comme une lâcheté doublée d'une faute grave !

— C'est possible ! Mais je te crois de celles qui ne craignent pas de braver même un dieu. Et puis nous ne voulons rien laisser au hasard : tu es trop précieuse maintenant !...

Marianne ignora volontairement le propos et ne le releva pas. A chaque instant son souci ! Pour le moment, elle sentait bien qu'il était inutile d'insister pour être débarrassée de sa gardienne, mais elle devait faire un effort pour ne pas montrer sa déception car cette présence compliquait singulièrement les choses. Comment se livrer à la moindre tentative d'évasion sous l'œil morne de ce cerbère noir ? A moins de l'assommer et de le réduire à l'impuissance auparavant ?

L'idée cheminait doucement en Marianne qui s'était, il y avait un instant, proclamée si bonne chrétienne et qui, maintenant, envisageait froidement de tuer sa gardienne pour pouvoir s'enfuir. A condition, bien sûr, d'en avoir la force et d'être assez habile pour prendre, par la surprise, une espèce de chat sauvage aux sens perpétuellement en éveil...

La journée passa ainsi, monotone mais point trop ennuyeuse, à échafauder toutes sortes de projets plus ou moins réalisables qui avaient tous pour but l'élimination de la geôlière. Mais, quand la nuit revint, Marianne comprit qu'elle aurait bien peu de chance d'en réaliser un seul, car, après le souper, Matteo reparut et, un bougeoir à la main, fit son entrée dans la chambre. Un Matteo tellement différent de celui que Marianne avait vu jusqu'à présent, que sa colère s'en trouva un instant prise de court.

Non seulement il n'avait plus rien du sorcier fou de l'autre nuit et ne montrait plus trace d'ivresse, mais encore il avait soigné son extérieur de façon insolite. Rasé, coiffé, pommadé, les ongles brillants comme des agates, portant une robe de chambre d'épaisse soie bleu sombre sur une chemise d'une éclatante blancheur, il répandait autour de lui de puissants effluves d'une eau de Cologne si largement appliquée qu'ils rappelèrent soudain Napoléon à Marianne. Lui aussi avait coutume de s'inonder ainsi d'eau de Cologne quand...

Sa pensée n'alla pas plus loin, reculant devant une odieuse hypothèse. Pourtant, Matteo avait tout du marié de village au soir de ses noces, l'embarras en moins, car il arborait un sourire vainqueur et paraissait enchanté de lui-même.

Tout de suite sur ses gardes, Marianne fronça les sourcils. Puis, le voyant poser son bougeoir au chevet du lit, elle protesta avec indignation :

— Enlevez cette chandelle et allez-vous-en ! Comment osez-vous seulement vous présenter devant moi ? Et que prétendez-vous faire, à présent ?

— Eh mais... passer la nuit auprès de vous ! N'êtes-vous pas... en quelque sorte mon épouse désormais, belle Marianne ?

— Votre...

Le mot se coinça dans la gorge de la jeune femme et refusa de sortir mais il ne retint guère qu'un instant la fureur sauvage qui s'empara d'elle. Un véritable torrent d'injures en plusieurs langues, empruntées aussi bien au vocabulaire du palefrenier Dobs, qu'à celui des marins de Surcouf, et dont elle s'étonna elle-même, se déversa sur l'intendant qui, de stupeur, recula sous la tempête :

— Dehors ! continua Marianne, sortez d'ici immédiatement, misérable assassin, bandit, ruffian ! Vous n'êtes qu'un plat valet, un porc né de l'accouplement d'une truie et d'un bouc, et vous n'employez d'ailleurs que des armes de valet : le piège et le coup de poignard dans le dos ! Car c'est ainsi, n'est-ce pas, que vous avez tué votre maître ? Lâchement, par-derrière ? Ou bien lui avez-vous tranché la gorge en le rasant ? Ou encore une drogue, semblable à celle que vous avez osé employer contre moi pour me réduire à votre merci ? Mais qu'est-ce que vous vous imaginez ? Que votre magie noire m'a faite, tout à coup, semblable à vous ? Que j'ai pris plaisir, peut-être, au traitement infâme que vous m'avez fait subir et que, séduite par vos grâces, je vais désormais partager bourgeoisement vos nuits ? Mais regardez-vous... et regardez-moi ! Je ne suis pas une bergère qu'on culbute dans un tas de foin, Matteo Damiani, je suis...

— Je sais ! cria Matteo dont la patience était courte. Vous l'avez déjà dit : la princesse Sant'Anna ! Mais que vous le vouliez ou non je suis, moi aussi, un Sant'Anna et mon sang...

— Cela reste à prouver et je n'en suis pas convaincue ! Il est facile, en vérité, de s'attribuer pour père un grand seigneur quand il n'est plus là pour le confirmer. Et vos façons de faire, à elles seules, s'insurgent contre vos prétentions. Chez les Sant'Anna, j'ai appris qu'on tuait de face, qu'on exerçait une justice impitoyable et cruelle, mais qu'on n'aurait jamais, que je sache, recouru à l'aide d'une sorcière africaine pour mener à bien une ignoble machination contre une femme...

— Tous les moyens sont bons, avec une femme comme vous ! Après tout, votre mariage n'a été qu'une escroquerie. Où est l'enfant que vous vous étiez enga-gée à donner à votre mari, où est la raison, l'unique raison pour laquelle on vous a épousée, vous, une catin impériale ?

— Misérable laquais ! Un jour viendra où, avant de

vous faire pendre, je vous ferai fouetter jusqu'à ce que vous demandiez grâce, jusqu'à ce que vous sanglotiez votre repentir d'avoir osé porter la main sur moi... et sur votre maître !

La chambre résonnait de la fureur des deux ennemis. Ils s'affrontaient, presque visage contre visage, possédés par une fureur égale, sinon de même qualité.

Marianne, blême, ses yeux verts jetant des éclairs, cherchant à écraser sous son mépris un Damiani apoplectique, l'œil injecté de sang et son lourd visage violacé tremblant de rage. L'envie de tuer s'y lisait clairement, mais Marianne était incapable de mettre le moindre frein à sa colère. Elle se vidait de sa fureur, de sa haine et de son dégoût sans même chercher à analyser le bizarre sentiment qui la poussait à vouloir venger l'étrange mari dont cependant elle avait si peur, naguère encore.

Ne se possédant plus, Matteo allait se jeter sur Marianne pour l'étrangler. Ses mains, déjà, se levaient vers son cou, mais Ishtar, à cet instant, s'élança entre les deux adversaires.

— Tu es fou ? gronda-t-elle. Tu es le maître et, quoi qu'elle dise, elle t'appartient ! Pourquoi la tuer ? As-tu oublié ce qu'elle représente pour toi ?

Ses paroles firent sur Damiani l'effet d'une douche froide. Il respira lourdement, plusieurs fois, afin de se calmer puis, d'un geste soudain très doux, il écarta la femme noire et se tourna de nouveau vers Marianne.

— Elle a... raison, exhala-t-il. Laquais ou pas, vous êtes probablement enceinte de ce laquais, Princesse, et quand l'enfant sera là...

— Il n'est pas encore là et vous ignorez totalement si vos basses œuvres ont porté leur fruit. Et, en admettant même que je doive mettre au monde un enfant de vous, il vous faudra me tuer si vous voulez que je me taise car rien ni personne ne m'empêchera de vous livrer à la justice impériale.

— Eh bien, je vous tuerai, Madame! Qu'importe quand vous aurez rempli votre tâche! Et, en attendant...

— En attendant quoi?

Sans répondre, Matteo se mit en devoir d'ôter sa robe de chambre qu'il posa sur une chaise et revint vers le lit avec l'intention évidente de s'y installer. Il n'eut même pas le temps de toucher le drap du bout du doigt. Rapide comme l'éclair, Marianne en avait bondi et, sans même se soucier de sa tenue sommaire, cherchait refuge dans les rideaux auxquels elle se cramponna.

— Si vous osez seulement entrer dans ce lit, Matteo Damiani, vous y entrerez seul car rien ni personne ne m'obligera à le partager avec un misérable tel que vous!

Aussi calmement que si elle n'avait rien dit, Matteo s'installa, secoua les oreillers à coups de poing et s'y accota avec un plaisir visible.

— Que cela vous plaise ou non, Madame, nous ferons lit commun aussi longtemps que cela me conviendra. Vous avez fait tout à l'heure une remarque fort pertinente. Les mesures les mieux prises, les calculs les mieux faits peuvent se trouver en défaut et il se peut qu'en effet vous ne soyez pas encore enceinte. Aussi nous allons faire de notre mieux pour que cette probabilité devienne une certitude. Venez ici!

— Jamais!

Marianne voulut s'écarter, fuir au moins le contact de cette main qui se tendait vers elle. Mais elle se heurta à Ishtar qui lui barrait le passage. La grande Noire lui parut immense, debout contre elle. C'était comme si le mauvais génie des contes orientaux s'était dressé tout à coup devant elle pour la rejeter au pouvoir du démon! Sans effort apparent, sans même paraître s'apercevoir de la défense instinctive qu'on lui

opposait, Ishtar saisit Marianne, hurlante et gesti-
culante, à bras-le-corps et la rejeta sur le lit où, aussitôt, les mains de Damiani la clouèrent. En même
temps, elle murmura quelques mots dans sa langue
inconnue, une question à laquelle l'intendant répondit
en italien :

— Non, pas de hachisch ! Elle l'a mal supporté,
l'enfant pourrait en souffrir et nous avons d'autres
moyens. Appelle tes sœurs. Vous la maintiendrez simplement.

Immédiatement, trois paires de mains noires s'abattirent sur Marianne, s'emparant de ses bras, de ses
jambes, l'immobilisant sur le lit malgré ses cris et ses
larmes de rage. Pour la faire taire, on la bâillonna et,
cette fois, aucun évanouissement miséricordieux ne
vint lui épargner la honte et le dégoût.

A demi étouffée, réduite à l'impuissance totale par
ces mains qui semblaient autant d'étaux, elle dut subir
son bourreau pendant des minutes qui lui parurent
interminables et au cours desquelles, cent fois, elle crut
mourir de honte et d'horreur. C'était l'enfer lui-même
qui s'était emparé d'elle. Il y avait le visage cramoisi
et suant de ce gros homme qui s'évertuait sur son
corps, et il y avait ces trois figures noires, aussi rigides
que de la pierre qui, de leurs yeux fixes, surveillaient
ce viol avec autant d'indifférence que s'il se fût agi
d'un accouplement d'animaux. Et c'était cela au fond :
Marianne était traitée comme une bête de race, jument
ou génisse, dont on voulait obtenir un produit...

Quand enfin on la libéra, elle demeura inerte sur le
lit ravagé, étouffée de sanglots et noyée de larmes,
vidée de ses forces par la résistance stérile que tout son
corps avait fourni. Elle n'avait même plus la force de
crier ou d'injurier son bourreau, mais quand Matteo,
haletant encore de l'effort fourni, quitta le lit et ren-
dossa sa robe de chambre, elle ne put que gémir en
l'entendant maugréer :

— Elle y met tant de mauvaise volonté que c'est loin d'être un plaisir ! Mais nous recommencerons tout de même, chaque soir, jusqu'à ce que nous soyons certains ! Laissons-la, Ishtar et viens finir la nuit avec moi ! En vérité, cette pécore dégoûterait de l'amour Éros en personne...

Et Marianne, vaincue, brisée, fut laissée dans sa chambre sinistre, à la garde muette et vigilante de l'une des deux autres femmes sans que personne prît seulement la peine de la recouvrir. Elle n'avait plus d'espoir en rien, pas même en Dieu ! Cet abominable calvaire, il lui faudrait le gravir marche après marche, elle le savait maintenant, et cela jusqu'à ce que Damiani eût tiré de son corps le fruit qu'il en attendait.

« Mais il ne gagnera pas, il ne gagnera pas... se répétait la malheureuse au fond de son désespoir. Je saurai bien empêcher cet enfant de naître et, s'il vient malgré tout, je disparaîtrai avec lui... »

Vaines paroles, pensées désespérées nées de la fièvre et du paroxysme de l'humiliation mais que Marianne devait, interminablement, se répéter soir après soir durant les jours suivants qui réussirent à offrir, dans l'horreur, une sorte de monotonie, dans l'écœurement une habitude.

Elle savait que Lucinda, la sorcière, prenait sa revanche, qu'elle était en son pouvoir transmis à Matteo par-delà la tombe. Parfois, dans l'obscurité, Marianne croyait voir s'animer la statue de marbre du petit temple. Elle l'entendait rire... et s'éveillait alors inondée de sueur.

Les journées étaient mornes, toutes semblables. Marianne les passait enfermée dans cette chambre vide, sous l'œil d'une gardienne. On la nourrissait, on la lavait, on la vêtait sommairement d'une sorte de tunique flottante à la mode des femmes noires et d'une paire de pantoufles, puis, quand le soir venait, les trois diablesses l'attachaient sur le lit, pour plus de commodité, et la livraient ainsi, nue et sans défense, au bon plaisir de Matteo qui, d'ailleurs avait de plus en plus de mal à accomplir ce qu'il paraissait considérer comme un devoir. De plus en plus souvent, Ishtar devait lui tendre un verre contenant un liquide mystérieux pour ranimer ses forces défaillantes. Plusieurs fois la nourriture de la prisonnière fut droguée, ce qui acheva de lui faire perdre la notion du temps. Mais elle n'y prenait même plus garde. L'excès de dégoût l'avait conduite à une sorte d'insensibilité. Elle était devenue un objet, une chose inerte, sans réactions, sans souffrances. Son épiderme lui-même paraissait se mortifier et ne lui offrait plus que de faibles sensations tandis que son esprit s'engourdissait, figé autour d'une idée, une seule, plantée dedans comme une écharde : tuer Damiani et mourir ensuite.

Cette idée, cette soif permanente, était la seule chose vraiment vivante en elle. Tout le reste était pierre, inertie, cendres. Elle ne savait même plus si elle aimait, ni qui elle aimait. Les personnages de sa vie lui semblaient aussi lointains et étrangers que ceux des tapisseries de sa chambre. Elle ne cherchait même plus à fuir. Comment d'ailleurs y parvenir gardée à vue jour et nuit ? Les démons femelles qui veillaient sur elle semblaient ignorer le sommeil, la fatigue ou même l'inattention. Non, ce qu'elle voulait, c'était tuer avant de s'anéantir et, en dehors de cela, plus rien n'offrait le moindre intérêt.

On lui avait apporté quelques livres, mais elle ne les avait même pas ouverts. Ses journées se passaient toutes à contempler les tentures ou les traces de suie au plafond de sa chambre, assise dans l'un des grands fauteuils raides, aussi immobile, aussi muette que ses noires gardiennes. Les mots même semblaient bannis de cette pièce aussi silencieuse qu'une tombe.

Marianne n'adressait plus la parole à personne, ne répondait pas quand on lui parlait. Elle se laissait manier, abreuver, nourrir sans plus montrer de réaction qu'une statue. Seule, sa haine demeurait à l'affût au milieu du silence et de l'inertie.

Ce mutisme, cette absence finirent par impressionner Damiani. Quand il s'approchait d'elle, chaque soir, Marianne, à mesure que passait le temps, voyait l'anxiété grandir dans ses yeux. Petit à petit, il finit par ne plus passer chez elle que quelques minutes et, un soir, enfin, il ne vint pas. Il n'avait plus envie de cette créature de marbre dont, peut-être, il craignait le regard trop fixe. Il avait peur maintenant et Marianne bientôt ne le vit plus que quelques minutes chaque jour, quand il venait s'enquérir auprès d'Ishtar de la santé de sa prisonnière.

Pensant, sans doute, avoir fait tout ce qu'il fallait pour s'assurer l'enfant tant convoité, il ne jugeait plus utile de s'infliger ce qui était devenu un supplice. Et, du fond de son insensibilité, Marianne avait joui de cette crainte, dans laquelle elle voyait un triomphe mais qui était insuffisante pour assouvir sa haine : il lui fallait le sang de cet homme et elle aurait toutes les patiences pour l'obtenir.

Combien de temps dura cette étrange captivité hors du temps, hors de la vie ? Marianne avait perdu le fil des heures et des jours. Elle ne savait même plus où elle était ni à peine qui elle était. Ce palais dans lequel, depuis son arrivée, elle n'avait vu que quatre personnes, alors qu'il devait normalement contenir une nombreuse domesticité, était aussi secret et silencieux qu'un tombeau. Hormis la respiration, toute manifestation de vie s'y étouffait au point que Marianne se prit à penser que, peut-être, la mort viendrait à elle tout doucement, d'elle-même et sans qu'elle eût à l'aller chercher. Elle aurait juste à cesser de vivre et, maintenant, cela paraissait incroyablement facile !

Un soir, pourtant, il se passa quelque chose...

Ce fut d'abord l'habituelle gardienne qui disparut. Dans les profondeurs de la maison, il y eut comme un appel, un cri rauque. La femme noire, en l'entendant, tressaillit et, quittant sa place accoutumée sur les marches du lit, sortit de la pièce, non sans refermer soigneusement la porte derrière elle.

C'était la première fois depuis des jours que Marianne était laissée seule, mais elle ne s'en préoccupa qu'à peine. Dans un instant, la femme reviendrait avec les autres. En effet, l'heure où l'on avait coutume de procéder à sa toilette approchait. Indifférente, lasse aussi car cette claustration et cette inaction minaient peu à peu son organisme, la prisonnière alla s'étendre sur son lit et ferma les yeux. Il lui arrivait souvent, dans la journée d'avoir sommeil et elle avait pris l'habitude de ne pas plus résister à ses propres impulsions qu'aux volontés des autres.

Elle aurait pu, aussi bien, dormir ainsi toute la nuit, mais son instinct la réveilla et, tout de suite, elle eut la sensation de quelque chose d'inhabituel.

Elle ouvrit les yeux, regarda autour d'elle. La nuit, au-dehors était complète et, dans le grand candélabre, les chandelles brûlaient comme de coutume. Mais la chambre était aussi déserte et aussi muette que tout à l'heure. Personne n'était revenu et le moment de la toilette était passé depuis longtemps...

Lentement, Marianne se leva, fit quelques pas dans la pièce. Un courant d'air qui coucha soudain les flammes des bougies lui fit tourner la tête vers la porte et, dans son esprit, quelque chose se ranima : la porte était grande ouverte...

Son lourd battant de chêne armé de fer plaqué contre la muraille, elle découpait un trou noir entre les tapisseries et Marianne, incapable d'en croire ses yeux, s'avança vers elle pour la toucher, pour s'assurer qu'elle n'était pas encore victime de l'un de ces songes qui hantaient ses nuits et où, cent fois, elle avait vu cette porte ouverte sur des lointains immenses et bleus.

Mais non, cette fois on aurait dit que la porte était réellement ouverte et, sur son corps, Marianne sentait le léger courant d'air qu'elle libérait. Néanmoins, afin d'être certaine de ne pas rêver, elle alla d'abord jusqu'au chandelier, présenta un doigt à la flamme et poussa un petit cri de douleur : la flamme l'avait brûlée. Elle porta le doigt douloureux à ses lèvres et c'est alors que ses yeux tombèrent sur le coffre.

Une exclamation de surprise lui échappa : soigneusement étalés sur le couvercle, il y avait les vêtements dans lesquels elle était arrivée : la robe de drap vert olive garnie de velours noir, le linge, les bas et les chaussures. Seule la capote garnie de Chantilly manquait... Des souvenirs d'un autre monde !

Presque craintivement, Marianne avança la main, toucha le tissu, le caressa puis s'y accrocha comme à une planche de salut. Quelque chose alors craqua en elle et s'en détacha. Elle se retrouva d'un seul coup vivante, pensante, l'esprit en alerte. C'était comme si elle avait été jusque-là emprisonnée dans un bloc de glace et que, ce bloc s'étant brisé, les morceaux fussent en train de se détacher d'elle pour la rendre à la chaleur, à la vie.

Emportée par une joie enfantine, elle arracha la tunique dont on l'avait revêtue et qui lui faisait horreur, se rua sur ses vêtements, s'en empara comme d'un trésor et s'y glissa avec délices. Elle avait la sensation de retrouver sa peau après avoir été écorchée. Et c'était une telle ivresse qu'elle ne chercha même pas à se demander, sur le moment, ce que cela pouvait signifier. C'était simplement merveilleux, même si, par la chaleur qui régnait alors, ces vêtements se révélaient trop chauds et lourds à porter. Elle se retrouvait elle-même, des pieds à la tête, et c'était la seule chose qui importât vraiment.

Une fois habillée, elle se dirigea avec décision vers la porte. Quel que soit celui ou celle qui avait apporté ces vêtements et ouvert cette porte, c'était un ami et il lui donnait une chance : il fallait en profiter.

Au-delà de la porte, c'était l'obscurité totale et Marianne revint prendre l'une des bougies pour s'éclairer. Elle vit qu'elle était au bout d'un long couloir où il n'y avait d'autre ouverture qu'une porte située juste en face... et qui semblait fermée !

La main de la jeune femme se crispa sur la chandelle tandis que son cœur manquait un battement. Avait-on décidé d'expérimenter sur elle la torture par l'espérance et toute cette mise en scène n'avait-elle d'autre but que de l'amener, impuissante et plus brisée encore qu'auparavant, à cette nouvelle porte inexorablement close ?

Mais, en s'en approchant, elle vit que le battant était simplement poussé. Il céda sans peine sous sa main hésitante et Marianne, alors, entra dans une galerie à claire-voie, sorte de long balcon surplombant une cour étroite. Des ogives soutenues par de svelte colonnettes réunissaient la balustrade à un plafond fait de grosses poutres de cèdre peint.

Malgré sa hâte de quitter cette maison, la jeune femme, un instant, s'arrêta sous la galerie, respirant l'air chaud de la nuit qui, cependant, lui apportait des odeurs peu agréables de vase et de pourriture. Mais c'était la première fois, depuis si longtemps, qu'elle se trouvait dehors, ou à peu près dehors, et qu'elle pouvait contempler un grand morceau de ciel. Peu importait si le ciel en question charriait de lourdes nuées d'orage et si aucune étoile ne s'y montrait : c'était tout de même le ciel, c'est-à-dire l'image la plus parfaite de la liberté.

Reprenant sa marche précautionneuse, Marianne trouva, au bout de la galerie, une nouvelle porte qui s'ouvrit sous sa main. Et elle se retrouva en Chine.

Sur les murs d'un petit salon, charmant et intime, des princesses aux yeux bridées dansaient, avec des magots hilares et grimaçants, une folle farandole autour de paravents de laque noire et de consoles dorées supportant une infinité de porcelaines roses ou jaunes sur lesquelles un lustre de Murano irisé jetait les feux de l'arc-en-ciel. C'était, en vérité, une bien jolie pièce mais son éclairage de fête contrastait péniblement avec le silence qui l'habitait et créait un malaise.

Cette fois, Marianne traversa sans s'arrêter. Au-delà c'était de nouveau l'obscurité. Celle d'une large galerie d'où partait un escalier aboutissant, vraisemblablement, au rez-de-chaussée.

Les pieds de Marianne, chaussés de cuir mince, ne faisaient aucun bruit sur la brillante mosaïque de marbre et elle glissa, comme un fantôme, entre des rostres de bronze qui surgissaient des murailles comme des vaisseaux du brouillard, et des guerriers de pierre aux yeux aveugles. Partout, sur de longs coffres argentés, des caravelles réduites gonflaient leurs voiles d'un vent immobile et des galères dorées levaient leurs longues rames pour labourer une invisible mer. Partout aussi, des étendards aux formes étranges où se retrouvait cent fois le croissant de l'Islam. A chaque extrémité, enfin, reflétée par de grands miroirs ternis, une énorme sphère terrestre inerte et inutile rêvait des mains hâlées qui, jadis, la faisaient tourner dans ses cercles de bronze.

Impressionnée, malgré tout, par cette espèce de nécropole où reposait la Venise d'autrefois, maritime et guerrière, Marianne n'avançait plus que lentement. Elle approchait de l'escalier quand, tout à coup, elle s'arrêta, le cœur fou et l'oreille aux aguets : en bas, quelqu'un marchait, déplaçant une lumière dont le reflet passait lentement sur les murs de la galerie...

Figée sur place, elle osait à peine respirer. Qui pouvait marcher ainsi, de Matteo ou de ses trois sinistres geôlières ? Craignant d'être surprise, au cas où l'on monterait, elle chercha des yeux, autour d'elle, un refuge possible, choisit la statue d'un amiral qui drapait, sur une armure de bataille, un manteau aux larges plis de pierre et, tout doucement, elle se glissa derrière elle, attendant...

La lumière se fixa. On l'avait sans doute posée sur un meuble car les pas retentirent encore, mais en s'éloignant.

Marianne commençait à respirer quand brusquement son sang se figea. En bas un gémissement s'était fait entendre. Il y eut un cri sourd, fait d'horreur et de terreur et, tout de suite après, l'écho d'une double course. Quelqu'un fuyait devant quelqu'un d'autre. Un meuble, sans doute chargé d'orfèvrerie, s'écroula avec un bruit d'apocalypse. Une porte claqua. Poursuivant et poursuivi s'éloignèrent rapidement. Un nouveau cri, plus faible, parvint encore jusqu'à Marianne puis ce fut, lointain mais terrifiant, un râle d'agonie. Quelque part dans la maison ou dans le jardin quelqu'un était en train de mourir... Enfin, il n'y eut plus rien qu'un silence écrasant.

Essayant de comprimer les battements de son cœur, si violents qu'ils lui semblaient emplir le silence d'un bourdon de cathédrale, Marianne quitta sa cachette, osa quelques pas pleins d'appréhension en direction de l'escalier puisque c'était la seule issue possible. Elle l'atteignit, mais le spectacle qu'elle découvrit alors la glaça.

La grande salle où venaient mourir les marches, si noble avec ses peintures dans le style de Tiepolo, ses hautes tapisseries et ses meubles sévères, venait de lui apparaître comme un champ de mort. Près d'un haut chandelier, posé sur une longue table de pierre, les deux servantes noires, dont elle ne connaissait même pas le son de la voix, gisaient, l'une à même les dalles près d'un fauteuil renversé, l'autre en travers de la table. Toutes deux étaient mortes de la même manière : frappées au cœur avec une impitoyable précision.

Mais il y avait encore un autre cadavre et celui-là barrait les dernières marches de l'escalier. Les yeux grands ouverts sur une éternité de terreur, Matteo Damiani, la gorge tranchée, était renversé dans une mare de sang qui s'égouttait lentement des degrés inondés...

— Il est mort ! murmura Marianne instinctivement, et le son de sa propre voix lui parut venir de très loin. On l'a tué... mais qui l'a tué ?...

L'horreur, en elle, se mêlait à une joie sauvage, presque douloureuse à force d'intensité, la joie naturelle du prisonnier torturé qui trouve soudain, sur son chemin, le cadavre de son bourreau. Une main mystérieuse venait de venger, d'un seul coup, le prince Sant'Anna assassiné et les souffrances endurées par Marianne elle-même.

Cependant l'instinct de conservation reprit possession de la fugitive. Il serait temps de se réjouir plus tard, quand elle aurait définitivement échappé à ce cauchemar, si elle y échappait, car il n'y avait là que trois corps. Où était Ishtar ? Était-ce la sorcière noire qui avait ainsi égorgé son maître ? Elle en était, certes, bien capable, mais dans ce cas pourquoi aurait-elle également tué les deux femmes de sa race qu'elle appelait ses sœurs ? Et puis, il y avait eu ce cri, tout à l'heure, ce bruit de poursuite et, enfin ce râle... Était-ce Ishtar qui l'avait poussé ? Et, si c'était elle, qui pouvait être l'auteur du massacre ?

Depuis qu'elle était arrivée dans ce palais maudit,

Marianne avait tout ignoré de ceux qui l'occupaient, en dehors de Matteo lui-même, des trois Noires et de l'onctueux Giuseppe. Mais celui-ci ne possédait pas la force physique nécessaire pour abattre un Damiani, ni surtout une Ishtar. Néanmoins, il y avait peut-être d'autres serviteurs, et il était possible que l'un d'eux, pour assouvir sa vengeance, eût frappé...

Pensant, soudain, que l'assassin pouvait revenir et qu'il ne ferait sans doute aucune différence entre elle-même et ses autres victimes, Marianne secoua l'horreur qui l'avait paralysée. Elle ne pouvait rester là plus longtemps. Il fallait s'échapper de cet enfer, descendre ces marches dont les dernières étaient rouges, passer auprès de ce cadavre en robe d'or souillée de sang, avec son horrible blessure et ses yeux grands ouverts.

En frissonnant, elle descendit lentement, le dos à la rampe de marbre, s'y aplatissant de son mieux, vers la mare pourpre qui, en se figeant, prenait d'affreuses luisances.

Pour en épargner le contact à sa robe, elle la releva d'une main qui tremblait, mais ne put éviter de maculer ses souliers.

Tout en descendant, elle ne pouvait détacher son regard du corps de Matteo, subissant l'hypnose de l'horreur à laquelle se prennent les plus sensibles quand ils n'ont pas commencé par s'évanouir.

C'est alors qu'elle distingua mieux de quoi se composait un curieux tas métallique disposé sur la poitrine du mort : c'étaient des chaînes, des chaînes et des fers de prisonnier. Ils étaient vieux et passablement rouillés mais ils étaient ouverts et, visiblement, disposés là intentionnellement.

Néanmoins, elle ne perdit pas de temps à élucider ce nouveau mystère. Une véritable panique s'empara d'elle et, à peine ses pieds eurent-ils touché les dalles, qu'elle se mit à courir à travers la pièce, sans même prendre la précaution d'assourdir le bruit de ses pas tant la peur la talonnait. Elle se rua vers la porte entrouverte sans songer que, peut-être, l'assassin l'attendait derrière et se retrouva dans le vestibule d'entrée.

Fort heureusement il était vide. Seuls, y brillaient les deux fanaux de galère allumés, dont elle avait gardé le souvenir. La porte donnant sur le jardin était ouverte, elle aussi.

Sans ralentir sa course, Marianne s'y précipita, descendit l'escalier qui plongeait vers les ombres du jardin au risque de se rompre le cou, trop pressée d'arriver à la porte du canal dont le battant était lui aussi repoussé et laissait voir les miroitements de l'eau noire.

La liberté ! La liberté était là, tout près, à portée de sa main...

Elle voulut contourner la silhouette vague du puits qu'elle distinguait mieux à mesure que ses yeux s'accoutumaient à l'obscurité, quand elle buta et s'étala de tout son long sur quelque chose de mou et de chaud. Cette fois, elle faillit crier car elle venait de s'abattre sur un corps humain. Sous ses mains, elle sentit des draperies soyeuses, humides, et à l'odeur exotique qui se mêlait à celle, fade et écœurante, du sang, elle reconnut Ishtar. Ainsi, c'était bien elle, le râle d'agonie de tout à l'heure. Le mystérieux meurtrier ne l'avait pas épargnée plus que ses sœurs...

Étouffant un sanglot d'énervement, Marianne voulut se relever, mais, soudain, elle sentit bouger le corps qui émit un faible gémissement. La moribonde balbutia quelque chose que Marianne ne comprit pas et, instinctivement, elle se pencha pour mieux entendre, cherchant même la tête qu'elle souleva.

Dans l'ombre, les mains de la Noire se soulevèrent, tâtèrent, à la manière des aveugles, les bras qui la tenaient, mais Marianne n'éprouva pas de crainte : il ne restait rien de la force exceptionnelle de cette femme en train de mourir. Et, soudain, elle l'entendit murmurer :

— Le... le Maître !... Par... don ! Oh !... Pardon...

La tête retomba en arrière définitivement. Ishtar, cette fois, était bien morte. Marianne la reposa à terre et se releva aussitôt, mais le mouvement qu'elle ébauchait déjà pour se jeter vers la porte s'arrêta net.

Dans l'encadrement de celle-ci, sur le petit quai, deux silhouettes incontestablement militaires venaient d'apparaître, suivies d'autres beaucoup moins définies.

— Je vous assure, monsieur l'officier, que j'ai entendu des cris, des cris affreux, fit une voix de femme. Et cette porte ouverte, est-ce que c'est normal ? Et voyez donc là-haut, celle de l'escalier l'est aussi. D'ailleurs, j'ai toujours pensé qu'il se passait ici de drôles de choses ! Si l'on m'avait écoutée...

— Un peu de silence ! coupa une voix brutale. Nous allons visiter cette maison de fond en comble. Si on s'est trompés, on s'excusera et voilà tout, mais vous, ma bonne dame, il vous en cuira si vous nous avez fait commettre un impair !

— Je suis bien sûre que non, monsieur l'officier. Vous me remercierez peut-être ! Ici, j'ai toujours dit que c'était la maison du Diable.

— C'est ce que nous allons voir ! Holà, vous autres, de la lumière !

Lentement, retenant son souffle, Marianne à demi accroupie recula vers les ombres du jardin qui s'ouvrait, entouré de murs, au-delà d'une arche de pierre et qui devait longer le canal. L'instinct lui disait qu'il fallait fuir ces soldats et ces gens, peut-être bien intentionnés, mais trop curieux. Elle comprenait trop bien quelle pourrait être sa situation si on la trouvait là, seule vivante au milieu de quatre cadavres. Elle comprenait aussi que l'on croirait difficilement les explications qu'elle pourrait donner sur son aventure, terrible mais insensée. Au mieux, on la prendrait pour une folle et on l'enfermerait peut-être et, de toute façon, elle serait retenue par la police, interrogée interminablement. L'expérience vécue jadis à Selton Hall après son duel avec Francis Cranmere lui avait appris avec quelle facilité la vérité peut changer de forme et de couleur suivant la nature ou les sentiments de chacun. Sa robe, ses mains et ses souliers étaient maculés de sang. On pouvait fort bien l'accuser du quadruple crime. Que deviendrait alors son rendez-vous avec Jason ?

Le nom de son amant venait de revenir tout naturellement à son esprit, sans crainte et sans appréhension et elle s'en étonna. C'était la première fois, depuis qu'elle s'était éveillée de son long cauchemar, qu'elle évoquait le rendez-vous de Venise. Quand Damiani l'avait souillée, elle avait éprouvé une affreuse impression d'irrémédiable et elle avait pris d'elle-même, de son propre corps, un tel dégoût que seule la mort lui avait paru un bien désirable. Mais cette liberté inattendue qui venait de lui être redonnée la rendait à elle-même et elle retrouvait, du même coup, le goût passionné de la vie et de son corollaire naturel, la lutte.

Maintenant, elle reprenait conscience de ce qu'il y avait, quelque part dans le monde, un navire et un marin en qui s'incarnaient toutes ses espérances et que, ce marin, ce navire, elle voulait les revoir, les retrouver quelles qu'en puissent être les conséquences. Malheureusement, dans cette maison démentielle, la drogue et le désespoir lui avaient fait perdre jusqu'à la notion du temps écoulé. Le moment du rendez-vous pouvait aussi bien être arrivé que déjà dépassé ou seulement encore distant de plusieurs jours, elle l'ignorait complètement. Pour le savoir, il lui fallait d'abord sortir d'ici. Hélas, ce n'était pas facile !

Indécise sur ce qu'il lui fallait faire dans l'immédiat, Marianne s'était tapie dans un buisson de seringa, cherchant un moyen de quitter ce jardin qui embaumait l'oranger et le chèvrefeuille mais qui, défendu par des murailles apparemment sans fissures, n'en constituait pas moins un piège, et un piège qui serait probablement visité soigneusement tout à l'heure.

Là-bas, près du palais, des lanternes avaient été apportées qu'elle avait vues danser dans la nuit. Des gens qui lui parurent une foule, conduits par les deux soldats, avaient envahi la cour. De sa cachette, Marianne les vit, près du puits, se pencher sur le corps d'Ishtar avec des exclamations horrifiées. Puis, l'un des soldats monta l'escalier, disparut dans la maison avec une escorte de curieux, trop heureux de l'occasion ainsi offerte de visiter cette demeure patricienne et, peut-être, de piller quelque peu...

Marianne réalisa en même temps qu'il ne lui était pas possible de rester là plus longtemps si elle ne voulait pas être découverte. Elle quitta donc son abri précaire, fit quelques pas dans le jardin, cherchant la muraille pour la suivre dans l'espoir de trouver, peut-être, une porte de sortie. Il faisait noir comme dans un four. Les arbres, se rejoignant par le sommet formaient une épaisse voûte de feuillage sous laquelle l'obscurité était plus dense encore.

Les mains étendues en avant, comme une aveugle, Marianne toucha enfin les briques chaudes d'une muraille et se mit à la suivre à tâtons, bien décidée à faire ainsi tout le tour du jardin et, si elle ne trouvait pas d'issue, à grimper dans un arbre pour y attendre, mais pendant combien de temps, que la voie fût enfin libre.

Elle marcha ainsi une trentaine de pas. Puis le mur fit un coude. Encore quelques pas et les briques cessèrent brusquement pour faire place au vide et à des volutes de fer. D'ailleurs, ses yeux s'étant habitués de plus en plus aux ténèbres, elle put distinguer qu'elle se trouvait devant une petite grille ouvragée qui découpait, dans toute cette obscurité, une tache plus claire.

Au-delà, contrairement à ce qu'elle avait craint, il n'y avait pas de canal, mais une ruelle qu'une lanterne lointaine éclairait très vaguement. C'était enfin, l'issue espérée...

Malheureusement, Marianne ne s'en trouvait pas plus avancée. La grille était solide et une chaîne la fermait, vigoureusement maintenue par un cadenas. Il était impossible de l'ouvrir. Mais, à sentir ainsi, à portée de ses poumons l'air de la liberté, elle refusa de se laisser décourager, d'autant qu'il lui semblait entendre les bruits de la maison se rapprocher.

Prenant un peu de recul, elle jaugea du regard la hauteur du mur où s'encastrait la grille et cet examen la satisfit. Car, si la grille ne pouvait s'ouvrir, elle semblait relativement facile à escalader, les motifs de ferronnerie qui la composaient offrant de bonnes prises point trop espacées. Quant au linteau du dessus, il n'excédait pas un pied et demi et se franchirait aisément, l'appareillage de briques dont il était formé étant assez antique pour offrir des failles où s'agripper.

Les bruits se précisaient. Des pas, des voix. Une lumière brilla sous les arbres à l'entrée du jardin, mais il ne pouvait être question, pour Marianne, d'escalader cette porte empêtrée d'une robe longue en tissu épais.

Malgré sa hâte et sa peur, elle prit tout de même le temps de l'enlever et la poussa dans la ruelle à travers la grille, puis, vêtue seulement d'une chemise et d'un pantalon de batiste, elle s'élança à l'assaut de la ferronnerie.

L'escalade, comme elle l'avait prévu, était assez facile. Fort heureusement d'ailleurs, car ses muscles, affaiblis par la longue claustration et l'inaction, avaient beaucoup perdu de leur souplesse et de leur force.

Quand Marianne parvint au faîte du mur, elle était hors d'haleine et trempée de sueur. La tête lui tournait et, prise de vertige, elle dut s'asseoir un instant sur la crête pour laisser aux battements de son cœur le temps de se calmer. Elle n'aurait jamais cru qu'elle s'était affaiblie à ce point. Tout son corps tremblait et elle avait l'impression affolante que ses nerfs pouvaient la lâcher d'une seconde à l'autre. Néanmoins, il fallait maintenant descendre de l'autre côté...

Fermant les yeux, Marianne s'agrippa au mur, laissa descendre ses pieds en tâtonnant pour trouver des appuis, décala d'abord un pied, puis l'autre, une main, puis l'autre, voulut descendre encore un peu mais, brusquement, les forces lui manquèrent. Ses mains glissèrent en s'écorchant et elle tomba...

Fort heureusement, elle n'était pas très haut et elle atterrit sur ses vêtements qu'elle avait jetés au-dehors. L'épaisseur du drap et du velours amortirent la chute. Elle put se relever presque aussitôt, frictionna le bas de son dos endolori et jeta un rapide regard autour d'elle. Comme elle l'avait prévu, elle se trouvait dans une ruelle étroite prolongée de chaque côté par un petit pont en dos d'âne. Mais à l'une des extrémités, celle de gauche, une faible lumière brillait. Et des deux côtés, la ruelle était parfaitement déserte.

Hâtivement, Marianne remit sa robe en prenant soin de rester à l'abri du mur, hésita un instant. A ce moment, un lointain roulement de tonnerre se fit entendre et le vent se leva, balayant la rue et faisant voler les cheveux dénoués de la jeune femme. Cela la galvanisa. Les yeux fermés, elle ouvrit les bras tout grands comme pour saisir ce vent, cependant plus chargé de poussière que d'odeurs marines, mais qui lui parut enivrant. Elle était libre, libre enfin ! Au prix du quadruple crime d'un inconnu, mais elle était libre tout de même et ceux qui gisaient parmi les fastes surannés d'un palais qu'ils avaient volé, ne méritaient pas un regret. C'était là, aux yeux de la prisonnière évadée, le jugement même de Dieu.

Elle hésita un instant sur la direction à prendre, puis, légère tout à coup, se décida pour la gauche et prit sa course vers la petite lumière jaune qui brillait tout là-bas.

Au même moment, quelques gouttes de pluie, grosses comme des ducats, commencèrent à tomber, creusant dans la poussière autant de petits cratères. L'orage approchait de Venise...

CHAPITRE IV

UNE VOILE SUR LA GIUDECCA...

Une pluie diluvienne s'abattit sur Marianne, à peine franchi le petit pont du haut duquel elle put apercevoir des gens qui se ruaient sous le porche du palais Sorenzo et plusieurs gondoles agglutinées sur le rio devant le petit quai. En quelques secondes tout fut noyé. Venise sombra dans un univers liquide zébré d'éclairs blancs grâce auxquels, parfois, la perspective de la rue surgissait des ténèbres. La lumière vers laquelle Marianne avait choisi de se diriger, et qui était sans doute quelque lampe à huile allumée devant une statue sainte, avait disparu.

Trempée jusqu'aux os en moins de temps qu'il n'en faut pour l'écrire, Marianne n'en ralentit pas sa course pour autant. C'était trop bon de pouvoir courir, de s'élancer ainsi droit devant soi, même sans bien savoir où cela vous mènerait. Elle se contenta de baisser la tête, de courber le dos sous l'averse.

L'orage qui s'abattait sur la ville était bon, lui aussi et la pluie lui faisait du bien. Elle la lavait mieux encore que les ablutions compliquées des esclaves de Damiani. C'était comme si le Ciel avait décidé, en versant tant d'eau sur tant de sang, de haine et de honte, d'en effacer les traces visibles. Et Marianne se laissait flageller par la tempête avec un bienheureux sentiment de délivrance. Elle aurait souhaité pouvoir laver aussi chaque fibre de son corps pour en ôter jusqu'au souvenir...

Pourtant, il n'était pas possible qu'elle courût ainsi toute la nuit et jusqu'à épuisement, à travers Venise. Il lui fallait trouver au plus vite un refuge. Car, outre qu'une rencontre avec une patrouille de police était toujours possible, les gens ne manqueraient pas, le jour revenu, de s'étonner de son aspect étrange, de ses vêtements et de ses cheveux ruisselants.

Elle pensa donc que le mieux était de chercher une église pour y demander aide et assistance, et aussi la date du jour présent.

Là seulement elle pourrait se dire à l'abri des choses, des gens et de la police. L'antique droit d'asile qui, si souvent, avait étendu son inviolable protection jusque sur des criminels, pouvait bien se dresser entre une femme coupable seulement d'une âpre volonté de bonheur et une administration qu'elle devinait tatillonne et tracassière. Au besoin elle invoquerait sa parenté avec le cardinal de San Lorenzo... si toutefois l'on voulait bien la croire !

Entre deux rangées d'échoppes de marchands de légumes fermées à cette heure tardive, Marianne courut vers un autre pont, une autre ruelle. Aveuglée par la pluie qui tombait dans ses yeux, trébuchant sur les débris de poireaux ou les trognons de choux abandonnés dans le caniveau, elle manqua dix fois de s'abattre dans l'eau boueuse.

L'orage redoublait de violence quand, après un nouveau pont, Marianne, hors d'haleine, déboucha sur une place, après avoir suivi un instant un assez large canal qui en longeait l'un des côtés. Sur sa droite, la zébrure blanche d'un éclair fit surgir du déluge la façade rousse d'une grande église au gothique harmonieux. Mais ce ne fut qu'un instant. Le rideau de nuit et de pluie retomba plus opaque encore tandis que, juste au-dessus de la tête de la jeune femme, éclatait le tinta-marre du tonnerre.

Au jugé, elle tenta de joindre cette église un instant entrevue mais son élan se brisa sur un angle de pierre où elle se fit un mal affreux. Avec un gémissement de douleur, elle essaya de contourner l'obstacle imprévu. Un nouvel éclair le lui montra et, du même coup, lui fit pousser un cri de terreur. Pourtant, ce n'était que la statue équestre d'un guerrier du Quattrocento qui la domi-nait de si haut qu'elle lui parut tomber du ciel. Mais si vivante était sa réalité, si brutale l'expression du visage à la mâchoire carnassière sous le rebord du casque de guerre, si redoutable la puissance de ce cavalier de bronze verdi que Marianne, malgré elle, eut un mouve-ment de recul comme si le gigantesque destrier, poussé en avant par l'art du sculpteur, s'apprêtait à la fouler aux pieds. Dans cette nuit terrible, d'ailleurs, tout ne semblait-il pas tenir du prodige et du surnaturel ? Et ce condottiere d'airain, apparu soudain au cœur d'une tempête, ressemblait trop au mauvais génie de son des-tin. Il était là, devant elle, l'écrasant de son arrogance menaçante, comme s'il la défiait d'oser poursuivre une route sur laquelle il se dressait.

Pour échapper à sa fascination, elle se tourna vers l'église qu'elle venait d'entrevoir une seconde et se précipita vers l'abri de son porche, s'y tapit contre le vantail qui refusa de s'ouvrir, cherchant un endroit un peu plus sec. Malheureusement le porche était de peu de profondeur et la pluie le frappait de plein fouet.

L'orage avait singulièrement rafraîchi la tempéra-ture et, dans ses vêtements dégouttant d'eau qui lui donnaient assez l'aspect d'une fontaine, Marianne gre-lottait maintenant. Elle essaya, de nouveau, d'ouvrir la porte centrale de l'église, puis une autre sans y parve-nir.

— On ferme toujours l'église la nuit, fit non loin d'elle une petite voix mal assurée. Mais si tu veux venir près de moi, tu seras moins mouillée et on pourra attendre la fin de l'orage...

— Qui a parlé ? Je ne vois rien.

— Moi. Je suis là ! Attends, je viens te chercher.

Il y eut une galopade dans les flaques d'eau puis une main menue se glissa dans celle de Marianne. C'était celle d'un petit garçon qui, pour la taille, pouvait avoir une dizaine d'années, mais qu'elle distinguait mal.

— Viens, fit-il avec décision en la remorquant derrière lui sans autre forme de procès. Sous le portail de la Scuola, il y a bien plus de place et la pluie ne va pas de ce côté. Ta robe et tes cheveux sont pleins d'eau.

— Comment vois-tu tout cela ? Moi c'est tout juste si je t'aperçois...

— J'y vois la nuit. Annarella dit que tous les chats sont mes frères.

— Qui est Annarella ?

— Ma sœur aînée. Elle, elle est la sœur des araignées, elle fait de la dentelle ! La plus belle et la plus fine de tout Venise !

Marianne se mit à rire.

— Si tu penses avoir trouvé une pratique, tu te trompes, mon garçon ! Je n'ai pas un liard ! Mais vous me faites l'effet d'une drôle de famille. Le chat et l'araignée ! On dirait une fable !

Guidée par l'enfant, une course de quelques secondes la mena jusqu'à l'entrée d'un bâtiment qui s'élevait à angle droit de l'église. L'orage éclaira une seconde la grâce d'une façade Renaissance, des frontons arrondis dont l'un se timbrait du lion de Saint-Marc. Et, comme l'avait annoncé le gamin, le portail, double et même triple, porté par des colonnes et gardé de deux fauves couchés, était infiniment plus confortable que celui de l'église.

Marianne put y secouer sa robe et rejeter dans son dos ses longues mèches ruisselantes. La pluie, d'ailleurs, se calmait. L'enfant ne disait plus rien, mais pour entendre encore sa voix, qui était fraîche et pure comme un cristal, elle l'interrogea :

— Il doit être très tard. Que fais-tu dehors à cette heure ? Tu devrais être couché depuis longtemps.

— J'avais une commission à faire pour un ami, répondit l'enfant, gardant une prudente réserve, et j'ai été surpris par l'orage, tout comme toi. Mais, dis... d'où viens-tu toi-même ?

— Je ne sais pas, répondit la jeune femme soudain tendue. On m'avait enfermée dans une maison et je me suis échappée. Je voulais entrer dans l'église pour trouver un abri.

Il y eut un silence. Elle sentit que l'enfant la dévisageait. Il devait la prendre pour une folle échappée de quelque asile ; elle en avait assez l'apparence... mais il reprit, de la même voix tranquille :

— Le sacristain ferme toujours San Zanipolo ! A cause des voleurs et des trésors ! Beaucoup de nos seigneurs doges y sont enterrés... et lui est là pour les garder, ajouta-t-il en désignant le cavalier de bronze qui, de profil, semblait précéder l'église.

Puis, baissant soudain la voix, il chuchota, très vite :

— C'est un amoureux qui t'avait enfermée ou bien... la *polizia* ?

Quelque chose souffla à Marianne que son jeune compagnon lui montrerait plus de sympathie dans la seconde éventualité. D'ailleurs, il était impensable de lui dire la vérité.

— La Police !... S'ils me reprennent, je suis perdue ! mais, dis-moi... au fait quel est ton nom ?

— On me dit Zani[1] comme l'église...

1. Diminutif typiquement vénitien de Giovanni.

— Eh bien, Zani, je voudrais savoir quel jour nous sommes.

— Tu ne le sais pas ?

— Non. J'étais dans une chambre sans lumière et sans fenêtre. On y perd un peu la notion du temps.

— *Peccato !* Tu as eu de la chance de leur échapper ! La *polizia,* c'est tous des sauvages et ils sont plus mauvais et plus bêtes encore depuis que les sbires de Bonaparte sont venus les aider. On dirait qu'ils font la course !...

— Tu as raison, mais, je t'en supplie, dis-moi quel jour, implora la jeune femme en saisissant l'enfant par le bras.

— Ah oui, j'oubliais ! On était le 29 juin quand j'ai quitté la maison et on doit être le 30 maintenant. Le jour n'est pas très loin !

Assommée, Marianne se laissa aller contre le mur. Cinq jours ! Il y avait maintenant cinq jours que Jason devait l'attendre dans la lagune ! Il était tout près d'elle et passait peut-être ses nuits à scruter l'obscurité, dans l'espoir de la voir apparaître tandis qu'elle subissait encore, passive et désespérée, les caresses de Damiani...

En quittant cette maudite maison, elle pensait honnêtement avoir encore un peu de temps pour reprendre pleinement possession d'elle-même, pour réfléchir aussi et pour, enfin, tenter d'effacer un peu de sa mémoire les heures d'un gris affreux et sale qu'elle venait d'endurer. Un peu de recul lui semblait nécessaire avant d'affronter le regard aigu de Jason. Elle connaissait trop sa perspicacité et cet instinct, quasi animal, qui le faisait mettre toujours le doigt sur le point sensible ou simplement défectueux. D'un seul coup d'œil, il saurait que la femme qui venait à lui n'était plus la même que celle qu'il avait laissée à bord du « Saint-Guénolé » six mois plus tôt. Le sang répandu vengeait sa honte, mais ne l'effaçait pas plus que la trace vivante laissée peut-être dans le secret de son corps et à laquelle, pour le moment, elle se refusait à croire, ou seulement à penser. Et voilà qu'il l'attendait... déjà!

Dans l'espace de quelques instants, une heure peut-être, elle pouvait se trouver en face de lui. Et c'était un déchirement de penser que cette minute, si longtemps, si passionnément attendue, elle ne la voyait plus approcher sans crainte. Car elle ne savait plus ce qu'elle allait trouver au bout de ces rues inondées, de ces dômes noyés, de toute cette cité livrée à la tempête et qui lui cachait la mer.

En la revoyant, Jason ne serait-il qu'un amant tout entier au bonheur des retrouvailles ou bien se doublerait-il d'un inquisiteur plein d'arrière-pensées? Il attendait une femme heureuse venant à lui dans le soleil et dans tout l'éclat de sa beauté triomphante et il verrait venir à lui une créature traquée, inquiète et aussi mal à l'aise dans sa peau que dans ses vêtements délavés. Qu'en penserait-il?

— Il ne pleut plus, tu sais?

Zani tirait Marianne par sa manche. Elle tressaillit, ouvrit les yeux, regarda autour d'elle. C'était vrai. L'orage avait cessé aussi brusquement qu'il avait commencé. Ses grondements furieux s'enfuyaient vers l'horizon. Les cataractes et le vacarme de tout à l'heure avaient fait place à un grand calme, à peine troublé par le clapotis des gouttes tombant des toits, dans lequel l'atmosphère, épuisée, semblait reprendre son souffle.

— Si tu ne sais pas où aller, reprit l'enfant dont les yeux brillaient dans l'ombre comme des étoiles, tu n'as qu'à venir chez nous. Tu y seras à l'abri de la pluie et des *carabinieri*...

— Mais que dira ta sœur?

— Annarella? Rien du tout. Elle a l'habitude.

— L'habitude? De quoi?

Mais cette fois Zani ne répondit pas et Marianne sentit que ce silence était volontaire. L'enfant venait de se remettre en marche, la tête bien droite, avec cette naïve dignité de ceux qui se croient dépositaires de lourds secrets. Sans insister, sa nouvelle amie le suivit. L'idée d'un toit pour dormir lui plaisait. Quelques heures de repos lui feraient du bien et lui permettraient peut-être de retrouver au fond d'elle-même un peu de cette Marianne que Jason attendait ou, tout au moins, une femme qui lui ressemblerait un peu plus.

Ils repartirent par le chemin que Marianne avait suivi pour venir mais, dans la rue aux Herbes, tournèrent à gauche et se perdirent dans une infinité de ruelles coupées de canaux qui parurent à la jeune femme un inextricable labyrinthe.

Le chemin était si capricieux qu'elle avait l'impression de le recouper cent fois, mais Zani n'hésitait jamais, ne fût-ce qu'une seconde.

Le ciel s'allégeait et devenait plus clair. Quelque part, un coq chanta, appelant la lumière, seul bruit dans ce dédale désert où la vie se cachait derrière d'épais volets de bois et dont les chats étaient les seuls maîtres. Terrés dans quelque trou durant l'averse, ils jaillissaient de partout et rentraient chez eux, sautant les flaques d'eau et évitant les gouttières. Mais les maisons peu à peu surgissaient de l'obscurité, découpant sur la première lueur de l'aube leurs toits capricieux, leurs clochetons, leurs terrasses et leurs étranges cheminées en entonnoir. Tout était tranquille et les deux promeneurs attardés pouvaient imaginer que la rue était à eux quand, soudain, ils jouèrent de malchance.

Ils débouchaient dans la Merceria, une artère un peu plus large que les autres mais sinueuse et toute bordée de boutiques, quand ils tombèrent sur une patrouille de gardes nationaux. La rencontre fut impossible à éviter. La rue formait un coude à cet endroit.

Marianne et l'enfant se trouvèrent soudain entourés de soldats dont deux portaient des lanternes.

— Halte-là ! intima le chef du détachement avec plus d'autorité que de logique, car ils étaient bien incapables de bouger. Où allez-vous comme ça ?

Marianne, prise de court et paralysée à la vue des uniformes, le regarda sans répondre. C'était un jeune officier à l'air rogue, visiblement enchanté de son uniforme à buffleteries blanches et d'une moustache qui semblait lui servir de bouclier. Il lui rappela Benielli.

Mais Zani, en bon Vénitien, se lança dans des explications volubiles débitées à un tel rythme que toute la rue parut s'emplir de sa petite voix claire. Il comprenait fort bien que ce n'était pas une heure, pour un garçon de son âge, pour errer dans Venise, mais il n'y avait pas de leur faute et il fallait que Monsieur l'officier leur fît confiance car voilà ce qu'il en était : lui et sa cousine avaient été appelés, dans la soirée, au chevet de la zia[1] Lodovica qui souffrait de la malaria. C'était le cousin Paolo qui les avait appelés au secours avant de partir pour la pêche et ils étaient venus tout de suite, parce que la zia Lodovica était vieille et qu'elle était si malade, et qu'elle délirait que c'en était une pitié ! Une femme si intelligente, pourtant, et qui avait été la sœur de lait et la servante de monseigneur Lodovico Manin, le dernier doge. Alors, quand lui et sa cousine l'avaient vue dans cet état, ils n'avaient pas osé la quitter. Ils l'avaient veillée, soignée, réconfortée et le temps avait coulé. Quand, enfin, la zia s'était endormie, la crise passée, il était très tard ! Comme il n'y avait plus rien à faire et que le cousin Paolo devait rentrer dans la matinée, Zani et sa cousine étaient repartis pour rassurer sa sœur Annarella qui devait être en souci d'eux. L'orage les avait surpris, obligés à

1. Tante.

136

attendre, à s'abriter. Alors, si ces messieurs les glorieux militaires voulaient bien les laisser poursuivre
leur route...

Avec admiration, Marianne avait suivi l'exploit oratoire de son jeune compagnon que les soldats, eux,
avaient subi sans broncher, trop surpris, sans doute, par
cette avalanche de paroles. Mais ils ne s'écartèrent pas
pour autant et le chef interrogea encore :

— Comment t'appelles-tu ?

— Zani, *signor* officier, Zani Mocchi et elle, c'est
ma cousine Appolonia.

— Mocchi ? Tu es de la famille du courrier de Dal-
matie qui a disparu près de Zara voici quelques
semaines ?

Zani baissa la tête comme sous le coup d'une grande
douleur.

— C'était mon frère, *signor,* et c'est aussi un grand
chagrin, car nous ne savons toujours pas ce qu'il est
devenu...

Il aurait peut-être continué sur ce sujet, mais l'un
des soldats s'était penché pour chuchoter quelque
chose à l'oreille de son chef qui fronça les sourcils :

— On me dit que ton père a été fusillé en 1806 pour
propos subversifs contre l'Empereur et que ta sœur,
cette Annarella qui se fait tant de souci, est la fameuse
dentellière de San Trovaso qui ne cache pas la haine
qu'elle nous porte ! On ne nous aime guère dans ta
famille et, au quartier général, on se demande si ton
frère n'est pas passé à l'ennemi...

Les choses tournaient mal et Marianne, désemparée,
cherchait comment secourir son petit compagnon sans
se trahir elle-même. Mais, courageusement, l'enfant fit
front :

— Pourquoi est-ce qu'on vous aimerait ? s'écria-t-il
avec crânerie. Quand votre général Bonaparte est venu
ici brûler notre Livre d'Or et installer une autre répu-

blique, on a cru qu'il nous apportait la vraie liberté ! Et il nous a donnés à l'Autriche ! Et puis il nous a repris. Seulement il n'était plus un général républicain, mais un empereur ! Et nous on n'a fait que changer d'empereur ! On aurait pu vous aimer ! C'est vous qui n'avez pas voulu !...

— Ouais ! Tu as la langue bien pendue pour un gamin haut comme une botte ! Je me demande si... mais, au fait, celle-là qui ne dit rien, c'est ta cousine ?

L'une des lanternes, levée au bout d'une manche galonnée vint éclairer brusquement le visage de Marianne. L'officier siffla entre ses dents :

— Mâtin ! Quels yeux !... Et quelle tournure pour la cousine d'un mioche déguenillé ! On dirait une dame...

Cette fois, Marianne sentit qu'il lui fallait se lancer dans l'aventure et venir en aide à Zani. L'officier était vraiment trop méfiant. Elle décida d'entrer dans la peau du personnage et lui décocha un sourire aguichant :

— Mais je suis une dame, ou presque ! C'est un plaisir de rencontrer un homme aussi intelligent, *signor* officier ! Vous avez tout de suite vu que, si je suis bien la cousine de Zani, je ne suis pas d'ici ! Je suis seulement venue passer quelques jours chez ma cousine Annarella ! Voyez-vous, ajouta-t-elle en se rengorgeant, j'habite Florence où je suis femme de chambre chez la baronne Cenami, lectrice de Son Altesse Royale Madame la princesse Élisa, grande-duchesse de Toscane, que Dieu protège !...

Et elle fit rapidement plusieurs signes de croix pour bien montrer le degré de dévotion qu'elle portait à une si illustre princesse. L'effet fut magique. Au nom de la sœur de Napoléon, la mine de l'officier se détendit. Il se redressa, passa un doigt dans son haut col et tordit sa moustache pour lui rendre un pli plus avantageux.

— Ah ! c'est donc ça ? Eh bien, ma belle enfant,

vous pouvez vous vanter d'avoir eu de la chance de tomber sur le sergent Rapin, c'est-à-dire un homme qui comprend les choses! Un autre vous aurait emmenée tout droit au poste du Palais Royal[1] pour éclaircir la situation...

— Alors, nous pouvons continuer?

— Pour sûr! Mais on va vous conduire un bout de chemin des fois que vous rencontriez une autre patrouille qui ne saurait pas reconnaître ce qu'on doit à une personne comme vous...

— C'est que... nous ne voudrions pas vous déranger...

— Pensez-vous! ça va être un plaisir! Nous allons dans la même direction si vous rentrez à San Trovaso. Avec nous, vous n'aurez pas de mal à trouver un passeur pour traverser le Grand Canal... et puis, ajouta-t-il plus bas du ton de la confidence importante, Venise n'est pas sûre cette nuit. On nous a signalé une réunion de conspirateurs! Il y en a plein dans le sud de l'Italie et ils envoient des sbires jusqu'ici! Paraît que ce sont tous des charbonniers...[2] Même que ça ne doit pas être commode pour les reconnaître la nuit...

Enchanté de lui-même et de ce qu'il considérait comme une bonne plaisanterie, le brigadier Rapin éclata d'un gros rire auquel ses hommes firent écho puis offrit galamment son bras à Marianne, passablement éberluée de la réussite de son mensonge diplomatique.

La patrouille se remit en route, augmentée de Marianne qui allait devant au bras de Rapin et de Zani

1. Les Nouvelles Procuraties avaient été élevées au rang de Palais Royal.
2. Des cellules de Carbonari commençaient à naître en Calabre et en Campanie et envoyaient quelques timides tentacules dans les autres régions.

qui, plein de respect soudain pour sa nouvelle amie, s'était attaché à sa robe et ne la lâchait plus.

Le jour venait rapidement maintenant car, en été, la lumière chasse les ténèbres avec une sorte de hâte. L'aube grise se teintait déjà de rose vers le Levant. Bientôt, choses et gens, devenus bien visibles, rendirent les lanternes inutiles. On les éteignit.

Malgré sa fatigue et son anxiété, Marianne avait conscience du côté comique offert par leur bizarre cortège.

« Nous devons avoir l'air d'une noce de village qui a mal tourné », songea-t-elle tandis que son chevalier servant inattendu lui débitait des fadaises et faisait de son mieux pour obtenir un rendez-vous sans qu'elle pût démêler s'il était attiré par son charme personnel ou par sa situation de « personne bien avec la Cour » !

La Merceria s'insinua tout à coup sous une haute voûte creusée dans une tour bleue, timbrée d'une vaste horloge et couronnée d'une cloche. Quand on l'eut franchie, Marianne se crut soudain transportée au pays des légendes, tant avait de beauté le spectacle qui s'offrait à ses yeux.

Elle vit un nuage de pigeons blancs s'envoler dans le matin mauve, enroulant d'une spirale neigeuse un mince campanile rose. Elle vit une église-palais et un palais-joyau unir leurs coupoles verdies et leurs pinacles d'albâtre, leurs pierres aux tendres couleurs de chair et leurs mosaïques d'or, leurs guipures de marbre et leurs clochetons niellés, abris précieux d'un peuple d'évangélistes soigneux. Elle vit une place immense, sertie dans une broderie d'arcades et dessinée de marbre blanc comme quelque gigantesque jeu de marelle. Elle vit enfin, entre le beau palais et un bâtiment qui avait l'air d'un coffret peuplé de statues, précédée de deux hautes colonnes timbrées l'une d'un lion ailé, l'autre d'un saint flanqué d'une sorte de crocodile,

140

une vaste soierie bleuâtre qui accéléra les battements de son cœur : la mer.

Des barques aux voiles latines couleur d'anémone voguaient sur des moirures argentées devant un horizon brumeux d'où émergeaient encore un dôme, un campanile, mais c'était tout de même la mer, le bassin de Saint-Marc où, peut-être, Jason l'attendait... Et Marianne dut se faire violence pour ne pas courir vers ces flots dont l'odeur âpre venait jusqu'à elle...

Le sergent Rapin, lui, avait vu autre chose. A peine franchie la voûte de la tour de l'Horloge, il avait vivement lâché le bras de sa compagne. En effet, on était maintenant en vue du corps de garde installé à la porte du Palais-Royal et la galanterie devait faire place à la discipline. Il rectifia la position et salua militairement.

— Nous voici arrivés, mes hommes et moi. Quant à vous, *signorina,* vous n'êtes plus très loin de chez vous ! Mais, avant de nous quitter, puis-je vous demander la faveur d'une prochaine rencontre ? Ce serait dommage d'être presque voisins... et de ne pas se revoir ? Qu'en pensez-vous, susurra-t-il, la mine engageante.

— Ce serait avec plaisir, monsieur l'officier, minauda Marianne avec un naturel qui faisait honneur à ses talents de comédienne, mais je ne sais si ma cousine...

— Vous ne dépendez pas d'elle, j'imagine ? Vous, une personne attachée à Son Altesse Impériale ?

Apparemment, l'imagination de Rapin valait celle de Zani et dans le court laps de temps où ils avaient fait route ensemble, il avait purement et simplement éliminé la mythique patronne de Marianne, la baronne Cenami dont le nom, sans doute, ne lui disait rien, pour ne tenir compte que de son auguste maîtresse la princesse Élisa.

— Non, bien sûr... hésita Marianne, mais je ne suis plus ici pour longtemps. En fait, je repars...

— Ne me dites pas que vous partez ce soir ! coupa le sergent en frisant sa moustache, vous m'obligeriez à faire arrêter tous les bateaux en partance pour la terre ferme. Attendez demain... Nous pourrions nous retrouver justement ce soir... aller au spectacle... Tenez, je peux avoir des places pour l'opéra, à la Fenice ! Cela vous plairait sûrement...

Marianne commençait à penser qu'elle aurait infiniment plus de mal à se débarrasser de cet encombrant militaire qu'elle ne l'avait imaginé. Si elle le repoussait, il pouvait se montrer très désagréable. Et qui pouvait dire si Zani et sa sœur ne feraient pas les frais de sa mauvaise humeur ? Maîtrisant son impatience, elle jeta un rapide regard sur l'enfant qui, sourcils froncés, suivait la scène. Puis, se décidant, elle tira le sergent un peu à l'écart de ses hommes. Eux aussi commençaient visiblement à trouver le temps long.

— Écoutez, chuchota-t-elle se souvenant tout à coup de l'interrogatoire subi par l'enfant, il ne m'est possible ni d'aller dans un théâtre avec vous, ni de vous prier de venir chez ma cousine me chercher. Depuis la disparition de mon cousin... le courrier de Zara, nous sommes autant dire en deuil. Et puis, Annarella n'a pas les mêmes raisons que moi de sympathiser avec les Français...

— Je comprends bien, souffla Rapin, mais que faire ? C'est que j'ai de la sympathie pour vous, moi !

— De même que j'en ai pour vous, sergent, mais j'ai peur que, dans la famille, on ne me pardonne pas cette... attirance ! Mieux vaut... nous cacher... nous voir clandestinement. Vous comprenez ? Nous ne serons pas les premiers à agir ainsi !

La bonne figure sans malice de Rapin s'illumina. Il était depuis assez longtemps en Vénétie pour avoir entendu parler de Roméo et Juliette et, visiblement, il imaginait déjà de mystérieuses amours au vigoureux parfum d'aventure.

— Comptez sur moi, s'écria-t-il ! Je serai la discrétion même. Puis baissant de nouveau la voix et sur un ton de conspirateur, il chuchota dans sa moustache : Ce soir, au crépuscule... je vous attendrai sous l'acacia de San Zaccharia ! Nous y serons tranquilles pour causer. Vous viendrez ?

— Je viendrai ! Mais prudence et discrétion !... Que personne ne s'en doute !

On se quitta sur cette promesse et Marianne retint avec peine un soupir de soulagement. Depuis un moment elle avait l'impression de jouer l'une de ces farces qui faisaient la joie des badauds parisiens au boulevard du Temple ! Rapin salua, non sans avoir serré, furtivement et passionnément la main de celle qu'il considérait désormais comme sa nouvelle conquête.

La patrouille, traînant ses armes et visiblement éreintée, rentra dans le palais tandis que Zani entraînait sa pseudo-cousine désappointée, non vers la mer mais vers le fond de la place où des ouvriers arrivaient sur le chantier d'une nouvelle série d'arcades destinées à fermer complètement le quadrilatère de ce côté.

— Viens par là, souffla-t-il. C'est plus près.

— Mais... j'aurais tant voulu voir la mer...

— Tu as tout le temps. Et on va rejoindre le bord plus vite. Les soldats ne comprendraient pas qu'on passe ailleurs...

La ville s'animait. Les cloches de Saint Marc s'étaient mises à sonner. Des femmes enveloppées de châles noirs, suivies ou non de serviteurs, se hâtaient déjà vers l'église pour la première messe.

Quand on atteignit le quai, après un court chemin, le cœur de Marianne manqua un battement et elle eut la tentation de fermer les yeux. Elle espérait et craignait, tout à la fois, d'apercevoir, ancrée au milieu de l'eau, la fière silhouette de la « Sorcière des mers », le brick de Jason. Elle avait beau se raisonner, elle ne pouvait s'empêcher de se sentir l'âme coupable de l'épouse adultère rentrant au logis...

Mais, hormis les petits bateaux de pêche qui s'envolaient vers la passe du Lido, les pinasses chargées de légumes qui remontaient le Grand Canal et la grosse barge qui servait de coche d'eau avec la terre ferme, il n'y avait aucun navire digne de ce nom dans le bassin... Pourtant, Marianne n'eut pas le temps d'être déçue, car elle aperçut aussitôt les hautes enfléchures des navires de haut bord qui apparaissaient de l'autre côté de la pointe de la Salute, derrière la Douane de Mer. Le sang sauta à ses joues et elle saisit le bras de Zani.

— Je veux aller de l'autre côté, fit-elle joignant le geste à la parole.

L'enfant haussa les épaules et la regarda avec curiosité.

— Tu devrais savoir que nous y allons puisque nous allons à San Trovaso.

Puis, tandis qu'ils se dirigeaient vers la grande gondole du traghetto qui les passerait sur l'autre bord du Grand Canal, Zani lâcha la question qui devait le tourmenter depuis un moment.

En effet, depuis que l'on s'était séparés de la patrouille, le petit Vénitien gardait un silence bizarre. Il avait marché devant Marianne, les mains enfoncées dans les poches de sa culotte de toile bleue un peu effrangée, retroussant la blouse de laine jaune, encore mouillée qui lui descendait presque jusqu'aux genoux. Et il avait cette attitude un peu raide des gens que quelque chose ne satisfait pas entièrement :

— C'est vrai, demanda-t-il d'un petit ton sec, que tu es femme de chambre chez la baronne... machin ?... enfin près de la sœur de Bonaparte ?

— Bien sûr ! Est-ce que cela t'ennuie ?

— Un peu. Parce que, si c'est ça, c'est que tu es aussi pour Bonaparte ! Le soldat l'a bien compris, on dirait...

La méfiance et le chagrin se lisaient si clairement sur la figure ronde et brune de l'enfant que Marianne se refusa à augmenter sa peine.

— Ma maîtresse, bien sûr, est pour... Bonaparte, dit-elle doucement. Mais moi la politique ne m'intéresse pas. Je sers ma maîtresse, un point c'est tout.

— Tu es d'où alors ? Pas d'ici, en tout cas : tu ne connais pas la ville et tu n'as pas l'accent.

Elle n'hésita qu'imperceptiblement. Elle n'avait pas, en effet l'accent vénitien. Mais l'italien qu'elle parlait, un pur toscan, lui dictait une réponse toute naturelle.

— Je suis de Lucques, dit-elle, ne mentant, après tout, qu'à moitié.

Le résultat la paya de sa peine. Un éblouissant sourire s'épanouit sur la petite figure soucieuse et Zani, de nouveau, vint loger sa main dans celle de Marianne.

— Alors, comme ça, ça va ! Tu peux venir à la maison. Mais il y a encore du chemin. Tu n'es pas trop fatiguée ? demanda-t-il avec une soudaine sollicitude.

— Si, un peu, soupira Marianne qui ne sentait plus ses jambes. C'est encore loin ?

— Un peu !...

Un passeur endormi leur fit traverser le canal, presque désert à cette heure matinale. La journée qui commençait s'annonçait comme exceptionnellement belle. Des vols de pigeons rayaient le ciel d'un bleu tendre, bien lessivé par l'orage nocturne. La brise de mer était fraîche et toute chargée d'odeurs salines que la jeune femme respira avec délices et, sur sa pointe vers laquelle on avançait lentement, la Salute, dans l'air pur du petit matin, ressemblait à un gigantesque coquillage. C'était un jour fait pour le bonheur et Marianne n'osait se demander ce qu'il lui réservait...

Une fois sur l'autre rive, il y eut encore des ruelles, encore des petits ponts aériens, encore des merveilles entr'aperçues, encore des chats vagabonds. Le soleil se levait dans une gloire d'or et Marianne, épuisée, sentait la tête lui tourner quand on arriva enfin devant l'embranchement de deux canaux dont le principal, bordé de hautes maisons roses où le linge séchait aux fenêtres, ouvrait largement sur le port. Un mince pont l'enjambait pour relier les quais.

— Voilà, dit Zani avec un geste d'orgueil, c'est chez moi. San Trovaso ! Le *squero*[1] de San Trovaso... l'hôpital des gondoles malades.

En effet, il désignait, de l'autre côté de l'eau où flottaient des épluchures d'oranges et des feuilles de salade, quelques hangars de bois brun devant lesquels une dizaine de gondoles attendaient, couchées sur le flanc comme des requins blessés.

— Tu habites ce chantier ?

— Non, là-bas ! La dernière maison au coin du quai, tout en haut !

De l'angle même de cette maison dépassait la haute vergue d'un navire à l'ancre et Marianne, malgré sa fatigue, ne put résister à son impulsion : relevant sa robe à deux mains, elle se mit à courir jusque-là, poursuivie par Zani étonné de cette soudaine fuite. Mais elle ne pouvait plus attendre davantage pour savoir si Jason était là, s'il l'attendait...

L'idée lui était bien venue que, peut-être, il pouvait être en retard au rendez-vous et c'était la raison profonde pour laquelle elle avait suivi Zani jusque-là.

Où irait-elle, sans un sou, sans amis, si Jason n'était pas encore arrivé ? Mais maintenant, elle avait l'impression que ce n'était pas possible et elle était à peu près certaine qu'il était là !

1. Chantier.

Elle déboucha, haletante, sur le quai. Le soleil l'enveloppa et, soudain, devant elle, derrière elle, il y eut une forêt de mâts. Des navires, il y en avait partout, meute serrée de proues effilées d'un côté, masse compacte de châteaux arrière aux lanternes brillantes, de l'autre. Toute une flotte était là, reliée au quai par de longues planches que des portefaix montaient et descendaient sous de lourdes charges avec une sûreté d'équilibristes. Il y en avait tant que Marianne eut un éblouissement. Sa tête se mit à bourdonner.

Des commandements retentissaient, mêlés aux sifflets des comites et aux timbres des cloches de bord frappant les quarts. Un air de chanson voltigeait, rythmé par une invisible mandoline et reprise parfois par une fille au jupon rayé, aux pieds nus, un panier ruisselant de poissons en équilibre sur sa tête. Toute une population laborieuse s'activait sur ce quai rose, bruyante et colorée comme les personnages de Goldoni et, sur les navires à quai, des hommes à demi nus lavaient les ponts à grands seaux d'eau claire.

— Qu'est-ce que tu fais là ? reprocha Zani. Tu as dépassé la maison ! Viens donc te reposer...

Mais l'amour et l'impatience étaient plus forts que la fatigue. A voir tous ces vaisseaux, Marianne avait senti se réveiller en elle sa fièvre d'attente. Jason était là, à quelques pas d'elle. Elle le sentait, elle en était sûre ! Comment, dans ce cas, songer à aller dormir ? D'un seul coup ses angoisses, les précautions qu'elle avait envisagées se détachaient d'elle, comme une peau morte après une maladie. Ce qui importait, c'était de le revoir, de le sentir, de le toucher !

Malgré Zani qui cherchait à la retenir, Marianne se lança à travers cette vie grouillante du quai, examinant les bateaux qui tiraient sur leurs amarres, scrutant les visages, observant les silhouettes de capitaines que l'on apercevait sur les dunettes. Mais rien ne ressemblait à ce qu'elle attendait.

Et puis, d'un seul coup, elle vit le navire qu'elle cherchait. La « Sorcière » était là, au beau milieu de la Giudecca, à quelques encablures des bateaux rangés près de la terre. Remorquée par deux grosses barques où des équipes de rameurs souquaient ferme sur les avirons, elle virait gracieusement sur l'eau calme, tandis que dans les haubans des marins aux pieds nus larguaient les voiles basses ou hissaient les voiles hautes.

Un bref instant, Marianne aperçut le beau profil de la sirène de proue, cette sirène qui lui ressemblait comme une sœur...

Fascinée par la grâce du navire qui, dans le soleil, brillait de tous ses cuivres, Marianne observait la manœuvre, cherchant parmi les silhouettes qui s'agitaient sur le pont à en reconnaître une seule, inimitable. Mais la Sorcière se couvrait de toile comme une mouette qui ouvre ses ailes, montrait sa poupe, prenait le vent, la passe...

A cet instant seulement Marianne comprit qu'elle partait...

Un véritable hurlement lui déchira la gorge :

— Non !... Non !... Je ne veux pas !... Jason !...

Comme une folle, elle se mit à courir le long du quai, criant, appelant désespérément, se jetant aveuglément à travers les passants sans même se soucier des horions qu'elle essuyait ni de l'étonnement qu'elle soulevait sur son passage. Portefaix, marchandes, pêcheurs et marins se retournaient sur cette femme échevelée qui, le visage inondé de larmes et les bras tendus, poussait des cris déchirants et semblait vouloir se jeter à la mer.

Mais Marianne ne sentait rien, n'entendait rien, ne voyait rien que le vaisseau qui la quittait. Elle en souffrait comme d'une torture. C'était comme si un invisible filin, tissé de sa propre chair, fût tendu entre elle et le bâtiment américain, un filin dont la tension se faisait de plus en plus douloureuse jusqu'à l'instant où, s'arrachant de sa poitrine, il s'engloutirait dans la mer emportant son cœur.

Dans l'esprit fiévreux de la malheureuse, une toute petite phrase tournait inlassablement, lancinante et cruelle comme une ironique ritournelle :

« Il ne m'a pas attendue... il ne m'a pas attendue !... »

Ainsi, la patience et l'amour de Jason, qui avait cependant, pour cette rencontre, traversé un océan et deux mers, n'avaient pas duré au-delà de cinq jours ? Il n'avait pas senti que celle qu'il disait aimer était là, tout près de lui, il n'avait pas entendu ses appels désespérés. Et maintenant, il repartait, il s'éloignait sur la mer, son autre maîtresse, et peut-être pour toujours... Comment le rejoindre, comment le ramener ?

Haletante, son cœur cognant péniblement dans sa poitrine, Marianne courait toujours, son regard noyé de larmes rivé à la grande tache de soleil qui s'élargissait sans cesse entre le navire et la terre et qui devenait immense. Une tache étincelante comme un dernier espoir et qui l'attirait comme un aimant. Elle allait s'y jeter... Il n'y avait plus que quelques pas...

Une poigne vigoureuse saisit Marianne juste au moment où elle arrivait à l'extrémité du quai.

A l'instant même où elle allait, d'un élan impossible à contrôler, se jeter à l'eau, elle se trouva immobilisée, maîtrisée... et nez à nez avec le lieutenant Benielli qui la regardait comme s'il avait vu un fantôme.

— Vous ? bredouilla-t-il avec stupeur en réalisant qui était cette folle qu'il avait arrêtée au bord du suicide. C'est vous ?... C'est à n'y pas croire !

Mais Marianne en était arrivée au point où elle se fût trouvée sans surprise en face de Napoléon lui-même. Elle ne reconnut même pas celui qui la maintenait, ne vit en lui qu'un obstacle dont il fallait se débarrasser.

Elle se débattit furieusement entre ses mains, cherchant à lui échapper à tout prix.

— Laissez-moi, criait-elle. Mais laissez-moi donc!

Heureusement, le lieutenant corse tenait bon mais sa patience était fort courte. Il en vit tout de suite le bout et se mit à secouer vigoureusement sa prisonnière pour au moins faire cesser des cris qui ameutaient tout le quai. On accourait, en effet, et certains visages qui approchaient étaient nettement menaçants, ne voyant qu'une chose : un « occupant » malmenait une jeune femme. Sentant qu'il ne serait pas le plus fort, Benielli, à son tour vociféra :

— A moi les dragons!

Marianne, pour sa part, n'eut même pas le temps de voir arriver le secours réclamé par Benielli. Comme elle continuait à hurler et à se débattre, le lieutenant, excédé, la fit taire d'un coup de poing appliqué avec précision. A défaut de l'eau du port, Marianne plongea dans une bienheureuse inconscience.

En émergeant de cet évanouissement inattendu sous l'effet d'une compresse de vinaigre appliquée sous son nez, Marianne aperçut devant elle le bas d'une robe de chambre rayée jaune et noir et une paire de pantoufles en tapisserie qui lui rappelèrent quelque chose : c'était elle qui avait brodé ces roses thé s'effeuillant sur un fond noir.

Elle releva la tête, non sans réveiller la douleur de son menton, faillit mordre la compresse qu'une femme de chambre agenouillée lui tenait sous les narines, la repoussa instinctivement et poussa un cri de joie.

— Arcadius!

C'était bien lui, en effet. Enveloppé dans la robe rayée, les pieds dans les pantoufles, ses cheveux ébouriffés dressés comiquement sur sa tête en deux touffes qui accentuaient sa ressemblance avec une souris, le vicomte de Jolival surveillait l'application du traitement.

150

— Elle revient à elle, monsieur le vicomte, s'écria la femme de chambre qui avait le sens de l'observation, en voyant la malade se redresser.

— C'est parfait ! Alors, laissez-nous...

Mais à peine la soubrette se fut-elle relevée pour lui permettre de s'asseoir au bord du canapé où Marianne était étendue qu'il reçut celle-ci dans ses bras.

En retrouvant la conscience, elle avait retrouvé aussi celle de ses malheurs et s'était jetée à son cou en sanglotant, incapable, d'ailleurs, d'articuler une parole.

Plein de pitié mais habitué, Jolival laissa passer l'orage se contentant de caresser tendrement les cheveux encore humides de celle qu'il considérait comme sa fille adoptive. Peu à peu, d'ailleurs, les sanglots s'apaisèrent et Marianne, d'une voix de petite fille désolée, confia dans l'oreille de son vieil ami :

— Jason !... Il est parti !

Arcadius se mit à rire en écartant de son épaule une Marianne défigurée par les larmes, puis, tirant un mouchoir de la poche de sa robe de chambre, il en tamponna ses yeux rouges et gonflés.

— Et c'est pour ça que vous alliez vous jeter dans le port ? Oui, il est parti... à Chioggia, faire de l'eau douce et prendre un chargement d'esturgeon fumé. Il reviendra demain. C'est d'ailleurs la raison pour laquelle Benielli était de garde au port. Je lui avais indiqué de s'y installer dès l'instant où la « Sorcière » mettrait à la voile et je devais l'y relayer plus tard pour le cas où vous arriveriez une fois le navire parti... ce que vous n'avez pas manqué de faire !

Envahie d'un merveilleux soulagement, Marianne, partagée entre l'envie de rire et celle de se remettre à pleurer, considéra Jolival avec une nuance d'admiration.

— Vous saviez que j'allais venir ?

Le sourire du vicomte-homme de lettres s'effaça et

la jeune femme s'aperçut qu'il avait vieilli durant son absence. Un peu plus d'argent marquait ses tempes et les rides du souci s'étaient creusées entre ses sourcils comme au coin de sa bouche. Avec tendresse, elle embrassa ces stigmates de l'inquiétude.

— C'était notre seule chance de vous retrouver, soupira-t-il. Je savais que, vivante, vous feriez tout au monde pour arriver à votre rendez-vous. En dehors de cela, nous n'avions pu trouver aucune piste malgré les efforts de tous, y compris la grande-duchesse Élisa qui a mis sa police en chasse. Agathe a bien parlé d'une lettre de Mme Cenami, une lettre qui devait vous donner un rendez-vous, car vous êtes partie précipitamment, habillée pour passer aussi inaperçue que possible. Mais, naturellement, Mme Cenami n'avait jamais écrit... et vous aviez négligé de me laisser la moindre indication, reprocha-t-il doucement.

— La lettre de Zoé demandait le secret. J'ai cru qu'elle était en danger. Je n'ai pas assez réfléchi. Mais si vous saviez combien j'ai pu regretter mon imprudence...

— Ma pauvre enfant. L'amour, l'amitié et la prudence ne font pas souvent bon ménage, surtout chez vous ! Évidemment le général Arrighi et moi avons tout de suite songé à votre mari qui pouvait avoir perdu patience.

— Le prince est mort ! coupa Marianne sombrement. On l'a assassiné !

— Ah !...

A son tour Jolival scruta le visage de son amie. Ce qu'elle avait pu endurer y était inscrit clairement dans la pâleur du teint et l'angoisse du regard. Il devina qu'elle était passée par des heures terribles et qu'il était peut-être encore tôt pour en parler. Remettant à plus tard les questions qui lui venaient naturellement, Jolival reprit son récit :

— Vous me raconterez ensuite. Il est évident que cela explique bien des choses. Mais, après votre disparition, nous étions comme fous. Gracchus parlait d'aller mettre le feu à la *villa* de Lucques et Agathe pleurait toute la journée en disant que c'était sûrement le démon des Sant'Anna qui vous avait enlevée. Le plus calme, bien entendu, ce fut le duc de Padoue. Il s'est rendu, en personne et solidement escorté, à la *villa dei Cavalli,* mais il n'a trouvé que les serviteurs, peu nombreux, qui y vivent à demeure pour l'entretien. Et personne ne savait où se trouvait le prince. Il est... où il était coutumier, paraît-il, de ces absences, souvent fort longues, et il n'avertissait jamais ni de son départ ni de son retour.

« ... Nous sommes donc revenus à Florence, désolés et découragés car nous n'avions plus le moindre indice. Évidemment, nous n'étions pas persuadés que le prince Sant'Anna ne fût pour rien dans votre enlèvement, mais nous ignorions à peu près tout de ses autres domaines. Où chercher ? Dans quelle direction ? La police grand-ducale elle aussi était bredouille. C'est alors que j'ai pensé venir ici pour la raison que je vous ai dite. Mais... je vous l'avoue, depuis cinq jours que Beaufort est arrivé, chaque heure qui passait m'enlevait un peu d'espoir. J'ai cru... »

Incapable d'aller plus loin, Jolival détourna la tête pour cacher son émotion.

— Vous m'avez crue morte, n'est-ce pas ? Mon pauvre ami, je vous demande pardon des angoisses que je vous ai causées... J'aurais tant voulu vous les éviter. Mais... lui, Jason, est-ce qu'il me croyait...

— Lui ? Non ! Pas un instant le doute ne l'a effleuré. Cette pensée-là, il l'a repoussée avec violence. Il ne voulait pas lui permettre de l'atteindre. « Si elle n'était plus de ce monde », répétait-il, « je le sentirais jusque dans ma chair. Je me sentirais amputé, je saignerais ou bien mon cœur ne battrait plus, mais je le saurais ! » C'est pourquoi, d'ailleurs, il est parti ce matin : pour être prêt à lever l'ancre dès que vous apparaîtriez ! Et puis... je crois bien que cette attente le rongeait, bien qu'il eût préféré se couper la langue plutôt que l'avouer. Il se sentait devenir fou. Il lui fallait bouger, agir, faire quelque chose. Mais vous, Marianne, où étiez-vous ? Pouvez-vous maintenant me dire ce qui s'est passé sans que cela vous soit trop pénible ?

— Cher Jolival ! Je vous ai fait endurer l'enfer et vous brûlez de savoir... Pourtant, vous avez attendu tout ce temps pour m'interroger, tant vous craignez de raviver des souvenirs pénibles ! J'étais ici, mon ami.

— Ici ?

— Oui. A Venise. Au palais Sorenzo qui appartenait jadis à dona Lucinda, la fameuse grand-mère du prince.

— Ainsi, nous avions raison ! C'était bien votre mari qui...

— Non. C'était Matteo Damiani... l'intendant. C'est lui qui a tué mon époux.

Et Marianne retraça pour Jolival tout ce qui s'était passé depuis le rendez-vous supposé de Zoé Cenami dans l'église d'Or San Michele : l'enlèvement, le voyage et l'avilissante captivité subie. Ce fut long et difficile car, malgré la confiance et l'amitié qu'elle éprouvait pour son vieil ami, elle devait rapporter trop de choses cruelles pour sa pudeur et pour son orgueil. Il est dur, lorsque l'on est une des femmes les plus jolies et les plus admirées, d'admettre que l'on a été traitée durant des semaines sans plus de considération que du bétail ou qu'une esclave achetée au marché. Mais il fallait qu'Arcadius connût toute l'ampleur de son naufrage moral car il était sans doute le seul être capable de l'aider... voire le seul capable de la comprendre !

Il l'écouta ; avec des alternatives de calme parfait et d'agitation, d'ailleurs. Parfois, aux moments les plus pénibles, il se levait et se mettait à arpenter la pièce, les mains au dos, la tête rentrée dans les épaules, assimilant de son mieux ce récit démentiel que, fait par une autre, il eût peut-être éprouvé quelque difficulté à croire entièrement. Puis, quand ce fut fini et que Marianne, épuisée, se laissa aller, les yeux fermés sur les coussins du canapé, il courut prendre une grosse fiasque dans un cabaret en bois des îles, s'en versa un plein verre et l'avala d'un trait.

— En voulez-vous un peu ? proposa-t-il. C'est le meilleur remontant que je connaisse et vous devez en avoir besoin encore plus que moi !

Elle refusa d'un mouvement de tête.

— Pardonnez-moi de vous avoir infligé ce récit, Arcadius, mais il fallait que je vous dise tout ! Vous ne savez pas à quel point j'en avais besoin !

— Je crois que si. N'importe qui, après pareille aventure, souhaiterait s'en délivrer si peu que ce soit. Et vous savez bien que ma principale fonction, sur cette terre, est de vous aider. Quant à vous pardonner... ma pauvre enfant, que voulez-vous que je vous pardonne ? Ce tissu d'horreurs est bien la plus grande preuve de confiance que vous puissiez m'offrir. Reste à savoir ce que, maintenant, nous allons faire. Vous dites que ce misérable et ses complices sont morts ?

— Oui. Assassinés. J'ignore par qui.

— Personnellement, je dirais plutôt : exécutés ! Quant à savoir qui fut l'exécuteur...

— Un rôdeur peut-être. Le palais est plein de merveilles.

Jolival hocha la tête d'un air dubitatif.

— Non. Il y a ces chaînes rouillées que vous avez trouvées sur le cadavre de l'intendant. Cela évoque une vengeance... ou une impitoyable justice ! Ce Damiani devait avoir des ennemis. L'un d'eux, peut-être, a appris votre sort et vous a délivrée... puisque vous avez trouvé, tout à coup, les vêtements qu'on vous avait enlevés disposés près de vous ! En vérité, c'est une bien étrange histoire, ne trouvez-vous pas ?

Mais Marianne refusait déjà de s'intéresser encore à son bourreau de la veille. Maintenant qu'elle avait tout dit à l'amitié, elle s'inquiétait seulement de l'amour et son esprit se tournait, irrésistiblement, vers celui qu'elle était venue rejoindre et avec lequel elle voulait toujours bâtir sa vie.

— Et Jason ? demanda-t-elle avec angoisse, dois-je lui raconter tout cela, à lui aussi ? Déjà, vous qui m'aimez beaucoup avez eu du mal, n'est-ce pas, à admettre mon récit. J'ai peur...

— Que Beaufort n'ait encore plus de peine, lui qui vous aime tout court ? Mais, Marianne... que pouvez-vous faire d'autre ? Comment expliquer cette disparition de plusieurs semaines si ce n'est par la vérité, si pénible soit-elle ?

Avec un cri, Marianne s'arracha de ses coussins, courut à Jolival et prit ses deux mains dans les siennes.

— Non, par pitié, Arcadius, n'exigez pas cela de moi. Ne me demandez pas de lui avouer toute cette honte. Il me prendrait en horreur... en dégoût peut-être...

— Pourquoi donc ? Est-ce votre faute ? Êtes-vous allée volontairement rejoindre ce misérable ? On a abusé de vous, Marianne, de votre bonne foi et de votre amitié, d'abord, puis de votre faiblesse de femme. Encore a-t-on dû employer les pires moyens : la violence et la drogue !

— Je le sais bien ! Je sais tout cela mais je connais Jason aussi... sa jalousie, sa violence. Il a déjà eu tellement à me pardonner : songez que son amour pour la maîtresse de Napoléon a dû faire violence à sa morale

156

rigide, songez que j'ai dû, ensuite, me vendre littéralement à un inconnu pour sauver mon honneur. Et maintenant, vous voudriez que je lui raconte... que je lui
explique ?... Non, mon ami. c'est impossible. Je ne
pourrai jamais ! Pas ça... ne me demandez pas ça !

— Soyez raisonnable, Marianne. Vous le dites
vous-même : Jason vous aime assez pour passer sur
bien des choses.

— Pas sur celles-là ! Bien sûr, il ne me fera pas de
reproches, il... comprendra, ou il fera semblant de
comprendre pour ne pas ajouter à mon chagrin ! Mais il
se détachera de moi ! Il y aura toujours entre nous les
affreuses images que je vous ai décrites et, ce que je ne
lui aurai pas dit, il l'imaginera ! Quant à moi, j'en
mourrai de chagrin. Vous ne voulez pas que je meure,
Arcadius... Vous ne le voulez pas, dites ?

Elle tremblait comme une feuille, emportée par une
panique où la peur des jours passés se mêlait au désespoir et à la crainte torturante de perdre son unique
amour.

Doucement Arcadius l'entoura de son bras et
l'entraîna vers un fauteuil où il la fit asseoir, puis, gardant entre les siennes ses mains soudain glacées, il
s'agenouilla devant elle.

— Non seulement je ne veux pas vous voir mourir,
mon petit, mais je ne veux que votre bonheur ! Bien
sûr, il est normal que vous n'imaginiez pas sans terreur
de faire, à l'homme que vous aimez, un pareil récit,
mais que lui direz-vous ?

— Je ne sais pas... Que le prince m'a fait enlever,
séquestrer... que j'ai pu m'enfuir ! Je chercherai... et
vous chercherez avec moi, dites Arcadius ? Vous êtes
tellement subtil, tellement intelligent...

— Et... s'il y a une trace... vivante ? Que direz-
vous ?

— Il n'y en aura pas... Je ne veux pas qu'il y en ait !

D'abord rien ne prouve que les manœuvres de ce monstre aient porté leur fruit. Et si cela était...

— Eh bien?

— Je saurais le détruire, quitte à engager ma vie. Il faudra bien que ce fruit pourri ce détache de moi. Je ferai tout pour cela si, un jour, j'acquiers une certitude! Mais Jason jamais ne saura rien de tout cela! Je vous l'ai dit, je préfère mourir! Il faut me promettre que vous ne lui direz rien, même sous le sceau du secret! Il faut me le jurer si vous ne voulez pas que je devienne folle!...

Elle était dans un tel état que Jolival comprit qu'elle se trouvait au-delà de tout raisonnement. Ses yeux brûlaient de fatigue et de fièvre, sa voix avait les éclats aigus qui trahissent des nerfs arrivés à l'extrême degré de tension. La corde était sur le point de casser!

— Je vous le jure, mon petit. Calmez-vous, pour l'amour de Dieu, calmez-vous!... Il faut maintenant vous reposer, dormir... vous remettre! Près de moi, vous êtes en sûreté, nul ne vous fera de mal et je ferai tout pour vous aider à oublier, aussi vite que possible, votre terrible aventure! Gracchus et Agathe sont ici avec moi, bien entendu. Je vais faire appeler votre femme de chambre. Elle vous couchera, vous soignera et personne, je vous le promets, ne vous posera plus de questions...

La voix de Jolival était douce comme un velours. Elle ronronnait, apaisante, rassurante, agissant comme de l'huile sur une eau tumultueuse.

Peu à peu, Marianne se détendit et quand, un instant plus tard, Agathe et Gracchus, criant de joie, firent une entrée bruyante, ils la trouvèrent pleurant à chaudes larmes dans les bras de Jolival.

Et ces larmes-là, elles aussi, étaient bienfaisantes...

CHAPITRE V

DU RÊVE À LA RÉALITÉ...

Le lendemain, vers la fin du jour, Marianne, étendue sur une chaise longue devant une fenêtre ouverte, regardait deux navires franchir la passe du Lido. Le premier de ces deux navires, le plus grand aussi, portait un drapeau étoilé à la corne de son maître-mât, mais la jeune femme n'avait pas besoin de cet emblème pour savoir que ce vaisseau était celui de Jason.

Elle l'avait deviné aux sentiments complexes et contradictoires qui s'étaient agités en elle alors même que ce grand brick aux voiles carrées n'était encore qu'une tache blanche sur le ciel...

Le soleil qui, tout le jour, avait incendié Venise se couchait dans un chaos d'or en fusion derrière l'église du Rédempteur. Un peu d'air frais entrait par la fenêtre avec le cri des oiseaux de mer et Marianne le respirait avec délices, goûtant la paix fragile de cet ultime instant de solitude, s'étonnant d'y attacher tant de prix puisque celui qu'elle attendait était l'homme qu'elle aimait.

Dans quelques instants, il serait là et, à imaginer son entrée, son premier regard, sa première parole, elle frémissait de joie et tremblait d'inquiétude tant elle craignait de mal tenir le rôle qu'elle s'était imposé, de ne pas être assez naturelle.

Au matin, quand elle s'était éveillée d'un sommeil qui avait duré près de vingt-quatre heures, Marianne s'était sentie presque bien, l'esprit allégé, le corps détendu par le repos que, grâce à Jolival, elle avait pu prendre dans des conditions de confort inespérées.

A son arrivée à Venise, en effet, Jolival avait pris pension chez un particulier, de préférence aux auberges locales. On lui avait recommandé, à Florence, la demeure du *signor* Giuseppe Dal Niel, un homme aimable, courtois et ami des petites joies de l'existence qui, à la chute de la République, avait pris en location deux étages de l'antique et fastueux palais construit jadis pour le doge Giovanni Dandolo, l'homme qui avait donné à Venise sa monnaie et fait frapper les premiers ducats d'or.

Dal Niel, qui avait beaucoup voyagé et déploré, en conséquence, l'indigence des auberges et hôtelleries de son temps, avait imaginé d'y recevoir des hôtes payants en les y entourant d'un luxe et d'un confort parfaitement inusités jusqu'à présent. Son rêve était d'acquérir la totalité de la noble demeure et d'en faire le plus grand hôtel de tous les temps, mais, pour ce faire, il lui manquait le rez-de-chaussée qu'il n'avait même pas encore pu louer, la vieille comtesse Mocenigo, propriétaire dudit rez-de-chaussée, se refusant farouchement à des projets aussi mercantiles[1].

Il se consolait en n'acceptant que des hôtes triés sur le volet avec lesquels il prenait autant de plaisir que s'il se fût agi d'invités. Deux fois le jour, il se présentait à ses clients, en personne ou par le truchement de

1. Il devait attendre encore jusqu'en 1822, date à laquelle il put enfin fonder l'hôtel Royal Danieli qui est encore de nos jours le principal palace vénitien.

sa fille, Alfonsina, et s'inquiétait de leurs moindres désirs. Naturellement, il s'était mis en quatre pour la princesse Sant'Anna, malgré l'étrangeté de son arrivée dans une robe mouillée et dans les bras d'un dragon, et il avait donné à son personnel des ordres féroces pour que la maison fût plongée dans un silence total durant son repos.

Grâce à lui, Marianne avait pu, en une seule journée, réparer les méfaits de sa captivité et offrir au soleil un visage lisse et frais comme une fleur. S'il n'y avait eu sa mémoire toujours encombrée de mauvais souvenirs, elle se fût sentie merveilleusement bien !

Dès que la silhouette de la « Sorcière » avait été reconnaissable, Jolival s'était rendu au port pour annoncer à Jason l'arrivée de Marianne et lui raconter son aventure, tout au moins la version qu'ils en avaient tirée ensemble. Le plus simple étant toujours le meilleur, tous deux avaient arrêté ce qui suit : Marianne avait été enlevée par ordre de son mari, enfermée sous bonne garde dans une maison inconnue et tenue dans l'ignorance absolue du sort qui lui était réservé par un mari, sans doute offensé mais peu pressé, apparemment, de s'expliquer. Elle savait seulement que l'on devait l'embarquer pour une mystérieuse destination, mais, une nuit, profitant d'une distraction de ses gardiens, elle avait réussi à s'enfuir et à gagner Venise où Jolival l'avait retrouvée.

Naturellement, Arcadius avait mis tous ses soins à fignoler un récit d'évasion suffisamment convaincant et, depuis le matin, Marianne s'était tant de fois répété sa leçon qu'elle était certaine de la posséder parfaitement. Mais elle ne pouvait s'empêcher d'être mal à l'aise dans ce mensonge contre lequel se rebellaient son honnêteté et son goût de la vérité.

Bien sûr, cette fable était nécessaire puisque, selon l'expression même de Jolival, « toute vérité n'était pas bonne à dire », surtout à un amoureux, mais Marianne ne la jugeait pas moins dégradante parce qu'elle mettait en cause un homme, non seulement innocent de tout mal, mais encore victime principale de ce drame. Il lui répugnait de transformer en impitoyable geôlier le malheureux dont elle portait le nom et qu'elle avait cependant, involontairement, conduit à sa perte.

Elle avait toujours su qu'en ce bas monde tout se paie et le bonheur plus cher que n'importe quoi, mais à la pensée que le sien allait être bâti sur un mensonge, une angoisse lui venait avec la crainte superstitieuse que le destin ne demandât compte de sa tricherie.

Cependant, elle savait aussi que, pour Jason, elle était capable de tout endurer, même l'enfer des jours passés... même un mensonge permanent.

Un grand miroir, garni de fleurs en pâte de verre, pendu au mur près de sa chaise longue, lui renvoya son image gracieuse, enveloppée d'une robe de mousseline blanche et habilement coiffée par Agathe ; mais ses yeux gardaient une inquiétude contre laquelle ni repos, ni soins n'avaient pu quelque chose.

Elle se contraignit à sourire, bien que le sourire n'atteignît pas son regard.

— Madame la princesse ne se sent pas bien ? demanda Agathe qui brodait dans un coin et qui l'avait observée.

— Si, Agathe, très bien ! Pourquoi ?

— C'est que Madame n'a pas l'air gai ! Madame devrait aller sur le balcon. C'est l'heure où toute la ville est sur le quai, là-devant ! Et puis, elle verrait arriver Monsieur Beaufort !

Marianne se traita intérieurement de sotte. Quelle figure faisait-elle, en effet, tapie au fond de sa chaise longue, alors qu'elle devait normalement brûler de l'impatience de revoir son ami ? A cause de sa fatigue de la veille, il était normal qu'elle eût laissé Jolival se rendre seul au port, mais il ne l'était pas qu'elle demeurât là, dans l'ombre, au lieu de guetter, comme n'importe quelle femme amoureuse. Il était inutile d'expliquer à sa femme de chambre qu'elle craignait d'être reconnue par un sergent de la Garde Nationale ou par un gentil gamin qui lui avait porté secours.

En pensant à Zani, d'ailleurs, elle avait des remords. L'enfant avait dû assister à sa mise hors de combat et à son enlèvement par Benielli sans y rien comprendre. Il devait se demander, à l'heure présente, quelle dangereuse créature il avait côtoyée un instant et Marianne avait du regret de cette belle amitié sans doute perdue.

Elle quitta cependant sa méridienne, fit quelques pas sur la loggia en prenant soin, néanmoins, de rester à l'abri des colonnettes gothiques qui la supportaient.

Agathe avait raison : le quai des Esclavons, au-dessous d'elle, grouillait de monde. C'était comme une farandole ininterrompue, bruyante et colorée, qui allait et venait continuellement entre le palais des Doges et l'Arsenal, offrant une extraordinaire image de vie et de gaieté. Car Venise vaincue, Venise découronnée, Venise occupée, Venise réduite au rang de ville de province n'en demeurait pas moins l'incomparable Sérénissime.

— Bien plus que moi ! murmura Marianne en songeant à ce titre qu'elle portait elle-même. Tellement plus que moi !

Mais un violent remous de la foule la tira de sa rêverie mélancolique. Là, en bas, à quelques mètres, un homme venait de sauter d'une chaloupe et fonçait tête baissée vers le palais Dandolo. Il était très grand, beaucoup plus que ceux qu'il bousculait sans ménagements. Avec une force irrésistible, il fendait la foule aussi aisément que l'étrave de son navire fendait les flots et Jolival qui venait derrière lui devait faire de gros efforts pour le suivre. Il avait de larges épaules, un regard bleu, des traits fiers et des cheveux noirs en désordre.

— Jason! souffla Marianne soudain ivre de joie. Enfin toi!...

Entre la crainte et le bonheur, son cœur, en une seconde venait de faire son choix. Il avait tout balayé qui n'était pas le rayonnement de l'amour. D'un seul coup, il venait de s'illuminer...

Et comme, en bas, Jason s'engouffrait dans le palais, Marianne, ramassant sa robe à deux mains, courut vers la porte. Elle traversa l'appartement comme un éclair blanc, se jeta dans l'escalier que déjà son ami escaladait quatre à quatre et, finalement, avec un cri de joie qui était presque un sanglot, s'abattit sur sa poitrine, riant et pleurant tout à la fois.

Lui aussi avait crié en l'apercevant. Il avait clamé son nom si fort que les nobles voûtes du vieux palais en avaient résonné, se délivrant d'un silence de tant de mois où il n'avait pu que le murmurer dans ses rêves. Puis il l'avait saisie, empoignée, soulevée de terre et maintenant, sans souci des serviteurs qui, accourus au bruit, regardaient des paliers, il la couvrait de baisers frénétiques, des baisers d'affamé qui dévoraient son visage et son cou.

Le nez en l'air, Jolival et Giuseppe Dal Niel, côte à côte, regardaient du bas de l'escalier. Le Vénitien joignit les mains :

— *E maraviglioso!... Que bello amore*[1]*!*

— Oui, approuva le Français, modeste, c'est un amour assez réussi.

Les yeux clos, Marianne ne voyait rien, n'entendait rien. Elle et Jason étaient isolés au cœur d'un tourbillon de passion, d'un enchantement qui les retranchait du reste du monde. C'est à peine s'ils eurent

1. C'est merveilleux! Quel bel amour!

164

conscience des applaudissements qui éclatèrent autour d'eux. Le public, en bon italien pour qui l'amour est la grande affaire, exprimait sa satisfaction en connaisseur ! Ce fut du délire quand le corsaire enleva la jeune femme dans ses bras et, sans quitter ses lèvres, l'emporta en haut de l'escalier. La porte, repoussée d'une botte impatiente, claqua derrière lui sous les vivats de l'assistance ravie.

— Me ferez-vous l'honneur de boire avec moi un verre de grappa à la santé des amoureux ? proposa Dal Niel avec un large sourire. Quelque chose me dit que l'on n'a guère besoin de vous, là-haut... Et un bonheur comme celui-là, cela se fête !

— Je boirai avec plaisir en votre compagnie. Mais, au risque de vous décevoir, il me faudra troubler rapidement ce tendre tête-à-tête, car nous avons d'importantes décisions à prendre...

— Des décisions ? Quel genre de décisions une aussi jolie femme peut-elle devoir prendre en dehors du choix de ses parures ?

Jolival se mit à rire.

— Vous seriez étonné, mon cher ami, mais la toilette n'occupe dans la vie de la princesse qu'une place plutôt réduite. Et, tenez, je parlais de décisions à prendre : en voilà tout justement qui nous arrivent.

En effet, le lieutenant Benielli, sanglé dans son uniforme, la main sur la poignée du sabre, venait de faire dans l'escalier une entrée martiale, moins tumultueuse, sans doute, que celle effectuée par Jason, mais qui eut pour résultat immédiat de disperser aussitôt les serviteurs curieux.

Il marcha droit vers les deux hommes, salua correctement.

— Le navire américain est revenu, déclara-t-il. En conséquence, il me faut voir la princesse sur l'heure. J'ajoute qu'il y a urgence, car nous n'avons déjà perdu que trop de temps !

— Je vois ! La grappa sera pour plus tard, soupira Jolival. Pardonnez-moi, *signor* Dal Niel, mais je dois introduire cet impétueux militaire.

— *Peccalo !* Quel dommage ! fit l'autre compréhensif. Vous allez les troubler ! Ne vous pressez pas trop ! Laissez-leur encore un petit instant ! Je tiendrai compagnie au lieutenant.

— Un petit moment ? Miséricorde ! Avec eux, un petit moment peut signifier des heures ! Ils ne se sont pas vus depuis six mois !

Arcadius, cependant, se trompait. A peine Marianne avait-elle laissé l'amour submerger ses craintes et ses irrésolutions qu'elle l'avait regretté. En apercevant l'homme qu'elle aimait, elle n'avait pas pu retenir l'élan qui, tout naturellement, l'avait jetée dans ses bras, un élan auquel, bien entendu, il avait répondu avec passion... trop de passion même ! Et, tandis qu'il l'emportait, escaladant les marches deux à deux et refermant violemment sur eux la porte de l'appartement, dans sa hâte de s'isoler avec elle, Marianne avait brusquement retrouvé toute sa tête, si délicieusement perdue l'instant précédent.

Elle savait ce qui allait se passer : dans une minute, Jason, en plein délire amoureux, allait la jeter sur son lit, dans cinq minutes, peut-être moins, il l'aurait dévêtue et elle serait sienne bien peu de temps après, sans qu'il soit possible d'arrêter le tendre ouragan qui allait s'abattre sur elle...

Or, quelque chose en elle venait de se révolter, quelque chose dont elle n'avait pas eu encore conscience et qui était la profondeur de son amour pour Jason. Elle l'aimait au point de refuser le désir, violent cependant, qu'il lui inspirait. Et, dans l'espace d'un éclair, elle avait compris qu'elle ne pouvait pas, qu'elle ne devait pas lui appartenir tant que ne serait pas dissipé le doute qui l'habitait, tant que ne serait pas levée la révoltante hypothèque prise sur son corps par Damiani !

Certes, si une vie obscure commençait à se former dans le secret de son être, il serait commode, facile même, de s'arranger pour en faire endosser la paternité à son amant. Avec un homme aussi ardent et aussi épris, même une sotte y parviendrait aisément ! Mais si Marianne refusait d'avouer la vérité sur ses six semaines de disparition, elle refusait plus farouchement encore de faire de Jason une dupe... et la pire de toutes ! Non ! Tant qu'elle n'aurait pas acquis une certitude absolue, elle ne devait pas le laisser la reprendre ! A aucun prix ! Sinon ils s'enliseraient tous deux dans un mensonge dont, toute sa vie, elle demeurerait captive ! Mais, Dieu que cela allait être difficile !

Tandis que, debout au milieu du salon, il avait un instant cessé de l'embrasser pour s'orienter, chercher la porte de sa chambre, elle glissa de ses bras et d'une souple torsion de ses reins, se remit debout.

— Mon Dieu, Jason ! Tu es fou !... et je crois bien que je le suis autant que toi.

Elle se dirigeait vers un miroir pour relever ses cheveux qui croulaient dans son dos, mais, tout de suite, il l'y rejoignit, l'enveloppa de nouveau d'une chaude étreinte et, les lèvres dans ses cheveux, se mit à rire :

— Mais je l'espère bien ! Marianne ! Marianne ! Voilà des mois que je rêve de cette minute... celle où, pour la première fois, je serai enfin seul avec toi !... Nous deux... toi et moi !... sans rien d'autre entre nous que notre amour ! Ne crois-tu pas que nous l'avons bien mérité ?

Sa voix chaude, si facilement ironique cependant, se faisait rauque tandis qu'il écartait ses cheveux pour baiser sa nuque. Marianne ferma les yeux, troublée et déjà au supplice.

— Nous ne sommes pas seuls ! murmura-t-elle en se dégageant de nouveau. Il y a Jolival... et Agathe... et Gracchus qui peuvent entrer d'un instant à l'autre !

C'est presque un lieu public, cet hôtel ! Ne les as-tu pas entendus applaudir dans l'escalier ?

— Qu'importe ? Jolival, Agathe et Gracchus savent depuis longtemps à quoi s'en tenir sur nous deux ! Ils comprendront que nous ayons envie d'être l'un à l'autre, sans plus attendre !

— Eux, oui !... mais nous sommes chez des étrangers et je dois respecter...

Tout de suite, il se rebella, sarcastique et, sans doute, déçu :

— Quoi ? Le nom que tu portes ? Il y avait longtemps que je n'en avais entendu parler de celui-là ! Mais si j'en crois ce que m'a appris Arcadius, tu aurais tort de faire de la délicatesse avec un mari capable de te séquestrer ! Marianne !... Je te trouve bien sage, tout à coup ? Que t'arrive-t-il ?

L'entrée de Jolival dispensa Marianne de répondre, tandis que Jason fronçait les sourcils, trouvant sans doute intempestive cette entrée qui donnait raison à la jeune femme.

D'un coup d'œil, Jolival embrassa la scène, vit Marianne qui se coiffait devant une glace et, à quelques pas, Jason visiblement mécontent et qui, les bras croisés, les regardait l'un après l'autre en se mordant les lèvres. Son sourire, alors, fut un chef-d'œuvre d'aménité et de diplomatie paternelle :

— Ce n'est que moi, mes enfants, et, croyez-le, tout à fait désolé de troubler ce premier tête-à-tête. Mais le lieutenant Benielli est là. Il insiste pour être reçu dans l'instant.

— Encore ce Corse insupportable ? Que veut-il ? gronda Jason.

— Je n'ai pas pris le temps de le lui demander, mais il se peut que ce soit important.

Vivement, Marianne revint à son amant, prit sa tête entre ses mains et, posant ses lèvres sur les siennes un court instant, intercepta sa protestation.

— Arcadius a raison, mon amour. Il vaut mieux que nous le voyions. Je lui dois beaucoup. Sans lui, à cette heure, je serais peut-être noyée dans l'eau du port. Voyons au moins ce qu'il veut nous dire.

Le remède fut miraculeux. Le marin se calma aussitôt.

— Au diable l'importun ! Mais, puisque tu le désires... Allez chercher ce poison, Jolival !

Tout en parlant, Jason se détournait, rajustant l'habit bleu sombre à boutons d'argent qui sanglait son corps maigre et musclé, et s'éloignait vers la fenêtre près de laquelle il se posta, les mains nouées dans le dos et le tournant résolument au visiteur indésirable.

Marianne l'avait suivi des yeux avec tendresse. Elle ne connaissait pas la raison de cette antipathie de Jason envers son garde du corps, mais elle connaissait suffisamment Benielli pour deviner qu'il ne lui avait sans doute pas fallu beaucoup de temps pour amener l'Américain à un sérieux degré d'exaspération. Néanmoins, respectant sa visible volonté de ne pas se mêler à l'entretien, elle se disposa à recevoir le lieutenant dont l'entrée et le salut saccadé eussent reçu l'approbation du plus pointilleux chef d'état-major.

— Avec la permission de Votre Altesse Sérénissime, je suis venu, Madame, prendre congé. Dès ce soir, je rejoins Monsieur le duc de Padoue. Puis-je lui annoncer que toutes choses sont désormais rentrées dans l'ordre et que votre voyage vers Constantinople est heureusement commencé ?

Marianne n'eut pas le temps de répondre. Derrière elle une voix glaciale déclarait :

— J'ai le regret de vous dire qu'il n'est pas question que Madame se rende à Constantinople. Elle embarquera demain avec moi pour Charleston où elle pourra oublier, j'espère, qu'une femme n'est pas faite pour jouer les pions sur un échiquier politique ! Vous pouvez disposer, lieutenant !

Abasourdie par la brutalité de cette sortie, Marianne regarda tour à tour Jason, pâle de colère, et Jolival qui mâchait sa moustache, l'air embêté.

— Est-ce que vous n'aviez rien dit, Arcadius ? Je pensais que vous auriez prévenu M. Beaufort des ordres de l'Empereur ? remarqua-t-elle.

— Je l'ai fait, ma chère, mais sans beaucoup de succès ! En fait, notre ami n'a rien voulu entendre sur ce sujet et j'ai préféré ne pas insister, pensant que vous sauriez le convaincre infiniment mieux que moi.

— Pourquoi, alors, ne pas m'avoir avertie tout de suite ?

— Ne pensez-vous pas que vous aviez suffisance de sujets de tourments quand vous êtes arrivée hier ? fit doucement Jolival... Ce... débat diplomatique me semblait pouvoir attendre au moins jusqu'à...

— Je ne vois pas qu'il y ait matière à débat, coupa brutalement Benielli. Quand l'Empereur ordonne, il reste à obéir, il me semble !

— Vous n'oubliez qu'une chose, s'écria Jason, c'est que les ordres de Napoléon ne sauraient me concerner. Je suis sujet américain et n'obéis, comme tel, qu'à mon gouvernement !

— Eh ! qui vous demande quelque chose, après tout ? Madame n'a aucunement besoin de vous. L'Empereur désire qu'elle s'embarque sur un bateau neutre et il y en a une dizaine dans le port. Nous nous passerons de vous, voilà tout ! Retournez en Amérique !

— Pas sans elle ! Vous ne comprenez pas facilement, à ce que l'on dirait ? Je vais donc être plus précis : j'emmène la princesse que cela vous plaise ou non. Est-ce clair, cette fois ?

— Si clair même, grogna Benielli, dont la courte patience était déjà épuisée, qu'à moins de vous faire arrêter pour rapt et incitation à la révolte, il ne reste plus qu'une solution...

Et il tira son sabre. Aussitôt, Marianne fut debout et se jeta entre les deux hommes qui venaient de se rapprocher dangereusement.

— Messieurs, je vous en prie ! Vous m'accorderez au moins, je l'espère, le droit de donner mon avis dans cette affaire ?... Lieutenant Benielli, ayez l'obligeance de vous retirer quelques instants. Je désire m'entretenir seule à seul avec Monsieur Beaufort et votre présence ne m'apporterait aucune aide !

Contrairement à ce qu'elle craignait, l'officier acquiesça, sans un mot, mais aussitôt, d'un claquement de talons et d'un sec salut de la tête.

— Venez donc, fit Jolival en l'entraînant aimablement vers la porte, nous allons goûter la grappa du *signor* Dal Niel pour que vous ne trouviez pas le temps trop long ! Rien de tel qu'un verre avant un voyage ! Le coup de l'étrier, en quelque sorte !

Restés seuls de nouveau, Marianne et Jason, à quelques pas l'un de l'autre, se regardaient avec une nuance d'étonnement : elle à cause de ce pli buté, inquiétant et dur, qui se creusait entre les noirs sourcils de son ami ; lui, parce que, sous cette grâce tendre et cette fragilité trompeuse, il venait pour la seconde fois de rencontrer une résistance. Il sentait, chez elle, quelque chose d'anormal et, pour tenter de le découvrir, fit effort pour dompter sa mauvaise humeur.

— Pourquoi veux-tu que nous parlions seul à seule, Marianne ? demanda-t-il doucement. Espères-tu me convaincre d'effectuer ce voyage absurde chez les Turcs ? En ce cas, n'y compte pas : je ne suis pas venu jusqu'ici pour subir encore les caprices de Napoléon !...

— Tu es venu pour me retrouver, n'est-ce pas ?... et pour que nous commencions ensemble une vie heureuse ? Qu'importe, en ce cas, où nous devrons la vivre ? Et pourquoi refuser de m'emmener là-bas puisque je le désire et que cela peut avoir tellement

d'importance pour l'empire ? Je ne resterai pas longtemps et ensuite je serai libre de te suivre où tu voudras...

— Libre ? Comment l'entends-tu ? As-tu définitivement rompu avec ton mari, l'as-tu convaincu d'accepter le divorce ?

— Ni l'un ni l'autre, mais je suis tout de même
libre parce que l'Empereur le permet. Cette mission
qu'il m'a confiée, il en a fait la condition *sine qua non*
de son aide et je sais, qu'une fois remplie mon ambassade, rien ni personne ne s'opposera plus à notre bonheur. Ainsi le veut l'Empereur.

— L'Empereur, l'Empereur ! Toujours l'Empereur !
Tu en parles encore avec autant d'enthousiasme qu'au
temps où tu étais sa maîtresse ! As-tu oublié que, moi,
je n'ai pas eu tellement à m'en louer ? Je conçois que
tu aies gardé une certaine nostalgie de la chambre
impériale, des palais et de ta vie fastueuse. Les souvenirs que je garde de la Force, de Bicêtre et du bagne de
Brest sont infiniment moins enivrants, crois-moi !

— Tu es injuste ! Tu sais bien qu'il n'y a plus rien
depuis longtemps entre l'Empereur et moi et, qu'au
fond, il a fait de son mieux pour te sauver sans rompre
un difficile équilibre diplomatique.

— Je m'en souviens mais je n'ai pas non plus
conscience de devoir encore quoi que ce soit à Napoléon. J'appartiens à un pays neutre et j'entends ne plus
me mêler de sa politique. Il est déjà bien suffisant que
mon pays risque sa paix extérieure en refusant de
prendre parti pour l'Angleterre...

Brusquement, il se saisit d'elle, la serra contre lui et
posa sa joue contre sa tempe avec une infinie tendresse.

— Marianne, Marianne ! Oublie tout cela... tout ce
qui n'est pas nous ! Oublie Napoléon, oublie qu'il y a
quelque part au monde un homme dont tu portes le

172

nom, oublie comme je l'oublie moi-même que Pilar vit toujours, dans je ne sais quel coin caché de l'Espagne où elle a choisi de résider car elle me croit toujours au bagne et espère bien que j'y mourrai ! Il y a nous deux, rien que nous deux... et il y a la mer, là... tout près... à nos pieds ! Si tu veux, demain elle nous emportera jusque chez moi ! Je vais t'emmener en Caroline, je rebâtirai pour toi la maison incendiée de mes parents à Old Creek Town. Pour tous, tu seras ma femme...

Grisé par la souplesse de ce corps collé au sien et par le parfum qui s'en dégageait, il recommençait à l'envelopper de caresses qui la faisaient frémir. Bouleversée, Marianne ne trouvait plus la force de lutter. Elle se rappelait les heures éblouissantes de la prison, des heures qu'il était si simple de renouveler. Jason était à elle tout entier, la chair de sa chair, l'homme qu'entre tous elle avait choisi et qu'aucun autre ne pouvait remplacer... Pourquoi refuser ce qu'il offrait ? Pourquoi ne pas, dès demain, partir pour son pays de liberté ? Après tout, et même s'il l'ignorait, son mari était mort, elle était libre.

Dans une heure, elle serait à bord de la « Sorcière ». Il serait facile de dire à Benielli qu'elle prenait le chemin de la Turquie quand ce serait vers la libre Amérique que voguerait le navire, tandis que, dans les bras de Jason, Marianne vivrait sa première nuit d'amour, bercée par les vagues, tirant un rideau définitif sur sa vie passée. Elle pouvait reprendre sa propre histoire à Selton Hall, au moment où Jason, pour la première fois, l'avait suppliée de le suivre et bientôt, elle oublierait tout le reste : la peur, les fuites, Fouché, Talleyrand, Napoléon, la France et la *villa* des eaux vives où erraient les paons blancs, mais dont aucun cavalier fantôme, masqué de blanc, ne viendrait plus éveiller les échos...

Pourtant de nouveau, comme tout à l'heure, sa

conscience se réveilla, cette conscience qui se révélait tellement plus encombrante qu'elle ne l'avait imaginé. Qu'arriverait-il si, au cours du long voyage qui l'emmènerait en Amérique, elle se découvrait enceinte d'un autre ? Comment alors s'en délivrer dans ce pays où elle ne pourrait échapper un instant à l'œil de Jason, puisqu'elle se refusait absolument à tricher avec lui. En admettant même qu'il n'ait rien deviné au cours d'une traversée au moins deux fois plus longue que celle vers Constantinople !...

Et puis, au fond de sa mémoire, elle crut entendre encore la voix grave d'Arrighi :

« Vous seule pouvez convaincre la Sultane de faire poursuivre la guerre contre la Russie, vous seule pouvez calmer sa colère contre l'Empereur parce que, comme elle, vous êtes cousine de Joséphine ! Vous, elle vous écoutera... »

Pouvait-elle vraiment trahir la confiance de l'homme qu'elle avait aimé et qui avait sincèrement essayé de la rendre heureuse ? Napoléon comptait sur elle. Pouvait-elle, réellement, lui refuser un dernier service, tellement important pour lui et pour la France ? Le moment de l'amour n'était pas encore venu. C'était encore celui du courage.

Doucement, mais fermement, elle repoussa Jason :

— Non, dit-elle seulement. C'est impossible ! Il faut que j'aille là-bas ! J'ai donné ma parole !

Il la regarda d'un air incrédule, comme si, tout à coup, elle avait pris, sous ses yeux, une forme différente. Ses yeux bleu sombre parurent s'enfoncer plus profondément sous les noirs sourcils et Marianne, désolée, y lut une immense déception.

— Tu veux dire... que tu refuses de me suivre ?

— Non, mon amour, je ne refuse pas de te suivre. Au contraire, je te demande à toi de me suivre encore un peu, seulement quelques semaines ! Un simple délai, vois-tu ? Ensuite je n'aurai plus que toi dans la tête et dans le cœur, je te suivrai où tu voudras, au bout du monde s'il le faut, et je vivrai exactement comme tu le désireras ! Mais il faut que j'accomplisse ma mission : c'est trop important pour la France !

— La France ! fit-il avec amertume. Elle a bon dos !... Comme si, pour toi, le mot France ne s'écrivait pas Napoléon !

Blessée par cette jalousie qu'elle sentait toujours latente et qui la soupçonnait encore, Marianne eut un petit soupir plein de tristesse, tandis que l'éclat de ses yeux verts se faisait humide.

— Pourquoi ne veux-tu pas me comprendre Jason ? Que tu le veuilles ou non, j'aime mon pays, ce pays que je connaissais à peine et que j'ai découvert avec émerveillement. C'est un beau pays, Jason, un noble et grand pays ! Et, cependant, je le quitterai sans remords et sans regrets quand l'heure sera venue de m'en aller avec toi !

— Car cette heure n'est pas encore venue ?

— Si... peut-être, si toi tu consens à m'emmener là-bas pour y rencontrer cette étrange sultane née si près de chez toi !

— Et tu dis que tu m'aimes ? fit-il.

— Je t'aime plus que tout au monde car, pour moi, tu es non seulement le monde mais la vie, la joie, le bonheur. Et c'est parce que je t'aime que je ne veux pas m'enfuir comme une voleuse et que je veux rester digne de toi !

— Des mots que tout cela ! riposta Jason avec un haussement d'épaules rageur. La vérité est que tu ne peux te résigner, n'est-ce pas, à abandonner d'un seul coup et sans retour la vie brillante qui était la tienne dans l'orbite de Napoléon ! Tu es belle, jeune, riche, tu es... Altesse Sérénissime — un titre stupide mais imposant ! — et maintenant, l'on t'investit d'une ambassade auprès d'une reine! Qu'ai-je à t'offrir en échange? Une vie relativement modeste, quelque peu irrégulière de surcroît tant que nous ne serons pas libérés, l'un et l'autre, des liens conjugaux! Je comprends que tu hésites et que tu souhaites des délais!

Elle le regarda tristement.

— Comme tu es injuste! Tu as donc oublié que, sans Vidocq, j'aurais abandonné tout cela sans le plus petit regret! Et ce voyage, crois-moi, ce n'est ni un prétexte ni une échappatoire, c'est une nécessité! Pourquoi le refuses-tu?

— Parce que c'est Napoléon qui t'y envoie, comprends-tu? Parce que je ne lui dois rien, si ce n'est la honte, la prison, la torture! Oh, je sais : il m'avait donné un ange gardien. Mais si le bâton des gardes-chiourme m'avait assommé, si j'étais mort de mes blessures, crois-tu qu'il m'aurait beaucoup pleuré? Il aurait exprimé un regret... poli! Et serait passé à une autre affaire! Non, Marianne, je n'ai aucune raison de servir ton Empereur. Bien plus, si j'acceptais, je me sentirais grotesque... ridicule! Quant à toi, sache bien que si tu n'as pas, maintenant, le courage de dire un non définitif à tout ce qui a été ta vie jusqu'à présent, tu ne l'auras pas davantage demain. Et, ta mission accomplie, tu en trouveras une autre... ou on t'en trouvera une autre! J'admets volontiers qu'une femme telle que toi soit précieuse.

— Je te jure que non! Je partirai aussitôt après!

— Comment te croire? Là-bas, en Bretagne, tu ne souhaitais que fuir cet homme que, maintenant, tu veux servir à tout prix! Es-tu seulement la même que cette nuit-là? La femme que j'ai quittée était prête à n'importe quelle folie pour moi... celle que j'ai retrouvée est soucieuse de respectabilité et craint l'entrée d'une femme de chambre quand je l'embrasse! Ce sont des choses qui frappent, tu sais!

Elle s'affola :

— Que vas-tu chercher ? Je te jure que je t'aime, que je n'aime que toi, mais il faut que tu me conduises en Turquie !

— Non !

Prononcé sans colère, le mot n'en claqua pas moins. Douloureusement, Marianne murmura :

— Tu refuses ?

— Exactement ! Ou plutôt non ! Je te laisse le choix : j'accepte de te conduire là-bas mais, ensuite, je repartirai seul pour mon pays !

Comme s'il venait de la frapper, elle recula, heurta un guéridon qui s'effondra, entraînant dans sa chute une fragile verrerie de Murano, et alla tomber sur la chaise longue qu'elle avait quittée tout à l'heure... un siècle plus tôt ! Les yeux agrandis, elle regardait Jason comme si elle le voyait pour la première fois ! Jamais elle ne l'avait vu si grand, si séduisant... ni hélas si cruel ! Elle avait cru que son amour, à lui, était semblable au sien, c'est-à-dire prêt à n'importe quelle folie, prêt à tout accepter, à tout subir pour quelques heures de bonheur... à plus forte raison pour une vie d'amour. Et voilà qu'il trouvait le courage de lui offrir cet impitoyable marché !

Incrédule, elle demanda :

— Tu pourrais me quitter... volontairement ? Me laisser là-bas et repartir sans moi ?

Il croisa les bras sur sa poitrine et la regarda, sans colère mais avec une effrayante fermeté :

— Ce n'est pas à moi de choisir, Marianne, c'est à toi. Je veux savoir qui s'embarquera demain, à bord de la « Sorcière » : la princesse Sant'Anna, ambassadrice officieuse de Sa Majesté l'Empereur et Roi... ou Marianne Beaufort !...

Le nom inattendu, et dont elle avait rêvé, la toucha au plus sensible. Elle ferma les yeux et devint aussi pâle que sa robe. Ses doigts, crispés, griffèrent la soie du siège, luttant à leur manière contre la crise de nerfs qu'elle sentait venir.

— Tu es impitoyable..., balbutia-t-elle.

— Non ! Je veux seulement te rendre heureuse, malgré toi s'il le faut !

Elle eut un petit sourire triste. L'égoïsme masculin ! Même chez cet homme qu'elle adorait, elle le retrouvait comme elle l'avait trouvé chez Francis, chez Fouché, chez Talleyrand, chez Napoléon et chez l'immonde Damiani ! Cet étrange besoin qu'ils avaient tous de décider du bonheur des femmes et de s'imaginer qu'en cette matière, comme en bien d'autres, eux seuls détenaient la vraie sagesse et la vérité ! Ils avaient tant souffert, l'un et l'autre, de tout ce qui les avait séparés ! Fallait-il que les obstacles vinssent désormais de Jason lui-même ? Et ne pouvait-il, par amour, faire taire son impérieux orgueil ?

A nouveau la tentation revint, si violente que Marianne pensa en défaillir, la tentation de tout abandonner, d'aller se jeter dans ses bras et de se laisser emporter sans plus réfléchir. Elle avait tant besoin de sa force, de sa chaleur d'homme ! Car, malgré la douceur de la nuit qui venait, elle se sentait glacée jusqu'au cœur ! Mais, peut-être parce qu'elle avait trop souffert pour retrouver enfin cet amour, sa fierté la retint au bord de la capitulation !

Le pire était qu'elle ne pouvait même pas lui en vouloir et qu'à son point de vue d'homme il avait raison. Mais elle non plus ne pouvait pas revenir en arrière... à moins de tout dire ! Et encore ! Jason détestait tellement Napoléon maintenant !

Déçue et malheureuse, Marianne choisit cependant la solution la plus conforme à sa nature : celle du combat.

Redressant la tête, elle planta son regard bien droit dans celui de son amant :

— J'ai donné ma parole, fit-elle. Cette mission est mon devoir. Si j'y manquais, tu m'aimerais sans doute autant... mais tu m'estimerais moins ! Chez les miens... comme je crois chez les tiens, on a toujours fait passer le devoir avant le bonheur. Mes parents en sont morts ! Je ne faillirai pas !

Ce fut dit simplement, sans forfanterie. Presque une simple constatation.

A son tour, Jason pâlit. Il ébaucha un geste vers la jeune femme mais se contint et, sans un mot, s'inclina brièvement devant elle. Puis, traversant la pièce en quelques enjambées, il alla ouvrir la porte et appela :

— Lieutenant Benielli !

L'interpellé parut aussitôt, flanqué de Jolival dont le regard inquiet alla, tout de suite, chercher celui de Marianne qui détourna les yeux. La grappa du *signor* Dal Niel devait avoir plu au lieutenant car il était notablement plus rouge qu'à sa précédente apparition, mais il n'avait rien perdu pour autant de son maintien raide.

Jason le toisa du haut de sa grande taille et, avec une colère froide, à peine contenue :

— Vous pouvez rejoindre le duc de Padoue sans inquiétude lieutenant ! Demain, au lever du jour, je mettrai à la voile pour le Bosphore où j'aurai l'honneur de déposer la princesse Sant'Anna !

— Vous m'en donnez votre parole ? fit l'autre imperturbable.

Jason serra les poings, poussé par une visible envie de casser la figure de ce petit Corse arrogant qui lui en rappelait peut-être un peu trop un autre qu'il ne pouvait atteindre.

— Oui, lieutenant, gronda-t-il les dents serrées, je vous la donne ! Et je vais en outre vous donner un conseil : filez d'ici et un peu vite avant que je ne me laisse aller à mes instincts !

— Qui sont ?

— De vous jeter par la fenêtre ! Ce serait d'un effet déplorable pour l'uniforme que vous portez, pour vos camarades et pour le confort de votre voyage. Vous avez gagné, n'abusez pas de ma patience !

— Partez, je vous en prie ! murmura Marianne qui craignait de voir les deux hommes en venir aux mains.

D'ailleurs, Jolival, déjà, tirait discrètement Benielli par le bras. Celui-ci mourait visiblement d'envie de se jeter sur l'Américain, mais il eut le bon esprit de regarder tour à tour les visages de ses interlocuteurs. Il vit Marianne pâle et les yeux gros de larmes, Jason crispé, Jolival inquiet et devina qu'un drame se jouait là. Avec un peu moins de raideur, peut-être, il salua la jeune femme :

— J'aurai l'honneur de rapporter à Monsieur le duc de Padoue que la confiance de l'Empereur est bien placée, Madame, et j'offre à Votre Altesse Sérénissime mes vœux de bon voyage.

— Je vous en souhaite autant. Adieu, Monsieur !

Déjà elle tournait vers Jason un visage suppliant, mais, avant même que Benielli n'eût disparu, il s'inclinait froidement :

— Mes respects, Madame ! Si cela vous convient mon navire lèvera l'ancre demain vers dix heures ! Il vous suffira d'être à bord une demi-heure avant. Je vous souhaite une bonne nuit !...

— Jason !... Par pitié !...

Elle tendait vers lui un bras, une main qui implorait qu'on voulût bien la prendre, mais il était enfermé dans sa colère et sa rancune et ne vit rien, ou ne voulut rien voir. Sans un regard, il se dirigea vers la porte, la franchit et la laissa retomber avec un bruit qui résonna jusqu'au fond du cœur de la jeune femme.

La main offerte retomba et Marianne, désespérée, se laissa tomber de tout son long sur la méridienne en sanglotant.

C'est là qu'un instant plus tard, Jolival qui accourait, pressentant la catastrophe, la trouva à demi étouffée par les larmes.

— Mon Dieu! s'affola-t-il, c'est à ce point? Mais que s'est-il donc passé?

Avec beaucoup de peine, beaucoup de larmes et des mots entrecoupés, elle le lui dit tandis qu'à l'aide d'une serviette trempée dans l'eau fraîche, il tentait de lui rendre figure humaine et d'apaiser ses suffocations.

— Un ultimatum! hoqueta Marianne finalement... un chan... tage! Il... il m'a donné... à choisir! Et il dit... que c'est... pour mon bonheur!

Brusquement, elle s'agrippa aux revers d'Arcadius et supplia :

— Je ne peux pas... je ne peux pas supporter cela!... Allez le trouver... mon ami... par pitié! Allez lui... dire...

— Quoi? Que vous capitulez?

— Ou... i! Je l'aime!... Je l'aime trop!... Je ne pourrai jamais..., délira Marianne qui ne savait plus ce qu'elle disait.

Dans ses deux mains, Jolival emprisonna les épaules tremblantes de la jeune femme et l'obligea à lever la tête vers lui :

— Si! Vous pourrez! Moi, je vous dis que vous pourrez parce que vous avez raison! Jason, en vous imposant ce choix, abuse de sa force parce qu'il sait combien vous l'aimez. Ce qui ne veut pas dire que, de son point de vue, il n'ait pas raison. Il n'a guère eu à se louer de l'Empereur!...

— Et lui... ne m'aime pas!

— Mais si, il vous aime! Seulement, ce qu'il ne peut pas comprendre c'est que, justement, la femme qu'il aime, c'est vous, telle que vous êtes, avec vos incohérences, vos folies, vos enthousiasmes et vos rébellions! Changez, devenez la femme obéissante et posée qu'il semble souhaiter et je ne lui donne pas six mois pour cesser de vous aimer!

— Vous croyez?

Peu à peu, la force de persuasion de Jolival pénétrait au cœur du marasme où se débattait Marianne, en perçait le brouillard d'une lueur à laquelle lentement, inconsciemment, elle se raccrochait déjà.

— Oui, Marianne, je le crois! fit-il gravement.

— Mais, Arcadius... songez à ce qui va se passer à Constantinople! Il me quittera, il m'abandonnera et je ne le verrai plus, plus jamais!

— Peut-être... mais, avant, vous allez vivre auprès de lui, presque contre lui dans cet espace réduit que l'on appelle un vaisseau et cela pendant pas mal de jours! Si vous n'avez pas réussi à le rendre fou d'ici là, c'est que vous n'êtes plus Marianne! Laissez-le à sa mauvaise humeur, à son orgueil de mâle vexé et jouez le jeu qu'il vous impose! Ce n'est pas vous qui endurerez l'enfer, je vous l'assure!

A mesure qu'il parlait, la lumière peu à peu revenait dans les yeux de Marianne tandis que cette autre lumière, l'espoir, renaissait en elle. Docilement, elle but le verre d'eau additionnée de cordial que son vieil ami portait à ses lèvres puis, s'appuyant sur son bras, elle fit quelques pas dans la pièce, gagna la fenêtre.

La nuit était venue mais, partout, des lanternes allumées mettaient des points d'or que reflétait l'eau noire. Une odeur de jasmin entra sur un air de guitare. En bas, sur le quai, des couples erraient lentement, rapprochés, double silhouette noire confondue. Une gondole pavoisée passa guidée par un svelte danseur et le rire joyeux d'une femme s'échappa des rideaux tirés où filtrait une lueur d'or. Là-bas, derrière la Douane de Mer, les mâts éclairés des navires bougeaient doucement.

Marianne soupira tandis que sa main se crispait un peu sur la manche de Jolival.

— A quoi pensez-vous ? chuchota-t-il. Cela va-t-il mieux ?

Elle hésita, confuse de ce qu'elle allait dire mais, auprès de cet ami sûr, elle était au-delà de toute hypocrisie :

— Je pense, dit-elle avec regret, que c'était une belle nuit pour s'aimer !

— Sans doute ! Mais songez aussi que cette nuit manquée donnera plus de saveur à celles qui viendront ensuite ! Les nuits d'Orient sont sans rivales, ma chère enfant, et votre Jason ne sait pas encore à quoi il s'est condamné !

Puis, fermement, Jolival ferma la fenêtre sur cette trop douce nuit et entraîna Marianne vers le petit salon rococo où le souper était servi.

DEUXIÈME PARTIE

UN DANGEREUX ARCHIPEL

CHAPITRE VI

REMOUS

Il y avait un moment que le lit se balançait. A demi inconsciente, Marianne se retourna, enfouit son nez dans l'oreiller pensant échapper ainsi à un rêve pas tellement agréable, mais le lit continua de se balancer tandis que son esprit s'éclaircissait et lui apprenait qu'elle s'éveillait.

En même temps, quelque chose grinça, quelque part dans la membrure du bateau, et elle se souvint qu'elle était en mer.

D'un œil maussade, elle considéra, dans le mur le plus éloigné, le hublot rond fixé par des vis de cuivre. Le jour qu'il laissait passer était gris avec de grandes éclaboussures blanches qui étaient des paquets de mer. Il n'y avait pas de soleil et, au-dehors, le vent soufflait. L'Adriatique, par ce mois de juillet orageux, avait les couleurs d'un automne grincheux !

« Tout juste le temps qui convient pour commencer ce genre de voyage ! » songea-t-elle, morose.

Contrairement à ce qu'avait annoncé Jason, c'est seulement la veille au soir qu'ils avaient quitté Venise. Subitement, le corsaire avait senti renaître son goût pour le commerce semi-clandestin qui lui avait cependant si mal réussi en France et il avait passé sa journée à faire embarquer dans ses cales une petite cargaison de vins vénitiens. Quelques fûts de Soave, de Valpolicella et de Bardolino, dont il comptait bien tirer profit sur le grand marché turc où la fidélité aux lois du Coran n'était pas toujours scrupuleusement respectée et où les résidents étrangers formaient une clientèle de choix. Sans parler du Grand Seigneur lui-même qui passait pour éprouver un goût prononcé pour le champagne.

— Ainsi, avait déclaré le corsaire à un Jolival plus amusé que choqué de cette grossièreté voulue, je ne ferai pas ce voyage pour rien !

On avait donc embarqué à la nuit tombante, tandis que s'allumaient les lumières de Venise et que la ville s'éveillait à sa joyeuse vie nocturne.

A la coupée du brick, Jason Beaufort attendait ses passagers. Il leur avait octroyé un salut trop respectueux pour n'avoir pas, tout à la fois, glacé le cœur de Marianne et, en même temps, réveillé suffisamment sa colère pour lui restituer une vigoureuse combativité. Jouant le jeu qu'il imposait, elle avait relevé avec insolence son joli nez pour considérer le corsaire avec une attention ironique.

— Est-ce que nous ne sommes pas en retard sur l'horaire prévu, capitaine ? Ou bien est-ce moi qui avais mal compris ?

— Vous aviez parfaitement compris, Madame, grogna Jason dont la mauvaise humeur évidente n'alla tout de même pas jusqu'à l'Altesse Sérénissime et la troisième personne. C'est moi qui, pour des raisons commerciales, ai dû retarder le départ. Je vous prie de m'en excuser... mais veuillez considérer aussi que ce brick n'est pas un navire de guerre et que, si vous teniez à une exactitude militaire, vous auriez mieux fait de demander une frégate à votre amiral Ganteaume !

— Pas un navire de guerre ? Je vois là des canons !

Vous en avez une bonne vingtaine, il me semble ? A quoi vous servent-ils donc ? A chasser la baleine ? fit Marianne suave.

Cette petite escarmouche semblait porter considérablement sur les nerfs du marin qui serra les mâchoires et les poings, mais s'obligea à la politesse malgré son envie visible d'envoyer promener sa passagère.

— Au cas où vous l'ignoreriez, Madame, le moindre navire marchand doit pouvoir se défendre par les temps qui courent !

Mais la jeune femme paraissait décidée à le pousser à bout. Son sourire était immuable.

— J'ignore beaucoup de choses, capitaine, mais, si ce bateau est un bateau marchand, je veux bien être pendue ! Même un aveugle pourrait voir qu'il est taillé pour la course bien plus que pour se traîner, la panse pleine, à travers les mers.

— C'est un corsaire, en effet, cria Jason, mais un corsaire neutre ! Et si un corsaire neutre veut gagner sa vie, avec le maudit blocus de votre maudit empereur, il faut bien qu'il fasse du commerce ! Maintenant, si vous n'avez plus de questions à me poser, je souhaite vous montrer votre cabine.

Sans attendre sa réponse, il la guidait déjà sur le pont bien poncé où les cuivres étincelaient sous la lumière des lanternes et dans son agitation il faillit renverser un homme de taille moyenne, mince et tout vêtu de noir, qui tournait l'angle du rouf.

— Oh ! C'est vous, John, je ne vous avais pas vu ! s'excusa-t-il avec un sourire qui n'atteignait pas ses yeux. Venez que je vous présente ! Princesse, voici le docteur John Leighton, le médecin du bord. La princesse Corrado Sant'Anna, ajouta-t-il en appuyant intentionnellement sur le prénom.

— Vous avez un médecin à bord ? s'exclama la

jeune femme sincèrement étonnée. Vous prenez grand soin de vos hommes capitaine ! et je vous en félicite. Mais d'où vient que vous n'ayez encore jamais fait mention d'un disciple d'Esculape dans votre équipage ?

— De ce que je n'en avais pas ! Et je l'ai assez regretté pour m'être, depuis plusieurs mois, assuré le concours de mon ami Leighton.

Son ami ? Marianne regarda le visage blanc du médecin qui, sous la lumière, prenait des reflets jaunâtres. Il avait des yeux pâles et sans couleur définie, profondément enfoncés sous une orbite creuse, des yeux appréciateurs qui semblaient la peser à quelque froide balance.

Avec un frisson, Marianne pensa que Lazare, le ressuscité, devait avoir une tête semblable. Le médecin s'était incliné sans un mot, sans un sourire, devant elle et, d'instinct, elle avait senti que cet homme-là, non seulement ne l'aimerait pas, mais encore désapprouvait entièrement sa présence sur ce navire. Elle décida que le mieux serait, à l'avenir, d'éviter le docteur Leighton autant que faire se pourrait, car elle n'avait aucune envie de rencontrer ce visage mort. Mais, naturellement, restait à savoir jusqu'où allait l'amitié de Jason pour ce sinistre petit homme...

Tandis que Jolival allait prendre logis dans la dunette, et que Gracchus rejoignait l'équipage à l'avant, Marianne s'installait dans le rouf avec Agathe.

En pénétrant dans sa cabine, la jeune femme éprouva un petit pincement : la pièce, visiblement, avait été refaite à neuf et à l'intention d'une femme. Un beau tapis persan couvrait le sol d'acajou ciré, de jolis objets de toilette encombraient la table destinée à cet usage et des rideaux de damas bleu-vert habillaient les hublots et la couchette où se gonflaient de douillets édredons. Ils représentaient si bien les tendres soins d'un homme amoureux que Marianne se sentit émue. Cette pièce avait été préparée pour qu'elle s'y trouvât bien et servît de cadre à son bonheur ! Mais... Courageusement, elle repoussa l'attendrissement, se promettant toutefois de remercier le maître du navire de sa courtoisie, dès le lendemain car, pour le reste de la soirée, ni Marianne, ni sa femme de chambre ne quittèrent la cabine. Elles procédèrent à l'installation des bagages et à leur propre installation qui leur prit pas mal de temps.

Agathe, pour sa part, disposait d'une couchette et d'une table de toilette dans une toute petite cabine, pourvue toutefois d'un hublot, et qui s'ouvrait tout près de celle de sa maîtresse. Elle en avait pris possession avec une certaine méfiance, la mer lui causant visiblement une peur bleue.

Dans son lit, Marianne s'étira, bâilla et, finalement, s'assit en fronçant le nez. Il régnait, à l'intérieur de ce navire, une odeur bizarre, légère à vrai dire, mais plutôt désagréable et qu'elle était incapable de définir. Elle l'avait remarquée en arrivant, pour s'en étonner, car ce faible relent, évoquant assez la vieille crasse, était étrange sur un bateau si bien briqué.

Elle chercha des yeux la pendule, encastrée dans la boiserie, vit qu'il était dix heures et songea à se lever, bien qu'elle n'en eût aucune envie. Elle avait surtout faim, car elle n'avait rien mangé la veille avant d'embarquer.

Ses hésitations en étaient là quand la porte s'ouvrit devant un plateau chargé derrière lequel apparaissaient Agathe, aussi digne et aussi amidonnée que dans l'hôtel parisien de sa maîtresse, et Jolival en négligé du matin. Celui-ci semblait d'excellente humeur :

— Je viens voir comment vous avez passé la nuit, déclara-t-il gaiement, et aussi comment vous êtes installée ! Mais je vois que vous n'avez rien à désirer !

Mazette ! Du damas, des tapis ! Notre capitaine vous traite bien !

— Est-ce que vous êtes mal logé, Arcadius ?

— Non pas ! Je suis logé à peu près comme lui : c'est-à-dire avec un confort... spartiate mais très acceptable ! Et la propreté de ce navire est au-dessus de tout éloge.

— La propreté, je suis d'accord, mais il y a cette odeur... une odeur que je ne parviens pas à définir. Ne sentez-vous pas ? Mais peut-être n'existe-t-elle pas dans vos quartiers ?

— Si fait ! Je l'ai remarquée, fit Jolival en s'installant sur le pied de la couchette pour piocher une tartine et quelques gâteaux sur le plateau. Je l'ai remarquée bien qu'elle soit très faible... Mais je n'y ai pas crue !

— Pas crue ? Pourquoi donc ?

— Parce que...

Jolival s'arrêta un instant, dégusta sa tartine, puis avec une soudaine gravité reprit :

— Parce qu'une fois dans ma vie j'ai respiré une odeur semblable, mais intense, mais parvenue à un incroyable degré de puanteur. C'était à Nantes, sur les quais... auprès d'un navire négrier. Le vent soufflait du mauvais côté !

La main de Marianne qui se versait une tasse de café demeura en suspens. Elle leva sur son ami un regard incrédule :

— C'était la même odeur ? Vous êtes certain ?

— Ce genre de fumet ne s'oublie plus quand, une fois, on l'a respiré ! J'avoue qu'il m'a tourmenté toute la nuit.

Marianne reposa la cafetière d'une main si peu sûre qu'une large tache brune s'étala sur la serviette qui garnissait le plateau.

— Vous n'imaginez tout de même pas que Jason se livre à ce trafic abominable !

— Non, car alors l'odeur, malgré les lavages répétés et les fumigations, serait beaucoup plus forte. Mais je me demande s'il n'aurait pas, une fois, opéré ce genre de... transport !

— C'est impossible ! lança Marianne avec violence. Rappelez-vous, Arcadius, qu'il y a six mois, la « Sorcière », gardée à vue à Morlaix, était enlevée par Surcouf et conduite, par lui, jusqu'à notre rendez-vous ! Si Jason s'était livré à cet infâme commerce, il aurait, lui aussi senti l'odeur... et je ne crois pas qu'il aurait, alors, accepté de courir des risques pour le maître d'un bateau de ce genre. Enfin, je vous rappelle que Jason, quand il fait de la contrebande, charge du vin, pas de la chair humaine !

Elle tremblait d'indignation et, en reposant la tasse dans la soucoupe, la heurta nerveusement. Jolival lui dédia un sourire apaisant :

— Calmez-vous ! Dans un instant vous allez me reprocher d'avoir accusé notre ami de n'être qu'un vil négrier ! Je n'ai rien dit de semblable. D'ailleurs, et même si je dois vous décevoir, Surcouf, s'il avait remarqué quelque chose, n'aurait pas protesté. Lui aussi a parfois transporté du « bois d'ébène » sur ses navires. Un bon armateur ne saurait avoir de ces délicatesses ! Cela dit, je me suis étonné, comme vous, de ce fumet bizarre.

— Qui n'est peut-être pas celui que vous dites ! Après tout, si vous ne l'avez respiré qu'une fois !

— On n'oublie pas ce genre de choses, coupa Arcadius gravement. Et elle est de celles dont aucun lavage ne peut venir à bout, et, à moins que ce navire n'ait subi une épidémie de fièvre jaune...

— Assez là-dessus, Arcadius ! Vous me peinez. Vous êtes victime d'une illusion. Il y a peut-être simplement des rats crevés à bord. Où est Jason à cette heure ?

— Dans la chambre des cartes, vers l'avant ! Souhaitez-vous donc lui rendre visite ?

Une inquiétude voltigeait, impalpable, sous l'ironie légère du ton, mais Marianne, calmement, se versa une nouvelle tasse de café. L'arôme brûlant du breuvage emplissait l'étroite pièce, chassant la senteur insidieuse.

— Le devrais-je ?

— Cela ne s'impose pas... à moins que vous ne souhaitiez régaler l'équipage d'un supplément de passe d'armes dans le genre de celle d'hier soir ! Notre skipper est de fort méchante humeur, il me semble, car, avant d'aller s'enfermer à l'avant, il a fait retentir la dunette d'une étonnante tempête dont l'objet était l'arrimage défectueux d'un tonneau.

Marianne s'essuya les lèvres avec un soin inusité qui lui permit de garder baissées un instant ses paupières frangées de longs cils courbes qui, vers les tempes, se retroussaient d'une façon qui parut à Jolival plus frondeuse que jamais. Pourtant, sa voix fut un miracle de calme et de douceur en répondant :

— Aussi n'ai-je aucune intention de me mettre sur son chemin. Je désire seulement respirer l'air sur le pont et me dégourdir les jambes.

— Le temps est gris, la mer assez forte et il pleut.

— J'ai vu. Mais j'ai besoin d'air. Nous nous promènerons ensemble, Jolival, si vous voulez bien venir me prendre d'ici une demi-heure car, à voir votre mine, je devine que vous allez encore trouver une mauvaise raison pour m'empêcher de sortir... par exemple : que je suis, avec Agathe, la seule femme à bord et qu'il y a une centaine d'hommes d'équipage ? Je n'ai aucune envie de passer mon temps enfermée dans ce trou et d'abord, parce que je suis à peu près certaine que Jason n'en franchira jamais le seuil ! Ai-je raison ?

Jolival s'abstint de répondre. Haussant des épaules

fatalistes, il entreprit, vers la porte, une navigation difficile entre les malles entrouvertes qui laissaient échapper des rubans et des falbalas.

Quand il eut disparu, Marianne voulut se remettre aux mains de sa femme de chambre, mais constata qu'elle avait disparu. Seule, une voix faible et mourante répondit à son appel. Courant vers le fond de sa cabine, elle découvrit la pauvre Agathe, affalée sur sa couchette et vomissant spasmodiquement dans son tablier amidonné. Sa coquetterie et sa dignité avaient totalement disparu. Il ne restait plus qu'une petite créature au visage verdâtre qui ouvrait péniblement sur sa maîtresse des yeux de noyée.

— Mon Dieu, Agathe ! Tu es malade à ce point ? Mais pourquoi ne m'as-tu rien dit ?

— Ça... m'a pris d'un seul coup. En apportant le plateau... Je ne me sentais pas bien et, en arrivant ici... Ça doit être... l'odeur des œufs frits et du lard ! Oooooooh !...

La seule évocation de ces victuailles amena une nouvelle nausée et la jeune camériste replongea dans son tablier.

— Tu ne peux pas rester comme ça ! décida Marianne en remplaçant, pour commencer, le tablier par une cuvette. Il y a un médecin sur ce sacré bateau ! Je vais le chercher ! Il a une sale tête mais il te soulagera peut-être.

Vivement, elle bassina le visage d'Agathe avec de l'eau fraîche et de l'eau de Cologne, lui donna un flacon de sels puis, enfilant un étroit manteau de drap couleur miel qu'elle boutonna jusqu'au cou pour cacher sa chemise de nuit, elle entoura sa tête d'une écharpe et se lança dans l'escalier qui, du milieu du bateau, conduisait au pont et débouchait entre le mât de misaine et le grand mât. Elle eut quelque peine à atteindre la surface.

Le brick, à cet instant, essuyait un grain. La mer se creusait sous l'étrave et Marianne dut se cramponner aux rampes pour ne pas redescendre les marches sur les genoux. En arrivant sur le pont, la force du vent, qui soufflait de l'arrière, la surprit. Son écharpe, nouée négligemment, s'envola et ses longues mèches noires tournoyèrent autour d'elle, comme des lianes. Le pont désert s'éleva, puis redescendit. Elle se tourna vers la dunette, reçut le vent de plein fouet. Le navire fuyait devant le grain. Les vagues blanchissaient et, autour d'elle, les cordages chantaient tandis que, dans le claquement des voiles, s'élevaient des murmures. Sur la dunette, qui communiquait avec le tillac par quelques marches raides, presque des échelons, elle vit l'homme de barre. Enveloppé d'un caban de forte toile, il semblait faire corps avec le navire, bien planté sur ses jambes écartées, ses mains fermement accrochées à la roue du gouvernail. Levant la tête, elle vit encore que toute la bordée de quart, ou presque, était perchée sur les vergues, s'activant furieusement, carguant perroquets, huniers et grande voile, halant bas le grand foc pour « laisser porter » vent arrière sous la misaine et le petit foc, comme l'ordre, tonné au porte-voix, en arrivait de la dunette.

Brusquement, une dizaine de singes aux pieds nus tombèrent du ciel et se mirent à courir sur le pont. L'un d'eux la bouscula si violemment qu'elle fila droit sur l'échelle de la dunette, s'y cramponna, réussissant de justesse à ne pas s'étaler. Le matelot n'avait rien vu et poursuivit sa course.

— Excusez-le, Madame ! Je crois qu'il ne vous a pas vue, fit en italien une voix basse et grave. Vous êtes-vous fait mal ?

Marianne se redressa, rejeta en arrière ses cheveux qui l'aveuglaient et considéra avec un mélange de stupeur et d'effroi l'homme qui lui faisait face.

— Non, non... fit-elle machinalement, je vous remercie...

Il s'éloigna aussitôt, d'une souple démarche qui semblait se jouer des mouvements désordonnés du bateau. Pétrifiée, sans parvenir à démêler ce qui l'avait tellement frappée, la jeune femme le regarda disparaître avec un curieux mélange de terreur et d'admiration. Son séjour en enfer était encore trop récent pour qu'elle n'en eût pas gardé une certaine crainte des gens à peau noire. Or, le matelot qui venait de lui parler était noir, comme Ishtar et ses sœurs ! Nettement moins sombre tout de même, car les trois esclaves de Damiani étaient couleur d'ébène tandis que l'homme semblait coulé dans un bronze légèrement doré. Et Marianne, malgré une instinctive répulsion qui, d'ailleurs, était surtout faite de rancune et de peur, s'avoua franchement qu'elle n'avait guère rencontré de spécimens humains aussi beaux que celui-là.

Pieds nus, comme tout l'équipage, sanglé dans un étroit pantalon de toile qui l'emprisonnait des reins aux mollets, et sur lequel s'érigeait un torse puissant sculpté de longs muscles lisses, il avait la perfection physique inquiétante des grands fauves. Le voir grimper dans les haubans pour serrer une voile avec l'aisance d'un sombre guépard était un spectacle de choix... Et le visage, un instant entrevu, ne déparait pas l'ensemble, au contraire !

Elle en était là de ses réflexions quand une main saisit son bras et, par ce moyen, la hissa plus qu'elle ne l'aida à monter jusqu'à la dunette.

— Que faites-vous là ? s'écria Jason Beaufort. Pourquoi diable êtes-vous sortie de chez vous par ce temps ? Vous avez envie d'être emportée par-dessus bord ?

Il paraissait franchement mécontent, mais Marianne nota, avec une intime satisfaction, qu'une inquiétude perçait sous le reproche.

— Je cherchais votre médecin. Agathe est malade à mourir. Elle a besoin de secours car elle a failli se trouver mal en m'apportant mon petit déjeuner !

— Aussi pourquoi est-elle allée le chercher ? Votre femme de chambre n'a rien à faire dans la cambuse, princesse. Il y a, grâce au ciel, des serviteurs qui, sur ce bateau, s'occupent du service intérieur. Tenez, voici justement Tobie, c'est lui qui est chargé de veiller à ce que vous ne manquiez de rien.

Un nouveau Noir venait d'apparaître, émergeant des cuisines avec un seau d'épluchures. Celui-là avait une bonne figure lunaire, cernée d'une couronne de cheveux grisonnants et folâtres qui faisaient de son crâne chauve un îlot bien ciré battu par la tempête. Le sourire béat qu'il offrit à son maître fendit son visage d'un croissant neigeux.

— Va dire au docteur Leighton qu'il y a une malade dans le rouf ! ordonna le corsaire.

— Vous avez beaucoup de Noirs, à bord ? ne put s'empêcher de demander Marianne dont les sourcils s'étaient froncés légèrement.

— Pourquoi ? Vous ne les aimez pas ? riposta Jason à qui la mimique de la jeune femme n'avait pas échappé. Je viens d'un pays où ils foisonnent et je croyais pourtant vous avoir raconté que ma nourrice était noire. Une circonstance à laquelle, évidemment, on n'est guère accoutumé en Angleterre ou en France, mais qui, à Charleston et dans tout le Sud, est chose courante et normale. Cependant, pour répondre à votre question, je dirai que j'en ai deux ici : Tobie et son frère Nathan. Ah non, j'oubliais : j'en ai trois. J'en ai embarqué un autre à Chioggia.

— A Chioggia ?

— Oui, un Éthiopien ! Un pauvre diable échappé de chez vos bons amis Turcs où il était esclave et que j'ai trouvé errant sur le port tandis que j'étais à l'aiguade.

Tenez, vous pouvez le voir d'ici, à cheval sur cette vergue de hune.

Une espèce de froid qui n'avait rien à voir avec la température extérieure, plutôt fraîche pour la saison, s'insinuait en Marianne. L'homme dont l'aspect l'avait frappée — avait-elle rêvé ou bien possédait-il réellement des yeux clairs ? — était un esclave en fuite. Et qu'étaient d'autre, la fuite mise à part, les serviteurs que Jason venait de mentionner ? Ce qu'avait dit Jolival lui revenait désagréablement. Et parce qu'elle était incapable de supporter une ombre, si légère fût-elle, sur son amour, elle ne put s'empêcher de formuler la question qui lui venait, en prenant toutefois un léger détour :

— Je l'ai remarqué. Votre « pauvre diable » est assez beau pour cela... et tellement différent de celui-ci, ajouta-t-elle en montrant Tobie occupé à vider son seau par-dessus bord. Est-il aussi un esclave en fuite ?

— Il existe des races différentes chez les Noirs aussi bien que chez les Blancs. Les Éthiopiens se veulent descendants de la reine de Saba et du fils qu'elle eut de Salomon. Ils ont les traits plus fins et plus nobles souvent que les autres Africains... et aussi une fierté sauvage qui s'habitue mal à l'esclavage. Parfois, ils sont aussi plus clairs, comme celui-là ! Quant à Tobie et Nathan, pourquoi voulez-vous qu'ils soient « en fuite » ? Ils servent ma famille depuis leur naissance. Leurs parents étaient très jeunes quand mon grand-père les a achetés.

L'espèce de froid se fit glace. Marianne eut l'impression d'entrer dans un monde nouveau et anormal. Elle n'avait jamais imaginé que Jason, citoyen de la libre Amérique, pût considérer l'esclavage comme une chose toute naturelle. Bien sûr, elle n'ignorait pas que le commerce du « bois d'ébène », pour employer l'expression de Jolival, interdit en Angleterre depuis 1807 et assez mal vu en France, mais encore admis, était florissant dans le Sud des États-Unis où la main-d'œuvre noire représentait la garantie de la richesse du pays. Bien sûr, elle savait que Jason « sudiste », né à Charleston, avait été élevé au milieu des Noirs qui peuplaient la plantation paternelle. (Il lui avait, en effet, parlé un jour, avec une sorte de tendresse, de sa nourrice noire, Deborah.) Mais cette question qui, tout à coup, se présentait à elle dans toute sa brutale réalité, elle ne l'avait jamais imaginée, jusqu'à présent, que sous un angle abstrait, désincarné en quelque sorte. Maintenant, elle se trouvait en face de Jason Beaufort, propriétaire d'esclaves, parlant d'achat ou de vente d'êtres humains sans plus d'émotion que d'une paire de bœufs. Visiblement, cet ordre de choses était pour lui tout naturel.

Étant donné l'état de leurs relations actuelles, peut-être eût-ce été sagesse, pour Marianne, de dissimuler ses impressions. Mais elle savait mal résister aux impulsions de son cœur, surtout quand l'homme qu'elle aimait était en cause.

— Esclaves ! Comme il est étrange ce mot-là, dans ta bouche ! murmura-t-elle, balayant d'instinct le cérémonial factice et naïvement cruel qu'il avait instauré entre eux. Toi qui as toujours été pour moi l'image même, le symbole de la liberté ! Comment peux-tu seulement le prononcer ?

Pour la première fois depuis le début de leur entretien elle eut sur elle le bleu sincèrement surpris de son regard, presque candide à force de naturel, mais le sourire qu'il lui offrit, sardonique à souhait, n'avait rien d'innocent, ni d'ailleurs d'amical :

— Votre Empereur doit le prononcer assez facilement, lui qui, Premier Consul, a rétabli l'esclavage et la traite abolis par la Révolution ! J'admets qu'avec la

200

Louisiane, il s'est débarrassé d'une bonne partie du problème, mais je n'ai jamais entendu dire que les gens de Saint-Domingue aient eu fort à se louer de son libéralisme.

— Laissons là l'Empereur! Il s'agit de vous et de vous seul!

— Me feriez-vous l'honneur de me reprocher ma façon de vivre ou celle des miens? Ce serait un comble! Pourtant, écoutez bien ceci : je connais les Noirs mieux que vous. Ce sont de braves gens, pour la plupart, et je les aime, mais vous ne pouvez rien changer au fait que leur esprit ne soit guère plus développé que celui d'un petit enfant! Ils en ont la gaieté, la tristesse, les larmes faciles, les caprices et le cœur généreux. Mais ils ont besoin d'être dirigés!

— A coups de fouet? Les fers aux pieds et traités plus mal que des animaux! Aucun homme, quelle que soit sa couleur, n'a été mis au monde pour la servitude. Et j'aimerais savoir ce que penserait de votre manière de voir, ce Beaufort qui, au temps du Roi-Soleil, quitta la France pour fuir les rigueurs de la Révocation? Celui-là devait savoir que la liberté mérite tous les sacrifices.

A certaine crispation de la mâchoire de Jason, Marianne aurait dû comprendre que sa patience s'épuisait, mais elle-même sentait le besoin de se mettre en colère! Elle préférait cent fois, entre eux, une bonne bagarre aux faux-semblants du protocole!

L'œil noir, un pli dédaigneux au coin de sa bouche, le corsaire haussa les épaules :

— C'est ce Beaufort-là, pauvre sotte, qui a fondé notre plantation de La Faye-Blanche et c'est lui encore qui a acheté les premiers « esclaves ». Mais le fouet n'a jamais eu cours chez nous, pas plus que les Noirs n'ont eu à se plaindre de leur sort! Demandez plutôt à Tobie et à Nathan! Si j'avais voulu les libérer, quand notre domaine a brûlé, ils se seraient laissés mourir devant ma porte !

— Je n'ai pas dit que vous étiez de mauvais maîtres, Jason...

— Et qu'avez-vous dit d'autre ? Ai-je rêvé ou bien avez-vous réellement fait allusion à des fers et à un sort comparable à celui d'animaux ? Mais je suis à peine surpris, Madame, de trouver en vous un si chaud partisan de la liberté ! C'est pourtant un mot que les femmes, en général, emploient peu dans votre monde. La plupart d'entre elles préfèrent... et même réclament, une certaine douce et tendre servitude ! Et tant pis si vous n'aimez pas ce mot-là ! Après tout, peut-être n'êtes-vous pas tout à fait une femme ! En revanche, vous êtes libre, Madame ! Tout à fait libre, on ne peut plus libre de tout gâcher, de tout détruire autour de vous, à commencer par votre vie et celle des autres ! Ah ! Mais c'est une chose superbe que la liberté d'une femme ! Elle lui donne tous les droits ! Et elle fait de jolis petits automates férocement attachés à leurs couronnes et à leurs plumes de paon !...

L'arrivée de Jolival coupa court à la diatribe de Jason qui, furieux, criait si fort que tout le navire pouvait l'entendre. Il s'était trop longtemps contenu et lâchait les vannes de sa colère. En voyant surgir le visage aimable du vicomte, il aboya, hors de lui :

— Ramenez cette dame dans sa cabine ! Avec tous les honneurs dus à la libre ambassadrice d'un empire libéral ! Et que je ne la revoie plus ici ! Une passerelle de commandement n'est pas la place d'une femme, même libre ! Et personne ne peut m'obliger à la supporter ! Moi aussi, je suis libre !

Et, tournant les talons, Jason dégringola l'escalier en deux sauts et fonça vers l'avant où il retourna s'enfermer dans la chambre des cartes.

— Que lui avez-vous fait ? demanda Jolival en

s'approchant de Marianne qui, agrippée des deux mains à la rambarde, luttait à la fois contre le vent et contre l'envie de pleurer.

— Rien du tout ! J'ai seulement voulu lui expliquer que l'esclavage est une chose abominable et que je trouve scandaleux qu'il y ait, sur ce bateau, quelques-uns de ces pauvres malheureux qui n'ont même pas le droit d'être des hommes ! Et vous avez vu comment il m'a traitée !

— Ah !... parce que maintenant vous en êtes à débattre entre vous de la condition humaine ? fit Arcadius suffoqué. Seigneur Dieu ! Marianne ! N'avez-vous pas assez de sujets de bataille avec Jason sans y ajouter des problèmes qui n'ont rien à voir avec vous deux ? Ma parole, on jurerait que vous prenez plaisir à vous déchirer l'un l'autre ! Il crève d'envie de vous prendre dans ses bras et vous, pour un rien, vous seriez prête à vous traîner à ses pieds, mais, quand vous êtes ensemble, vous vous dressez l'un en face de l'autre comme des coqs de combat ! Et vous vous disputez devant l'équipage encore !

— Mais, Jolival, rappelez-vous l'odeur !

— Vous lui en avez parlé ?

— Non ! Il ne m'en a pas laissé le temps ! Il s'est fâché tout de suite !

— C'est encore heureux ! Mais de quoi vous mêlez-vous, ma chère enfant ? Quand donc apprendrez-vous que les hommes ont une vie à eux et entendent la vivre comme bon leur semble ? Allons venez, ajouta-t-il plus doucement, je vous ramène chez vous ! Mais que Dieu me damne si je vous laisse encore seule avant que je ne le juge bon !

Docilement, Marianne suivit son ami et accepta le bras qu'il lui offrait pour la reconduire dans le rouf. Cette fois, ils passèrent au milieu des hommes d'équipage, redescendus de la mâture. Ils avaient, avec la complicité du vent, pu suivre l'algarade avec un intérêt certain. Sur son passage, Marianne surprit des sourires qui la couvrirent de confusion, bien qu'elle s'efforçât de ne pas les voir et de s'intéresser aux propos de Jolival qui lui parlait de la pluie et du beau temps.

Mais, au moment de s'engager dans l'escalier qui menait au centre du navire, elle vit, adossé au grand mât, l'homme de tout à l'heure, le fugitif à la peau sombre. Lui aussi la regardait approcher, mais il ne souriait pas. Il y avait même dans son regard qui, effectivement, était d'une curieuse nuance gris-bleu, une espèce de tristesse. Poussée par une force inconnue, Marianne fit un pas vers lui.

— Comment vous appelez-vous? demanda-t-elle presque timidement.

Il quitta sa pose nonchalante et se redressa pour lui répondre. A nouveau, elle fut frappée par l'harmonie sauvage des traits de cet homme et par l'étrangeté de ses prunelles claires. A l'exception de la peau sombre, l'esclave évadé n'avait aucun signe de négritude ; le nez était mince, droit et la bouche fermement dessinée n'était pas épaisse. S'inclinant légèrement, il murmura :

— Kaleb... pour vous servir !

Une profonde pitié, écho de sa récente dispute avec Jason, envahit Marianne pour ce malheureux qui n'était, après tout, qu'un animal traqué. Elle chercha quelque chose à lui dire et, se rappelant ce que lui avait appris Jason, elle demanda :

— Savez-vous que nous nous dirigeons vers Constantinople? On m'a dit que vous vous étiez enfui de chez les Turcs. Est-ce que vous ne craignez pas...

— D'être repris? Non, Madame. Si je ne quitte pas le navire, je n'ai rien à craindre. Je fais partie de l'équipage maintenant et le capitaine n'admettrait pas que l'on touche à l'un de ses hommes ! Mais... merci de votre bonne pensée, Madame !

— Ce n'est rien... Au fait, c'est en Turquie que vous avez appris l'italien ?

— En effet ! Là-bas les esclaves reçoivent souvent une bonne éducation. Je parle français aussi, ajouta-t-il dans cette langue après une toute légère hésitation.

— Je vois...

Avec un petit signe de tête, Marianne s'engagea enfin dans le petit escalier obscur où Jolival l'avait précédée.

— Si j'étais vous, remarqua celui-ci goguenard, j'éviterais de bavarder avec les matelots. Notre skipper est tout à fait capable d'imaginer que vous cherchez à fomenter une mutinerie. Et je le crois d'humeur à vous faire mettre aux fers sans plus de façons !

— Je l'en crois capable aussi mais, Arcadius, je ne peux m'empêcher d'avoir de la pitié pour cet indigène. Un esclave... et un esclave en fuite, c'est tellement triste ! Comment ne pas être effrayé en songeant à ce qu'il souffrirait s'il était repris !

— C'est curieux, fit Jolival, mais votre marin de bronze ne m'inspire aucune pitié. Peut-être à cause de son aspect physique. Un maître, même féroce, pour peu qu'il tienne à son argent, y regarderait à deux fois avant d'abattre un esclave de cette valeur. Il est beaucoup trop beau ! Et puis, il vous l'a dit lui-même, ici il ne craint rien. Le pavillon américain le protège.

L'odeur qui régnait dans sa cabine prit Marianne à la gorge. Incontestablement Agathe était bien malade. Mais quand elle entra chez elle, le docteur Leighton fermait justement la porte de la petite chambre où couchait la cameriste.

Il apprit à Marianne que la jeune fille, bourrée de belladone jusqu'aux yeux, oubliait ses douleurs dans un profond sommeil. Il ajouta qu'il importait de ne pas la déranger. Mais il le fit sur un ton qui déplut à la jeune femme, comme lui avait déplu, au premier coup d'œil, l'aspect de sa cabine.

Un peu partout traînaient des linges souillés et, au beau milieu de la table de toilette, trônait une cuvette où dansait un liquide jaunâtre dont l'odeur, dès l'entrée, l'avait renseignée sur sa provenance. Tout cela était visiblement disposé intentionnellement et, de ce fait, elle se trouva pleinement au fait de la sympathie qu'elle pouvait attendre du docteur Leighton.

— Cela empeste ici ! protesta Jolival en courant ouvrir le hublot. Rien de tel pour attraper le mal de mer !

— La maladie sent rarement bon ! riposta sèchement Leighton en se dirigeant vers la porte.

Mais Marianne l'arrêta au passage et, désignant les rideaux de damas qui habillaient sa couchette, dit mi-figue, mi-raisin :

— J'espère que vous avez eu assez de serviettes, docteur. Vous ne vous êtes servi ni de ceci, ni de mes robes !

Le visage couleur de suif se figea, mais un éclair froid traversa le regard, tandis que la bouche se serrait encore un peu plus. Avec son habit sombre et ses longs cheveux raides tombant sur son col, John Leighton avait toute la sévérité butée d'un quaker. Et peut-être après tout en était-il un, car sa façon de considérer l'élégante Marianne frisait la répulsion. A nouveau, elle se demanda comment un tel homme avait pu gagner l'amitié de Jason. Il devait s'entendre infiniment mieux avec Pilar !

Avec rage, Marianne repoussa de toutes ses forces l'image désagréable de l'épouse de Jason. Il était déjà bien suffisant de la savoir encore vivante, celle-là, même si c'était au fond d'un couvent espagnol, sans se donner, en plus, la peine de l'évoquer !

Cependant, Leighton avait maîtrisé la bouffée de colère qui, visiblement, l'avait envahi. Plus froid et plus dédaigneux encore, si cela était possible, il saluait, sortait, suivi des yeux par un Jolival visiblement partagé entre l'envie de rire et celle de se fâcher et qui opta finalement pour l'indifférence.

— Ce type a une tête qui ne me revient pas ! Fasse le ciel que je n'aie pas besoin de ses services. Être soigné par lui doit être une rude punition ! remarqua-t-il avec un haussement d'épaules. Dire qu'il va falloir le subir à chaque repas !

— Pas moi ! s'insurgea Marianne. Puisque l'on m'interdit la dunette je n'y mettrai plus les pieds, que ce soit dessus ou dedans ! Je prendrai mes repas ici... et je ne vous empêche pas d'en faire autant !

— Je verrai. En attendant, retournez donc faire un tour sur le pont. Je vais appeler Tobie pour qu'il nettoie tout cela. Sinon, votre appétit pourrait bien en souffrir... mais, si j'étais vous, je ne me terrerais pas dans mon trou ! Quand on veut faire toucher les épaules à un amoureux, on y parvient rarement en se cachant ! Montrez-vous, que diable ! Et dans tout votre éclat ! Les sirènes ne regagnaient leurs cavernes sous-marines qu'une fois le navigateur dûment ferré !

— Vous avez peut-être raison ! Mais comment faire une toilette convenable quand on est secouée comme un bouchon dans l'eau bouillante ?

— Ce n'est qu'un grain d'été ! Il ne durera pas !

En effet, la mer et le vent se calmèrent vers la fin du jour. La bourrasque ne fut plus qu'une agréable brise gonflant très convenablement les voiles. Quant à la mer, si grise et si turbulente dans la journée, elle se fit douce et unie comme un satin changeant fanfreluché de petites vagues blanches. Les hautes découpures bleues de la côte dalmate étaient maintenant visibles, dans le lointain, précédées d'un chapelet d'îles vertes ou couleur d'améthyste que le soleil couchant irisait. Il faisait tiède au-dehors et Marianne s'accorda le plaisir mélancolique d'une rêverie solitaire, appuyée à la lisse, regardant défiler la côte et rentrer les bateaux de pêche aux voiles rouges.

Malgré la douceur du soir, elle se sentait l'âme lourde, triste et solitaire. Jolival devait être quelque part dans le bateau, sans doute en compagnie du second avec lequel tout de suite il avait sympathisé.

C'était un joyeux garçon d'origine irlandaise, dont le nez rouge trahissait un penchant pour la bouteille et qui formait un bien curieux contraste avec le glacial Leighton. Comme il connaissait un peu la France et beaucoup ses productions viticoles, Craig O'Flaherty n'avait pas eu besoin de nombreuses phrases pour conquérir l'estime du vicomte.

Mais Marianne s'avouait tout bas que ce n'était pas tant la présence d'Arcadius qui lui faisait défaut ! Son esprit frondeur s'en était allé avec le grain et elle se sentait au cœur une immense envie de douceur, de tendresse et de calme.

D'où elle était, elle pouvait apercevoir Jason. Debout auprès de l'homme de barre, sur la dunette, il fumait une longue pipe en terre aussi tranquillement que si son navire n'eût transporté aucune jolie femme amoureuse. Elle avait envie, tellement envie d'aller le rejoindre ! Déjà, vers le milieu du jour, quand la cloche avait sonné pour le dîner, elle avait dû se faire violence pour rester fidèle à sa décision de solitude, simplement parce qu'il n'y aurait plus eu entre eux que la largeur d'une table. Et sa gorge était si serrée qu'elle avait à peine touché au repas que Tobie lui avait apporté. Ce soir, ce serait pire encore ! Jolival avait raison. Il serait doux de se faire belle pour aller s'asseoir en face de lui et d'apprécier si son charme conservait encore quelque pouvoir sur cette volonté impitoyable. Elle brûlait du désir de rejoindre Jason, mais son orgueil se refusait à le faire sans une invitation formelle. Après tout, il l'avait chassée de son territoire personnel et avec une telle grossièreté qu'elle ne pouvait, sans manquer au respect de soi-même, se présenter devant lui !

Un corps étranger s'interposa entre elle et la bienheureuse dunette. Elle n'eut pas besoin de tourner la tête pour savoir que c'était Arcadius : il embaumait le tabac d'Espagne et le rhum de la Jamaïque ! Constatant que la jeune femme était toujours vêtue comme dans la journée, il eut un claquement de langue désapprobateur :

— Qu'attendez-vous pour vous changer ? demanda-t-il doucement. La cloche va bientôt sonner !

— Pas pour moi ! Je reste chez moi. Dites à Tobie de me servir.

— C'est de la bouderie pure et simple ! Vous faites votre mauvaise tête, Marianne !

— C'est possible mais je m'en tiens à ce que je vous ai dit : je ne remettrai pas les pieds là-bas... à moins que l'on ne m'y invite aussi formellement que l'on m'en a rejetée.

Jolival se mit à rire :

— Je me suis souvent demandé ce que le bouillant Achille pouvait bien fabriquer sous sa tente pendant que les autres Achéens en décousaient avec les Troyens ! Et surtout ce qu'il pouvait bien penser... Quelque chose me dit que je vais être renseigné ! Bonne nuit donc, Marianne ! Je ne vous reverrai pas car j'ai promis à ce jeune et présomptueux Irlandais une leçon d'échecs ! Dois-je porter votre ultimatum à notre capitaine ou vous en chargerez-vous ?

— Je vous interdis de lui parler de moi ! Je reste dans ma cabine. S'il a envie de me voir, il saura bien me réclamer... et faire le nécessaire ! Il me connaît... et il n'a rien d'un timide ! Bonsoir, Arcadius ! Et ne plumez pas ce jeune Irlandais ! Il boit comme un trou, sans doute, mais il paraît candide et simple comme une jouvencelle !

Dire que Marianne passa une bonne nuit serait exagéré. Elle se tourna et se retourna sur sa couchette durant des heures qu'elle put compter grâce à la cloche du bord qui piquait les quarts. Elle étouffait dans cet espace réduit que les ronflements d'Agathe emplissaient malgré la légère cloison qui les séparait. C'est seulement vers le matin qu'elle s'endormit d'un sommeil sans rêves qui ne la rendit à une amère réalité de migraine qu'aux environs de neuf heures, quand Tobie gratta discrètement à sa porte.

Brouillée avec le monde entier et avec elle-même plus encore qu'avec tout le reste, Marianne voulut renvoyer à la fois le Noir et son plateau, mais, sans rien dire, il pêcha entre deux doigts une large lettre posée en équilibre sur la tasse et la tendit à la jeune femme qui, du fond de sa chevelure en broussaille, le regardait avec rancune.

— Missié Jason il envoie ça ! fit-il avec un sourire. T'ès, t'ès impo'tant !...

Une lettre ? Une lettre de Jason ! Marianne s'en saisit avidement et fit sauter le large cachet où s'étalait la figure de proue du navire, tandis que Tobie, son plateau sur les bras et son sourire installé sur sa figure ronde, se mettait en devoir d'attendre en examinant les poutres du plafond.

Ce n'était pas une longue missive. En quelques phrases protocolaires, le capitaine de la « Sorcière des Mers » s'excusait auprès de la princesse Sant'Anna d'avoir manqué envers elle à la plus élémentaire courtoisie et la priait de vouloir bien revenir sur sa décision claustrale et d'honorer à l'avenir sa table d'une agréable présence féminine. Rien de plus... et surtout pas la moindre phrase tendre : exactement les excuses qu'il aurait offertes à un diplomate avec lequel il aurait eu des mots ! Mi-déçue, mi-soulagée puisqu'il lui tendait tout de même la perche exigée, elle apostropha

Tobie qui, les yeux au ciel, semblait poursuivre un rêve heureux.

— Posez ça là ! fit-elle en indiquant ses genoux, et dites à votre maître que je souperai avec lui ce soir.

— Pas ce midi ?

— Non. Je suis fatiguée ! Je veux dormir ! Ce soir...

— T'ès bien ! Il va êt'e bien content...

Bien content ? Si seulement c'était vrai ! N'importe, la phrase fit plaisir à la recluse volontaire et elle en récompensa Tobie par un beau sourire. Ce vieux Noir, d'ailleurs, lui plaisait. Il lui rappelait Jonas, le majordome de son amie Fortunée Hamelin, aussi bien dans son français zézayant et totalement dépourvu d'r, que dans sa bonne humeur communicative. Elle le congédia en disant qu'elle ne voulait pas être dérangée de tout le jour et quand, quelques instants plus tard, Agathe, le teint brouillé et les paupières battantes, apparut en bâillant au seuil de la porte, elle lui fit la même recommandation.

— Repose-toi encore si tu ne te sens pas très bien, ou sinon fais à ta guise, mais ne me réveille pas avant cinq heures du soir !

Elle n'ajouta pas : « parce que je veux être belle », mais ce soudain besoin de sommeil n'avait pas d'autre raison. Un coup d'œil à son miroir, en lui montrant des yeux cernés et un teint brouillé, lui avait appris qu'il était impossible d'offrir un visage aussi las aux regards de Jason. Aussi, après avoir avalé deux tasses de thé bouillant, s'enfonça-t-elle de nouveau dans ses draps comme dans un cocon de béatitude pour s'y endormir comme une souche.

Mais, le soir venu, Marianne se prépara pour ce simple repas avec le soin d'une odalisque sur le point de jouer son sort devant le sultan son maître. D'une simplicité voulue, car son goût lui disait que le faste n'était pas de mise sur un navire semi-guerrier, sa toilette, une fois achevée, n'en fut pas moins un miracle d'élégance et de grâce ; mais un miracle qui prit pas mal de temps à réaliser. Il fallut plus d'une grande heure pour la toilette, la coiffure et pour couler Marianne dans une fluide robe de mousseline blanche simplement ornée d'un bouquet de roses pâles, en soie légère, au creux du large décolleté. Les mêmes fleurs se retrouvaient en deux touffes piquées sur la nuque, de chaque côté d'un chignon bas à la mode espagnole.

C'était Agathe, dont apparemment le mal de mer avait stimulé le génie, qui avait eu l'idée de cette nouvelle disposition. Elle avait brossé et rebrossé les cheveux de sa maîtresse jusqu'à ce qu'ils fussent lisses et doux comme du satin puis, au lieu de les relever en hauteur, ainsi que le voulait la mode parisienne, elle les avait coiffés en bandeaux brillants et noués sur la nuque en lourdes coques. Sous cette coiffure qui rendait pleine justice au long cou mince et aux traits fins de la jeune femme, ses yeux verts, légèrement retroussés vers les tempes, n'en prenaient que plus de charme exotique et plus de mystère.

— Madame est belle à faire rêver et elle a l'air d'avoir quinze ans ! déclara Agathe visiblement satisfaite de son ouvrage.

Ce fut aussi l'avis d'Arcadius quand il vint frapper à la porte, quelques instants plus tard, mais il conseilla un manteau pour traverser le pont.

— C'est le capitaine qu'il s'agit de faire rêver, dit-il, et non pas tout l'équipage ! Nous n'avons aucun besoin d'une mutinerie à bord.

Ce n'était pas une mauvaise précaution. Quand Marianne, enveloppée d'une mante de soie verte, traversa le pont pour gagner la dunette, les hommes de quart occupés à réduire la voilure pour la nuit, s'arrêtèrent tous, avec ensemble, pour la regarder passer. Visiblement, cette trop jolie femme excitait toutes les curiosités et, sans doute, pas mal d'imaginations. Les yeux qui se levaient sur son passage flambaient le plus souvent. Seul, le mousse qui, assis sur un tas de cordages, s'occupait à recoudre une toile, lui décocha un joyeux sourire et un cordial :

— Bonsoir M'dame ! Fait beau temps, pas vrai ? si totalement dépourvu de préjugés qu'il récolta un sourire amical.

Un peu plus loin, Gracchus, visiblement conquis à la vie maritime et déjà à tu et à toi avec tout l'équipage, lui adressa un salut enthousiaste et très décontracté.

Elle vit aussi Kaleb. En compagnie du maître-canonnier qui examinait l'une des pièces de pont d'un air soucieux, il passait sur le tube de bronze un chiffon soigneux. Lui aussi leva les yeux mais son regard calme était vide de toute expression. Tout de suite, d'ailleurs, il s'absorba de nouveau dans son travail.

En même temps, Marianne et son compagnon pénétraient dans le carré où Jason Beaufort, son second et son médecin attendaient, debout près d'une table toute servie, en buvant un verre de rhum, qu'ils se hâtèrent de poser pour s'incliner avec ensemble en la voyant entrer.

La pièce, lambrissée d'acajou, était éclairée par les feux du soleil couchant qui, pénétrant par les fenêtres de poupe, inondait le moindre recoin et rendait inutiles les chandelles disposées sur la table.

— J'espère ne pas vous avoir fait attendre, dit Marianne avec un demi-sourire en englobant les trois hommes sans en distinguer aucun. Je serais navrée de répondre si mal à une courtoise invitation.

— L'exactitude militaire n'est pas faite pour les femmes, répondit Jason qui ajouta, cependant, d'un ton qu'il s'efforçait de rendre aimable : Attendre une jolie femme est toujours un plaisir ! Nous buvons à vous, Madame !

Le sourire se fixa sur lui juste un instant, mais, sous ses cils à demi baissés, les yeux de Marianne ne le quittaient pas. Avec une joie qu'elle enfouit au fond d'elle-même, avec l'avidité d'un avare cachant son or, elle put noter le résultat de ses efforts quand Jolival la débarrassa de son enveloppe de soie verte : le visage tanné de Jason prit une curieuse teinte cendrée, tandis que, sur le verre qu'il avait repris, ses doigts crispés devenaient blancs comme cire. Il y eut un tintement léger quand l'épais cristal se brisa et tomba sur le tapis.

— L'alcool ne vous vaut rien ! railla Leighton acerbe, vous êtes trop nerveux !

— Quand j'aurai besoin d'une consultation, docteur, je vous la demanderai. Passons à table, voulez-vous ?

Le repas fut un modèle de silence. Les convives mangeaient peu, parlaient moins encore, sensibles à l'atmosphère pesante qui, tout de suite, s'était instaurée dans le carré.

Le crépuscule tombait sur la mer comme sur les passagers du navire. Mais il déploya en vain son magique éventail de nuances tendres allant du mauve rosé au bleu sombre, personne n'y prêta attention. Malgré les efforts de Jolival et d'O'Flaherty, qui échangèrent d'abord quelques souvenirs de voyage avec une espèce de gaieté forcée, la conversation tomba bien vite. Placée à la droite de Jason qui présidait à un bout, Marianne était trop occupée à chercher son regard pour songer à discourir. Mais, comme naguère le prude Benielli, le corsaire évitait soigneusement de poser les yeux sur sa voisine, et surtout sur un trop séduisant et trop provocant décolleté.

Tout près de sa main, sur la nappe blanche, Marianne voyait ses longs doigts bruns qui jouaient nerveusement avec son couteau. Elle avait envie de poser sa main sur cette chair inquiète, de l'apaiser sous ses caresses. Mais Dieu seul pouvait prévoir quelle réaction déclencherait un tel geste !

Jason était tendu comme une corde d'arc prête à se rompre. L'accès de mauvaise humeur dont Leighton avait fait les frais ne l'avait pas calmé ! Tête baissée, les yeux rivés à son assiette, il était sombre, nerveux, visiblement mal à l'aise et furieux de l'être.

Tel que Marianne le connaissait, il devait regretter amèrement à cette minute précise de l'avoir fait venir à sa table.

Peu à peu, d'ailleurs, la nervosité du corsaire la gagnait. Elle avait John Leighton comme vis-à-vis et, entre eux, l'antipathie était presque palpable à force d'intensité. Cet homme avait le pouvoir de la faire se hérisser à chaque mot qu'il prononçait, bien que ces mots ne lui fussent pas spécialement destinés.

Comme Jolival s'inquiétait de la façon dont le navire avait, en gagnant Venise, franchi le canal d'Otrante où les croisières anglaises basées à Sainte-Maure, Céphalonie ou Lissa harcelaient continuellement les forces françaises de Corfou, Leighton lui offrit un sourire de loup :

— Nous ne sommes pas en guerre contre l'Angleterre que je sache ?... ni d'ailleurs contre Buonaparte ! Nous sommes neutres. Pourquoi donc aurions-nous été inquiétés ?

Au nom de l'Empereur prononcé sous cette forme qui se voulait méprisante, Marianne avait tressailli. Sa cuillère heurta la porcelaine de l'assiette. Sentant peut-être que c'était là, chez elle, un signal de combat, Jason s'interposa de mauvaise grâce.

— Cessez de dire des sottises, Leighton ! fit-il d'un ton bourru. Vous savez bien que depuis le 2 février nous avons interrompu tout commerce avec l'Angleterre ! Nous ne sommes plus neutres que de nom ! Et que dites-vous de cette frégate anglaise qui nous a donné la chasse au large du cap Santa Maria di Leuca ? Sans le vaisseau de ligne français qui est apparu miraculeusement pour l'occuper, nous étions obligés de nous battre ! Et rien ne dit que nous n'y serons pas contraints quand nous repasserons ce damné canal !

— S'ils savaient qui nous transportons, les Anglais n'y manqueraient pas ! Une... amie du Corse ! L'occasion serait trop belle !

Le poing de Jason s'abattit sur la table où toute la vaisselle sauta.

— Ils n'ont aucune raison de le savoir et en ce cas nous nous battrions ! Nous avons des canons et, Dieu soit loué, nous savons nous en servir ! Pas d'autre objection, docteur ?

Leighton se laissa aller sur le dossier de sa chaise et fit des deux mains un geste lénifiant. Son sourire s'accentua mais, en vérité, le sourire n'allait pas à ce visage blême !

— Mais non... aucune ! Évidemment, il se peut que l'équipage en ait. Déjà il chuchote que la présence de deux femmes à bord d'un navire ne porte pas chance !

Cette fois Jason releva la tête. Étincelant de fureur, son regard se posa sur l'imprudent et Marianne vit se gonfler les veines de ses tempes, mais il se contint encore. Ce fut d'un ton glacé qu'il répliqua :

— L'équipage devra apprendre qui est le maître à bord ! Et vous aussi, Leighton ! Tobie ! Tu peux servir le café !

Le breuvage parfumé fut servi et bu en silence. Tobie, malgré sa corpulence, voltigeait autour de la table avec la légèreté et l'efficacité d'un elfe domestique. Plus personne ne parlait et Marianne était au bord des larmes. Elle avait l'impression déprimante que tout, sur ce navire dont elle avait tant rêvé, la rejetait. Jason l'avait emmenée à contrecœur, Leighton la haïssait sans qu'elle eût même la satisfaction de savoir pourquoi et voilà maintenant que l'équipage voyait en elle un porte-guigne ! Ses doigts glacés se serrèrent autour de la tasse de mince porcelaine pour y trouver un peu de chaleur, et elle avala d'un seul trait le liquide brûlant. Puis, elle se leva aussitôt :

— Excusez-moi ! fit-elle d'une voix dont elle ne put maîtriser le tremblement. J'aimerais regagner ma cabine !

— Je vous demande encore un instant ! fit Jason qui se leva aussi et fut imité par les autres convives.

Du regard, il fit le tour des visages puis, sèchement :

— Restez ici, Messieurs ! Tobie va vous apporter le rhum et les cigares. Je raccompagne la princesse !

Avant que Marianne, incapable encore de croire à son bonheur, ait pu émettre un son, il s'était emparé de la mante et la disposait sur les épaules nues de la jeune femme, puis, ouvrant la porte devant elle, il s'effaçait pour la laisser passer. La nuit d'été les absorba.

Elle était d'un bleu profond, pleine d'étoiles qui scintillaient doucement et, comme la mer se crêtait de courtes vagues phosphorescentes, le navire avait l'air de voguer en plein firmament. Le pont était obscur mais, sur le gaillard d'avant, les marins étaient rassemblés, assis à même le sol ou debout contre les lisses, écoutant l'un d'entre eux qui chantait. La voix de l'homme, un peu nasillarde mais agréablement timbrée, s'envolait avec le vent et parvenait aisément jusqu'au couple qui lentement descendait les quelques marches.

Marianne retenait son souffle et le cœur lui battait fort. Elle ne comprenait pas pourquoi Jason, tout à coup, avait éprouvé le besoin de ce tête-à-tête, mais un espoir tremblant s'était levé en elle et, de peur de rompre le charme, elle n'osait pas prendre l'initiative des premières paroles. La tête légèrement baissée, elle marchait devant lui lentement, très lentement, regrettant que le tillac ne fût pas long d'une ou deux lieues. Enfin Jason appela :

— Marianne !

Elle s'arrêta aussitôt, mais ne se retourna pas. Elle attendait, transie d'espérance puisqu'il retrouvait l'usage de son nom.

— Je voulais vous dire... que sur mon navire vous êtes parfaitement en sûreté ! Tant que je le commanderai, vous n'aurez rien à craindre, ni des hommes ni des Anglais ! Oubliez les paroles de Leighton ! Elles sont sans importance !

— Il me hait ! Est-ce aussi sans importance ?

— Il ne vous hait pas. Je veux dire : pas vous spécialement. Il englobe toutes les femmes dans la même aversion... et dans la même rancune. Il a, pour cela, quelques raisons sérieuses : sa mère ne l'aimait guère et la fiancée qu'il adorait l'a quitté pour un autre. Depuis, il a choisi l'hostilité systématique.

Marianne hocha la tête et, lentement, se tourna vers Jason. Les mains nouées au dos, comme s'il ne savait qu'en faire, il regardait la mer.

— Pourquoi l'avez-vous emmené ? demanda-t-elle, alors que vous saviez ce que devait être ce voyage ? Vous veniez me chercher et, de votre propre aveu, vous avez pris avec vous un ennemi de tout ce qui est féminin !

— C'est que...

Jason hésita un instant puis, très vite :

— Il ne devait pas faire tout le voyage avec nous ! Il était décidé qu'au retour je le déposerais dans un lieu dont nous avions convenu ! Je vous rappelle que Constantinople n'était pas prévue au programme, ajouta-t-il avec une amertume qui traduisait bien sa déception.

Marianne en eut conscience jusqu'au fond de l'âme. Elle aussi tourna son regard triste vers la mer qui fuyait le long du bateau avec de souples ondulations bleues et argent.

— Pardonnez-moi ! murmura-t-elle. Il arrive que le devoir et la reconnaissance soient parfois de pesants fardeaux... mais ce n'est pas une raison pour les rejeter ! J'aurais tant voulu qu'il en fût autrement pour nous deux ! J'avais tellement rêvé ce voyage, où qu'il nous eût menés ! Pour moi, ce n'était pas le but qui était important, c'était d'être ensemble !

Soudain, il fut près d'elle, tout contre elle. Dans sa nuque, elle sentit la chaleur de son souffle tandis qu'il implorait, avec une passion où entrait de l'angoisse :

— Il n'est pas trop tard ! Cette route est toujours... notre route ! C'est seulement quand nous aurons franchi le canal d'Otrante qu'il faudra choisir... Marianne ! Marianne, comment peux-tu être aussi cruelle pour nous deux ! Si tu voulais...

Il avait posé ses mains sur elle. Défaillante, elle ferma les yeux, se laissa aller contre lui, savourant jusqu'à la douleur cette minute qui les rapprochait tout à coup.

— Est-ce donc moi qui suis cruelle ? Est-ce moi qui t'ai soumis à un impossible choix ? Tu as cru à un caprice, à je ne sais quel désir de prolonger encore un passé qui n'est plus, dont je ne veux plus...

— Alors prouve-le-moi, mon amour ! Laisse-moi t'emporter loin de tout cela ! Je t'aime à en mourir et tu le sais mieux que personne ! Pendant tout ce dîner tu m'as fait endurer l'enfer ! Jamais tu n'as été si belle... et je ne suis qu'un homme ! Oublions tout ce qui n'est pas nous...

Oublier ? Le beau mot ! Et comme Marianne eût aimé pouvoir le prononcer avec la même conviction que Jason. Une voix insidieuse, perfide, lui souffla que, cet oubli, c'était pour elle seule qu'il le souhaitait. Lui-même entendait-il aussi faire table rase de ses souvenirs passés ? Mais la minute présente était trop précieuse et Marianne voulut la garder encore. Et puis, peut-être, Jason était-il sur le point de céder ? Entre les bras qui, déjà l'enveloppaient, elle se retourna, lui fit face et, doucement, posa un instant ses lèvres sur les siennes.

— Ne pouvons-nous oublier aussi bien sur le chemin de Constantinople que sur la route d'Amérique ? murmura-t-elle sans interrompre la caresse. Ne me torture pas ! Tu sais bien qu'il me faut y aller... mais j'ai tant besoin de toi ! Aide-moi !...

Il y eut un petit silence, très court mais profond. Et, d'un seul coup, les bras de Jason retombèrent.

— Non ! dit-il seulement.

Il s'écarta. Entre les deux corps qui, l'instant précédent, se touchaient, prêts à se fondre dans la même joie, le rideau du refus et de l'incompréhension venait de retomber, glacial. Contre la voûte bleue du ciel, la haute silhouette du corsaire se cassa en deux.

— Pardonnez-moi de vous avoir importunée ! fit-il froidement. Vous voici chez vous ! Je vous souhaite une bonne nuit.

Il s'était détourné, il s'en allait, plus loin peut-être que tout à l'heure à cause de cette faiblesse d'amour qui, un instant, l'avait poussé à avouer sa détresse. L'orgueil, le terrible, l'intraitable orgueil masculin avait repris le dessus. Alors, à cette forme virile qui allait se fondre dans la nuit, Marianne jeta :

— Ton amour n'est que du désir et de l'entêtement, mais que tu le veuilles ou non, je t'aimerai toujours... à ma manière car je n'en connais pas d'autre ! Jusqu'à présent, elle te convenait... Et c'est toi qui me rejettes.

Il accusa le coup, un bref instant s'arrêta, tenté peut-être de revenir sur ses pas, puis il se raidit et reprit son chemin vers le carré où l'attendaient, à l'abri des pièges féminins, d'autres hommes, ses frères.

Demeurée seule, Marianne se dirigea vers le rouf. Elle en atteignait la porte quand elle eut soudain la sensation d'être épiée. Elle fit brusquement volte-face. Une ombre, alors, se détacha de la misaine et glissa vers l'avant. Elle se découpa un instant, noire et vigoureuse, sur la lumière jaune de la lanterne accrochée au beaupré. A sa manière souple de se déplacer, Marianne devina que c'était Kaleb et en éprouva une vague contrariété. Outre qu'elle avait, à cette heure, d'autres soucis que le sort des Noirs en Amérique, elle ne voyait pour le moment dans l'esclave fugitif qu'un brandon de discorde entre elle et Jason.

La porte claqua derrière la jeune femme qui courut s'enfouir dans sa couchette pour y chercher dans la solitude un moyen de vaincre enfin l'obstination de Jason. Ce soir, malgré tout, elle avait marqué un point mais elle doutait qu'il lui donnât encore l'occasion d'en marquer d'autres. Son instinct lui disait qu'il allait probablement la fuir comme un danger. Peut-être serait-il habile de lui ôter cette joie en demeurant quelque temps hors de sa vue, ne fût-ce que pour lui donner le loisir de se poser des questions?

Insensible aux angoisses qu'elle renfermait, la « Sorcière des Mers » poursuivait sa route vers le bout de la nuit. Sur le gaillard d'avant, les marins chantaient toujours...

CHAPITRE VII

LES FRÉGATES DE CORFOU

Au matin du septième jour, comme on approchait des côtes de Corfou, un vaisseau apparut dans le soleil et toutes voiles dehors se dirigea vers le brick, haute pyramide blanche érigée vers le levant que le matelot de vigie, perché dans le nid de pie, signala d'un toni-truant :

— Navire à bâbord !

De la dunette, la voix de Jason Beaufort vint en écho :

— Laisse arriver ! Cap dessus !...

— Frégate anglaise, apprécia Jolival qui, une longue-vue vissée à l'œil, regardait approcher l'arri-vant. Voyez le pavillon rouge qui bat à sa corne ! On dirait même qu'il veut nous attaquer !

Debout auprès de lui, à la lisse de bâbord, Marianne serra autour d'elle le grand cachemire rouge dont elle s'enveloppait. Elle frissonnait. Il y avait dans l'air quelque chose d'insolite. Autour d'elle, les sifflets vril-laient l'air, appelant les deux bordées sur le pont. Debout auprès du timonier, Jason observait l'Anglais. Chaque pouce de son corps exprimait l'attente. Une attente qui se retrouvait dans tout l'équipage soudain figé, dans les hunes aussi bien que sur le pont.

— Sommes-nous déjà dans le canal d'Otrante ? demanda Marianne.

— Exactement ! Cet Anglais doit venir de Lissa. Mais il est apparu bien subitement... exactement comme s'il nous guettait.

— Nous guetter ? Mais pourquoi ?

Jolival traduisit son ignorance d'un mouvement d'épaules. Là-haut, Jason venait de donner un ordre à O'Flaherty qui sur un retentissant « A vos ordres, Monsieur ! » dégringolait de la dunette et appelait quelques hommes. Instantanément les armes furent tirées des coffres, distribuées aux matelots qui, à un rythme rapide, défilèrent devant le second pour recevoir haches, sabres, pistolets, poignards ou espingoles suivant les goûts et les aptitudes. En quelques secondes le pont du brick prit un aspect farouche de fortin sur le pied de guerre.

— Est-ce que, vraiment, nous allons nous battre ? chuchota Marianne inquiète.

— On le dirait ! Tenez ! L'Anglais vient de tirer un coup de semonce.

En effet, au flanc gauche de la longue carène noire ceinturée de jaune, un plumet de fumée blanche venait d'apparaître suivi d'une détonation.

— Hissez le pavillon ! hurla Jason. Signalez notre qualité de neutre ! Cet imbécile nous vient droit dessus !

— Une bataille ! murmura Marianne pour elle-même plus que pour Jolival. Il ne manquait plus que cela ! C'est pour le coup que les marins vont dire que je leur porte malheur !

— Cessez donc de dire des bêtises ! mâchonna le vicomte. Nous savions tous que ceci pouvait se produire et les marins n'ont jamais considéré un combat comme une catastrophe. N'oubliez pas que le navire est un corsaire !

Mais l'impression pénible demeurait. Comme par un fait exprès, depuis environ une semaine, il ne se passait pas de jour sans qu'un incident, ou un accident vînt frapper le bateau. Cela avait commencé avec la moitié de la bordée de tribord qui, intoxiquée par on ne savait quelle nourriture suspecte, s'était tordue pendant vingt-quatre heures dans ses hamacs. Puis, un homme, glissant sur le tillac sous l'impulsion d'un brusque coup de roulis, s'était ouvert le crâne. Le lendemain, deux autres s'étaient battus pour un motif futile. Il avait fallu les mettre aux fers. Enfin, la veille, un feu s'était déclaré dans la cambuse. On avait pu l'éteindre très vite, mais il s'en était fallu de peu que Nathan ne fût grillé. Tout cela affectait beaucoup Marianne. Dans les rares moments où elle quittait sa cabine pour prendre l'air, elle tournait la tête quand elle apercevait la figure pâle de John Leighton et ses yeux sarcastiques qui semblaient la défier ironiquement. Une fois déjà, elle avait vu le maître d'équipage, un Espagnol olivâtre qui avait l'orgueil de l'hidalgo et la grossièreté d'un moine ivre, diriger vers elle deux doigts en cornes destinés à conjurer le mauvais œil.

L'Anglais cependant approchait à bonne allure. Aux signaux du brick il venait de répondre en hissant un pavillon parlementaire, indiquant qu'il souhaitait causer.

— Qu'il vienne à bord ! grogna Jason. Nous verrons ce qu'il veut ! Mais préparez-vous tout de même, je n'aime pas beaucoup ça ! Dès que j'ai aperçu ses huniers, j'ai eu l'impression qu'il nous en voulait !

Lui-même, calmement, ôtait son habit bleu, ouvrait sa chemise et en roulait les manches. Debout derrière lui, Nathan, qui était la copie à peu près conforme de son frère Tobie, lui tendit un sabre d'abordage dont il vérifia le fil sur son pouce avant de le passer à sa ceinture. De leur côté, les marins, sous les sifflets du maître d'équipage, prenaient leurs postes de combat.

— Sabords ouverts ! cria encore Jason. Canonniers à vos pièces !

De toute évidence le corsaire n'entendait pas se laisser prendre par surprise. La frégate était toute proche maintenant. C'était l'« Alceste », puissante unité de quarante canons, plus les pièces de pont, aux ordres du commodore Maxwell, un marin de valeur. On pouvait voir, sur le pont, les hommes qui le montaient rangés en un ordre parfait, mais aucune chaloupe ne se détacha du bord. Tout allait se passer au porte-voix, ce qui n'était pas tellement bon signe.

Jason emboucha le sien :

— Que voulez-vous ? demanda-t-il.

La voix de l'Anglais parvint, quelque peu nasillarde mais nette et menaçante :

— Visiter votre bateau ! Nous avons pour cela d'excellentes raisons !

— J'aimerais savoir lesquelles ! Nous sommes américains donc neutres.

— Si vous étiez neutres, vous n'auriez pas à votre bord une envoyée de Buonaparte ! Aussi nous vous donnons le choix ; nous remettre la princesse Sant'Anna, sinon nous vous envoyons par le fond !

Quelque chose de glacial coula le long de l'échine de Marianne qui retint son souffle. Comment cet Anglais savait-il sa présence à bord ? Comment, surtout, avait-il appris que Napoléon l'avait chargée de mission ? Elle avait conscience, terriblement, de la puissance de l'ennemi. Les gueules des canons qui s'ouvraient dans le flanc du navire lui semblaient énormes. Elle ne voyait plus qu'elles et les flammes des mèches qui, au poing des canonniers, s'effilochaient au vent du matin. Mais elle n'eut pas le temps de réfléchir à ce qui allait suivre, car déjà la voix de Jason répondait, goguenarde :

— Vous pouvez toujours essayer !

— Vous refusez ?

— Accepteriez-vous, commodore Maxwell, si l'on vous demandait de livrer votre honneur ? Un passager est sacré ! Que dire d'une passagère ?...

Sur sa dunette, la raide silhouette du commodore salua :

— Je m'attendais à votre réponse, Monsieur, mais je devais vous poser la question. Nos canons vont donc la régler !

Déjà les deux adversaires, passant à contre-bord à portée de pistolet, échangeaient leurs bordées. Trop hâtives, elles manquèrent l'une et l'autre leur objectif, n'arrachant que des fragments de bois. Maintenant ils s'éloignaient de nouveau pour changer d'amures et revenir de toute leur puissance comme jadis, en tournois, les chevaliers en lice.

— Nous sommes perdus ! gémit Marianne. Allez dire à Jason qu'il me livre ! Cet Anglais va nous couler. Il est tellement mieux armé que nous !

— C'est une raison qui ferait rire votre ami Surcouf, remarqua Jolival. Quand vous le reverrez, demandez-lui de vous raconter l'affaire du « Kent » ! Un combat naval, à un contre un s'entend, est une affaire de vent et d'habileté manœuvrière. C'est aussi une question de cœur à l'ouvrage si l'on en vient à l'abordage ! Et j'ai idée que nos gens n'en manquent pas !

En effet, sur les visages de tous ces hommes debout sur le tillac, Marianne pouvait lire l'excitation du combat prochain. Les marins sentaient la poudre et son odeur faisait briller leurs yeux, palpiter leurs narines. Parmi tous ces visages, Marianne reconnut celui de Gracchus. Armé d'un pistolet, visiblement heureux comme un roi, le jeune cocher s'apprêtait à en découdre comme les autres. Dans les huniers, on s'affairait aux voiles, tandis que les ordres s'entrecroisaient et que le brick, avec une grâce majestueuse, virait au cabestan pour reprendre le vent. Moins maniable, l'Anglais amorçait seulement sa manœuvre, mais un nouveau coup de tonnerre déchira l'air. L'« Alceste » avait fait feu de ses pièces arrière et se bordait de flocons blancs.

Craig O'Flaherty dégringola vers Marianne :

— Le capitaine vous fait dire de descendre, Madame. Il est inutile de vous exposer ! Nous allons essayer de lui couper le vent !

Il était plus rouge que de coutume mais cette fois l'alcool n'y était pour rien. Si Jason venait de faire distribuer à l'équipage une ration de rhum pour l'exciter à la bataille, il avait soigneusement négligé son second. O'Flaherty voulut prendre le bras de la jeune femme pour l'aider à descendre, mais elle résista, se cramponnant au bordage comme un enfant qui craint qu'on ne le mène au cachot.

— Je ne veux pas descendre ! Je veux rester ici et voir ce qui se passe ! Dites-lui, Jolival, que je veux voir !

— Vous verrez des hublots ; moins bien, mais en sécurité relative, fit celui-ci. Et puis, renchérit le second, c'est un ordre. Vous devez descendre, Madame !

— Un ordre, à moi ?

— Ce serait plutôt à moi. Avec votre permission, le mien est de vous mettre en sûreté, de gré ou de force. Le capitaine a ajouté que, si vous teniez tellement à exposer votre vie, ce n'était vraiment pas la peine qu'il risque celle de ses hommes !

Les yeux de Marianne s'embuèrent de larmes. Même à cette heure où la mort se montrait, Jason l'écartait de lui. Néanmoins, vaincue, elle capitula.

— C'est bien. En ce cas, j'irai seule ! On a besoin de vous, Mr O'Flaherty, ajouta-t-elle en jetant un regard vers la dunette où Jason, absorbé par sa manœuvre, ne s'occupait plus d'elle, surveillant l'ennemi et distribuant des ordres rapides.

L'« Alceste » montrait ses élégantes fenêtres de poupe à moulures dorées et la « Sorcière », venant au vent, se mit en plein travers, privant l'ennemi, dont les voiles se firent soudain flasques, du souffle vital. En même temps, ses caronades lâchèrent leur bordée. Le pont du brick disparut sous la fumée tandis qu'un hurlement de triomphe s'échappait de toutes les poitrines :

— Touché ! A l'artimon !

Mais, comme un écho pessimiste, la voix de la vigie tomba du ciel, immédiatement suivie d'une détonation plus éloignée.

— Navire à l'arrière ! Il nous canonne, capitaine !

En effet, un vaisseau venait de surgir de derrière Phanos, une petite île verte qui avait l'air d'une grenouille. Arborant un très visible pavillon britannique et portant toute sa toile, il accourait à la rescousse. Pâlissant, Jolival saisit Marianne et l'entraîna vers le rouf.

— C'est un piège ! s'exclama-t-il. Nous allons être pris entre deux feux ! Je comprends maintenant pourquoi l'« Alceste » s'est laissé prendre le vent.

— Alors, si nous sommes perdus !...

S'arrachant des mains de son ami, Marianne bondit vers la dunette. Elle voulait l'escalader pour rejoindre Jason et mourir auprès de lui, mais brusquement, Kaleb se dressa devant elle barrant le passage.

— Pas par là, Madame ! Il y a du danger !

— Je le sais bien ! Laissez-moi passer ! Je veux aller le rejoindre...

— Empêche-la de monter ! hurla Jason. Si tu laisses passer cette folle, je te mets aux fers !

Les derniers mots se perdirent dans le vacarme et la fumée. Une partie du bastingage disparut, arraché par un boulet qui faucha le toit du rouf et trancha des haubans.

Sans hésiter, Kaleb avait jeté Marianne à terre et s'était abattu sur elle, la maintenant au tillac de tout son poids. Le vacarme était assourdissant et l'on n'y voyait pas à trois mètres. Les canonniers prenaient à peine le temps de recharger. Le brick crachait par toutes ses bouches à feu, mais sur le pont, des cris de douleur éclataient, des râles, des gémissements.

A demi étouffée, Marianne se débattit avec l'énergie du désespoir, parvint à rejeter ce paquet de muscles qui la maintenait et se releva sur les genoux.

Sans accorder même un regard de gratitude à l'homme qui venait de la sauver et qui, d'ailleurs, indifférent, retournait déjà vers son poste de combat, elle fouilla la fumée des yeux, cherchant Jason et ne l'aperçut pas : la dunette avait disparu dans un nuage épais. Mais elle entendit sa voix qui, avec un intraduisible accent de triomphe hurlait, en réponse à un nouveau cri de la vigie :

— Voilà du renfort ! Nous allons nous en tirer.

Marianne se releva tout à fait, courut dans la direction d'où venait cette voix et tomba littéralement dans les bras de Gracchus qui, noir de poudre, émergeait du brouillard tel un fantôme. Elle s'accrocha à lui.

— Que dit-il, Gracchus ? Du renfort ? Mais où cela ?

— Venez, je vais vous montrer ! Il y a des bateaux qui arrivent, des bateaux français. Ils viennent de la grande île ! Ah ! pour une chance, c'est une chance ! On était plutôt mal partis entre ces deux faillis chiens d'Anglais !

— Tu n'es pas blessé ?

— Moi ? Pas une égratignure ! Je regrette même que ce soit si vite fini ! C'est rudement amusant une bataille !

Remorquée par son cocher, Marianne se laissa conduire jusqu'à la lisse. La fumée se dissipait. D'un grand geste du bras, Gracchus lui montra trois navires qui, effectivement, doublaient l'îlot de Samothrace[1], trois frégates aux voiles gonflées de vent et de soleil, irréelles comme de grands icebergs en marche dans le matin bleu. Les trois couleurs flottaient joyeusement à la corne des mâts. C'étaient la « Pauline » aux ordres du capitaine de vaisseau Montfort, la « Pomone », commandée par le capitaine de frégate Rosamel et la « Perséphone », montée par le capitaine Le Forestier.

Forçant l'allure, toutes voiles dehors, les trois vaisseaux accouraient à la rescousse de l'Américain, leur fine étrave fendant les flots bleus.

Les marins de la « Sorcière » saluèrent leur apparition d'un frénétique « hourrah », tandis que volaient en l'air les bonnets de coton.

Cependant, les deux Anglais rompaient le combat, se rejoignaient près des récifs de Phanos et, sûrs désormais de n'être pas poursuivis dans cette passe dangereuse, disparaissaient lentement dans la brume du matin, non sans avoir essuyé une dernière et méprisante bordée du brick.

Marianne suivit leur fuite d'un regard perplexe. Tout avait été très vite... trop vite ! Ce combat achevé après quelques bordées, ces navires qui apparaissaient les uns après les autres, comme si chaque îlot eût caché le sien, c'était étrange, anormal ! Et d'abord, la question demeurait entière : comment les Anglais avaient-ils appris sa présence à bord du brick américain et, surtout, la qualité occulte dont Napoléon l'avait revêtue ? Si peu de gens étaient au courant ! Et, en tous, on pouvait avoir une confiance totale car ils se limitaient, en dehors de l'Empereur lui-même et de Marianne, à Arrighi, Benielli, Jason et Jolival. Chacun d'eux étant en dehors de tout soupçon, d'où pouvait venir la fuite ?

Cependant, Jason passait l'inspection de son navire.

---

1. Rien à voir avec l'île de la célèbre « victoire ».

Les dégâts étaient assez peu graves et aisément réparables à terre. Quelques blessés seulement étaient étendus sur le tillac et déjà John Leighton s'en occupait. Passant près de la jeune femme qui s'agenouillait auprès d'un jeune marin touché à l'épaule par un éclat de mitraille, le corsaire se pencha un instant pour examiner la blessure :

— Ce ne sera pas grand-chose, mon gars ! En mer, les blessures guérissent vite. Le docteur Leighton va s'occuper de toi.

— Avons-nous... des morts ? demanda Marianne qui, occupée à étancher le sang avec son mouchoir ne releva pas les yeux, mais eut conscience du regard qui pesait sur elle.

— Non. Aucun ! C'est une chance ! Cependant j'aimerais bien connaître le misérable qui vous a dénoncée... ou bien avez-vous bavardé inconsidérément, ma chère princesse ?...

— Moi ? Bavarder ?... Vous êtes fou ! Je vous rappelle que l'Empereur n'a pas coutume de s'adresser à des gens qui sèment des paroles à tout vent !

— Alors, je ne vois qu'une solution.

— Laquelle ?

— Votre mari ! Vous lui avez échappé, il vous a dénoncée aux Anglais pour vous récupérer. Dans un sens, je le comprends ; j'aurais été capable, moi aussi, de faire quelque chose d'analogue pour vous empêcher d'aller dans ce damné pays !

— C'est impossible !

— Pourquoi ?

— Parce que le prince est...

Se rendant compte, brusquement, de ce qu'elle allait dire, Marianne s'arrêta, rougit puis, détournant la tête et revenant à son blessé, acheva :

— ... incapable d'une action aussi basse ! C'est un gentilhomme !

— Et moi je suis une brute, n'est-ce pas? grimaça Jason. Parfait, restons-en aux conjectures! Maintenant, si vous le permettez, je vais accueillir nos sauveurs et leur annoncer que nous allons relâcher à Corfou pour réparer nos avaries.

— Graves, ces avaries?

— Non, mais il faut réparer tout de même. On ne sait jamais : entre ici et Constantinople, nous rencontrerons certainement encore un ou deux navires de mon ami Georgie!

Quelques instants plus tard, le capitaine de vaisseau Montfort, chef d'escadre, mettait le pied sur le tillac de la « Sorcière », salué par les coups de sifflet du maître d'équipage et par Jason qui, pour le recevoir, avait remis son habit. En quelques phrases courtoises et brèves, il s'assura que le navire américain n'avait pas subi d'avarie sérieuse ni de pertes humaines et invita le corsaire à le suivre à Corfou, où les quelques dégâts subis par la superstructure de la « Sorcière » pourraient être réparés facilement. En échange, il reçut les remerciements de Jason pour son intervention aussi rapide qu'inattendue.

— C'est le ciel, en vérité, qui vous a envoyé, Monsieur! Sans votre aide nous aurions eu quelque peine à nous tirer de ce mauvais pas.

— Le ciel n'y est pour rien! Nous avions connaissance du passage de votre navire dans le canal d'Otrante et nous devions veiller à ce que ce passage s'effectuât sans incident. Les croisières anglaises sont toujours à l'affût.

— Vous étiez... avertis? Mais par qui?

— Un messager spécial du comte Marescalchi, ministre des Relations Extérieures du royaume d'Italie, qui se trouve actuellement à Venise, nous a avisés de la présence à bord d'un navire américain d'une grande dame italienne, la princesse Sant'Anna, amie person-

232

nelle de Sa Majesté l'Empereur et Roi. Nous devions vous guetter et vous escorter jusqu'au-delà du canal de Cythère afin de vous protéger jusqu'à votre arrivée dans les eaux turques. Vous l'ignorez, peut-être, mais le danger que vous courez est double.

— Double ? En dehors de la base anglaise de Santa Maura [1] qu'il nous faudra doubler...

Montfort se raidit. Il avait à dire des choses désagréables pour son orgueil national.

— Vous l'ignorez peut-être, mais les Anglais tiennent également Céphalonie, Ithaque, Zante et Cythère elle-même. Nous n'avions pas assez de forces pour défendre toutes les îles Ioniennes que la Russie nous a cédées au traité de Tilsit. Mais, outre les Anglais, nous devons craindre les flottilles du pacha de Morée.

Jason se mit à rire.

— Je crois avoir une puissance de feu suffisante pour faire face à des barques de pêche !

— Ne riez pas, Monsieur. Vali pacha est fils du redoutable maître de l'Épire, Ali de Tebelen, pacha de Janina, un homme puissant, retors et astucieux dont nous ne savons jamais s'il est pour nous ou contre nous, et qui se taille un empire sur le dos des Turcs. Pour lui aussi la princesse serait une prise de choix et, si par hasard elle est belle...

Du geste, Jason fit approcher Marianne qui, dissimulée par Jolival et Gracchus, avait observé l'arrivée du chef d'escadre.

— Voici la princesse ! Souffrez, Madame, que je vous présente le capitaine de vaisseau Montfort à qui nous devons sinon la vie, du moins la liberté.

— Le danger est plus grand encore que je ne le craignais, fit celui-ci en saluant la jeune femme. Aucune rançon ne pourrait arracher Madame à Ali !

1. Leucade.

— Merci de votre galanterie, commandant, mais ce pacha est turc, j'imagine... et je suis cousine de la sultane Validé. Il n'oserait...

— Il n'est pas turc, mais épirote, Madame, et il oserait parfaitement car il agit sur cette terre en seigneur indépendant qui ne connaît d'autre loi que la sienne ! Quant aux flottilles de son fils, ne les dédaignez pas, Monsieur ; elles sont montées par des démons qui, s'ils viennent à l'abordage, et ils y viennent facilement grâce à leurs petits navires qui échappent sans peine au feu des canons, donneront un assaut que votre équipage aura le plus grand mal à soutenir. Acceptez donc notre aide... à moins que l'esclavage ne vous tente ?...

Deux heures plus tard, précédée de la « Pauline » et escortée des deux autres frégates, la « Sorcière des Mers » embouquait le canal nord de Corfou, étroit passage entre la côte sauvage de l'Épire et la grande île verte que couronnait, à sa pointe nord-est, la masse ensoleillée du mont Pantocrator. Vers la fin du jour les quatre navires entraient au port et venaient mouiller à l'ombre de la Fortezza Vecchia, la vieille citadelle vénitienne transformée par les Français en un vigoureux camp retranché.

Debout sur la dunette, entre Jason et Jolival, Marianne, vêtue d'une fraîche robe de jaconas jaune citron et coiffée d'une capote en paille d'Italie garnie de fleurs des champs, regarda approcher l'île de Nausicaa.

Tête nue, sanglé dans son meilleur habit bleu et dans une chemise neigeuse qui faisait ressortir sa peau couleur de pain d'épice, Jason, les mains au dos, remâchait visiblement une mauvaise humeur qui avait repris de la vigueur en constatant que Napoléon ne lui avait pas laissé le choix : qu'il le voulût ou non, il était bien forcé de conduire Marianne à Constantinople. Et quand, avec un regard plein de tendresse et d'espoir, elle avait murmuré :

— Tu vois bien que je n'y pouvais rien ! L'Empereur sait prendre ses mesures, on ne lui échappe pas !...

Il avait grogné entre ses dents :

— Si ! Quand on le veut vraiment ! Mais oserais-tu me dire que tu le souhaites ?

— De tout mon cœur !... dès que j'aurai rempli ma mission !

— Tu es plus têtue qu'une mule corse !

Le ton était encore agressif mais l'espérance était tout de même revenue dans le cœur de Marianne. Elle savait Jason trop honnête envers lui-même et envers les autres pour ne pas faire la part exacte de l'inéluctable. Dès l'instant où la volonté de Marianne disparaissait derrière des forces extérieures, il pouvait imposer silence à son orgueil masculin et revenir vers elle sans perdre la face à ses propres yeux. D'ailleurs, quand la main de la jeune femme, timidement, avait frôlé la sienne, il ne l'avait pas retirée.

Le port de Corfou leur offrit une image souriante qui s'accordait bien avec le nouvel état d'âme de Marianne. Les navires de guerre de la flotte française y mêlaient leurs coques noires et leurs cuivres étincelants aux fantaisies colorées des scaphos et des sacolèves grecs peints comme des poteries antiques sous leurs voiles aux formes bizarres.

Au-dessus, la ville étageait ses maisons blanches et plates, ombragées de figuiers centenaires sous l'aile grise et revêche de vieux remparts vénitiens qui n'en portaient pas moins le nom optimiste de Fort Neuf. La vieille forteresse, la Fortezza Vecchia se dressait au bout du port, presqu'île hérissée de défenses, retenue à la terre par une esplanade qui était un glacis, et surveillait la mer d'un œil sourcilleux. Seul le drapeau tricolore qui flottait sur la maîtresse tour lui conférait quelque gaieté.

Les quais, émaillés comme une prairie au printemps,

étaient couverts d'une foule joyeuse et bigarrée où les rouges éclatants des costumes grecs voisinaient avec les robes claires et les ombrelles tendres des femmes d'officiers de la garnison. Tout ce monde faisait un agréable vacarme de vivats, de rires, de chansons et d'applaudissements orchestrés par les cris des oiseaux de mer.

— Quel joli pays ! murmura Marianne conquise. Et comme tout le monde semble gai ici !

— C'est un peu la danse sur un volcan ! remarqua Jolival. L'île est trop convoitée pour être aussi heureuse qu'elle en a l'air. Mais j'admets volontiers que c'est un pays fait pour l'amour !

Il s'octroya une désinvolte prise de tabac puis ajouta d'un ton qui se voulait indifférent :

— N'est-ce pas ici que, jadis, Jason... l'Argonaute s'entend, épousa Médée qu'il avait enlevée à son père Aetès, roi de Colchide, en même temps que la fabuleuse Toison d'or ?

Cette savante référence à la mythologie grecque lui valut un regard noir de Jason, l'Américain, et un sec avertissement :

— Gardez vos allusions mythologiques, Jolival ! Je n'aime les légendes que lorsqu'elles finissent bien ! Médée est un personnage atroce ! Cette femme qui massacre ses propres enfants dans un paroxysme de fureur d'amour !...

Sans s'offusquer du ton brusque du corsaire, le vicomte chiquenauda avec grâce les revers de son habit cannelle pour en chasser les poussières de tabac, puis se mit à rire :

— Bah ! Qui peut dire jusqu'où peuvent mener les fureurs d'amour ? Saint Augustin n'a-t-il pas dit : « La mesure de l'amour, c'est d'aimer sans mesure... » ? Grande parole ! Et combien véridique ! Quant aux légendes, il y a toujours moyen de s'arranger avec elles! Pour qu'elles finissent bien, il suffit souvent de le vouloir... et d'en changer quelques lignes!

A peine à quai, le brick fut envahi d'une foule bruyante et colorée, avide de voir de plus près ces navigateurs venus du bout du monde. Le pavillon américain fréquentait assez peu la Méditerranée orientale. De plus, tout le monde savait qu'une grande dame de la cour avait pris passage sur ce navire et chacun souhaitait l'approcher. Il fallut que Jason postât Kaleb et deux autres marins particulièrement vigoureux au bas de l'échelle de la dunette pour éviter à Marianne d'être étouffée.

Néanmoins, il laissa monter un personnage élégamment vêtu d'une redingote bleu ciel et de pantalons noisette que le capitaine Montfort remorquait de son mieux et dont la superbe cravate de soie crème faillit bien rester en arrière. Dans leur sillage, le colonel du 6e Régiment de ligne les suivait comme une ombre empanachée.

En criant très fort pour dominer le tumulte, Montfort parvint à présenter aux arrivants, le colonel Pons, qui apportait la bienvenue du gouverneur général Donzelot, et le sénateur Alamano, l'un des principaux notables de l'île, qui avait une requête à présenter. En termes fleuris qui perdaient beaucoup de leur grâce à être ainsi hurlés, le sénateur invita Marianne « et sa suite » à descendre à terre et à accepter l'hospitalité de sa maison pendant le laps de temps où la « Sorcière » demeurerait au port pour ses réparations.

— J'ose affirmer que Votre Seigneurie s'y trouvera infiniment mieux que sur un bateau... si agréable soit-il, et surtout beaucoup mieux protégée de la curiosité du vulgaire. Si elle reste ici, elle n'aura ni paix ni repos... et la comtesse Alamano, ma femme, sera au désespoir car elle se fait une joie d'accueillir Votre Seigneurie!

— Si je peux me permettre de joindre ma voix à celle du sénateur, dit le colonel Pons, je dirais à Madame la Princesse que le gouverneur souhaitait la recevoir à la forteresse, mais qu'il lui est apparu que la demeure du sénateur serait infiniment plus agréable pour une dame jeune et belle...

Indécise, Marianne ne savait que faire. Elle n'avait aucune envie de quitter le navire parce que cela signifiait quitter en même temps Jason... et juste à un moment où il donnait quelques signes de fléchissement. Mais, d'autre part, il était difficile de désappointer ces gens qui lui faisaient un accueil si aimable. Le sénateur était un homme tout rond, tout sourire, dont les moustaches noires, fièrement retroussées, faisaient de leur mieux pour donner un air féroce à un visage dont tous les traits exprimaient la bonne humeur.

Comme elle interrogeait Jason du regard, elle le vit sourire pour la première fois depuis longtemps.

— Je regretterai de me séparer de vous, Madame... mais ces messieurs ont raison. Durant les quelques jours... trois ou quatre je pense... où nous allons réparer, votre vie à bord serait franchement désagréable... sans parler des inconvénients des curieux. Vous aurez ainsi quelques moments de repos et de détente.

— Viendrez-vous me voir à terre ?

Son sourire s'accentua, retroussant un coin de sa bouche à sa manière ironique, mais le regard qu'il plongeait dans celui de la jeune femme avait presque retrouvé son ancienne tendresse. Il prit la main de Marianne et, vivement, la baisa :

— Bien entendu ! A moins que le sénateur ne me refuse sa porte ?

— Moi ? Doux Jésus !... Mais capitaine, ma maison, ma famille, mes biens, tout est à vous ! Vous pouvez venir vous installer avec tout votre équipage et pendant des semaines si vous le voulez. Je serais le plus heureux des hommes...

— Il semble que vous possédiez un grand domaine, Monsieur, fit Jason en riant. Mais je craindrais de vous encombrer tout de même un peu trop. Descendez, Madame, je vais vous envoyer votre femme de chambre et faire porter les bagages que vous demanderez ! A bientôt !...

Un ordre, quelques coups de sifflet et l'équipage fit évacuer le pont pour que Marianne et son escorte pussent descendre. La jeune femme prit le bras que le sénateur arrondissait pour elle et, flanquée d'Arcadius et d'Agathe, visiblement ravie de retrouver la terre ferme, elle se dirigea vers la coupée, s'engagea sur la planche qui reliait le navire au quai, précédée du sénateur qui lui tenait la main avec l'orgueil du roi Marc présentant Yseult à ses peuples.

Gracieusement, Marianne descendit vers la foule qui l'applaudissait, conquise par son sourire et sa beauté. Elle était heureuse. Elle se sentait belle, admirée, merveilleusement jeune et surtout, elle n'avait pas besoin de se retourner pour sentir sur elle un regard qu'elle avait un instant désespéré de capter encore.

Et c'est quand son pied chaussé de soie jaune se posa sur la pierre chaude du quai que cela se produisit... exactement comme cela s'était produit un soir, aux Tuileries, un peu plus d'un an plus tôt ! C'était dans le cabinet de l'Empereur, après ce concert où elle avait défié sa colère en quittant la scène au beau milieu d'un morceau et sans un mot d'explication... après la scène terrible qui l'avait opposée au maître de l'Europe ! Soudain, la ville blanche, la mer bleue, les arbres verts et la foule bariolée se mélangèrent en un kaléidoscope démentiel. La vue de Marianne se brouilla tandis qu'une nausée lui tordait l'estomac.

Avant de glisser sans connaissance sur la poitrine du

sénateur qui eut juste le temps d'ouvrir les bras, elle réalisa, en l'espace d'un éclair, que le bonheur n'était pas encore pour maintenant et que le cauchemar vénitien allait avoir des suites...

La maison du sénateur Alamano, située près du village de Potamos, à trois quarts de lieue de la ville, était spacieuse, blanche et simple mais le jardin qui l'entourait offrait, en raccourci, une image assez exacte du paradis terrestre. C'était un petit parc où la nature avait joué, à peu près seule, le rôle du jardinier. Plantés sans ordre apparent, citronniers, orangers, cédrats et grenadiers, portant à la fois des fleurs et des fruits, s'y mêlaient à des berceaux de vigne et croulaient de compagnie, jusqu'à la mer. Le parfum de leurs fleurs y rencontrait l'odeur fraîche d'une fontaine qui, sur un lit de rochers tapissés de mousse, donnait naissance à un ruisseau espiègle dont le flot transparent jouait à cache-cache à travers tout le jardin avec des myrtes et d'énormes figuiers tordus par la vieillesse. Jardin et maison se blottissaient au creux d'un vallon dont les pentes s'argentaient de centaines d'oliviers.

Une petite femme preste, sémillante et gaie, régnait sur cet éden en miniature et sur le sénateur. Beaucoup plus jeune que son époux, qui frisait sans l'avouer une verte cinquantaine, la comtesse Maddalena Alamano arborait, en bonne Vénitienne, une somptueuse chevelure de miel et de flamme et un langage rapide, doux et zézayant, assez difficile à suivre quand on n'en avait pas l'habitude. Plus jolie que belle, elle avait des traits menus, fins et délicats, un petit nez insolent, à la Roxelane, des yeux pétillants de malice et les plus jolies mains du monde. Avec cela, bonne, généreuse et accueillante, elle avait cependant une langue agile capable de débiter, en quelques minutes, une incroyable quantité de potins.

La révérence qu'elle offrit à Marianne, sur la terrasse de sa maison enguirlandée de jasmin, aurait satisfait par sa solennité une camarera mayor espagnole, mais, aussitôt après, elle lui sauta au cou pour l'embrasser avec une spontanéité tout italienne.

— Je suis tellement heureuse de vous recevoir ! expliqua-t-elle, et j'avais si peur que vous évitiez notre île ! Maintenant, vous êtes là et tout est bien ! C'est un grand bonheur... une vraie joie ! Et que vous êtes donc jolie ! Mais pâle... si pâle ! Est-ce que...

— Maddalena ! coupa le sénateur, tu fatigues la princesse ! Elle a beaucoup plus besoin de repos que de discours. En quittant le bateau, elle a eu un malaise. La chaleur, je pense...

La comtesse haussa les épaules, sans ménagement.

— A cette heure-ci ? Il fait presque nuit ! C'est sûrement cette abominable odeur d'huile rance qui traîne toujours sur le port ! Quand donc admettrez-vous, Ettore, que l'entrepôt d'huile est mal placé et empeste tout ? Voilà le résultat ! Venez, chère princesse ! Votre appartement vous attend. Tout est prêt !

— Vous vous donnez tant de mal pour moi ! soupira Marianne en souriant amicalement à cette petite femme dont la vivacité lui plaisait. J'ai un peu honte : j'arrive chez vous tout juste pour aller me mettre au lit... mais c'est vrai que je me sens très lasse, ce soir. Demain, cela ira mieux, j'en suis certaine et nous pourrons faire plus ample connaissance.

L'appartement réservé à Marianne était charmant, pittoresque et accueillant. Sur les murs blancs, simplement peints, les tentures rouge vif, brodées de blanc, de noir et de vert par les femmes du pays ressortaient joyeusement ainsi que les meubles vénitiens dont la préciosité contrastait avec le côté rustique du décor. Le confort était assuré par d'épais tapis turcs, d'un rouge chaud, jetés sur des dalles de marbre blanc, des objets de toilette en faïence de Rhodes et des lampes d'albâtre. Les fenêtres encadrées de jasmin, ouvraient largement sur la nuit du jardin, mais étaient garnies de cadres amovibles interposant un tulle fin entre les moustiques et les habitants de la maison.

Agathe eut un lit dans le cabinet de toilette et Jolival, après un assaut oratoire des plus fleuris avec son hôtesse, se vit attribuer une chambre voisine. Il n'avait fait aucune remarque lorsque, tout à l'heure, Marianne avait repris connaissance dans la voiture du sénateur, mais, depuis cet instant, il ne l'avait guère quittée des yeux. Et Marianne connaissait trop bien son vieil ami pour n'avoir pas décelé l'inquiétude sous la courtoisie joyeuse qu'il avait déployée pour leurs hôtes.

Et quand, après le dîner qu'il avait pris avec le sénateur et sa femme, il monta chez Marianne pour lui dire bonsoir, elle comprit, en le voyant éteindre précipitamment son cigare qu'il avait deviné la réalité de son mal.

— Comment vous sentez-vous ? demanda-t-il doucement.

— Bien mieux. Le malaise de tout à l'heure ne s'est pas reproduit...

— Mais il se reproduira sans doute... Qu'allez-vous faire, Marianne ?

— Je ne sais pas...

Il y eut un silence. Les yeux baissés sur ses doigts, la jeune femme jouait nerveusement avec la dentelle de son drap. Les coins de ses lèvres s'incurvaient légèrement, en cette petite moue triste qui annonce les larmes. Pourtant Marianne ne pleura pas, mais quand, brusquement, elle releva les paupières, ses yeux étaient pleins de douleur et sa voix s'enrouait :

— C'est trop injuste, Arcadius ! Tout s'arrangeait ! Jason avait compris, je crois, qu'il ne m'était pas possible de fuir mon devoir. Il était prêt à me revenir, je le sais, je le sens ! Je l'ai vu dans ses yeux. Il m'aime toujours !

— Vous en doutiez ? bougonna Jolival. Pas moi ! Vous auriez dû le voir, tout à l'heure, quand vous vous êtes évanouie : il a failli tomber à l'eau en sautant sur le quai depuis sa dunette. Il vous a littéralement arrachée des bras du sénateur et portée jusqu'à la voiture pour vous soustraire à la curiosité, sympathique mais envahissante, du public. Encore n'a-t-il consenti à laisser partir la voiture que lorsque je l'eus assuré que ce ne serait rien. Votre brouille n'était qu'un malentendu basé sur son orgueil et son entêtement. Il vous aime plus que jamais !

— Le malentendu risque de s'aggraver singulièrement si jamais il découvre... mon état ! Arcadius, il faut faire quelque chose ! Il existe des drogues, des moyens de se débarrasser... de cette chose !

— Cela peut être dangereux. De telles pratiques aboutissent parfois à un résultat dramatique.

— Tant pis ! Cela m'est égal ! Ne comprenez-vous pas que je préfère cent fois mourir que mettre au monde ce... Oh ! Arcadius !... ce n'est pas de ma faute mais il me fait horreur ! J'avais cru me laver de cette souillure et cependant elle est la plus forte. Elle m'a reprise, et maintenant, elle m'envahit tout entière ! Aidez-moi, mon ami... essayez de me trouver quelque potion, quelque moyen...

La tête sur les genoux, dans le cercle de ses bras repliés, elle s'était mise à pleurer mais sans bruit, dans un silence qui affligea Jolival plus que les sanglots. Jamais Marianne ne lui était apparue si désarmée, si misérable qu'à cette minute où elle se retrouvait prisonnière de son propre corps et victime d'une fatalité qui pouvait lui coûter le bonheur de sa vie.

— Ne pleurez plus, soupira-t-il au bout d'un instant, cela vous fait un mal inutile. Il faut, au contraire, être forte pour surmonter cette nouvelle épreuve...

— Je suis lasse des épreuves ! cria Marianne. J'en ai eu plus que mon compte !

— Peut-être, mais il vous faut bien endurer encore celle-ci ! Je vais voir s'il est possible, dans cette île, de trouver ce que vous souhaitez, mais nous avons peu de temps et ce n'est jamais une chose facile à se procurer. De plus, la langue romaïque parlée ici n'a que de lointains rapports avec le grec d'Aristophane que j'ai appris jadis... Mais je vais essayer, je vous le promets !

Un peu calmée d'avoir ainsi remis une part de son angoisse entre les mains de son vieil ami, Marianne réussit à passer une nuit confortable et se réveilla au matin si fraîche et si dispose que le doute lui revint. Ce malaise, après tout... il avait peut-être bien été causé par une tout autre raison. L'odeur d'huile, sur le port était vraiment désagréable ! Mais au fond, elle savait bien qu'elle cherchait à se leurrer, qu'elle se donnait de faux espoirs. Les preuves physiologiques étaient là... ou plutôt n'étaient pas là et depuis trop de jours pour ne pas corroborer le diagnostic spontané qu'elle avait posé.

Après le bain, elle se contempla dans la glace un long moment avec une incrédulité qui n'était pas exempte d'horreur. Il était beaucoup trop tôt pour que sa silhouette portât la moindre marque de son état. Son corps était toujours le même, aussi mince et aussi parfait, pourtant elle éprouvait à le contempler une sorte de répulsion, celle que l'on réserve à un fruit magnifique dont on sait qu'il renferme un ver. Elle lui en voulait : c'était comme si, en laissant une vie étrangère s'y établir, il l'avait trahie et s'était un peu séparé d'elle-même.

— Il faudra bien que tu sortes de là ! menaça-t-elle tout bas. Même si je dois faire une chute ou me laisser secouer par la mer en haut d'un mât ! Il y a cent manières de perdre un fruit gâté et Damiani le savait bien qui voulait me faire garder à vue !

Forte de cette volonté, elle commença par aller

demander à son hôtesse s'il était possible de faire une promenade à cheval. Une ou deux heures de galop pouvaient donner des résultats étonnants dans son cas. Mais quand elle lui posa la question, Maddalena la regarda avec de grands yeux surpris :

— Une promenade à cheval ? Par cette chaleur ? Ici, nous avons quelque fraîcheur, mais dès que l'on sort du couvert des arbres...

— Cela ne me fait pas peur et il y a si longtemps que je n'ai monté ; j'en meurs d'envie !...

— Vous avez un tempérament d'amazone, fit la comtesse en riant. Malheureusement, en dehors de quelques-uns qui appartiennent aux officiers de la garnison, nous n'avons pas de chevaux ici : rien que des ânes et quelques mules. Cela va bien pour une paisible excursion mais si c'est la griserie de la course que vous cherchez vous aurez du mal à les convaincre de vous mener au-delà d'un petit trot paisible : le terrain plat est trop rare chez nous ! Par contre, nous ferons toutes les promenades en voiture que vous voudrez. Le pays est beau et j'aimerais vous le montrer !

Déçue de ce côté, Marianne accepta tout ce que son hôtesse lui proposa en fait de distractions. Elle fit, avec elle, une longue promenade dans d'étroites vallées couvertes de fougères et de myrtes où il faisait délicieusement frais et au bord de la mer sur laquelle ouvraient le vallon de Potamos et le jardin des Alamano. Elle admira, au cœur d'une baie de rêve, l'îlot de Pondikonisi et le minuscule couvent des Blachernes qui avait l'air d'un encrier blanc oublié sur la mer auprès de la plume noire d'un cyprès géant. Elle visita la Fortezza Vecchia où le gouverneur général Donzelot leur fit les honneurs de son domaine et leur offrit le thé. Elle regarda les vieux canons vénitiens et la statue en bronze de Schulenbourg qui, un siècle plus tôt, avait défendu l'île contre les Turcs, marivauda avec quelques jeunes officiers du 6ᵉ de ligne, visiblement éblouis par sa beauté, et fut charmante avec tous ceux qu'on lui présenta, promit d'assister à la prochaine représentation du théâtre qui était la grande distraction de la garnison et, finalement, avant de regagner Potamos où les Alamano donnaient en son honneur un grand dîner, alla s'agenouiller quelques instants devant la châsse très vénérée de saint Spiridion, un berger cypriote que de bonnes études avaient élevé à la dignité d'évêque d'Alexandrie et dont la momie, jadis rachetée aux Turcs par un marchand grec, avait été donnée par lui, en guise de dot, à sa fille aînée quand elle avait épousé un notable corfiote, nommé Bulgari.

— Depuis, il y a toujours eu un pope dans la famille Bulgari, expliqua Maddalena à sa manière alerte. Celui qui vous a fait admirer la châsse et qui vous a emprunté quelques monnaies est le dernier.

— Pourquoi ? Ils ont gardé une telle vénération pour ce saint ?

— Oui... bien sûr ! Mais surtout, saint Spiridion représente le plus clair de leurs revenus : ils n'en ont pas fait don à l'église, ils le lui ont loué, en quelque sorte ! C'est un sort pénible, vous ne trouvez pas, pour un élu ? Cela ne l'empêche d'ailleurs pas d'exaucer les prières aussi bien que l'un de ses confrères. C'est un brave homme de saint qui n'a pas de rancune apparente !

Mais Marianne n'osa pas prier l'ancien berger de venir à son secours. Le ciel ne pouvait intervenir dans l'acte qu'elle méditait. C'était bien davantage l'affaire du Diable !

Le dîner solennel qu'elle dut présider en robe de satin blanc et parure de diamants fut pour elle un monument d'ennui et lui parut le plus long qu'elle eût jamais subi. Ni Jolival, parti depuis le matin admirer les fouilles que le général Donzelot faisait effectuer à l'autre bout de l'île, ni Jason qui, invité avec les officiers de son navire, s'était fait excuser sous prétexte d'activer les travaux de réparation du brick, n'y assistaient et Marianne, déçue et nerveuse car elle avait attendu avec impatience cette soirée qui devait lui amener son amant, dut faire un effort considérable pour garder un visage souriant et paraître s'intéresser à tout ce que ses voisins lui racontaient. Celui de gauche, tout au moins, car celui de droite, le gouverneur général, était peu bavard. Comme tous les hommes d'action, Donzelot n'aimait pas perdre son temps en conversations. Il se montrait courtois, aimable, mais Marianne aurait pu jurer qu'il partageait son propre avis sur ce dîner : une horrible corvée !

L'autre, par contre, un notable dont elle n'avait pas retenu le nom, était intarissable. Avec un luxe de détails à faire frémir, il lui avait exposé par le menu les combats épiques soutenus naguère par lui contre les troupes féroces du pacha de Janina lors du soulèvement des Souliotes. Or, s'il était une chose dont Marianne avait horreur, c'étaient les « souvenirs de guerre ». Elle en avait été saturée à la cour de Napoléon où l'on ne pouvait guère rencontrer un homme qui n'en eût à revendre !

Aussi, quand la soirée eut pris fin, fut-ce avec soulagement qu'elle regagna sa chambre et se livra aux soins d'Agathe qui la délivra de sa tenue de parade, l'enveloppa d'un peignoir de batiste garni de dentelles et l'installa sur un siège bas pour préparer sa coiffure de nuit.

— Monsieur de Jolival n'est toujours pas rentré ? demanda-t-elle tandis que la jeune fille, armée de deux brosses, aérait ses cheveux que le chignon avait resserrés tout le jour.

— Non, Madame la Princesse... ou plutôt si : Monsieur le vicomte est rentré pendant le souper pour changer de vêtements. Il faut avouer qu'il en avait besoin : il était tout blanc de poussière. Il a bien recommandé de ne déranger personne et il est reparti en disant qu'il souperait au port.

Marianne ferma les yeux, rassurée, et s'abandonna aux mains habiles de sa femme de chambre avec une profonde sensation de bien-être. Jolival, elle en était certaine, s'occupait d'elle. Ce n'était certainement pas pour courir les filles qu'il avait décidé de souper au port...

Au bout de quelques instants, elle interrompit Agathe et l'envoya se coucher en disant que c'était bien ainsi.

— Madame ne veut pas que je tresse ses cheveux ?

— Non, Agathe, je les laisserai libres. J'ai un peu de migraine, ce soir... et j'ai besoin d'être seule. Je me coucherai plus tard.

Quand la jeune fille, habituée à ne pas poser de questions, se fut retirée avec une révérence, Marianne alla jusqu'à la porte-fenêtre qui ouvrait sur une petite terrasse, ôta le panneau de la moustiquaire et fit quelques pas au-dehors. Elle se sentait un peu oppressée et éprouvait le besoin de respirer. Les tulles étaient une bonne défense contre les insectes, mais, du même coup, ils empêchaient aussi l'air de passer.

Les mains dans les larges manches de son peignoir, la jeune femme fit quelques pas sur la terrasse. Il faisait, ce soir, beaucoup plus chaud que la veille. Aucun vent ne soufflait et n'était venu, avec la tombée du jour, rafraîchir l'atmosphère brûlante. Tout à l'heure, pendant le souper, elle avait l'impression que le satin de sa robe collait à sa peau. Même la pierre de la balustrade où elle alla s'accouder demeurait tiède.

En revanche, la nuit criblée d'étoiles était somptueuse, véritable nuit d'Orient, saturée de parfums, hantée par le crissement rythmé des cigales. Un peu partout, dans la campagne, des milliers de lucioles allumaient un autre firmament dans la masse sombre de la verdure et, au bas du vallon, la mer apparaissait, triangle doucement argenté encadré de hauts cyprès. Hormis le chant triste des cigales et le faible ressac de la mer, on n'entendait pas un bruit.

Ce petit coin d'eau qui luisait au bas du jardin produisit soudain sur Marianne un effet magnétique. Il faisait si chaud qu'elle eut envie de se baigner. L'eau devait être divinement fraîche. Elle achèverait de calmer l'espèce de fièvre d'irritation que lui avait causée ce souper...

Elle hésita un instant. Les domestiques n'étaient sans doute pas tous couchés et devaient s'occuper à ranger les salons. Si elle redescendait en déclarant qu'elle voulait se baigner, on la prendrait sans doute pour une folle et si elle annonçait simplement un désir de promenade on la suivrait discrètement et à distance respectueuse, tant on aurait peur qu'il arrivât la moindre chose à une si auguste visiteuse.

Une idée saugrenue lui vint. Autrefois, à Selton Hall, elle savait bien quitter sa chambre sans prévenir personne, en s'aidant simplement du lierre qui courait le long des murailles. Ici, les plantes grimpantes assiégeaient littéralement la petite terrasse qui, d'ailleurs, n'était élevée que d'un étage.

« Reste à savoir si tu es toujours aussi agile, ma fille, se dit-elle, et, de toute façon, cela vaut la peine d'essayer ! »

La pensée d'une escapade et d'un bon bain l'enchantait. Avec une hâte enfantine, elle courut à son armoire à robes, enfila la plus simple qu'elle put trouver, un fourreau de toile lavande ceinturé d'un ruban, mit un pantalon, des escarpins à talons plats et, ainsi équipée, revint sur la terrasse non sans prendre la précaution de refermer derrière elle le cadre tendu de tulle. Après quoi, elle entreprit sa descente.

Ce fut d'une évangélique facilité. Elle n'avait rien perdu de sa souplesse et, en trois secondes, elle toucha le sable du jardin, qui bientôt, l'engloutit dans l'ombre de ses massifs sauvages. Le chemin qui suivait le petit ruisseau et descendait à une étroite plage, passait non loin de sa terrasse et elle n'eut aucune peine à le trouver. Sans se presser, car sa descente lui avait donné chaud, elle suivit la pente sablée qui, sous un long berceau de feuillage coulait jusqu'à l'eau. C'était comme un tunnel empli de senteurs sauvages au bout duquel apparaissait une tache plus claire ; mais, sous les arbres, l'obscurité était dense.

Tout à coup, Marianne s'arrêta, l'oreille aux écoutes. Son cœur battit un peu plus vite. Il lui avait semblé entendre, derrière elle, un pas léger, furtif. La pensée que, peut-être, on l'avait vue sortir et qu'on la suivait lui vint, avec la tentation de rebrousser chemin... Elle attendit quelques instants, ne sachant trop quel parti prendre, mais elle n'entendit plus rien et, là-bas, la mer semblait lui faire signe, attirante et fraîche. Lentement, tendant l'oreille, elle se remit en marche, étouffant ses pas le plus possible. Aucun bruit ne se fit plus entendre.

« J'ai rêvé ! pensa-t-elle. Décidément, mes nerfs sont détraqués. Ils me jouent des tours. »

Quand elle atteignit la plage, ses yeux étaient accoutumés à l'obscurité. Il n'y avait pas de lune mais, avec toutes ces étoiles, le ciel avait des clartés laiteuses qui se reflétaient dans la mer. Hâtivement, Marianne se débarrassa de ses vêtements et, seulement vêtue de ses longs cheveux, courut vers l'eau, y entra sans ralentir sa course et plongea, la tête la première. Une fraîcheur exquise l'enveloppa et elle faillit crier de joie tant, tout à coup, elle se sentit bien. Son corps, brûlant l'instant précédent, se fondit et perdit toute consistance. Jamais bain ne lui avait paru aussi délicieux. Ceux dont elle avait eu l'habitude, étant enfant, et dont elle avait gardé le souvenir, sur une plage déserte du Devon ou dans la rivière du parc de Selton, étaient beaucoup plus froids et souvent elle en avait pleuré sous la férule impitoyable du vieux Dobs. Cette eau-là avait juste ce qu'il fallait de fraîcheur pour caresser la peau et lui rendre vie. Elle était transparente, si limpide qu'en s'ébattant à la manière d'un jeune chien, elle pouvait voir ses jambes comme une ombre claire.

Se retournant sur le ventre, elle se mit à nager vers le centre de la petite baie. Ses bras et ses jambes retrouvaient instinctivement les mouvements d'autrefois et elle fendait l'eau avec aisance, s'arrêtant de temps en temps pour s'étendre sur le dos, les yeux à demi fermés, savourant son plaisir, bien décidée à le prolonger jusqu'à la fatigue... une bonne fatigue grâce à laquelle elle dormirait ensuite comme une enfant.

C'est pendant l'un de ces instants de détente qu'elle entendit un clapotis doux et régulier qui se rapprochait. Elle l'identifia aussitôt : quelqu'un d'autre nageait dans la baie ! Se redressant sur l'eau, elle fouilla l'ombre des yeux, aperçut une forme sombre qui venait vers elle. Il y avait là quelqu'un, quelqu'un qui l'avait suivie peut-être... ces pas qu'elle avait cru entendre, tout à l'heure, dans le chemin !... Comprenant soudain quelle imprudence elle avait commise en venant ainsi se baigner, seule et en pleine nuit, dans ce pays inconnu, elle voulut revenir vers la plage, mais le nageur mystérieux obliqua vers elle. Il nageait avec puissance et rapidité. Si elle continuait dans cette direction, en quelques instants il l'aurait rejointe... Visiblement, il cherchait à lui couper la route !

Affolée, tout à coup, elle eut une réaction dérisoire. Voulant écarter, par tous les moyens, ce qu'elle pensait être un ennemi inconnu, elle cria en italien :

— Qui êtes-vous ?... Allez-vous-en...

Mais sa voix s'étrangla tandis qu'elle avalait une amère gorgée d'eau salée. L'étranger ne s'était même pas arrêté. En silence, et ce silence était plus effrayant que tout, il avançait toujours vers elle. Alors, perdant la tête, elle se mit à fuir, droit devant elle, piquant vers l'une des pointes de la baie dans l'espoir d'y prendre pied et d'échapper à son poursuivant. Elle avait si peur qu'elle ne cherchait même pas à deviner qui il pouvait être. L'idée lui vint que c'était sans doute un pêcheur grec, qu'il ne pouvait guère la comprendre et que, peut-être il la croyait en danger! Mais non... tout à l'heure, quand elle avait décelé sa présence, il avançait doucement, lentement, d'une nage aussi peu bruyante que possible... presque sournoisement.

La rive approchait mais la distance entre les deux nageurs se rétrécissait aussi singulièrement. Maintenant, Marianne sentait la fatigue alourdir ses mouvements. Dans sa poitrine, son cœur cognait douloureusement. Elle comprit qu'elle était au bout de ses forces, qu'il n'y avait pour elle d'autre alternative que se laisser rejoindre ou se laisser couler.

Soudain, elle aperçut, droit devant elle, un mince, un étroit croissant plus clair : une crique enfermée dans des rochers. Rassemblant ce qu'il lui restait d'énergie, elle obligea ses membres à poursuivre leur effort, mais l'homme gagnait toujours sur elle. Il était tout près maintenant, grande ombre noire dont elle ne pouvait rien distinguer. La peur lui coupa le souffle et, au moment même où deux mains se tendaient vers elle, Marianne coula...

Elle retrouva bientôt une demi-conscience mais ce fut pour éprouver d'étranges sensations : elle était couchée sur le sable dans une complète obscurité et un homme la tenait dans ses bras. Il était nu lui aussi car tout au long de sa peau, elle sentait une autre peau, lisse et chaude, mais celle-ci recouvrait des muscles puissants. Elle ne voyait rien qu'une ombre plus dense près de son visage, et quand, instinctivement, elle étendit les bras, elle toucha le rocher autour et au-dessus d'elle. Sans doute l'avait-on portée dans une grotte étroite et basse... Prise de peur à se sentir ainsi enfermée dans ce boyau rocheux, elle voulut crier. Une bouche brûlante et ferme étouffa son cri. Elle voulut se débattre, l'étreinte se resserra, l'immobilisant, tandis que l'inconnu se mettait à la caresser.

Sûr de sa force, il ne se pressait pas. Ses gestes étaient doux mais habiles et elle comprit qu'il cherchait à éveiller en elle l'irrésistible fièvre d'amour. Elle voulut serrer les dents, se raidir, mais l'homme avait, du corps féminin, une science extraordinaire. La peur, depuis longtemps, s'était évanouie et déjà Marianne sentait monter de ses reins de longs frissons, des ondes chaudes qui envahissaient peu à peu tout son corps. Le baiser se prolongeait, étrangement habile lui aussi et, sous cette caresse qui aspirait son souffle, Marianne se sentait défaillir... C'était étrange d'embrasser une ombre ! Peu à peu, elle sentait peser sur elle un grand corps plein de force et de vie, pourtant elle avait l'impression de faire l'amour avec un fantôme. Les sorcières d'autrefois qui se disaient possédées du Diable devaient avoir vécu des moments semblables et peut-être Marianne eût-elle cru être le jouet d'un rêve si cette chair n'avait été si dure, si chaude aussi, et si la peau de l'invisible amant n'eût dégagé une légère, mais très terrestre odeur de menthe fraîche. Peu à peu, d'ailleurs, il arrivait à ses fins : les yeux fermés, possédée par la plus primitive des fringales amoureuses, Marianne gémissait maintenant sous ses caresses. La vague impérative du plaisir montait en elle, montait encore, toujours, la submergeait... Elle éclata comme un soleil rouge quand, enfin, l'homme déchaîna le désir qu'il avait su, longtemps, contenir.

Un double cri s'éleva... et ce fut tout ce que Marianne entendit de son invisible amant avec le martèlement désordonné de son cœur qui battait comme un tambour. L'instant suivant, haletant, il se redressait, la quittait...

Elle l'entendit courir. Des galets roulèrent sous ses pieds. Vivement, elle se redressa sur un coude, juste à temps pour apercevoir une longue forme qui plongeait dans la mer. Il y eut un violent éclaboussement, puis plus rien. L'homme n'avait pas prononcé une parole...

Quand Marianne sortit du trou de rocher où l'inconnu les avait abrités, elle se sentait la tête vide mais le corps curieusement apaisé. Elle éprouvait une joie bizarre et qui la stupéfiait. Ce qui venait de se passer ne lui causait ni honte, ni remords, peut-être à cause de cette hâte que son amant d'un instant avait mise à disparaître et parce que cette disparition avait été totale. Nulle trace de lui ne se voyait, nulle part. Il s'était fondu dans la nuit, dans la mer d'où il était sorti aussi simplement que la brume du matin aux rayons du soleil. Qui il était, d'où il venait, Marianne ne le saurait sans doute jamais. Il devait être un pêcheur grec comme elle l'avait déjà pensé et comme elle en avait aperçu plusieurs depuis son arrivée dans l'île, beaux et sauvages comme des nuages et portant encore en eux un peu de l'âme des vieux dieux de l'Olympe habiles à surprendre les mortelles. Il l'avait vue, sans doute, descendre sur la plage, se mettre à l'eau et, instinctivement il l'avait suivie. La suite était simple...

« C'était peut-être Jupiter... ou Neptune ? » songeait-elle avec un amusement qui l'étonna. Normalement, elle aurait dû se sentir indignée, vexée, bafouée, violée. Dieu sait quoi encore ! Mais non. Elle n'éprouvait rien de tout cela ! Et, bien plus, elle était assez honnête envers elle-même pour oser s'avouer que cet instant fugitif et brûlant avait été agréable et qu'il resterait gravé au fond de sa mémoire. Plus tard, sûrement, elle pourrait l'évoquer sans déplaisir. Une aventure... une simple aventure, mais combien séduisante !

La petite crique était bien moins loin de la plage qu'elle ne l'avait craint. Elle avait eu si peur, tout à l'heure, en se voyant poursuivie qu'elle avait mal apprécié la distance. La lune, qui se levait derrière la pointe glissa sur l'eau une mince coulée d'argent. Il fit tout à coup bien plus clair s'il faisait toujours aussi chaud.

Craignant, cette fois, d'être vue, Marianne se remit à l'eau et regagna la plage qu'elle inspecta du regard quand ses orteils touchèrent le fond de sable. Rassurée, elle se hâta de sortir de l'eau et, sans même songer à se sécher, se contentant de tordre ses cheveux inondés, se rhabilla aussi vite qu'elle put. Puis, tenant ses escarpins à la main pour éviter de les remplir de sable, elle remonta la plage vers l'ombre dense des arbres.

Elle allait y entrer quand un éclat de rire la figea sur place. C'était un rire d'homme mais, cette fois, Marianne n'éprouva pas la moindre peur. Plutôt de la colère et de l'agacement. Elle commençait à être lasse des surprises de cette nuit. D'ailleurs, celui qui riait était sans doute le même qui, tout à l'heure... Une bouffée de colère l'emporta. Y avait-il vraiment de quoi rire quand elle-même trouvait quelque charme à cette aventure ?

— Montrez-vous ! cria-t-elle. Et cessez de rire...

— Agréable était... le bain ? fit, en un italien aussi mauvais qu'hésitant, une voix moqueuse. En tout cas... le spectacle était ! Très jolie femme !...

Tout en parlant, l'homme sortit des arbres et s'avança vers Marianne. Des vêtements blancs flottants lui donnaient l'air d'un fantôme et grâce à un turban roulé autour de sa tête il parut très grand à la jeune femme. Mais elle ne prit même pas le temps de penser que cet enturbanné pouvait être l'un des hommes du terrible Ali dont on lui avait recommandé de se méfier. Elle ne réalisa qu'une chose : les paroles et le rire de cet homme l'insultaient. Prenant son élan, elle bondit et lui appliqua une gifle retentissante bien que lancée un peu à l'aveuglette.

— Grossier personnage ! gronda-t-elle. Vous étiez là à m'épier ! Quel incroyable toupet !

La gifle eut cela de bon qu'elle l'assura d'une chose : ce Turc ou cet Épirote ou Dieu sait quoi d'autre n'était pas son ardent agresseur de tout à l'heure car sa main avait rencontré une joue barbue alors que l'autre visage était lisse. Cependant, sans rancune l'étranger se remit à rire.

— Oh ! vous fâchée ? Pourquoi ?... J'ai mal fait ?... Le soir, toujours, je fais ici promenade... Jamais personne. La mer, la plage, le ciel... rien d'autre ! Cette nuit... une robe sur le sable... et quelqu'un qui nage. J'ai attendu...

Marianne regretta sa gifle. Ce n'était rien de plus qu'un promeneur attardé. Quelqu'un du voisinage sans doute. Le crime n'était pas bien grand.

— Excusez-moi, dit-elle, j'ai cru à tout autre chose ! Je n'aurais pas dû vous gifler ! Mais, ajouta-t-elle prise d'une nouvelle idée, puisque vous étiez sur cette plage, avez-vous vu quelqu'un sortir de l'eau... avant moi ?

— Ici ? Non, personne ! Tout à l'heure... quelqu'un nager... vers le cap... la mer ! Rien d'autre.

— Ah !... Je vous remercie !

Décidément, son fugitif amant devait être Neptune et puisque cet étranger n'avait rien d'autre à lui apprendre, elle souhaita poursuivre son chemin. Appuyée d'une main au tronc d'un cyprès, elle entreprit de remettre ses souliers pour rentrer, mais l'étranger n'entendait sans doute pas en rester là. Il s'approcha encore :

— Alors... vous plus fâchée? dit-il en riant de nouveau de ce rire que Marianne jugeait un peu niais. Nous... amis?

En même temps, il posait ses deux mains sur les épaules de la jeune femme, cherchant à l'attirer à lui. Mal lui en prit. Furieuse, brusquement, elle le repoussa si violemment qu'il perdit l'équilibre et tomba sur le sable.

— Espèce de...

Elle n'eut pas le temps de trouver un qualificatif. Le coup de feu avait éclaté au moment précis où elle bousculait l'étranger. La balle passa entre eux. Elle en sentit le vent et d'instinct se jeta, elle aussi sur le sol. Un second coup de feu vint, presque aussitôt. Quelqu'un, sous les arbres, leur tirait dessus.

Cependant, l'homme au turban avait rampé auprès d'elle.

— Vous pas bouger... pas avoir peur... c'est moi la cible! chuchota-t-il.

— Vous voulez dire qu'on cherche à vous tuer? Mais pourquoi?

— Chut!...

Rapidement, il se glissait hors de son ample vêtement blanc, ôtait son turban qu'il posait sur un petit arbuste. Aussitôt, une balle l'atteignit... puis une autre.

— Deux pistolets! Plus de munitions, je pense... souffla l'étranger avec une sorte de gaieté. Pas bouger... Assassin venir voir si moi mort...

Comprenant ce qu'il voulait dire, Marianne s'aplatit de son mieux dans les broussailles, tandis que son compagnon, silencieusement dégainait un long poignard courbé passé à sa ceinture et se ramassait sur lui-même, prêt à bondir. Il n'attendit pas longtemps : bientôt un pas prudent fit crisser le sable tandis que quelque chose de sombre se déplaçait entre les arbres, avançant puis s'arrêtant. Rassuré sans doute par le silence, l'homme s'approcha. Marianne eut à peine le temps d'apercevoir une silhouette trapue, singulièrement vigoureuse qui avançait, un couteau à la main : déjà l'étranger, d'une détente de fauve était sur lui. Étroitement enlacés, les deux corps roulèrent sur le sable, luttant furieusement.

Cependant, les coups de feu avaient donné l'alerte. A travers les arbres, Marianne vit soudain des lumières. Du domaine Alamano on accourait avec des lanternes et sans doute des armes. En tête venait le sénateur lui-même, en chemise de nuit et bonnet de coton à pompon, un pistolet dans chaque main. Une dizaine de domestiques armés d'objets divers l'accompagnaient. Marianne, qui était dans le chemin, fut la première personne qu'il aperçut.

— Vous, princesse ? s'écria-t-il. Ici et à cette heure ? Mais que se passe-t-il ?

Pour toute réponse, elle s'écarta, lui montra les deux hommes qui combattaient toujours avec une rage indescriptible, poussant des cris de bêtes féroces. Avec une exclamation d'angoisse, le sénateur, fourrant précipitamment ses pistolets dans les mains de Marianne, courut à eux et entreprit de les démêler. Ses serviteurs suivirent le mouvement et en quelques secondes les deux adversaires furent maîtrisés. Mais tandis que l'homme au turban avait droit à toute la sollicitude du sénateur, l'autre fut immédiatement ligoté et jeté sur le sol avec une brutalité qui en disait long sur la sympathie qu'il inspirait.

— Vous n'êtes pas blessé, seigneur, vous n'avez rien ? Vous êtes certain ? répétait le Vénitien en aidant l'étranger à remettre son ample vêtement et son turban.

— Rien du tout ! Merci... mais, la vie, je dois à la demoiselle. Elle jeter moi juste à temps !

— La demoiselle ? Oh ! Vous voulez dire la princesse ? Seigneur ! gémit le pauvre Alamano invoquant, cette fois, le dieu de sa jeunesse, quelle histoire ! Mais quelle histoire !...

— Si vous nous présentiez ? suggéra Marianne. Nous y verrions peut-être plus clair ! Moi, tout au moins !

Mal remis de son émotion, le sénateur se lança dans des présentations singulièrement compliquées d'explications touffues. Marianne parvint tout de même à en conclure qu'elle venait d'éviter un regrettable incident diplomatique et sauver la vie d'un noble réfugié. L'homme au turban, au demeurant un garçon d'une vingtaine d'années qui, sans sa barbe en pointe et ses longues moustaches noires devait en paraître encore moins, se nommait Chahin Bey et était fils de l'une des dernières victimes du pacha de Janina, Mustapha, pacha Delvino. Depuis la prise de leur ville par les janissaires d'Ali et le massacre de leur père, Chahin et son jeune frère étaient réfugiés à Corfou où le gouverneur Donzelot leur offrait une large hospitalité. Ils habitaient, en haut du vallon, une agréable maison dominant la mer où ils se trouvaient toujours sous le regard des guetteurs de la forteresse. D'ailleurs, deux sentinelles montaient continuellement la garde à leur porte... mais bien sûr, il était impossible d'empêcher les jeunes princes de se promener à leur gré.

L'agresseur, envoyé de toute évidence par Ali, était l'un de ces Albanais sauvages des montagnes de la Chimère, dont les sommets arides se dressaient de l'autre côté du canal du Nord, ainsi que l'indiquait l'écharpe rouge dont s'entourait sa tête. Le reste de son costume se composait d'un large pantalon et d'un petit jupon de toile forte, d'un gilet à boutons d'argent et d'une paire d'espadrilles, mais dans la large ceinture rouge qui lui étranglait la taille plus étroitement que n'importe quel corset, les domestiques du sénateur trouvèrent tout un échantillonnage d'armes. Un véritable arsenal ambulant! Cependant, une fois chargé de liens, l'homme s'enferma dans un silence farouche et il fut impossible d'en tirer le moindre mot. On l'attacha au tronc d'un arbre sous la surveillance de plusieurs serviteurs armés tandis qu'Alamano envoyait d'urgence un messager à la forteresse.

En apprenant la qualité réelle de la femme qu'il avait prise pour quelque jolie fille en quête d'aventure, Chahin Bey montra juste ce qu'il fallait de confusion pour être poli. La découverte du visage de Marianne, à la lumière des lanternes, lui avait causé un plaisir qui balayait visiblement toutes les contingences sociales. A voir le regard brillant qu'il fixait sur elle, avec insistance, tandis que tout le monde remontait vers la maison, elle comprit qu'elle éveillait en lui des sentiments aussi primitifs que chez l'inconnu de la crique et n'en retira aucun plaisir. Elle avait, pour cette nuit, son compte de primitivisme!

— J'aimerais bien que cette histoire ne s'ébruite pas! confia-t-elle à Maddalena qui, en robe de chambre abondamment volantée était sortie de sa chambre pour offrir aux héros de l'expédition des boissons réconfortantes. C'est vraiment sans le vouloir que j'ai pu empêcher cet attentat. J'étais descendue à la plage pour prendre un bain. Il faisait si terriblement chaud! En rentrant, je me suis heurtée au bey et j'ai eu le bonheur de le faire tomber au moment où l'assassin tirait. Il n'y a vraiment pas de quoi en faire un roman!

— C'est pourtant ce qu'est en train de faire Chahin Bey! Écoutez-le : il vous compare déjà aux houris du paradis de Mahomet! De plus, il vous accorde le courage d'une lionne. Vous êtes en passe de devenir son héroïne, ma chère princesse!

— Je n'y vois aucun inconvénient dès l'instant où il gardera pour lui ses impressions... et où le sénateur voudra bien taire mon rôle!

— Pourquoi donc ? Vous avez accompli là une belle action, qui fait grand honneur à la France. Le général Donzelot...

— N'a pas besoin de le savoir ! gémit Marianne. Je... je suis quelqu'un de très timide ! Je n'aime pas du tout que l'on parle de moi ! Cela me gêne !

Ce qui la gênait surtout c'était la pensée que Jason, en apprenant ce qui s'était passé ce soir sur la plage, pouvait en tirer des conclusions fort différentes de la réalité. Il était d'une jalousie à ne rien laisser passer. Mais comment expliquer à son hôtesse qu'elle était follement amoureuse du capitaine de son navire et que son opinion était pour elle d'une extrême importance ?

Les yeux bruns de Maddalena, qui fixaient depuis un moment le visage rougissant de Marianne, se mirent à rire tandis qu'elle chuchotait :

— Tout dépend de la façon dont la chose sera rapportée. Nous allons essayer de freiner l'enthousiasme de Chahin Bey. Sinon le gouverneur général pourrait bien en conclure que vous vous êtes... heurtée à notre jeune réfugié en essayant de l'empêcher de se prendre pour Ulysse rencontrant Nausicaa. Et vous n'aimeriez pas que le gouverneur imaginât...

— Ni lui ni personne ! J'ai l'impression d'être un peu ridicule et, même aux yeux de mes amis...

— Il n'y a rien de ridicule à vouloir prendre un bain quand il fait une chaleur aussi accablante. Mais j'ai, en effet entendu dire que les Américains sont des gens fort prudes et fort à cheval sur les principes.

— Les Américains ? Pourquoi les Américains ? Il est vrai que le navire sur lequel je voyage appartient à cette nation, mais je ne vois pas en quoi...

Gentiment Maddalena glissa son bras sous celui de Marianne et l'entraîna vers l'escalier pour la raccompagner jusqu'à sa chambre.

— Ma chère princesse, murmura-t-elle en prenant

un bougeoir allumé parmi d'autres posés sur une console, je tiens à vous dire deux choses : je suis femme et, sans vous connaître beaucoup, j'éprouve pour vous une grande amitié. Je ferai tout pour vous éviter le moindre désagrément. Si j'ai parlé des Américains, c'est parce que mon époux m'a dit l'angoisse montrée par votre capitaine quand vous avez eu ce malaise sur le port... et aussi quel homme séduisant il est ! Soyez tranquille ; nous essaierons qu'il n'en sache rien ! Je vais parler à mon époux.

Mais l'enthousiasme de Chahin Bey était apparemment de ceux que rien ne saurait endiguer. Alors qu'Alamano, en remettant l'assassin aux forces de police de l'île, passait sous silence le rôle joué par Marianne, dès le lever du jour une théorie de serviteurs du bey, portant des présents destinés à la « fleur précieuse venue des pays du calife infidèle » envahissait le jardin du sénateur et venait prendre position devant le perron de sa maison, attendant l'heure de délivrer leur message avec l'inimitable patience des Orientaux.

Ce message consistait en une lettre écrite dans un romaïque abondamment fleuri aux termes duquel « la splendeur de la princesse aux yeux couleur de mer ayant mis en fuite l'ange Azraël aux ailes noires », Chahin Bey se déclarait son chevalier pour le restant des jours qu'Allah lui accordait encore sur cette terre indigne et entendait lui consacrer désormais, en même temps qu'à son peuple de Delvino opprimé par l'infâme Ali, une existence qui, sans elle, ne serait plus qu'un souvenir, un souvenir qu'il n'avait même pas eu le temps de rendre glorieux...

— Qu'entend-il par là ? s'inquiéta Marianne quand le sénateur eut achevé une traduction pénible, mais suffisamment explicite tout de même.

Alamano écarta les bras dans un geste d'ignorance :

— Ma foi, ma chère princesse, je ne sais pas ! Rien

du tout bien certainement. Ce sont là des formules de cette incroyable politesse orientale. Chahin Bey veut dire qu'il ne vous oubliera jamais, je pense, pas plus qu'il n'oubliera son peuple perdu !

Maddalena, qui avait suivi la lecture avec intérêt, cessa d'agiter le grand éventail de roseaux tressés avec lequel elle essayait de combattre la chaleur et sourit à sa nouvelle amie :

— A moins qu'il n'annonce son intention de vous offrir sa main dès qu'il aura reconquis son domaine ? Ce serait assez dans l'esprit chevaleresque et romantique de Chahin Bey. Ce garçon-là, ma chère, est tombé amoureux de vous au premier coup d'œil !

Mais l'explication ne devait arriver que vers la fin du jour, apportée par Jason Beaufort en personne. Un Jason vert de rage qui surgit sur la terrasse où les deux femmes prenaient des rafraîchissements, étendues sur des chaises longues en regardant se coucher le soleil, et qui eut bien du mal à respecter les règles de la civilité puérile et honnête exigeant que l'on salue avec certaines formes les gens que l'on visite pour la première fois. Tandis qu'il s'inclinait devant Maddalena, Marianne comprit, au regard courroucé qu'il lui lança, qu'il avait quelque chose à lui dire.

Les échanges de compliments d'usage se déroulèrent dans une atmosphère si chargée d'électricité que la comtesse Alamano en eut rapidement conscience. Elle comprit que ces deux-là avaient un compte à régler et, sous prétexte d'aller surveiller son cuisinier, elle se retira en s'excusant avec grâce.

A peine, d'ailleurs, sa robe de gaze lilas eut-elle disparu par la porte-fenêtre de la terrasse que Jason se tournait vers Marianne et, sans préambule, attaquait :

— Que faisais-tu, cette nuit, sur cette plage avec ce Turc à moitié fou ?

— Seigneur ! gémit la jeune femme en se laissant

aller avec accablement parmi les coussins de sa chaise longue, les cancans, dans cette île, vont encore plus vite qu'à Paris !

— Ce n'est pas un cancan ! Ton amoureux... car il n'y a pas d'autre nom à donner à ce genre d'excité, est venu à mon bord, tout à l'heure m'apprendre que tu lui avais sauvé la vie, hier soir, dans des circonstances dont le moins qu'on puisse en dire est qu'elles sont obscures, autant que son charabia !

— Mais pourquoi est-il venu te raconter ça ? s'exclama Marianne stupéfaite.

— Ah ! tu avoues !...

— Avouer quoi ? Je n'ai rien à avouer ! Rien, tout au moins qui justifie un tel mot ! Cette nuit, en effet, j'ai tout à fait par hasard sauvé la vie d'un réfugié turc. Il faisait si chaud que je suffoquais dans ma chambre ! Je suis descendue jusqu'à la plage pour trouver un peu d'air frais. A cette heure tardive, je pensais y être seule...

— Tellement que tu as cru pouvoir te baigner. Tu as ôté tes vêtements... tous tes vêtements ?

— Ah ! Parce que tu sais cela aussi ?

— Naturellement ! Cet olibrius n'en a pas dormi de la nuit apparemment. Il t'a vue sortir de la mer, dans un rayon de lune, aussi nue qu'Aphrodite mais, paraît-il, infiniment plus belle ! Qu'as-tu à dire à cela ?

— Rien ! s'écria Marianne que le ton accusateur de Jason commençait à agacer, d'autant plus que le brûlant souvenir de la nuit passée lui inspirait davantage de remords et moins de regrets. C'est vrai que j'ai ôté mes vêtements ! Mais, sapristi, où est le mal ? Tu es marin, toi ! Alors ne viens pas me dire que tu n'as jamais pris un bain de mer ? J'imagine qu'alors tu n'es pas allé endosser une robe de chambre, des pantoufles et un bonnet de coton pour plonger dans l'eau ?

— Je suis un homme ! gronda Jason. Ce n'est pas la même chose !

— Je sais ! fit Marianne avec amertume. Vous êtes des êtres à part, des demi-dieux auxquels tout est permis, tandis que nous autres, pauvres créatures, n'avons le droit de profiter d'une eau fraîche que dûment empaquetées, avec un manteau à triple collet et quelques épaisseurs de châles ! Quelle hypocrisie ! Quand je pense qu'au temps du roi Henri IV, les femmes se baignaient nues, en plein Paris et en plein midi, devant les piles du Pont-Neuf et que tout le monde trouvait ça très bien ! Et moi, j'ai commis un crime parce que, par une nuit bien noire, sur la plage déserte d'une petite île à demi sauvage, j'ai cru pouvoir oublier un peu la température ! Eh bien, j'ai eu tort et j'en demande pardon ! Es-tu content ?

Sensible, sans doute, à l'âpreté du ton, Jason cessa d'arpenter la terrasse, les mains au dos, comme il avait coutume de le faire sur le pont de son bateau, mais avec beaucoup moins de nervosité. Il se planta en face de Marianne, la regarda avec attention puis constata, non sans surprise :

— Mais... tu te fâches ?

Elle releva vers lui des yeux traversés d'éclairs.

— J'ai tort peut-être encore ? Tu arrives ici tout fumant de colère, tu me tombes dessus bien décidé à me trouver coupable et quand je me rebiffe, tu t'étonnes ! Avec toi j'ai toujours l'impression d'être à mi-chemin entre l'idiote de village et la bacchante hystérique !

Un bref sourire détendit un instant les traits sévères du corsaire. Tendant les mains, il pêcha la jeune femme au fond de ses coussins et, l'obligeant à se lever, la tint contre lui :

— Pardonne-moi ! Je sais que je viens encore de me conduire comme une brute, mais c'est plus fort que moi : dès qu'il est question de toi, je vois rouge ! Quand cet imbécile est venu, tout à l'heure, avec une mine illuminée, me décrire ton exploit et, accessoirement, ton apparition hors de l'eau, ruisselante et baignée de lune, j'ai failli l'étrangler!

— Failli seulement? fit Marianne avec rancune.

Cette fois, Jason se mit à rire et la serra un peu plus fort contre lui.

— On dirait que tu le regrettes? Sans Kaleb... tu sais, l'esclave échappé que j'ai recueilli, qui me l'a ôté des mains, j'achevais le travail du bourreau d'Ali Pacha.

— Oh, cet Éthiopien? fit Marianne songeuse. Il a osé s'interposer entre toi et ton... visiteur?

— Il travaillait au bordage tout près de nous. Et d'ailleurs, il a bien fait, fit Jason en haussant les épaules avec insouciance, ton Chahin Bey criait comme un cochon qu'on égorge et les gens commençaient à s'attrouper...

— Ce n'est pas mon Chahin Bey! coupa Marianne vexée. Et, d'ailleurs, tout cela ne m'explique pas pour quelle raison il est venu te raconter tout cela, justement à toi?

— Je ne te l'ai pas dit? Mais, mon ange, simplement parce qu'ayant décidé de partir avec nous pour Constantinople, il est venu me demander de le prendre à bord avec ses gens.

— Quoi? Il veut...

— Te suivre! Oui, mon cœur! Ce garçon a l'air de savoir ce qu'il veut et ses projets d'avenir sont extrêmement précis : gagner Constantinople, aller se plaindre amèrement au Grand Seigneur du traitement indigne qu'Ali Pacha a infligé aux siens, revenir chez lui avec une armée... et toi, reconquérir sa province et t'offrir ensuite le rang de première épouse du nouveau pacha de Delvino.

— Et... tu as accepté? s'écria Marianne épouvantée à l'idée de traîner ce jeune Turc après elle pendant des semaines.

266

— Accepté ? Je t'ai dit que j'avais failli l'étrangler. Quand Kaleb me l'a eu ôté des mains, je lui ai ordonné de le jeter à terre et j'ai intimé à ton amoureux la défense formelle de remettre les pieds sur mon navire. Je n'ai que faire d'un aspirant-pacha ! Outre qu'il me déplaît, je commence à trouver qu'il y a sur la « Sorcière » beaucoup trop de monde ! Tu ne sais pas à quel point j'ai envie d'être un peu seul avec toi, mon amour... Toi et moi, rien que nous deux, le jour... la nuit ! J'ai été fou, je crois bien, d'imaginer que je pourrais t'arracher de moi ! Depuis que nous avons quitté Venise, j'ai vécu l'enfer à force de te désirer ! Mais c'est fini maintenant. Demain nous repartons...

— Demain ?

— Oui. Nous avons presque terminé. En travaillant encore toute la nuit, nous pourrons partir avec le vent du matin. Je ne veux pas te laisser ici plus longtemps, avec ce singe amoureux à ta porte. Demain, je t'emmène. Demain notre vraie vie commence ! Je ferai tout ce que tu voudras... mais, par pitié, ne nous attardons pas en Turquie ! J'ai tellement hâte de te ramener chez moi !... chez nous !... Là seulement je pourrai vraiment t'aimer comme j'en ai envie... tellement envie !

A mesure qu'il parlait, la voix de Jason avait baissé jusqu'à n'être plus qu'un murmure passionné, entre-coupé de baisers.

Le soir, peu à peu, les enveloppait tandis que s'allumaient les lucioles du jardin. Mais, chose étrange, Marianne, dans les bras de l'homme qu'elle aimait, n'éprouvait pas autant de joie qu'elle l'eût imaginé, quelques minutes plus tôt seulement, devant une telle victoire. Jason s'avouait vaincu, il rendait les armes ! Elle aurait dû exulter de joie. Mais, si son cœur fondait d'amour et de bonheur, son corps, lui, ne suivait pas. En réalité, Marianne ne se sentait pas bien du tout. Elle avait l'impression qu'elle allait s'évanouir, comme l'autre jour en descendant du bateau... Était-ce la légère odeur de tabac qui imprégnait les vêtements de Jason ?... mais elle avait affreusement mal au cœur !

Il la sentit soudain s'alourdir, lui échapper et la retint au moment où elle allait glisser. Les dernières lueurs du jour la lui montrèrent pâle jusqu'aux lèvres.

— Marianne ! Qu'est-ce que tu as ?... Tu es malade ?

Déjà, il l'enlevait de terre pour la reposer doucement dans son nid de coussins. Mais le malaise de la jeune femme cette fois n'alla pas jusqu'à la perte de conscience. Peu à peu, la vague nauséeuse se retirait... Elle parvint à sourire :

— Ce n'est rien... la chaleur je pense !

— Non, tu es malade ! C'est la seconde fois que tu perds ainsi connaissance ! Il te faut un médecin...

Il se redressait, prêt à s'élancer à la recherche de Maddalena. Marianne le retint, le ramena près d'elle :

— Je t'assure que je n'ai rien... et que je n'ai pas besoin de médecin ! Je sais ce que j'ai.

— Vraiment ? Qu'est-ce que c'est ?...

Elle cherchait, fébrilement, un mensonge qui fût plausible et déclara enfin, sur un ton faussement désinvolte :

— Rien !... ou si peu ! Mon estomac, ces temps-ci, ne supporte plus rien. C'est depuis... ma captivité !

Un moment, Jason scruta le visage blême, tentant machinalement de réchauffer ses mains glacées. Visiblement, il n'était qu'à moitié convaincu. Marianne n'était pas de ces femmes qui, pour un oui ou pour un non, le parfum d'une fleur ou une émotion un peu forte, s'évanouissent à tout bout de champ. Il y avait là quelque chose qui le tourmentait... Il n'eut pas le temps de se poser beaucoup de questions.

Comme des pas se faisaient entendre, annonçant vraisemblablement le retour de Maddalena, Marianne, vivement, se redressa et se releva, glissant de ses mains avant qu'il ait pu l'en empêcher.

— Mais... que fais-tu ?

— Je t'en prie, ne dis pas que j'ai eu ce malaise. J'ai horreur que l'on s'occupe de moi. Maddalena s'inquiéterait ! Je serais, alors, accablée de soins...

La protestation de Jason se perdit dans le claquement de hauts talons. Armée d'une lampe à huile protégée d'un verre épais, la comtesse reparaissait. La terrasse s'éclaira d'une chaude lumière jaune qui fit briller ses cheveux roux et son sourire gentiment moqueur.

— Vous préfériez peut-être l'obscurité ? dit-elle, mais voilà mon mari qui rentre avec monsieur de Jolival et nous allons souper. Naturellement, j'ai fait mettre votre couvert, capitaine !

L'Américain inclina sa haute taille en un salut qui était un refus :

— Mille regrets, comtesse, mais je dois retourner à bord. Nous partons demain.

— Comment ? Déjà ?

— Mes travaux s'achèvent et nous devons gagner Constantinople aussi vite que possible. Croyez que je regrette vivement de vous priver si vite de la princesse... mais plus tôt nous serons là-bas et mieux cela vaudra ! Les frégates qui doivent nous escorter ont, elles aussi, un emploi du temps serré ! Je ne veux pas les retenir trop longtemps. Pardonnez-moi !

Comme s'il avait hâte, tout à coup, de s'en aller, il prenait congé, baisait la main de chacune des deux femmes non sans que son regard bleu ne se fût attardé un instant, inquiet et perplexe, dans celui de son amie. Puis il s'éloigna par le jardin, tandis que retentissaient, à l'intérieur, les voix de Jolival et d'Alamano.

— Un homme étrange ! remarqua Maddalena en suivant d'un œil songeur la grande silhouette du marin qui se perdait dans la nuit. Mais combien séduisant! Il vaut mieux, à tout prendre qu'il ne reste pas ici trop longtemps. Toutes les femmes de l'île en seraient folles. Il y a dans son regard quelque chose de dominateur qui ne doit pas, d'ailleurs, s'accommoder facilement d'un refus.

— C'est vrai, fit Marianne en pensant à autre chose, il n'aime pas du tout qu'on le contrarie.

— Ce n'est pas exactement cela que je voulais dire, sourit la comtesse. Mais allons rejoindre ces messieurs au salon.

Revoir Jolival était exactement ce dont Marianne avait besoin. Le nouveau malaise qu'elle venait de subir l'affolait, car, si elle devait en avoir fréquemment de semblables, la vie sur le bateau risquait d'être plus que pénible. Or, Arcadius avait pratiquement disparu. Depuis le soir de son arrivée, elle ne l'avait pas revu et s'en était inquiétée, parce que ce n'était pas bon signe.

Tout le temps que dura le souper, son inquiétude s'accrût. Jolival semblait las. Il faisait un effort, visible seulement, bien sûr, pour qui le connaissait pour répondre à la conversation alerte de son hôtesse, mais la gaieté, la détente de ses propos était démentie par son regard soucieux.

« Il n'a pas réussi! pensa Marianne. Il n'a pas pu trouver ce dont j'ai besoin. Sinon, il ferait une autre mine. »

Même le récit, alertement fait par Maddalena des exploits nocturnes de Marianne ne parvint pas à le dérider vraiment.

Et, en effet, quand enfin elle se retrouva seule avec lui dans sa chambre où il entra quelques instants avant de regagner la sienne, Marianne apprit qu'il avait fait chou blanc.

— On m'avait indiqué une vieille femme grecque... une espèce de sorcière vivant dans une cabane au flanc du mont Pantocrator, mais quand j'ai enfin réussi à trouver l'endroit, cet après-midi, je n'ai rencontré que des pleureuses et un vieux pope qui venaient procéder à ses funérailles ! Mais ne désespérez pas, ajouta-t-il vivement en voyant s'allonger le visage de la jeune femme, demain j'irai revoir la tavernière vénitienne qui m'avait renseigné...

Marianne eut un soupir de lassitude.

— C'est inutile, Jolival, nous partons demain matin ! Ne le saviez-vous pas ? Jason est venu tout à l'heure me l'annoncer. Il a hâte de quitter Corfou... beaucoup je crois à cause de ma ridicule aventure avec Chahin Bey...

— Il l'a sue ?

— Cet idiot voulait partir avec nous. Il est allé raconter toute l'histoire à Jason lui-même.

Il y eut un silence. Jolival l'employa à bousculer nerveusement les fleurs d'un bouquet de roses posé sur une table dans un cornet de cristal.

— Où en êtes-vous avec lui ?

En quelques phrases, Marianne lui rapporta leur dernière entrevue sur la terrasse et la façon dont elle s'était terminée.

— Il a capitulé plus vite que je ne pensais ! remarqua Arcadius en conclusion. Il vous aime d'un grand amour, Marianne, malgré ses colères, ses brusqueries et ses crises de jalousie... Je me demande si vous ne feriez pas mieux de lui dire la vérité.

— La vérité sur... mon état ?

— Oui. Vous n'êtes pas bien. Durant ce souper je vous observais : vous êtes pâle, nerveuse et vous ne mangez presque rien. Sur le bateau vous allez souffrir le martyre. Et il y a ce médecin, ce Leighton ! Il vous épie sans cesse. Je ne sais trop pourquoi, mais vous avez en lui un ennemi qui ne reculera devant rien pour se débarrasser de vous !

— Comment savez-vous cela?

— Gracchus m'a mis en garde! Votre cocher, vous le savez, est en train de se découvrir une vocation de marin. Il vit avec l'équipage et il s'est fait un ami qui parle français. Leighton y compte quelques fidèles qui ne cessent de récriminer contre la présence d'une femme à bord. De plus, il est médecin, il peut découvrir la réalité de vos maux.

— Je croyais, dit Marianne sèchement, qu'un médecin était lié par le secret professionnel?

— En effet, mais, je vous le répète, celui-là vous hait et je le crois capable de bien des choses. Écoutez-moi, Marianne: dites la vérité à Beaufort! Il est capable de l'entendre, j'en suis certain...

— Et comment pensez-vous qu'il réagira? Je peux vous le dire, moi: il ne me croira pas! Jamais je n'oserais lui dire en face une chose pareille.

Comme Jason tout à l'heure sur la terrasse, Marianne allait et venait à travers sa chambre, froissant entre ses mains un petit mouchoir de dentelle. Son imagination lui montrait déjà la scène qu'elle venait d'évoquer: elle, en face de Jason, lui avouant qu'elle était enceinte de son intendant! De quoi le faire fuir d'horreur!...

— Vous, toujours si courageuse, vous reculez devant une explication? reprocha doucement Jolival.

— Je recule devant la perte définitive de l'homme que j'aime, Arcadius. N'importe quelle femme amoureuse réagirait de même.

— Qui dit que vous le perdriez? Je vous le répète: il vous aime et, peut-être...

— Vous voyez bien! coupa Marianne avec un petit rire nerveux, vous dites peut-être. C'est ce peut-être-là que je ne veux pas risquer.

— Et s'il l'apprend? S'il s'en aperçoit d'une manière ou d'une autre?

— Tant pis ! Disons, si vous voulez que je joue ma vie à quitte ou double. Dans un peu plus d'une semaine, si tout va bien, nous serons à Constantinople. Là, je ferai ce qu'il faut. Jusque-là, j'essaierai de tenir...

Avec un soupir résigné, Jolival quitta sa chaise et vint jusqu'à Marianne. Prenant son visage entre ses mains, il déposa un baiser paternel sur le front que barrait un pli buté.

— Peut-être avez-vous raison ! fit-il. Je n'ai pas le droit de vous contraindre. Et... bien sûr, vous n'accepteriez pas la suggestion... que je me charge de cette désagréable explication qui vous fait si peur ? Jason a de l'amitié pour moi et de l'estime : je serais étonné qu'il ne me croie pas...

— Il croira surtout que vous m'aimez beaucoup, que vous me défendez contre vent et marée... et que je vous ai fait avaler une énorme couleuvre ! Non, Arcadius ! Je refuse... mais je vous remercie du fond du cœur.

Il s'inclina avec un petit sourire triste et regagna sa chambre tandis que Marianne entamait une nuit d'insomnie hantée contradictoirement par l'angoisse des jours à venir et par l'étrange douceur gardée de la nuit précédente. La plénitude des sensations qu'elle avait tirées de cet instant inouï, hors du temps et hors de toute réalité, l'habitait encore assez pour lui restituer une sorte de joie intime exempte de tout sentiment de honte ou de fausse pudeur. Entre les bras de cet homme sans visage, elle avait connu un moment d'une exceptionnelle beauté, et qui était beau justement parce qu'elle ignorerait toujours l'identité de son amant d'une heure...

Mais quand, le lendemain, accoudée à la lisse de la « Sorcière », Marianne regarda les maisons blanches de Corfou et sa vieille forteresse vénitienne se fondre

dans la brume dorée du matin, elle ne put s'empêcher
de donner encore une pensée à celui qui s'y cachait,
perdu dans cette masse de rochers et de verdure mais
qui, peut-être, reviendrait parfois jeter ses filets, ou
amarrer sa barque à cette petite crique où, pour une
Léda inconnue, il avait réincarné un instant le maître
des dieux.

CHAPITRE VIII

AU LARGE DE CYTHÈRE...

Depuis deux jours, la « Sorcière », escortée de la « Pauline » et de la « Pomone », descendait vers le sud.

Les trois navires avaient doublé sans encombre les possessions anglaises de Céphalonie et de Zante et croisaient maintenant au large des côtes de Morée, assez à l'écart pour éviter les flottilles du pacha.

Il faisait un temps superbe. Sous le soleil, les vagues bleues de la Méditerranée brillaient comme un manteau de fée. Grâce à la brise soutenue qui gonflait les grandes voiles carrées, la chaleur n'était pas trop pénible et les trois coureurs des mers, portant majestueusement toute leur toile blanche et leurs pavillons aux couleurs vives qui claquaient joyeusement à la corne des mâts, avançaient à bonne allure.

L'ennemi se tenait tranquille, les vents et la mer étaient on ne peut plus favorables et, pour les pêcheurs qui, en relevant leurs casiers regardaient passer ces grandes pyramides blanches, les deux frégates et le brick offraient une image de grâce et de sereine puissance.

Pourtant, sur le bateau américain, tout allait mal.

D'abord, comme l'avait prédit Jolival, Marianne était malade. Depuis que l'on avait franchi le canal sud de Corfou et gagné la haute mer, la jeune femme avait dû regagner sa cabine et n'en avait plus bougé. Malgré la douceur de la mer, elle demeurait étendue sur sa couchette, endurant la torture au moindre mouvement du navire et souhaitant cent fois être morte.

L'odeur vague qui flottait toujours à l'intérieur et qu'elle jugeait maintenant intolérable n'arrangeait rien. Uniquement réduite à l'état de chair souffrante, Marianne vivait noyée dans l'univers atroce d'un mal de mer que rien ne justifiait, incapable de mettre deux pensées bout à bout. Une idée, cependant, la hantait, une seule mais tenace et immuablement fixe : ne pas laisser Jason franchir le seuil de sa cabine.

A Agathe, épouvantée de voir dans cet état une maîtresse douée normalement d'une santé à toute épreuve, Marianne s'était décidée à dire la vérité. Elle avait toute confiance en sa cameriste qui lui avait toujours montré un dévouement absolu et, dans les circonstances présentes, elle avait désespérément besoin d'une aide féminine. Et Agathe s'était aussitôt montrée à la hauteur de cette confiance.

Instantanément la jeune fille étourdie, coquette et timorée, s'était muée en une sorte de dragon, un cerbère d'une vigueur parfaitement inattendue dont Jason avait pu, le premier, faire l'expérience quand le soir, après le départ de Corfou, il était venu gratter à une porte qu'il espérait accueillante. Au lieu de l'Agathe souriante, déférente et gentiment complice qu'il s'attendait à trouver, il avait été accueilli, derrière le battant d'acajou, par la plus impeccable et la plus amidonnée des femmes de chambre, qui, d'un ton tout à fait officiel, lui avait appris que « Madame la Princesse avait été reprise par ses douleurs et qu'il lui était tout à fait impossible de recevoir quelque visite que ce soit ! ». Après quoi, Agathe avait offert au corsaire des excuses dignes d'un ministre plénipotentiaire... et lui avait refermé la porte au nez.

Le docteur John Leighton n'avait pas eu plus de succès quand il s'était présenté, quelques minutes plus tard, pour examiner la malade et lui donner ses soins. Encore plus raide, Agathe l'avait informé de ce que « Son Altesse Sérénissime venait de s'endormir » et s'était refusée à interrompre un sommeil aussi bienvenu.

Jouant le jeu, Arcadius de Jolival ne s'était pas présenté. Cela lui avait valu d'essuyer le premier feu de la déception de Jason. Jugeant, avec peut-être un semblant de raison, qu'il était anormal pour lui d'être traité comme n'importe quel visiteur, Beaufort, déjà prêt à s'emporter, l'avait pris à témoin de l'incompréhensible attitude de Marianne.

— Croit-elle donc que je ne l'aime pas assez pour ne pas supporter de la voir malade ? Qu'en sera-t-il, alors, quand elle sera ma femme ? Devrai-je quitter la maison ou bien me résigner à recevoir de ses nouvelles uniquement par une femme de chambre ?

— Vous n'oubliez qu'une chose, mon ami, c'est que justement vous n'êtes pas encore mariés. Et le seriez-vous que je ne serais pas autrement étonné que les choses se passent ainsi que vous le dites. Voyez-vous, Marianne est trop femme, trop fière et peut-être aussi trop coquette pour ne pas savoir que l'intimité, même du plus grand amour, doit s'arrêter à certaines barrières. Aucune femme amoureuse ne souhaite être vue enlaidie et amoindrie. Il en a toujours été ainsi avec ses meilleurs amis : quand elle était malade à Paris, sa porte était hermétiquement condamnée... même à moi, mentit-il avec aplomb..., qui suis en quelque sorte son second père !

Leighton, alors, intervint. Bourrant soigneusement de tabac une longue pipe en terre, opération qui lui permit de ne pas regarder son interlocuteur, le docteur eut un mince sourire qui ne changea rien à ses traits lugubres.

— Un tel souci est normal chez une jolie femme, mais un médecin ne saurait être considéré comme un homme, ni comme un visiteur quelconque. Je comprends mal que la princesse... n'accepte pas de se laisser examiner. Quand sa cameriste a été malade, elle est, au contraire, venue me chercher immédiatement et je me flatte que mon traitement a eu d'heureux résultats !

— Où prenez-vous qu'elle n'accepte pas votre visite, Monsieur ? riposta Jolival glacial. Je croyais vous avoir entendu dire que la princesse s'était endormie ? Le sommeil n'est-il pas le meilleur des remèdes ?

— Sans doute ! Souhaitons seulement qu'il soit assez efficace pour que, demain, la princesse soit tout à fait remise. Demain matin, je me présenterai à nouveau chez elle.

Le ton du médecin était trop poli, trop conciliant et Jolival ne l'aimait guère. Il y avait, dans les paroles en apparence anodines de Leighton, une vague menace que Jolival flairait avec inquiétude. Cet homme était fermement décidé à voir Marianne, à l'examiner, peut-être parce qu'elle ne semblait pas le souhaiter. Mais le Diable seul pouvait dire ce qu'en conclurait le médecin si la jeune femme, une fois encore, lui refusait sa porte. Et Jolival passa sa nuit à chercher comment pallier ce danger-là, car il ne pouvait s'empêcher de considérer l'intérêt de Leighton comme un danger certain : cet homme-là était assez malveillant pour deviner ce que justement on souhaitait tellement lui cacher.

Pourtant, le médecin ne mit pas son projet à exécution et Agathe n'eut pas à trouver un nouveau mensonge pour lui barrer la route. A la grande surprise de Jolival, il passa sa journée moitié dans sa cabine, moitié dans le poste d'équipage à soigner des cas de dysenterie qui s'étaient brutalement déclarés, et ne parut pas s'occuper de la passagère.

Quant à Jason, lorsque dans l'après-midi il vint frapper à la porte du rouf, Agathe se borna à lui apprendre que sa maîtresse était toujours très lasse et ne recevait toujours pas mais qu'elle espérait de tout son cœur se rétablir rapidement.

Cette fois, Jolival n'entendit aucune récrimination, mais l'équipage fit les frais de l'humeur noire de Jason. Pablo Arroyo, le maître d'équipage, recueillit des critiques acerbes sur la propreté du pont et Craig O'Flaherty fut tancé vertement sur l'odeur de son haleine et la couleur de son nez.

Pendant ce temps, au fond de son lit, Marianne endurait son calvaire et avalait les nombreux pots de thé bouillant qu'elle se faisait apporter par Tobie et qui étaient tout ce que son estomac supportait. Elle se sentait faible, malade et incapable du moindre effort. Jamais elle n'avait rien éprouvé de semblable.

Il faisait nuit quand Agathe, sortie pour prendre un peu l'air sur le pont ainsi que sa maîtresse l'avait exigé, revint portant dans ses mains un flacon pansu dont elle versa une partie dans un verre.

— Ce docteur n'est peut-être pas aussi mauvais que Madame le croit, dit-elle joyeusement, je viens de le rencontrer et il m'a donné ceci en disant que Madame devrait s'en trouver mieux rapidement.

— Il ne sait pas ce que j'ai ! fit Marianne d'une voix lasse. Comment peut-il espérer me soulager ?

— Je ne sais pas mais il assure que c'est souverain pour le mal de mer et les douleurs d'estomac. On ne sait jamais... c'est peut-être une bonne médecine qui fera du bien à Madame ? Elle devrait essayer ! Qui sait si elle ne s'en trouvera pas un peu mieux ?

Marianne hésita un instant puis se redressa péniblement sur ses oreillers et tendit la main :

— Donne toujours, soupira-t-elle. Tu as peut-être raison ! Et puis, je me sens si mal que j'avalerais avec plaisir le poison des Borgia lui-même ! Tout, plutôt que continuer ainsi !

Doucement, Agathe arrangea sa maîtresse aussi confortablement que possible, passa sur son front moite un linge imbibé d'eau de Cologne et approcha le verre de ses lèvres.

Marianne but avec précaution, à moitié persuadée que la potion ne resterait pas cinq minutes dans son estomac. Pourtant, elle but jusqu'à la dernière goutte le contenu du verre et s'étonna de n'avoir éprouvé aucun dégoût.

Le liquide, un peu amer et légèrement sucré était d'un goût indéfinissable mais pas désagréable. Il contenait un peu d'alcool qui la brûla légèrement au passage mais qui la ranima. Peu à peu les nausées spasmodiques qui l'avaient ravagée depuis deux jours s'affaiblirent puis se calmèrent ne laissant qu'une profonde sensation d'épuisement et une grande envie de dormir.

Les paupières de Marianne s'alourdissaient invinciblement mais, avant de les fermer, elle adressa un sourire plein de gratitude à Agathe qui, assise au pied du lit, l'observait avec une attention inquiète.

— Tu avais raison, Agathe ! Je me sens mieux et je crois que je vais dormir. Tu vas pouvoir, toi aussi, te reposer mais, auparavant, va remercier le docteur Leighton. J'ai dû mal le juger, vois-tu, et maintenant j'en ai honte !

— Oh, il n'y a pas de quoi avoir honte, fit Agathe. C'est peut-être un bon docteur, mais je n'arriverai jamais à le trouver sympathique ! Et puis, après tout, c'est son travail de soigner les malades ! Néanmoins, je vais y aller. Madame peut être tranquille !

Agathe trouva John Leighton sur le gaillard d'avant où il s'entretenait à voix basse avec Arroyo. Elle n'aimait pas plus le maître d'équipage que le docteur car elle lui trouvait « le mauvais œil ». Aussi attendit-elle qu'il se fût éloigné pour délivrer son message. Mais, quand elle eut transmis au médecin les remerciements de sa maîtresse, elle ne comprit pas pourquoi, brusquement, il se mit à rire.

— Qu'est-ce qu'il y a de drôle dans ce que je viens de dire ? s'insurgea la jeune fille vexée. Madame est bien bonne, encore, de vous dire merci ! Après tout, vous n'avez fait que votre métier !

— Comme vous dites, je n'ai fait que mon métier ! répondit Leighton, et je n'ai que faire de remerciements.

Puis, riant toujours, il tourna le dos à la camériste et s'éloigna vers la dunette. Outrée, Agathe regagna le rouf pour raconter à sa maîtresse ce qui venait de se passer, mais Marianne s'était endormie et d'un sommeil si paisible que la jeune fille n'eut pas le courage de la réveiller. Elle rangea la cabine, renouvela l'air, puis alla se coucher avec la satisfaction du devoir accompli...

Le jour se levait à peine quand des coups violents ébranlèrent les cloisons de la cabine, éveillant Marianne en sursaut et aussi Agathe qui, par précaution, avait laissé sa porte ouverte. Le sommeil de la jeune camériste, toujours si profond, était devenu sur ce navire singulièrement léger. Instantanément, elle fut debout et, réveillée sans doute en plein cauchemar, se mit à crier :

— Qu'est-ce qu'il y a ?... Un malheur ?... Seigneur ! Nous faisons naufrage !

— Je ne crois pas, Agathe, dit calmement Marianne qui s'était redressée sur un coude. Simplement, on frappe à la porte avec une singulière violence ! N'ouvre pas ! Il s'agit sans doute de quelque matelot ivre...

Mais les coups redoublaient et s'accompagnèrent bientôt de la voix furieuse de Jason qui criait :

— Allez-vous ouvrir ou faut-il que j'enfonce cette damnée porte ?...

— Mon Dieu, Madame ! gémit Agathe. C'est Monsieur Beaufort ! Et il a l'air si fort en colère... Que peut-il vouloir ?

C'était vrai, Jason semblait hors de lui et sa voix rauque, épaissie, avait une singulière tonalité qui fit glisser un frisson d'angoisse le long du dos de Marianne.

— Je ne sais pas, mais il faut lui ouvrir, Agathe ! dit-elle. Il ferait comme il l'a dit ! Nous n'avons aucun intérêt à le laisser enfoncer cette porte et continuer ce scandale.

Tremblante, Agathe drapa un châle sur sa chemise de nuit et alla ouvrir. Elle eut juste le temps de s'aplatir contre la cloison pour éviter de recevoir le battant dans la figure. Comme un boulet de canon, Jason fit irruption dans la cabine mais, à sa vue, Marianne poussa un cri.

Dans la lumière rouge du soleil levant, il avait l'air d'un démon. Les cheveux en désordre, la cravate arrachée et la chemise ouverte jusqu'à la taille, il avait le teint rouge brique et les yeux morts d'un homme qui a trop bu. Et de fait, ivre plus qu'à moitié, il emplit l'étroite chambre d'une épaisse odeur de rhum qui fit frémir les narines de Marianne.

Mais elle avait si peur, tout à coup, qu'elle ne songeait pas à être malade. Jamais elle n'avait vu Jason dans un pareil état : ses yeux étaient ceux d'un fou et il grinçait des dents en avançant lentement, lentement vers elle.

Épouvantée, mais prête à tout pour défendre sa maîtresse, Agathe voulut se jeter entre eux. Les mains crispées de Jason lui donnaient l'impression qu'il allait étrangler Marianne et celle-ci, d'ailleurs, éprouvait la même terreur.

Mais, brusquement, Jason saisit la jeune fille aux épaules et, sans se préoccuper de ses protestations, la jeta hors de la cabine, dont il ferma la porte à clef. Puis il revint vers Marianne qui, instinctivement, se recula contre la paroi de sa couchette, souhaitant éperdument se confondre avec l'acajou et la soie qui la composaient. Elle lisait sa mort dans les yeux de Jason.

— Toi! Marianne!... grinça-t-il amèrement, tu es enceinte?

Elle eut un cri de terreur, une dénégation machinale.

— Non!... non, ce n'est pas vrai...

— Allons donc! C'est ça, n'est-ce pas, tes malaises, tes évanouissements... tes maux d'estomac! Tu es grosse de je ne sais qui! Mais je vais le savoir... je vais savoir tout de suite dans quel lit tu as encore traîné! Qui est-ce cette fois, hein? Ton lieutenant corse, Monsieur le duc de Padoue, ton fantôme de mari ou ton empereur?... Tu vas répondre, dis! Tu vas avouer!

Un genou sur la couchette, il avait saisi Marianne à la gorge et la renversait dans les draps froissés mais ses mains ne serraient pas encore:

— Tu es fou!... gémit la jeune femme épouvantée. Qui t'a dit une chose pareille?...

— Qui? Mais Leighton voyons! Tu t'es sentie bien mieux, n'est-ce pas, après avoir bu sa potion? Seulement tu ne sais pas ce que c'est, cette potion? C'est ce qu'on fait ingurgiter aux négresses enceintes sur les navires négriers, pour que les nausées ne les fassent pas crever avant l'arrivée, ce qui serait une perte sèche: ça vaut le double d'une autre, une Noire pleine!

L'horreur qui submergea Marianne lui fit, un instant, oublier sa peur. Jason disait des choses atroces et dans un langage ignoble! D'un mouvement rapide, elle se dégagea, se tapit dans un angle de l'alcôve, ses bras protégeant son cou.

— Les navires négriers!... Tu ne veux pas dire que toi tu fais ce trafic infâme?

— Et pourquoi donc pas? On y gagne de l'or en masse.

— Alors?... Cette odeur?

— Ah! tu l'as remarquée? C'est tenace, il est vrai! Aucun lavage n'en vient à bout. Pourtant, je n'ai transporté qu'une seule fois du bois d'ébène... et pour rendre service à un ami! Mais ce n'est pas de ce que je fais qu'il est question, c'est de toi! Et je te jure que tu vas parler.

A nouveau, il se jetait sur elle, l'arrachait de son refuge, tentait de s'emparer de son cou mais cette fois la colère, la déception vinrent au secours de Marianne. D'une brusque bourrade, elle le rejeta hors de la couchette. L'alcool qu'il avait ingurgité compromettait son équilibre habituel et il alla tomber sur une chaise qui s'effondra sous lui.

Cependant, on frappait de nouveau à la porte. La voix de Jolival se fit entendre. Marianne comprit qu'Agathe avait couru chercher du secours.

— Ouvrez, Beaufort! cria le vicomte. Il faut que je vous parle.

Péniblement, Jason se releva et alla vers la porte, mais il ne l'ouvrit pas.

— Moi je n'ai rien à vous dire, ricana-t-il. Passez votre chemin! C'est à... Madame, que j'ai affaire.

— Ne faites pas l'imbécile, Beaufort, et surtout ne faites rien que vous pourriez regretter. Laissez-moi entrer...

Une angoisse, sœur jumelle de celle qui ravageait Marianne vibrait dans la voix tendue de Jolival, mais Jason, à nouveau, se mit à rire, de ce rire qui n'était pas le sien.

— Pour quoi faire? Vous voulez m'expliquer, sans doute comment il se fait que cette femme est enceinte... ou bien est-ce votre rôle d'entremetteur que vous voulez me décrire ?

— Vous êtes fou et vous avez trop bu ! Pourquoi n'ouvrez-vous pas ?

— Mais j'ouvrirai, mon cher ami... j'ouvrirai... dès que j'aurai appliqué à votre belle amie le traitement qu'elle mérite !

— Elle est malade et c'est une femme ! Dans votre état normal vous n'êtes pas un lâche, l'avez-vous oublié ?

— Je n'oublie rien !

Se détournant soudain de la porte il bondit sur Marianne qui ne s'attendait pas à cette attaque brusquée et la jeta à terre. Plus de peur que de mal, elle hurla.

L'instant suivant la porte s'ouvrait sous un double assaut. Jolival et Gracchus se précipitèrent dans la chambre, Agathe sur les talons et arrachèrent Marianne des mains furieuses de Jason dont l'idée fixe semblait être de l'étrangler. En même temps, Agathe se ruait sur le grand pot à eau et en jetait le contenu au visage du corsaire qui, suffoqué, s'ébroua comme un chien mouillé. Mais la vie graduellement revint dans son regard morne.

Dégrisé, en partie tout au moins, il rejeta en arrière les mèches noires qui ruisselaient dans sa figure et enveloppa le groupe d'un coup d'œil plein de rancune. Aidée de Gracchus, Agathe avait ramassé Marianne et l'avait étendue dans son lit. Avec un bref regard de pitié au corps inerte, Arcadius se tourna vers Jason et hocha tristement la tête devant ses traits convulsés qui criaient la souffrance plus encore que la colère.

— J'aurais dû l'obliger à vous dire la vérité, commença-t-il doucement, mais elle n'osait pas. Elle avait peur... atrocement peur de ce que vous diriez !

— Vraiment ?

— Si j'en juge par ce qui vient de se passer, elle n'avait pas tout à fait tort ! Pourtant, Beaufort, je vous donne ma parole de gentilhomme qu'elle n'est en rien responsable de ce qui lui est arrivé ! Elle a été violée, indignement... Voulez-vous me permettre de vous raconter cette atroce histoire ?

— Non ! J'imagine sans peine que votre esprit fertile vous a déjà suggéré une magnifique légende bien propre à réduire ma colère et me faire plus que jamais la dupe de cette intrigante ! Malheureusement, je n'ai aucune envie de l'entendre...

Et, avant que Jolival eût pu protester, Jason avait tiré trois coups rapprochés d'un sifflet pendu à son cou par une chaînette. Instantanément, le maître d'équipage apparut dans l'encadrement de la porte brisée. Sans doute était-il aux aguets avec une partie de l'équipage, car d'autres hommes apparurent derrière lui.

Froidement, Jason leur désigna Jolival et Gracchus.

— Ces deux hommes aux fers ! Jusqu'à nouvel ordre !...

— Vous n'avez pas le droit ! s'insurgea Marianne soudain ranimée et qui, malgré les efforts d'Agathe, se précipitait vers son ami.

Mais aussitôt elle fut maîtrisée.

— J'ai tous les droits ! riposta l'Américain. Ici, je suis le seul maître après Dieu !

— Si j'étais vous, coupa Jolival en se dirigeant calmement vers la porte, encadré de deux matelots, je laisserais Dieu en dehors de cette affaire ! Le grand gagnant, c'est le Diable... et votre honnête ami le docteur ! « Honest, honest ! Iago ! » dirait Shakespeare.

— Laissez le docteur Leighton en dehors de tout cela !

— Vraiment ? Qui donc pourtant a trahi le serment d'Hippocrate et dénoncé l'état de Marianne ?

— Il n'a pas été appelé à la soigner, elle n'était donc pas sa malade !

— Un beau raisonnement... qui ne vient pas de vous ! Disons qu'il lui a tendu un piège, le plus infâme de tous ; celui qui se cache derrière la charité ! Et vous applaudissez ! Je ne vous reconnais plus, Jason !

— J'ai déjà dit de l'emmener ! hurla celui-ci. Qu'attendez-vous pour obéir ?

Aussitôt, les matelots entraînèrent Jolival et Gracchus. Le jeune homme se débattait comme un diable, mais il n'était pas de taille contre ceux qui le maîtrisaient. Néanmoins, au moment où il passait, traîné par ses gardiens, devant Jason, il s'arc-bouta, réussit à s'arrêter et plantant dans ses yeux son regard brûlant d'indignation :

— Dire que je vous aimais ! Dire que je vous admirais ! fit-il d'un ton où l'amertume et le désespoir se mêlaient à la colère. Mademoiselle Marianne aurait mieux fait de vous laisser crever au bagne de Brest, car si vous ne l'aviez pas mérité alors, vous le méritez maintenant !

Puis, crachant à terre pour marquer son mépris, Gracchus enfin se laissa emmener. En quelques secondes, la cabine se vida. Jason et Marianne demeurèrent face à face.

Malgré lui, le corsaire avait suivi des yeux la sortie de Gracchus. Sous son apostrophe furieuse, il avait blêmi, serré les poings mais il n'avait pas réagi. Pourtant, Marianne crut bien s'apercevoir que son regard s'était assombri et qu'une sorte de regret y passait.

La violence de la scène dont sa cabine venait d'être le théâtre lui avait rendu d'un seul coup tout son courage. Le combat était son élément naturel. Elle s'y sentait chez elle, presque à son aise et, dans un sens, elle éprouvait un secret soulagement, malgré le désastre qui en découlait, à en finir avec cette étouffante atmosphère de mensonges et de dissimulation. L'aveugle et jalouse fureur de Jason était encore, après tout, de l'amour, bien qu'il eût sans doute rejeté avec horreur cette idée-là, mais c'était un feu dévorant qui, peut-être, était en train de tout consumer. Dans quelques instants, ne resterait-il que cendres de cet amour dont elle vivait depuis si longtemps... et de son propre cœur ?

Agathe était restée tapie auprès de la couchette. D'un pas d'automate, Jason alla à elle, la prit par le bras sans violence et l'entraîna vers son propre logis dont il referma la porte à clef. Les bras croisés sur sa poitrine qu'elle avait couverte d'un grand châle jeté sur sa mince robe de nuit, Marianne le regarda faire sans un mot. Quand il revint vers elle, il la vit dressée en face de lui, la tête haute. Son regard vert était plein de douleur mais il ne se baissait pas.

— Il ne vous reste plus qu'à achever votre ouvrage de tout à l'heure, dit-elle calmement en laissant glisser le châle juste assez pour découvrir son cou mince où des meurtrissures bleuissaient. Je vous demande seulement de faire vite... A moins que vous ne préfériez me pendre à la grand-vergue aux yeux de tout l'équipage !

— Ni l'un ni l'autre ! Tout à l'heure, je l'avoue, j'ai voulu vous tuer ! Je l'aurais regretté toute ma vie : on ne tue pas une femme comme vous ! Quant à vous faire pendre à une vergue, sachez que je n'ai pas ce goût du drame que vous avez sans doute pris sur les planches ! De plus, vous n'ignorez pas qu'un tel spectacle, s'il réjouissait peut-être mon équipage, serait moins du goût de vos chiens de garde ! Je n'ai aucune envie que les frégates de Napoléon nous tirent dessus et nous envoient par le fond !

— Qu'allez-vous faire, alors, de moi et de mes amis ? Vous pourriez aussi bien me mettre aux fers avec eux !

— C'est inutile ! Vous resterez ici jusqu'à ce que nous touchions Le Pirée. Là, je vous débarquerai avec vos gens... et vous aurez tout loisir de trouver un autre bateau pour vous conduire à Constantinople !

Le cœur de Marianne se serra. Pour parler ainsi, il fallait que son amour pour elle n'existât plus !

— Est-ce ainsi que vous tenez votre engagement ? dit-elle. N'aviez-vous pas promis de me mettre à bon port ?

— Un port en vaut un autre. Le Pirée en est un excellent. D'Athènes vous n'aurez aucune peine à gagner la capitale turque... et moi, je serai à tout jamais débarrassé de vous !

Il parlait lentement, sans colère apparente mais d'une voix pesante et lasse où les traces de son ivresse passée se mêlaient au dégoût. Malgré la colère et le chagrin qu'elle éprouvait, Marianne sentit une espèce de pitié désespérée envahir son cœur : Jason avait l'air d'un homme frappé à mort... Très bas, elle murmura :

— Est-ce vraiment là tout ce que vous désirez ?... ne plus me voir... jamais ? Que nos routes s'écartent... et ne se rejoignent plus ?

Il s'était détourné d'elle et regardait, par le hublot, le soleil qui incendiait la mer dont le bleu profond éclatait en mille scintillements. Marianne eut la sensation bizarre que les mots entraient en lui et le raidissaient.

— Je ne désire plus rien d'autre ! affirma-t-il enfin.

— Alors, osez au moins me regarder... et me le dire en face !

Lentement, il revint, la regarda. La flèche de soleil qui entrait dans la cabine l'enveloppait de lumière. Le châle rouge qu'elle serrait autour de ses épaules l'habillait de flammes et son épaisse chevelure noire qui croulait dessus faisait plus blanc et plus transparent son pâle visage tendu. Avec les meurtrissures de son cou, elle était tragique et belle comme le péché. Sous les plis du cachemire pourpre, sa gorge se gonflait et palpitait d'émotion.

Jason ne disait rien mais son regard, à mesure qu'il détaillait la mince forme dressée en face de lui, se troublait et se chargeait peu à peu d'une impuissante rage.

— Si, avoua-t-il enfin, à contrecœur, je vous désire encore ! Malgré ce que vous êtes, malgré l'horreur que vous m'inspirez, j'ai le malheur d'avoir encore envie de votre corps parce que vous êtes belle au-delà de ce qu'un homme peut endurer ! Mais ça aussi j'arriverai bien à l'étouffer, j'arriverai bien à tuer mon désir...

Une onde de joie et d'espoir secoua Marianne. Était-il possible, après tout, de franchir ce cap difficile... de remporter cette impossible victoire ?

— Ne serait-il pas plus simple... et plus sage de me laisser tout vous dire ? murmura-t-elle. Je jure, sur le salut de mon âme de ne vous rien cacher de ce qui m'est arrivé... même le plus affreux ! Mais donnez-moi ma chance... Acceptez de me donner une seule chance !

Elle avait envie maintenant de plaider sa propre cause, de lui dire toute cette horreur accumulée durant des semaines et qui l'étouffait. Elle sentait qu'elle pouvait gagner encore, qu'il était possible de le ramener à elle, de le reprendre. Cela se voyait à l'expression affamée qui tourmentait son visage et lui donnait cet air crucifié. Elle possédait encore sur Jason un pouvoir immense... si seulement il consentait à l'écouter.

Mais il ne l'écoutait pas ! Même à cette minute, les mots qu'elle lui disait ne semblaient pas réussir à transpercer l'armure dont il s'enveloppait. Il la regardait, oui, mais d'un regard étrangement privé d'expression... mais sa voix ne l'atteignait pas et quand enfin il parla, c'est à lui-même qu'il s'adressa, comme si Marianne n'avait plus été, en face de lui, qu'une douce effigie, ou une statue.

— C'est vrai qu'elle est belle ! soupira-t-il, belle comme ces fleurs vénéneuses des forêts brésiliennes qui se nourrissent d'insectes et dont le cœur éclatant exhale des odeurs de pourriture ! Rien de plus lumineux que ces yeux, rien de plus doux que cette peau... que ces lèvres... rien de plus pur que ce visage ni de plus captivant que ce corps ! Et pourtant tout est faux... tout est vil ! Je le sais... mais je n'arrive pas à y croire parce que je ne l'ai pas vu...

Ses mains tremblantes, à mesure qu'il parlait, effleuraient les joues, les cheveux, le cou de Marianne, mais ses yeux avaient à nouveau perdu toute flamme et n'avaient plus l'air de vivre...

— Jason ! supplia Marianne, écoute-moi par pitié ! Je n'aime que toi, je n'ai jamais aimé que toi ! Même si tu me tuais, mon âme se souviendrait de son amour ! Je suis toujours digne de toi, toujours tienne... même si tu n'arrives pas à y croire pour le moment...

Peine perdue. Il ne l'entendait pas, noyé qu'il était dans un rêve éveillé où son amour à l'agonie luttait contre l'anéantissement.

— Peut-être, si j'avais pu la voir dans les bras d'un autre, livrée à un autre... avilie... méprisable... peut-être que j'y croirais alors !

— Jason, implora Marianne au bord des larmes, Jason, par pitié... tais-toi !

Elle cherchait à saisir ses mains, à se rapprocher encore de lui pour percer ce brouillard glacial qui les séparait. Mais, brusquement, il la repoussa tandis que son visage s'empourprait à nouveau sous la montée d'un brutal accès de colère :

— Moi aussi, cria-t-il, je sais comment on lutte contre le chant de la sirène ! Et je sais comment anéantir ton pouvoir, diablesse !

Il courut à la porte, l'ouvrit, appela d'une voix de stentor :

— Kaleb ! Viens ici...

Saisie d'une crainte irraisonnée, Marianne se précipita vers la porte, voulut la refermer, mais il la rejeta vers le milieu de la pièce.

— Que veux-tu faire? demanda-t-elle. Pourquoi l'appelles-tu?

— Tu vas voir!

Un instant plus tard, l'Éthiopien pénétrait dans la cabine et Marianne, malgré la terreur qui lui serrait le ventre, s'étonna encore de la splendeur de ce visage et de ce corps de bronze. Il parut emplir l'étroit espace d'une sorte de majesté souveraine.

Contrairement aux habitudes des autres Noirs, il ne s'inclina pas devant le maître blanc. Ainsi qu'on le lui ordonnait, il ferma la porte et se tint debout devant elle, les bras croisés, attendant calmement. Mais son regard clair alla rapidement du corsaire à la jeune femme pâlissante qu'on lui désignait d'un geste brutal:

— Regarde cette femme, Kaleb, et dis-moi ce que tu en penses! La trouves-tu belle?

Il y eut un instant de silence, puis Kaleb répondit gravement:

— Très belle!... très effrayée aussi!

— Comédie! Son visage est habile à porter le masque. C'est une aventurière déguisée en princesse, une chanteuse habituée à satisfaire ceux qui l'applaudissent! Elle couche avec qui lui plaît, mais tu es assez beau, toi aussi, pour lui plaire! Prends-la, je te la donne!

— Jason! cria Marianne épouvantée, tu es fou!

L'esclave eut un haut-le-corps et fronça les sourcils. Son visage se fit sévère et se figea semblable soudain à ces effigies de basalte des anciens pharaons. Il hocha la tête et, se détournant rapidement, voulut sortir, mais un cri de Jason le cloua sur place:

— Reste! C'est un ordre! J'ai dit que je te donnais cette femme, tu peux la prendre, tout de suite... ici même! Regarde!

D'un geste rapide et brutal, il arracha le grand

cachemire des épaules de Marianne. La légère robe de nuit qui couvrait la jeune femme était plus que révélatrice et une lente rougeur envahit son visage tandis que, de ses bras, elle se cachait de son mieux. Aucune émotion n'apparut sur les traits impassibles de l'Éthiopien, mais il avança vers Marianne.

Devant ce qu'elle considérait comme une menace, Marianne recula, craignant que l'esclave n'obéît et ne portât la main sur elle. Mais Kaleb se contenta de se pencher et de ramasser le châle tombé à terre. Un instant, dans ce mouvement, son regard si curieusement bleu croisa celui de la jeune femme. Aucune amertume ne s'y montrait, comme cela eût été normal devant le geste répulsif qu'elle avait eu, rien qu'une sorte de mélancolie amusée.

D'un geste vif, il replaça le tissu moelleux sur les épaules frissonnantes de Marianne qui s'en empara et le serra autour d'elle comme si elle souhaitait le coller à sa peau. Puis se tournant vers le corsaire qui l'avait regardé faire, sourcils froncés, Kaleb déclara simplement :

— Tu m'as recueilli, seigneur, et je suis ici pour te servir... mais pas en tant que bourreau !

Un éclair de colère s'alluma dans les yeux de Jason. L'Éthiopien le soutint sans faiblesse, sans insolence non plus, avec une dignité qui frappa Marianne. Cependant, d'un geste, Jason montrait la porte :

— Va-t'en ! Tu n'es qu'un imbécile !

Kaleb eut un sourire bref :

— Crois-tu ? Si je t'avais obéi, je ne serais pas sorti vivant de cette chambre ! Tu m'aurais tué !

Ce n'était pas une question. Simplement l'énoncé d'une vérité contre laquelle Jason ne s'éleva pas. Il laissa sortir le marin sans rien ajouter, mais ses traits se contractèrent encore un peu plus. Un instant, il parut hésiter, regarda vers la jeune femme qui maintenant lui tournait le dos pour qu'il ne vît pas les larmes qui emplissaient ses yeux. Ce qui venait de se passer l'avait blessée cruellement. C'était une souffrance qui atteignait aussi bien sa fierté que son amour. La jalousie d'un homme n'excluait pas tout et de telles offenses laissaient des sillons sanglants dans le vif du cœur, des sillons dont on ne pouvait prévoir quel genre de cicatrices ils produiraient.

La porte, claquant violemment, lui apprit que Jason était sorti, mais personne ne vint barricader cette porte dont la serrure avait sauté, cependant ce n'était même pas un réconfort. Maintenant qu'il l'avait condamnée, Jason devait juger qu'il était inutile de l'enfermer. Outre que ce vaisseau voguant en pleine mer constituait une prison bien suffisante, il savait bien que Marianne n'avait aucune envie de le quitter, qu'elle redoutait même l'instant où le noble horizon athénien surgirait de la mer, l'instant qui serait celui d'une séparation probablement sans retour, car elle était fermement décidée, malgré son chagrin ou à cause de son chagrin, à ne plus dire une seule parole pour plaider sa cause. L'indigne traitement infligé à Jolival et à Gracchus le lui interdisait !

La journée, qu'elle passa tout entière en la seule compagnie d'Agathe, se traîna. Seul, Tobie qui lui apportait ses repas franchit le seuil de la cabine, mais le vieux Noir semblait aussi déprimé que les deux femmes. Ses yeux rougis disaient assez qu'il avait pleuré et quand Agathe, gentiment, lui demanda ce qui n'allait pas, il se contenta de hocher la tête d'un air plein de tristesse et de murmurer :

— Le maît'e plus le même... plus le même du tout ! Il tou'ne en 'ond sur le pont toute la nuit comme un loup malade et le jou' il n'a plus l'ai' de 'econnaît'e pe'sonne...

Il ne fut pas possible d'en tirer davantage, mais pour

qu'un homme aussi dévoué en fût venu à une telle constatation, il fallait que le mal dont souffrait Jason fût grand et Marianne pensa, avec angoisse, que la révélation de son état avait déchaîné, chez le corsaire, des forces mauvaises parfaitement insoupçonnées et qui démontaient même ceux qui le connaissaient depuis l'enfance.

Heureusement, la drogue de Leighton, que la jeune femme prenait à petites doses, continuait son effet bienfaisant. Délivrée des affreuses nausées, Marianne avait au moins la consolation de se sentir l'esprit lucide. Tellement même qu'elle ne ferma pas l'œil de la nuit. Étendue dans sa couchette, les yeux grands ouverts sur l'obscurité mouvante, elle put compter tous les quarts piqués par la cloche du bord, rythmant sur eux le déroulement morose de ses pensées.

Dans son coin, Agathe non plus ne dormit guère. Sa maîtresse put l'entendre alterner les prières et les petits reniflements qui accompagnent les larmes.

Aussi l'aube les trouva-t-elle aussi pâles et aussi défaites l'une que l'autre.

Bien que sa porte n'eût pas été fermée de l'extérieur, Marianne n'osa pas en franchir le seuil. Elle craignait en apparaissant de déchaîner la colère de Jason, une colère dont elle avait appris à craindre les imprévisibles effets. Dieu seul savait en quelle disposition d'esprit il se trouvait alors et si Jolival ou Gracchus n'auraient pas eu à pâtir des initiatives de Marianne. La prudence lui commandait de rester chez elle.

Mais quand Tobie, visiblement terrifié et tremblant de tous ses membres, apparut avec un plateau de petit déjeuner sur lequel tout s'entrechoquait, Marianne oublia ses résolutions de prudence en apprenant ce qui se passait : la nuit précédente, Kaleb avait tenté de tuer le docteur Leighton. Il était condamné à recevoir cent coups de fouet devant tout l'équipage.

— Cent coups de fouet ? Mais il en mourra, s'écria Marianne soudain glacée.

— Il est solide, ânonna Tobie en roulant de gros yeux blancs, mais cent coups, c'est beaucoup ! Bien su', il a voulu tuer le docteu' mais missié Jason jamais avoi' fait fouetter pauv'e nèg'e !

— Enfin, Tobie, ce n'est pas possible qu'il ait voulu tuer le docteur ! Il n'avait aucune raison !...

Tobie hocha sa tête laineuse dont la peau avait pris sous l'effet de la crainte une curieuse teinte grisâtre.

— Peut-êt'e que si ! Le docteu', c'est mauvais homme. Depuis que lui est à bo'd, tout va de t'ave's ! Nathan dit que lui veut vend'e Kaleb t'ès che' au ma'ché de Candie.

— Tu dis que le docteur veut vendre Kaleb ? Mais Monsieur Beaufort l'a recueilli, sauvé alors qu'il était justement un esclave fugitif ! Jamais il ne consentirait à vendre un homme qui lui a fait confiance !...

— No'malement, non ! Mais missié Jason plus et'e no'mal du tout !... Il est tout changé ! Les mauvais jou's sont venus pou' nous tous ! Maâme ! Le bon temps, il est fini à cause de cet aff'eux docteu' Leighton !

Traînant les pieds, Tobie se dirigea vers la porte, rentrant la tête dans les épaules et essuyant une larme à sa manche de toile blanche. Le chagrin du vieux Noir était profond et touchant. Il devait lui être infiniment cruel de voir un homme qu'il aimait et servait depuis toujours se comporter tout à coup comme une brute sauvage. Peut-être même pouvait-il craindre pour lui-même... Marianne le retint au moment où il allait sortir :

— Quand a lieu... l'exécution ? demanda-t-elle.

— Tout de suite ! Maâme la p'incesse peut entend'e. L'équipage se 'assemble !

En effet, le pont résonnait du claquement de plusieurs dizaines de pieds nus tandis que le maître d'équipage criait des ordres que l'on ne pouvait discerner. Mais, à peine Tobie eut-il quitté la cabine que Marianne sauta à bas de son lit.

— Vite, Agathe ! Donne-moi une robe, des souliers, une écharpe.

— Qu'est-ce que Madame veut faire ? demanda la jeune fille sans bouger. Si elle veut se mêler de cette histoire, qu'elle me permette de lui dire qu'il vaudrait mieux pas ! Monsieur Beaufort est certainement devenu fou et il ne faut pas contrarier les fous !

— Fou ou pas, je ne le laisserai pas tuer un homme qui a seulement voulu défendre sa liberté et peut-être sa vie... surtout d'une manière aussi barbare. Ce Leighton ne mérite pas un semblable holocauste ! Allons dépêche-toi !

— Et s'il s'en prend à Madame ?

— Au point où j'en suis, Agathe, je n'ai plus rien à perdre ! Et puis, les deux frégates sont encore là, j'imagine : je n'ai donc rien à craindre.

Quand Marianne sortit sur le pont, l'équipage était déjà rassemblé, tourné vers l'arrière, dans un silence que troublait seulement un bruit affreux : le claquement d'une lanière sur une peau nue. L'exécution était commencée. Vivement, la jeune femme se fraya un passage difficile parmi les rangs serrés des hommes qui formaient un barrage et ne se laissèrent pas franchir tout à fait, mais ce qu'elle aperçut de l'endroit où elle parvint lui glaça le sang dans les veines : les poignets tirés au-dessus de sa tête, Kaleb était attaché au mât d'artimon. Seul auprès de lui, entre deux bandes de matelots, Pablo Arroyo, armé d'un long fouet de cuir tressé faisait office de bourreau. Mais alors que la crainte pesait visiblement sur tous ces hommes assemblés dont les muscles machinalement se contractaient à chaque coup de fouet, le maître d'équipage prenait un plaisir visible à son répugnant office. Les manches haut troussées sur ses bras maigres, il frappait de toutes ses forces, espaçant bien les coups et visant soigneusement pour faire aussi mal que possible, tous ses traits contractés dans une expression insoutenable de cruauté sadique. Il ne se pressait pas. Il jouissait de cette minute et, de temps en temps, sa langue apparaissait entre ses dents. Littéralement, il se léchait les babines.

Le sang coulait déjà de la peau fendue et, contre le bois du mât, le visage de Kaleb, les yeux fermés, n'était que souffrance mais il ne criait pas. A peine si un gémissement s'échappait de ses dents serrées à chaque cinglement de la lanière. Des gouttelettes rouges qui brillaient dans le soleil mouchetaient maintenant le visage d'Arroyo mais, sur la dunette, Jason, impassible, présidait l'exécution.

Il avait toujours ce curieux regard morne et il était plus sombre que jamais. Sa main gauche tourmentait nerveusement sa cravate, tandis que l'autre se cachait derrière son dos.

Auprès de lui, Leighton affichait une mine modeste que contredisait le triomphe qui éclatait sur chaque trait de son visage blême.

Soudain, il fut évident que le supplicié s'était évanoui. Son corps s'affaissa dans les cordes et la tension des muscles des bras augmenta tandis que le visage gris glissait contre le mât.

— Il perd connaissance ! cria une voix dans laquelle Marianne reconnut celle d'O'Flaherty.

Elle vibrait d'indignation et ce fut comme un signal. Emportée par la même révolte, Marianne se lança en avant, bousculant les hommes d'équipage qui s'écartèrent enfin. Son élan fut si violent qu'elle arriva droit sur Arroyo et, sans le lieutenant qui la tira brusquement en arrière, le coup de fouet l'eût cinglée en plein visage.

— Que fait là cette femme ? gronda Jason que l'apparition soudaine de Marianne parut tirer de sa torpeur ! Qu'on la ramène chez elle !

— Pas avant de t'avoir dit ce que je pense, criat-elle en se débattant furieusement entre les bras d'O'Flaherty. Comment peux-tu rester là, impassible, tandis que l'on massacre un homme sous tes yeux !

— On ne le massacre pas ! Il reçoit un châtiment mérité.

— Hypocrite ! Combien de coups semblables crois-tu qu'il pourra encore supporter sans en mourir ?

— Il a tenté de tuer le médecin du bord ! Il méritait la corde ! Si je ne l'ai pas pendu c'est parce que, justement, le docteur Leighton a intercédé pour lui !

Marianne éclata de rire :

— Intercédé pour lui, vraiment ? Cela ne m'étonne guère ! Sans doute pense-t-il que c'est dommage d'assassiner ainsi un homme qui vaudrait tant d'argent sur n'importe lequel de vos honteux marchés de chair humaine ! Mais quelle chance lui laisse le fouet ?

Jason, empourpré de colère, allait riposter violemment mais la voix froide de Leighton s'éleva, coupante comme une lame de sabre.

— C'est parfaitement exact ! Un esclave comme celui-ci vaut une fortune et j'ai été le premier à regretter cette punition...

— Je ne l'ai pas pris à Venise pour le revendre, coupa sèchement Jason. J'applique seulement la loi de la mer. S'il en meurt, tant pis. Continue, Arroyo !

— Non... Je ne veux pas ! Lâche ! Tu n'es qu'un lâche et un bourreau !... Je ne veux pas !

Le maître d'équipage levait déjà son fouet mais d'un geste incertain. En effet, les forces de Marianne décuplées par la fureur la rendaient difficile à maintenir et le lieutenant n'y parvenait pas. Autour d'eux, les hommes, fascinés par cette femme écumante dont les yeux lançaient des éclairs, regardaient sans même songer à intervenir.

Déjà, Jason, hors de lui, dégringolait la dunette pour aider son lieutenant quand la vigie cria :

— Capitaine ! La « Pomone » demande ce qui se passe ! Qu'est-ce que je dois répondre ?

— Que nous châtions un homme coupable !

— Les cris de la princesse ont dû les alerter et, à la longue-vue, ils ne doivent rien perdre de ce qui se passe ici, souffla O'Flaherty hors d'haleine. Vaudrait mieux arrêter, capitaine ! A moins de l'assommer nous n'avons aucun moyen de la faire taire ! Et cette histoire ne vaut pas une bataille navale à un contre deux.

— Ce n'est pas l'envie qui m'en manque, gronda Jason les poings serrés. Combien Kaleb a-t-il subi de coups ?

— Trente !

Sentant la victoire à sa portée, Marianne cessa de se débattre, cherchant à reprendre son souffle pour mieux crier si Jason ne capitulait pas.

Un instant, leurs regards se croisèrent, pleins d'une égale fureur, mais ce furent les yeux du corsaire qui se détournèrent les premiers.

— Détachez le condamné ! ordonna-t-il sèchement en virant sur ses talons, mais mettez-le aux fers ! Si le docteur Leighton consent à le soigner, je le lui donne.

— Tu es un fier misérable, Jason Beaufort ! jeta Marianne méprisante. Je ne sais ce qu'il faut le plus admirer de ton sens de l'hospitalité ou de l'élasticité de ton honneur !

Jason qui s'éloignait, s'arrêta auprès du mât d'artimon dont deux hommes détachaient le corps inerte de l'Éthiopien.

— L'honneur ? fit-il avec un haussement d'épaules plein de lassitude, n'employez donc pas des mots dont vous ne connaissez pas le sens, Madame ! Quant à mon hospitalité, comme vous dites, sachez qu'à mon bord, elle s'appelle d'abord discipline. Quiconque ne veut pas se plier à la loi commune doit en subir les conséquences ! Maintenant, retournez chez vous ! Vous n'avez plus rien à faire ici et je pourrais oublier que vous êtes une femme !

Sans lui répondre, Marianne se détourna fièrement et accepta le bras qu'O'Flaherty, encore inquiet, lui offrait pour la ramener chez elle. Mais, tandis qu'ils se dirigeaient vers le rouf, elle s'aperçut que le navire croisait alors assez près d'une côte sombre et désolée qui contrastait péniblement avec le bleu de la mer et le ruissellement du soleil. C'étaient des rochers rudes et noirs, des croupes pelées, des récifs aigus et menaçants. C'était dans la douce lumière grecque un décor fait pour l'orage, la nuit et le naufrage. Un décor pour les exécutions aussi. Désagréablement impressionnée, Marianne se tourna vers son compagnon :

— Cette côte, qu'est-ce que c'est, le savez-vous ?

— L'île de Cythère, Madame.

Elle eut une exclamation de surprise.

— Cythère ? Ce n'est pas possible ! Vous vous moquez de moi ! Cythère, ces rocs déserts et sinistres ?

— Mais oui, c'est bien cela ! L'île de l'amour ! J'admets volontiers qu'elle est assez décevante ! Qui souhaiterait s'embarquer, en effet, pour cette terre déshéritée ?

— Personne... et pourtant c'est ce que chacun fait ! On s'embarque, dans la joie et l'enthousiasme pour une Cythère de rêve et l'on arrive ici, à une île impitoyable où tout se brise ! Tel est l'amour, lieutenant : un leurre comparable à ces feux que les naufrageurs allument sur les côtes dangereuses et qui attirent le navire perdu sur les brisants où il s'éventrera. C'est le naufrage ! Et d'autant plus cruel qu'il se produit à l'instant précis où l'on croyait atteindre le port...

Craig O'Flaherty retint son souffle. Son visage jovial exprimait une sorte de détresse qui en contrariait les lignes naturelles. Après une courte hésitation, il murmura :

— Ne désespérez pas, Madame. Ce n'est pas encore le naufrage...

— Et quoi d'autre ? Dans deux ou trois jours nous serons à Athènes. Il me restera à trouver place sur quelque navire grec en partance pour Constantinople tandis que vous ferez voile vers l'Amérique.

Nouveau silence. Maintenant, le lieutenant semblait avoir du mal à respirer puis, comme Marianne tournait vers son visage empourpré un regard surpris, il parut faire un immense effort, comme quelqu'un qui prend une décision longtemps combattue, et jeta :

— Non ! Pas vers l'Amérique ! Pas tout de suite tout au moins : nous ferons route vers l'Afrique.

— L'Afrique ?

— Oui... vers le golfe de Guinée ; nous sommes attendus dans la baie de Biafra, à l'île de Fernando Po... et aux réserves d'esclaves du Vieux Calabar ! Voilà pourquoi le voyage à Constantinople... et votre présence, déplaisaient tant au docteur.

— Qu'est-ce que vous dites ?...

Suffoquée, Marianne avait presque crié. Vivement, O'Flaherty lui saisit le bras et, jetant autour de lui des regards inquiets, l'entraîna vers sa cabine au pas de course.

— Pas ici, Madame ! Rentrez chez vous. Il faut que j'aille à mon service...

— Mais je veux savoir pourquoi...

— Plus tard, je vous en conjure ! Quand je serai libre... ce soir, par exemple, j'irai gratter à votre porte et je vous dirai tout. En attendant... essayez de ne pas trop en vouloir au capitaine : il est au pouvoir d'un démon qui s'entend à le rendre fou !

Ils étaient arrivés devant la porte et, vivement, O'Flaherty s'inclinait devant la jeune femme en un salut hâtif. Elle brûlait d'envie de le questionner, de savoir tout de suite la vérité sur tout ce qu'on lui cachait, mais elle comprit qu'il était inutile d'insister pour le moment. Mieux valait attendre, laisser le lieutenant venir de lui-même.

Pourtant, comme il allait la quitter, elle le retint :

— Monsieur O'Flaherty, un mot encore... Je voudrais savoir l'état de l'homme qui vient de subir le fouet.

— Kaleb ?

— Oui. Je veux bien admettre qu'il avait commis une faute grave... pourtant, ce terrible châtiment...

— Il n'en a pas subi la moitié, grâce à vous, Madame, répondit le lieutenant avec douceur, et un homme aussi vigoureux que lui ne meurt pas pour trente coups de fouet. Quant à la faute grave... j'en connais deux ou trois ici qui rêvaient de la commettre ! A ce soir, Madame...

Cette fois, Marianne le laissa partir. Songeuse, elle alla rejoindre Agathe qui montra en la revoyant une joie enfantine. La brave fille s'attendait visiblement à ce que Jason Beaufort fit pendre sa maîtresse à la première vergue pour la punir de son intrusion.

En quelques mots, Marianne lui apprit ce qui s'était passé, puis elle se confina dans un silence qui dura jusqu'au soir. Un monde de pensées tourbillonnait dans sa tête, si nombreuses, si confuses, qu'elle avait bien du mal à les démêler. Tant de points d'interrogation s'y trouvaient ! Elle ne renonça que lorsque la migraine lui serra les tempes. Vaincue à la fois par la douleur et la fatigue, elle prit le parti de dormir afin de retrouver, dans le sommeil, un peu des forces qui lui manquaient encore. Et puis, quand la curiosité vous dévore, dormir est encore la meilleure manière d'abréger le temps.

Le vacarme des canons la tira de son sommeil et la jeta contre le hublot, haletante et croyant à une attaque. Mais ce n'était que l'adieu des frégates qui les avaient escortés jusque-là. Cythère avait disparu. Le soleil baissait à l'Occident et les deux navires de guerre viraient de bord, leur mission accomplie, pour regagner Corfou. Il ne leur était pas possible d'aller plus loin sans risquer d'offenser le Sultan, si mal disposé envers la France. D'ailleurs, les croisières anglaises montraient une prudence égale pour ne pas compromettre les relations, fraîchement détendues, entre leur gouvernement et la Sublime Porte. Normalement, la « Sorcière des Mers » aurait pu gagner désormais Constantinople sans encombre... si son skipper n'avait décidé que le voyage s'arrêterait au Pirée d'où il repartirait vers la terre africaine.

Cette histoire d'Afrique tourmentait Marianne plus encore que sa propre situation. O'Flaherty avait laissé entendre que Jason comptait, si toutefois Marianne avait bien compris, se rendre dans la baie de Biafra pour y embarquer une cargaison d'esclaves. Pourtant, il était impossible que cela fût vrai : en gagnant Venise, Jason n'avait qu'un but, chercher celle dont il espérait faire un jour sa femme et l'emmener avec lui à Charleston. Ce devait être un voyage d'amoureux, presque un voyage de noces. Il n'était pas possible d'imaginer qu'une croisière à bord d'un négrier pût en aucun cas plaire à une jeune femme et aucun homme digne de ce nom ne l'aurait infligée à celle qu'il aimait. Alors ?

Elle se souvint tout à coup de ce que lui avait dit Jason lui-même, au premier jour de leur voyage : Leighton ne devait pas faire tout le trajet d'Amérique avec eux, on devait le déposer quelque part. Était-ce seulement le sinistre médecin qui était attendu au Vieux Calabar... ou bien Jason n'avait-il pas osé lui dire toute la vérité ? Entre lui et Leighton le lien n'était pas fait d'amitié, tout au moins d'amitié seulement. Il y avait autre chose ! Et que Dieu veuille que ce ne fût pas une complicité...

A mesure que le jour baissait et faisait place à la nuit, Marianne attendit O'Flaherty avec une impatience grandissante. Elle tournait en rond dans sa cabine, incapable de tenir en place et demandant cent fois l'heure qu'il était à Agathe. Mais le lieutenant n'apparut pas et quand la jeune femme voulut envoyer sa femme de chambre aux nouvelles, elle s'aperçut que, cette fois, elle était prisonnière : la porte de sa cabine était fermée de l'extérieur. Une nouvelle attente commença, nerveuse, angoissée et plus pénible à mesure que coulaient les heures.

Aucune n'amena le lieutenant. Les nerfs tendus à céder, Marianne aurait voulu pouvoir hurler, frapper, griffer et, ainsi, libérer la colère et la peur qui l'étranglaient sans qu'elle sût exactement pourquoi mais, à la manière des animaux sauvages, elle sentait l'approche d'un danger nouveau.

Ce qui vint, alors que le lever du jour n'était plus très éloigné, ce fut le bruit de la clef tournant dans la serrure réparée et l'apparition subite de John Leighton flanqué d'un groupe de marins, parmi lesquels Marianne reconnut Arroyo, une lanterne à la main. Le médecin, contrairement à son habitude était armé jusqu'aux dents et une extraordinaire expression de triomphe qu'il ne parvenait pas à dissimuler flamboyait sur son visage de ressuscité, lui conférant une vie sinistre. Visiblement, il vivait là une grande minute de sa vie, une minute longtemps attendue.

Cependant, Marianne réagissait. Attrapant vivement un saut de lit et glissant à bas de sa couchette, elle s'écria :

— Qui vous a permis d'entrer ainsi chez moi et d'y

amener ces gens? interrogea-t-elle avec hauteur. Faites-moi le plaisir de sortir... et vite!

Dédaignant l'injonction, Leighton, fit, au contraire, quelques pas dans la cabine, tandis que les matelots restaient à la porte où ils s'écrasaient pour mieux voir, lorgnant avidement l'élégante intimité de ce nid de femmes.

— Vous me voyez navré de vous déranger, fit le médecin d'un ton narquois, mais je suis venu tout justement vous prier de sortir vous-même! Vous devez quitter le bateau immédiatement. Une chaloupe vous attend...

— Quitter le bateau? En pleine nuit? Vous perdez la raison! Et... pour aller où, s'il vous plaît?

— Où vous voudrez! Nous sommes en Méditerranée, pas dans l'Océan. Aucune terre n'est très éloignée et la nuit s'achèvera bientôt. Préparez-vous!

Sans bouger, Marianne croisa les bras sur sa poitrine, resserrant du même coup le peignoir de batiste, et toisa le personnage.

— Allez me chercher le capitaine! fit-elle. Tant que je n'aurai pas entendu ça de sa bouche même je ne bougerai pas d'ici!

— Vraiment?

— Vraiment. Vous n'avez aucune qualité... docteur, pour donner des ordres sur un navire tel que celui-ci... surtout des ordres dans ce genre-là!

Le sourire de Leighton s'accentua, se chargeant au passage d'une forte dose de fiel.

— Je regrette, fit-il avec une inquiétante douceur, mais ce sont les ordres mêmes du capitaine. Si vous ne voulez pas que l'on vous porte de force dans la chaloupe, il vous faut obéir immédiatement. Aussi, je le répète, préparez-vous. Autrement dit mettez une robe, un manteau, ce que vous voudrez, mais faites vite! Naturellement, ajouta-t-il avec un regard qui faisait le tour de la cabine, il n'est pas question que vous emportiez vos malles... ni d'ailleurs vos bijoux ! Vous n'en auriez que faire en mer et cela chargerait la barque bien inutilement...

Il y eut un silence que Marianne employa à peser le sens réel de ces mots incroyables. On s'apprêtait à la jeter à la mer après l'avoir volée comme dans un bois ? Qu'est-ce que tout cela voulait dire ? Il était impensable, incompréhensible et révoltant que Jason eût, tout à coup, décidé de se débarrasser d'elle en pleine nuit après l'avoir soulagée de ses biens et, plus encore, d'avoir choisi Leighton pour le lui signifier ! Cela ne lui ressemblait pas... cela ne pouvait, n'est-ce pas, lui ressembler ? Mais, dans cette interrogation angoissée que la jeune femme s'adressait à elle-même, le doute s'amorçait. Après tout... est-ce que, la fameuse nuit de ses noces avec Francis Cranmere, Jason Beaufort n'avait pas quitté Selton Hall en emportant la totalité de la fortune de Marianne ?

Mais, comme l'autre attendait en donnant des signes d'impatience, ce fut à lui qu'elle s'en prit :

— Je pensais que ce bateau était un honnête corsaire, fit-elle avec un maximum de mépris. Je m'aperçois que c'est un navire de forbans ! Vous n'êtes qu'un voleur, docteur Leighton, et de la pire espèce, celle qui ne risque rien et s'attaque aux femmes avec une armée ! Puisqu'il en est ainsi je ne suis pas de taille ! Préparons-nous donc, Agathe, si toutefois monsieur veut bien nous dire ce que nous avons le droit d'emporter.

— Permettez ! intervint Leighton avec une amabilité où éclatait une joie féroce, il n'est pas question que vous emmeniez votre femme de chambre ! Que faire d'une camériste dans une chaloupe ? Elle n'aurait pas plus d'utilité que des parures, n'est-il pas vrai ? Alors qu'ici, elle en aura une certaine ! Mais... vous semblez surprise ? Est-ce que, vraiment, j'aurais oublié de vous avertir que vous partez seule... absolument seule ? J'en demande bien pardon à Votre Altesse Sérénissime !

Puis, changeant brusquement de ton :

— Allez, vous autres ! Nous n'avons déjà perdu que trop de temps ! Emportez-la !

— Misérable ! hurla Marianne hors d'elle, je vous interdis de me toucher !... Au secours !... A l'aide !...

Mais déjà les hommes envahissaient la cabine. En un instant, ils la transformèrent en un minuscule enfer. Environnée d'yeux qui luisaient comme braises, de souffles puant le rhum et de mains avides qui, sous couleur de s'emparer d'elle, palpaient son corps avec une sournoise convoitise, Marianne tenta courageusement une bien inutile résistance, galvanisée par les cris et les supplications d'Agathe que deux hommes jetaient présentement sur la couchette abandonnée, tandis qu'un troisième lui arrachait sa chemise de nuit. Le corps dodu de la petite camériste brilla un instant avant de sombrer dans l'obscurité mouvante des rideaux, sous celui de l'homme qui l'avait dénudé et qui, encouragé par ses camarades, la violait avec enthousiasme.

Quant à Marianne, maîtrisée, malgré les coups de pied et les coups de griffes qu'elle avait distribués au hasard, bâillonnée pour étouffer ses cris, elle fut traînée hors du rouf par la horde.

— Voyez ce que c'est que n'être pas raisonnable ! déplora Leighton avec une commisération hypocrite. Vous nous avez obligés à employer la force. Néanmoins, j'espère que vous me rendrez cette justice que je vous ai protégée des appétits de mes hommes alors que j'aurais fort bien pu les laisser vous appliquer le même traitement qu'à votre soubrette. Voyez-vous, princesse, ces braves gens ne vous aiment guère. Ils vous reprochent d'avoir changé leur capitaine en une mauviette sans énergie et sans volonté. Mais cela n'empêche pas qu'ils auraient volontiers goûté à la chair délicate d'une grande dame. Alors, remerciez-moi au lieu de vous conduire comme un chat sauvage ! Allez-y, vous autres !

Si la fureur pouvait tuer, le misérable serait tombé raide mort ou bien Marianne, elle-même, eût peut-être cessé de vivre. Écumante de rage, jetée hors d'elle-même par les gémissements affaiblis d'Agathe et incapable de raisonner clairement ce qui se passait, la jeune femme se débattait avec une violence telle qu'on lui lia les pieds et les bras avant de l'emporter jusqu'à la coupée. Là, à l'aide d'une corde passée sous ses aisselles on la fit descendre sans douceur jusqu'à un canot qui battait doucement le flanc du navire auquel le retenait un filin. Quand elle eut pris contact avec le bois de la barque, si rudement qu'elle ne put retenir un cri de douleur, le filin fut tranché d'un coup de hache. Aussitôt, la houle écarta la chaloupe. Très au-dessus d'elle, Marianne aperçut une frise de têtes penchées puis elle entendit la voix goguenarde de Leighton qui criait :

— Bon voyage, Votre Altesse ! Vous n'aurez aucune peine à vous dégager : les cordes ne sont pas très serrées. Et, si vous savez ramer, il y a des avirons au fond du bateau. Quant à vos serviteurs et amis, ne vous tourmentez pas pour eux, j'en prendrai soin !...

La tête en feu, malade d'indignation, Marianne bâillonnée et le dos douloureux vit le brick dépasser sa barque, virer légèrement et s'éloigner, sans avoir encore réalisé ce qui venait de lui arriver.

Bientôt, devant ses yeux agrandis et brouillés de larmes apparurent les élégantes fenêtres éclairées de la poupe, couronnées de leurs trois fanaux. Puis, changeant d'amures, le navire prit nettement une autre direction. Peu à peu, la majestueuse pyramide de voiles diminua, s'estompa dans la nuit jusqu'à n'être plus qu'une petite silhouette vaguement étoilée...

Alors seulement Marianne comprit qu'elle était seule sur la vaste mer, abandonnée sans aucun moyen de subsister, presque sans vêtements, vouée froidement, délibérément à la mort si quelque miracle ne se produisait.

Là-bas, l'horizon absorbait le bateau qui portait ses derniers amis, le bateau de l'homme qu'elle aimait, auquel elle avait dédié sa vie, l'homme qui, naguère encore, jurait qu'il l'aimait par-dessus tout et qui, cependant, n'avait pu lui pardonner de lui avoir caché sa honte et son malheur.

CHAPITRE IX

SAPPHÔ

Comme le lui avait ironiquement prédit Leighton, Marianne n'eut pas beaucoup de peine à libérer ses mains, ses jambes et sa bouche de leurs entraves. Mais hormis la faible satisfaction de se sentir désormais libre de ses mouvements, elle découvrait que sa situation ne s'était pas beaucoup améliorée.

Autour d'elle, la mer était vide. Ce n'étaient que ténèbres, ces ténèbres qui, aux approches du jour, semblent se faire plus profondes et plus angoissantes, mais c'était une obscurité mouvante qui la balançait et jouait avec elle comme un enfant qui fait sauter un objet dans sa main. Elle avait froid aussi : sa mince robe de nuit de batiste et son léger saut de lit la protégeaient bien mal contre la froidure du petit matin. Un brouillard blanc se levait autour d'elle, opaque, pénétrant et affreusement humide.

Sous ses mains tâtonnantes, elle sentit le bois des rames qui reposaient au fond du bateau, mais comment se diriger dans cette nuit noire et brumeuse ? Elle savait ramer depuis son enfance, mais elle savait aussi que, n'ayant aucun point de repère, ce serait un effort inutile. La seule chose à faire était d'attendre le jour. Aussi s'enveloppant de son mieux dans ses minces étoffes, elle se pelotonna au fond de la barque et se laissa porter, ravalant ses larmes et s'efforçant de ne pas penser, pour garder un peu de courage, à ceux qu'elle avait laissés sur ce bateau maudit : Jolival et Gracchus aux fers, Agathe aux mains de marins ivres... et Jason ! Dieu seul savait ce qu'il était advenu de Jason, à cette heure. O'Flaherty n'avait-il pas dit qu'il était au pouvoir d'un démon ? Pour que ce misérable Leighton fût aussi pleinement le maître, avec sa poignée de bandits, à bord du brick, il fallait que le corsaire fût captif... ou pire encore ! Quant au joyeux lieutenant irlandais lui-même, il avait probablement partagé le sort de son capitaine...

Pour éviter de trop penser à eux et aussi pour essayer de leur venir en aide, s'il en était encore temps, Marianne se mit à prier comme elle ne l'avait encore jamais fait, avec une ardeur anxieuse et passionnée. Elle implora le Seigneur pour ses amis et aussi pour elle-même, laissée ainsi au péril de la mer sans autre défense qu'une barque, quelques mètres de batiste, son courage et sa passion de vivre. Finalement elle s'endormit.

Quand elle s'éveilla, transie de froid dans ses lingeries que le brouillard avait mouillées et le dos douloureux, le jour était levé mais le soleil ne l'était pas encore. La brume s'effilochait. L'air était bleu cependant que, vers l'Orient, le ciel se teintait de rose orangé. La mer, qui s'étendait à perte de vue sans une voile, sans une île, était lisse comme un lac. Il n'y avait presque pas de vent. Ceux-ci se lèveraient dans la matinée quand, vers dix heures, ils effectueraient leur croisée.

Étirant ses membres engourdis, Marianne s'efforça de raisonner sa situation aussi froidement que possible. Elle en vint à cette conclusion que, pour être tragique, cette situation n'était pas désespérée. Elle avait pu suivre approximativement la marche du navire de

Jason. Dans son enfance, en effet, on lui avait enseigné la géographie, entre autres choses, car tante Ellis tenait à ce qu'elle reçût une instruction poussée. Et la géographie, telle qu'on l'étudiait en Angleterre, ce royaume de la mer, en faisait partie. Elle s'était évertuée, durant des heures à dessiner des fleuves, des îles, des montagnes sur d'ennuyeuses cartes, pestant parce qu'il faisait beau dehors et parce qu'elle eût cent fois préféré employer ce beau temps-là à galoper à travers bois avec Harry, son poney favori. Un peu aussi parce qu'elle n'aimait pas du tout dessiner.

Mais, du fond de sa détresse présente, elle envoya une pensée reconnaissante à l'ombre de sa tante car, grâce à ses précautions, elle pouvait situer, vaguement bien sûr, l'endroit où elle se trouvait : quelque part vers les Cyclades, cette constellation d'îles qui font de la mer Égée une espèce de voie lactée terrestre. Donc, en allant vers l'Orient, Marianne pouvait rencontrer l'une de ces îles dans un assez bref délai. Et peut-être, avant trouverait-elle des pêcheurs. Ce n'était pas ici, comme l'avait dit l'affreux Leighton, l'océan immense où la mort eût été certaine.

Pour se réchauffer autant que pour hâter ce sauvetage et lutter efficacement contre l'angoisse qui lui venait de cette énorme solitude, Marianne tira les deux rames du fond de la chaloupe, les plaça dans les dames-de-nage et se mit à ramer avec énergie. La barque était lourde, les avirons, faits pour des poignes calleuses de matelots et non pour de fines mains féminines, l'étaient aussi mais, à se dépenser physiquement, l'abandonnée trouva une sorte de réconfort.

Tout en ramant, elle essaya de reconstituer de son mieux ce qui avait pu se passer à bord de la « Sorcière ». Quand on l'avait emportée, la fureur l'aveuglait sans doute... mais pas au point de n'avoir pas remarqué que quelques poignées d'hommes seulement, une trentaine peut-être, entouraient Leighton, alors que l'équipage comptait environ cent marins. Où étaient les autres ? Qu'en avait fait cet étrange médecin qui semblait s'entendre aussi bien à guérir les gens qu'à les rendre malades. Enchaînés ? Prisonniers ? Drogués peut-être... ou pire encore ? Le misérable devait avoir à sa disposition tout un arsenal de produits d'enfer capables de lui livrer sans combat des hommes normalement forts et intelligents. Sa propre expérience vénitienne lui avait appris comment, à l'aide d'une potion, d'un philtre où le Diable sait comment nommer au juste ces infernales mixtures, on pouvait annihiler une volonté, déchaîner des instincts cachés, conduire un être aux portes mêmes de la folie. Et, durant les dernières heures que Marianne avait passées sur le bateau, Jason avait un regard si étrange !...

Selon elle, la mutinerie ne faisait aucun doute. Leighton s'était rendu maître du navire avec ses partisans. Elle se refusait à admettre que Jason, si blessé, si furieux qu'il eût été, ait pu, d'un instant à l'autre, se transformer aussi radicalement en une espèce de flibustier avide, en voulant non seulement à sa vie mais aussi à ses bijoux. Non, il devait être captif, réduit à l'impuissance. De toutes ses forces Marianne repoussait l'idée que Leighton ait pu attenter à la vie d'un homme qui était son ami et qui l'avait accueilli à son bord. D'ailleurs, les qualités de marin de Jason devaient le rendre indispensable pour la conduite d'un tel navire. Il n'était pas possible qu'il fût mort. Mais... son lieutenant ? Et les prisonniers ?

En pensant à Jolival, à Agathe et à Gracchus, le cœur de Marianne se serra. Ceux-là, tout au moins le vicomte et le jeune cocher, le médecin criminel n'avait aucune raison valable de les conserver, sinon peut-être de ne pas charger une conscience déjà bien noire de crimes inutiles.

Pour Agathe, malheureusement, son utilité n'était que trop certaine. Quant à Kaleb, que Marianne habillait maintenant à ses couleurs depuis qu'il avait voulu étrangler Leighton, il n'avait, à cause de sa valeur marchande, rien d'autre à craindre dans l'immédiat que d'être traîné sur le premier marché d'esclaves venu. Ce qui était déjà bien suffisant et la jeune femme se sentait prise d'une immense pitié pour cette superbe et sombre créature de Dieu, pour cet être dont la noblesse et la générosité l'avaient frappée et qui allait de nouveau connaître les chaînes de la servitude, les entraves, le fouet, la cruauté des hommes dont le différenciait seulement une nuance de peau...

Haletante, Marianne cessa de ramer pour se reposer un peu. Le soleil était haut maintenant et, se réverbérant sur la mer, il tapait dur en fatiguant les yeux. La journée s'annonçait chaude et la jeune femme n'avait rien pour se protéger des rayons brûlants.

Afin d'éviter l'insolation, elle arracha le large volant de son déshabillé et s'en fit un turban, mais cette protection ne pouvait rien pour son visage qui brûlait déjà. Néanmoins, elle se remit courageusement à ramer vers l'Orient.

Mais le pire était à venir. Vers le milieu du jour, la soif fit son apparition, lente, inexorable. La jeune femme ne sentit d'abord qu'une sécheresse de la bouche et des lèvres. Puis, peu à peu, cette sécheresse s'empara de tout son corps et de sa peau qui devint trop chaude. Fébrilement, alors, elle fouilla chaque recoin de la barque dans l'espoir que l'on y aurait disposé une cruche et quelques vivres en prévision d'un éventuel naufrage, mais il n'y avait rien, rien que les rames, rien pour étancher cette soif qui se faisait torturante, rien... que cette immensité d'eau bleue qui la narguait...

Pour se rafraîchir un peu, elle ôta ses fragiles vêtements et, se penchant sur le plat-bord, cueillit de l'eau pour s'en asperger tout le corps. Elle se sentit revivre un peu, mouilla ses lèvres et tenta de boire quelques gouttes de cette eau si fraîche. Ce fut pire encore. Le sel la brûla et accentua sa soif.

La faim ne vint qu'ensuite, moins pénible d'ailleurs. Pour un verre d'eau pure, Marianne eût accepté volontiers de rester sans manger pendant des jours, mais bientôt elle ne put ignorer les tiraillements de son estomac. Son état accentuait les exigences de son organisme où une vie nouvelle se développait à l'ombre de la sienne. Bientôt la fatigue se fit pesante. Le soleil était impitoyable. Péniblement, elle tira les rames hors de l'eau, les rangea au fond du bateau et se blottit au fond, se protégeant de son mieux des rayons meurtriers. Aucune terre n'était encore en vue, aucun bateau non plus. Pourtant, si un secours ne lui venait bientôt, elle savait que la mort se montrerait... la mort affreuse et lente à laquelle l'avait condamnée, elle le devinait maintenant, l'homme qui, un jour cependant, avait dû jurer solennellement de porter secours à tout être en danger de maladie ou de trépas.

Pour qu'elle n'eût encore rencontré personne ni aperçu aucune voile, il fallait que la « Sorcière » eût, avant de l'abandonner, dérivé déjà de sa route et qu'elle, Marianne, eût été laissée au milieu de cette large étendue d'eau qui s'étend entre les côtes de la Crète et les Cyclades.

Leighton n'avait pas seulement voulu lui faire quitter le bord : il avait froidement décrété sa mort...

A constater ainsi la cruelle réalité de sa situation, elle eut envie de pleurer mais se retint de toutes ses faibles forces : elle ne pouvait se permettre de gaspiller la moindre parcelle de l'eau si précieuse que retenait encore son corps épuisé.

La tombée du soir chassa la chaleur mais la sécheresse qui s'était emparée de tout son être et le pompait comme un vampire s'accentua encore. Bientôt, elle gagna ses os qui, torturés, criaient leur besoin d'eau.

Comme tout à l'heure, elle s'aspergea, connut un instant de fraîcheur et, en même temps, la tentation de se laisser glisser dans cette eau bleue et d'y chercher l'oubli définitif de sa torture et de ses peines. Mais l'instinct de conservation fut le plus fort et aussi cette curieuse flamme qui, à la manière de la veilleuse allumée au milieu des ténèbres d'une chambre de malade où la mort guette, brûlait encore en elle et la poussait à vivre, à vivre encore pour se venger.

La nuit apporta un froid inattendu et dans ses batistes, Marianne, qui avait souffert de la chaleur tout le jour, grelotta de froid toute la nuit sans parvenir à trouver un seul instant de sommeil. C'est seulement quand le soleil revint éclairer la mer vide qu'elle put, enfin, s'endormir et, pour un instant, oublier sa souffrance. Mais le réveil n'en fut que plus pénible. Son corps, raide et douloureux était privé de toute force.

Au prix d'un immense effort, elle parvint tout de même à se redresser mais ce fut pour retomber inerte au fond de la barque, livrée au soleil qui allait augmenter ses douleurs.

Vinrent alors les mirages. Sur l'horizon incendié, la malheureuse crut voir se dessiner des terres, des formes fantastiques de bateaux, des voiles immenses qui semblaient accourir vers elle et se pencher, mais quand elle tendait les mains, du fond de son délire, pour les saisir, ses bras battaient l'air et retombaient sur le bois de la barque, plus faibles encore que l'instant précédent. Le jour s'écoula avec une lenteur infinie. Malgré les pauvres précautions qu'elle avait pu prendre contre lui, le soleil la frappait comme un marteau et, dans sa bouche, sa langue enflée paraissait triplée de volume et l'étouffait.

La barque dérivait doucement sans que Marianne pût savoir où elle la menait. Peut-être tournait-elle en rond depuis des heures mais elle s'en souciait peu. Elle était perdue, elle le savait. Aucune aide n'était à espérer que celle, ultime, de la mort. Ouvrant péniblement ses yeux brûlés, elle se traîna sur le bordage, décidée maintenant à se laisser glisser dans l'eau, si elle en trouvait la force, à en finir avec l'inhumaine torture. Mais elle n'arrivait même plus à hisser cette lourde loque qu'elle était devenue.

Quelque chose de rouge passa dans son brumeux champ de vision. Ses mains touchèrent l'eau. Elle accentua son effort. Le bois rude lui écorcha la poitrine mais elle ne le sentit pas, insensible qu'elle était à tout autre douleur que cette énorme brûlure de tout son être. Encore un petit effort et ses cheveux tombèrent dans la vague. La barque pencha doucement. Marianne, enfin, glissa dans l'eau bleue qui se referma sur elle, miséricordieusement fraîche... Incapable de nager, n'ayant d'ailleurs d'autre envie qu'en finir le plus vite possible, elle coula... Le monde vivant disparut pour elle en même temps que la conscience.

Pourtant, ce terrible besoin d'eau qui l'avait torturée la poursuivait jusque par-delà la mort. L'eau la hantait, l'envahissait, elle s'y dissolvait. L'eau coulait en elle vivifiante et douce, comme jaillie d'une source soudaine sur les pierres d'un torrent à sec. Ce n'était plus l'eau âpre et salée de la mer, c'était un flot frais, léger comme la pluie dans l'herbe d'un jardin altéré. Délivrée, Marianne rêva que, dans sa miséricorde, le Tout-Puissant avait décidé qu'elle passerait son éternité à boire et qu'elle était au paradis des malheureux morts de soif...

Mais c'était un paradis singulièrement dur et inconfortable. Son corps désincarné se mit tout à coup à lui faire mal. Péniblement, elle entrouvrit ses paupières gonflées, vit tout près du sien un visage abondamment barbu et des yeux noirs interrogateurs qui se détachaient sur un fond rouge et mouvant qu'elle identifia assez vite : une voile que le vent gonflait.

Voyant qu'elle reprenait conscience, l'homme qui la soutenait, d'un bras passé sous sa tête, approcha de ses lèvres crevassées quelque chose de rêche et de frais : le bord d'une gargoulette de terre dont l'eau bienfaisante se remit à couler dans sa gorge. En même temps, il disait quelque chose dans une langue incompréhensible, s'adressant à quelqu'un que Marianne ne pouvait pas voir. Malgré sa faiblesse, elle tenta de se redresser, aperçut une forme noire, dressée contre la voile rouge dans les feux sanglants du soleil couchant, et qui lui parut sinistre : le bateau transportait un prêtre grec. Sale et abondamment barbu, il ne l'en considérait pas moins avec un dégoût visible tout en répondant quelques mots hargneux. En même temps, il pointait vers la rescapée un doigt accusateur et, tout de suite, l'homme qui tenait Marianne tira précipitamment sur elle un morceau de toile à voile, tandis que l'autre détournait la tête et, les mains dans ses manches, se mettait à contempler l'horizon. Ses sourcils froncés et sa mine offusquée avaient renseigné la jeune femme. Il ne devait pas rester grand-chose de sa chemise de fine batiste et la vue de son corps choquait sans doute l'homme de Dieu !

Elle essaya de sourire pour remercier son sauveur, mais ses lèvres sèches ne lui permirent qu'une grimace douloureuse à laquelle, instinctivement, elle porta ses mains.

L'homme, qui avait l'air d'un pêcheur, prit alors derrière lui une petite fiole d'huile d'olive et lui en enduisit généreusement le visage. Puis il tira un panier, prit dedans une grappe d'un raisin blanc et sucré dont il introduisit, avec sollicitude, quelques grains dans la bouche de la rescapée, qui les croqua avidement. Jamais elle n'avait rien mangé de meilleur.

Cela fait, il acheva d'enrouler Marianne dans sa toile à voile, glissa sous sa tête un filet de pêche roulé et lui fit signe de dormir.

Au bout du bateau, contre la voile dont le rouge s'éteignait avec le jour, le prêtre, impassible et hiératique, mangeait du pain noir et des oignons qu'il faisait couler avec de nombreuses rasades tirées d'une cruche ronde posée auprès de lui. Après quoi il entama une longue prière dont les prosternations sur ce bateau instable avaient quelque chose d'acrobatique. Puis, comme la nuit était complètement venue, il se roula en boule dans un coin, tira sur ses yeux son étrange mitre noire et se mit à ronfler sans avoir adressé un second regard à la créature impure que son compagnon avait tirée de l'eau.

Malgré sa fatigue, Marianne n'avait pas envie de dormir. Elle était épuisée mais la soif, la terrible soif avait cessé, son visage huilé lui faisait moins mal et elle se sentait presque bien. L'épaisse toile la protégeait de la fraîcheur qui venait et, au-dessus d'elle, les étoiles s'allumaient une à une. C'étaient les mêmes qu'elle avait aperçues la veille quand elle gisait au fond de sa barque et qui lui étaient apparues si froides et si hostiles. Ce soir elles avaient quelque chose d'amical et, du fond de son cœur, la naufragée adressa au Seigneur une fervente action de grâces pour avoir envoyé vers elle une main secourable au moment précis où, cédant au désespoir, elle décidait de mettre fin elle-même à son existence. Elle ne pouvait pas comprendre le langage de l'homme qu'elle entendait maintenant chantonner à bouche fermée tout en dirigeant la course de son petit bateau, elle ne savait pas vers quelle terre il l'emmenait, ni où elle se trouvait exactement, mais elle était en vie et cette mer qui la portait était la même qui portait aussi le brick américain comme d'ailleurs le pirate qui s'en était emparé. Où qu'on l'emmenât maintenant, Marianne savait que ce serait un premier pas vers la vengeance. Elle savait aussi qu'elle n'aurait de cesse ni de repos avant d'avoir atteint John Leighton et de lui avoir fait payer ses crimes au prix du sang. Il fallait que toutes les marines, amies ou ennemies, qui sillonnaient la Méditerranée, prissent en chasse le négrier afin que Leighton pût être pendu à la grand-vergue du navire qu'il avait volé !

La lune se leva vers le milieu de la nuit. C'était un mince croissant dont la lumière était à peine plus forte que celle des étoiles. Un vent léger faisait chanter la voile tandis qu'au flanc du bateau, la mer filait avec un bruit de soie. La voix du pêcheur s'assourdit et se teinta de mélancolie, tandis qu'il fredonnait une sorte de mélopée si lente et si berceuse que Marianne vaincue finit par s'endormir profondément. Si profondément même qu'elle ne vit pas approcher l'île aux grandes falaises noires, n'entendit pas le bref colloque chuchoté entre le prêtre et le pêcheur et ne sentit pas les mains qui l'emportaient, roulée dans sa toile...

Mais, quand elle reprit conscience, il n'y avait plus rien qui pût lui assurer qu'elle n'avait pas rêvé son sauvetage, hormis toutefois le fait que la soif ne la torturait plus. Elle était couchée, à l'ombre d'un rocher et de quelques arbustes rabougris, sur une plage de sable noir brodée d'algues d'argent. Devant elle la mer couleur d'indigo venait lécher une frise de galets blancs et noirs. Le morceau de voile dont on l'avait enveloppée avait disparu lui aussi, en même temps que le bateau, le prêtre et le pêcheur, mais les lambeaux de batiste qui l'emballaient tant bien que mal étaient secs et, en se retournant, elle trouva, soigneusement disposées sur une grosse pierre plate, deux grappes de raisin doré vers lesquelles, machinalement, elle tendit une main maladroite. Elle se sentait incroyablement faible et lasse.

Relevée sur un coude, elle grignota quelques grains juteux et sucrés dont le goût, bien réel, lui affirma qu'elle n'était pas encore en train de faire un rêve bizarre. Elle avait la tête vide et le corps rompu, mais elle n'eut pas le temps de chercher à comprendre pourquoi le pêcheur secourable l'avait, à son tour, ainsi abandonnée sur une plage déserte car justement elle cessa de l'être.

Débouchant, à l'autre bout, d'un chemin tracé entre les rochers, une blanche procession, à ce point anachronique et inattendue que Marianne se frotta les yeux pour s'assurer qu'ils ne lui jouaient pas un tour, venait d'apparaître sur le sable.

Précédée d'une grande femme brune, imposante et belle comme Athéna en personne, et de deux joueuses de flûte, une théorie de jeunes filles, vêtues de l'antique chiton à mille plis, leurs noirs cheveux retenus dans des bandelettes blanches entrecroisées, s'avançait. Les unes portant des branches entre leurs mains, les autres une amphore calée sur une épaule, elles marchaient deux par deux, lentes et gracieuses comme les prêtresses de quelque ancienne divinité, en chantant une sorte de cantique que soulignait le son frêle des flûtes doubles.

L'étrange cortège venant vers elle, Marianne se traîna sur le sable jusqu'à ce qu'elle se trouvât suffisamment dissimulée par le rocher, s'y agrippa et, grâce à lui, parvint à se mettre debout. Elle était encore très faible et la tête lui tourna, trop faible pour fuir cette apparition d'un autre âge qui lui faisait faire, en arrière dans le passé, un saut de quelque vingt-quatre siècles.

Mais les femmes ne l'avaient pas vue et ne s'occupaient donc pas d'elle. La procession venait d'obliquer vers un figuier à l'ombre duquel Marianne aperçut une statue antique et mutilée, une Aphrodite au torse parfait mais privée de son bras gauche. Le droit s'arrondissait gracieusement dans un geste d'accueil et la tête, dont la naufragée pouvait voir le profil parfait, était la beauté, la pureté mêmes.

Au son des flûtes, les offrandes furent déposées devant la statue puis, tandis que les jeunes filles se prosternaient, la grande femme brune s'avança vers la déesse et, à la grande surprise de Marianne qui, toujours accrochée à son rocher, retenait son souffle, s'adressa à elle, dans la noble langue de Démosthène et d'Aristophane qui avait jadis fait partie du plan de travail élaboré par Ellis Selton pour sa nièce. Émerveillée, oubliant un instant sa misère, Marianne se laissa pénétrer par la voix grave et chaude de la femme :

« Aphrodite, fille de Dieu
O tisseuse immortelle au trône étincelant,
Ne laisse pas mon cœur, écoute en mon cœur
O Reine, s'affliger sur les dégoûts pesants
Ah ! reviens si jamais naguère,
Tu as su m'écouter, entendre au loin ma voix,
Alors que tu quittais pour accourir vers moi
La maison dorée de ton père
De rapides moineaux à ton char attelés
T'emportaient tout autour de notre sombre terre
Secouaient dans le vent, l'aile aux plumes serrées
Et d'en haut tiraient droit par le travers de l'air
Et vite ils étaient là, et toi, ô mon bonheur,
d'un sourire éclairant ton visage immortel,
Tu demandais le nom de ma neuve douleur
Et pourquoi mon appel.
Quelle folie brûlait mon pauvre cœur malade ?
Qui réclames-tu donc de mener à ta flamme
à Celle-là qui persuade ?
Qui, Sapphô, te fait mal à l'âme... »

La musique des mots, l'inimitable beauté de la langue grecque entraient dans Marianne et prenaient possession de son être à peu près désincarné. Elle avait l'impression que l'ardente imploration jaillissait de son propre cœur. Elle aussi avait mal à l'âme, elle aussi souffrait d'amour blessé, d'amour défiguré, avili, devenu grotesque. La passion dont elle vivait s'était retournée contre elle et la déchirait de ses griffes. La plainte de cette femme lui rendait pleine conscience de sa propre souffrance, un instant abolie par l'épreuve physique et par le souffle brûlant de la haine qu'elle éprouvait pour John Leighton. Elle se retrouvait confrontée à sa propre réalité : une très jeune femme abandonnée, meurtrie et douloureuse, suppliciée par le besoin enfantin d'être aimée. La vie et les hommes la malmenaient, comme si elle était de taille à résister à leur méchanceté, à leur égoïsme. Tous ceux qui l'avaient aimée avaient tenté de l'asservir, de s'en rendre maître... sauf peut-être l'ombre ardente qui l'avait possédée dans la nuit de Corfou ! Celui-là n'avait rien demandé, qu'un plaisir qu'il avait rendu au centuple. Il avait été doux... si doux et si tendre à la fois ! Son corps s'en souvenait avec bonheur comme dans la torture de la soif il s'était souvenu de toutes les eaux fraîches qu'il avait connues. Et l'idée bizarre lui traversa l'esprit que le bonheur, tout simple et tout bête, était peut-être passé près d'elle et reparti avec cet inconnu...

Les larmes coulaient maintenant sur ses joues creusées. Elle voulut les essuyer de sa manche en loques, cessa de se retenir au rocher et tomba à genoux. Elle vit alors que les jeunes filles avaient achevé leur prière et la regardaient.

Effrayée, car à son esprit écorché vif tout être humain semblait hostile, elle voulut battre en retraite, fuir dans l'ombre des broussailles, mais elle ne put se relever et s'abattit de nouveau sur le sable... Déjà, d'ailleurs, les jeunes filles l'entouraient et se penchaient sur elle avec curiosité, échangeant des réflexions dans une langue rapide qui n'avait plus grand-chose de commun avec le grec archaïque. La grande femme vint plus lentement et, devant elle, le cercle jacassant s'ouvrit avec respect.

Se penchant sur la naufragée, elle écarta la masse des cheveux noirs poissés d'eau de mer et de sable qui retombaient autour de sa tête et releva vers elle le visage cireux où les larmes roulaient toujours. Mais Marianne ne comprit pas la question qu'on lui posait. Sans grand espoir, elle murmura :

— Je suis française... perdue... ayez pitié de moi !...

Un éclair traversa les yeux sombres de la femme accroupie et, à la grande surprise de Marianne, elle chuchota, très vite, dans la même langue.

— C'est bien. Plus un mot, plus un geste, nous allons t'emmener !

— Vous parlez...

— J'ai dit plus un mot. Nous sommes peut-être surveillées.

Vivement, elle détacha l'antique péplos de lin blanc, retenu par une fibule d'or, qui recouvrait sa tunique plissée et le jeta sur les épaules de la jeune femme. Puis, toujours à voix basse, elle donna quelques ordres à ses compagnes qui, silencieusement cette fois, relevèrent Marianne et la maintinrent debout, étayée par les épaules de deux des plus solides d'entre elles.

— Peux-tu marcher ? demanda la femme.

Mais, tout de suite, elle répondit elle-même à sa question :

— ... Bien sûr que non ; tes pieds sont nus. Tu n'irais pas jusqu'au premier coude du chemin. On va te porter.

Avec une extraordinaire habileté, les jeunes filles

composèrent alors rapidement une sorte de civière à l'aide de branchages entrecroisés retenus par les bandelettes qui liaient leurs cheveux. Marianne y fut étendue puis six de ses nouvelles compagnes l'enlevèrent sur leurs épaules, tandis que d'autres déposaient sur elle des rameaux arrachés à une vigne sauvage qui poussait auprès de là, des fleurs d'immortelles et quelques-unes de ces curieuses algues argentées que l'on trouvait à foison sur la plage, exactement comme s'il se fût agi d'un brancard funèbre. Et comme Marianne cherchait du regard les yeux de l'étrange prêtresse, celle-ci eut un fugitif sourire :

— Il vaut mieux que tu feignes d'être morte, cela nous évitera d'éventuelles et gênantes questions. Les Turcs nous croient folles et nous craignent à cause de cela... mais il ne faut rien exagérer !

Et, pour plus de sûreté, elle rabattit un pan du péplos sur la figure de Marianne sans lui laisser le temps d'émettre un avis. Néanmoins, dévorée de curiosité, celle-ci chuchota :

— Est-ce qu'il y a des Turcs à proximité ?

— Ils ne sont jamais bien loin quand nous descendons à la plage. Ils guettent notre départ pour voler les cruches de vin que nous déposons près de la déesse. Maintenant tais-toi ou je te laisse ici !

Marianne se le tint pour dit et s'efforça de rester aussi inerte que possible tandis que le cortège féminin, entonnant un nouveau chant qui avait cette fois toute la solennité d'un hymne funèbre, rebroussait chemin.

Le voyage dura longtemps et s'effectua par une route qui semblait singulièrement difficile et raide. Sous le tissu qui l'étouffait, Marianne, sur son inconfortable couche de branchages, la tête plus basse le plus souvent que les pieds, sentait revenir ses nausées. Pourtant, ses porteuses devaient être singulièrement vigoureuses car durant cette éternité ascendante, elles ne ralentirent pas une seule fois leur rythme et ne cessèrent pas de chanter. Mais, quand elle sentit qu'on la déposait à terre, la rescapée ne put retenir un soupir de soulagement.

L'instant suivant, elle était étendue sur un matelas couvert d'une fourrure rêche qui lui parut le comble du confort et le tissu de lin quitta son visage. En même temps, l'accablante chaleur du dehors faisait place à une agréable fraîcheur.

La pièce où elle se trouvait, longue et basse, ouvrait par une étroite fenêtre géminée sur des lointains bleutés dont on ne savait pas bien s'ils étaient le ciel, la mer ou les deux. Elle avait dû, au cours des siècles connaître des fortunes diverses. Deux colonnes du plus vigoureux dorique étayaient un plafond crevassé qui gardait des traces de dorures rayonnant, en son centre, d'une maigre figure barbue aux yeux énormes et fixes, coiffée d'une auréole, qui devait être celle d'un saint. Sur les murs de briques, des fragments de fresques voisinaient, aussi disparates que le décor du plafond. D'un côté, deux morceaux d'éphèbes aux jambes agiles gambadaient en direction d'une théorie écaillée d'anges byzantins, raides comme la justice dans leurs robes bariolées et louchant affreusement tandis que l'autre mur, peint à la chaux, se creusait d'une simple niche dans laquelle trônait un merveilleux lécythe funéraire blanc et noir où un dieu désenchanté, en manteau vert et armé d'une lance, rêvait sur un trône bleuté. Une lampe de mosquée, bronze doré et verre multicolore, pendait du plafond, juste sous la barbe du saint maigre et, quant au mobilier, il se composait, outre le lit couvert de peaux de chèvres sur lequel était étendue Marianne, de quelques tabourets et d'une table basse supportant une large coupe en terre débordant de gros raisins.

Debout au milieu de tout cela, l'adoratrice d'Aphrodite dans sa longue tunique blanche ne paraissait plus tellement anachronique.

Les bras croisés sur sa poitrine opulente, elle considérait sa trouvaille avec une visible perplexité. En se redressant pour s'asseoir, Marianne vit qu'elles étaient seules en tête à tête. Toutes les jeunes filles avaient disparu, mais comme la nouvelle venue paraissait les chercher, la femme la renseigna :

— Je les ai renvoyées. Nous avons à parler. Qui es-tu ?

Le ton rude était rien moins qu'aimable. La femme se méfiait.

— Je vous l'ai dit : une Française. J'ai fait naufrage et...

— Non. Tu mens ! Yorghos le pêcheur t'a déposée avant l'aube sur la plage. Il m'a dit t'avoir repêchée hier soir au moment où tu te laissais tomber d'une barque. Tu étais à moitié morte de soif et d'épuisement. Que faisais-tu dans cette barque ?

— C'est une longue histoire...

— J'ai tout le temps ! fit l'inconnue en tirant un tabouret sur lequel elle s'installa.

C'était bizarre, ce dialogue avec une statue antique animée par magie. La femme résumait à elle seule son extraordinaire logis. D'abord, elle n'avait pas d'âge défini. Sa peau était lisse, dépourvue de rides, mais son regard était celui d'une femme mûre. Plus que jamais, elle ressemblait à une incarnation d'Athéna, pourtant, ses yeux taillés en amande atteignaient presque la disproportion du regard byzantin du plafond. Tout à l'heure, elle avait dit qu'elle passait pour folle... et cependant il émanait d'elle une force tranquille, une assurance à laquelle Marianne fut sensible et qui, en tout cas, ne lui causait aucune crainte.

— Dans cette barque, dit-elle calmement, je mourais de soif, comme vous l'avez dit vous-même et si je me suis laissée tomber à l'eau, c'était pour en finir plus vite...

— Tu n'avais pas vu Yorghos et son bateau ?

— Je ne voyais plus rien. Quelque chose de rouge était passé devant mes yeux mais je croyais à un mirage de plus ! Savez-vous ce que c'est que mourir de soif ?

La femme fit non de la tête mais, sur les derniers mots, la voix de Marianne avait trahi une défaillance, tandis qu'elle pâlissait et se laissait aller en arrière. L'inconnue fronça les sourcils et se leva vivement.

— Tu as soif encore ?

— Et faim...

— Alors attends... tu parleras ensuite !

Quelques instants plus tard, Marianne, lestée d'un peu de poisson froid, de fromage de chèvre, de pain, d'un gobelet de vin singulièrement capiteux et de quelques grains de raisin, revenait à la vie et se trouvait en état de satisfaire la curiosité de son hôtesse, autant tout au moins qu'il lui serait possible de le faire sans courir de nouveaux dangers.

Cette femme était grecque, habitait une terre occupée par les Turcs, et elle-même était envoyée à ces mêmes Turcs afin de restaurer les liens d'amitié entre son pays et le leur. Elle hésita un instant, ne sachant trop comment entamer son récit, puis choisit de poser une question toute naturelle pour se donner le temps de réfléchir encore un peu et aussi pour tâter ce terrain inconnu :

— S'il vous plaît, demanda-t-elle doucement, pouvez-vous au moins me dire où je me trouve ? Je n'en ai pas la moindre idée...

Mais la femme dédaigna de la renseigner.

— D'où es-tu partie, avec ta barque ?

— D'un navire qui faisait route vers Constantinople et qui m'a abandonnée en pleine mer, un peu avant l'aube, il doit y avoir trois jours, soupira Marianne. Nous avions doublé Cythère dans la matinée précédente...

— Quelle nationalité, ce navire ? Et qu'y faisais-tu pour que l'on t'ait ainsi jetée à la mer... et en chemise ?

Le ton de la femme révélait sa méfiance et Marianne songea avec désespoir que son histoire avait vraiment quelque chose d'abracadabrant et qu'il devait être difficile de la croire. Néanmoins, la vérité avait toujours plus de chance de rendre un son juste que n'importe quelle fable bien intentionnée.

— Le navire était américain. C'était un brick en provenance de Charleston. Caroline du Sud. Capitaine... Jason Beaufort !

Le nom eut du mal à passer et s'étrangla d'une espèce de sanglot en franchissant sa gorge mais il eut le don inattendu de détendre les traits sévères de la femme. Ses épais sourcils, si noirs qu'ils semblaient dessinés à l'encre de Chine, se soulevèrent.

— Jason ? Un beau nom grec pour un Américain ! Mais tu parais en souffrir : es-tu donc la Médée de ce Jason-là ? Est-ce lui qui t'a abandonnée ?

— Non... pas lui !

Le cri de protestation jaillit du cœur même de Marianne qui, soudain troublée, reprit d'une voix éteinte :

— Il y a eu une mutinerie à bord... Jason est sans doute prisonnier... peut-être mort et mes amis avec lui !

Alors, omettant seulement le drame personnel qu'elle avait vécu à Venise et qui ne pouvait qu'ajouter à l'invraisemblance de sa situation, elle fit, de son mieux, le récit du dramatique voyage de la « Sorcière ». Elle dit comment Leighton, pour s'emparer du navire qu'il destinait au trafic de chair noire, avait tout mis en œuvre pour dresser Jason contre son amie, comment il avait réussi, autant qu'elle avait pu reconstituer les faits, à s'emparer du navire, comment, enfin, il l'avait fait abandonner, sans vivres et sans le moindre secours possible, en pleine mer. Elle dit enfin ses craintes pour ceux qu'elle avait laissés à bord : son ami Jolival, Gracchus, Agathe et enfin Kaleb, supplicié pour avoir tenté de débarrasser le bateau du démon qui le convoitait.

Sans doute mit-elle dans son évocation des jours tragiques qu'elle venait de vivre suffisamment de passion et de véracité car, à mesure qu'elle parlait, la méfiance disparaissait graduellement du visage de la femme pour faire place à la curiosité. Ses longues jambes croisées, un coude sur le genou et le menton appuyé sur sa main, elle écoutait avec un intérêt visible mais dans le plus profond silence. Et comme Marianne, inquiète justement de ce silence, demandait timidement :

— Est-ce que... cela ne vous semble pas trop extraordinaire ? Je sais bien que mon histoire a l'air d'un roman... pourtant, je vous jure que c'est la vérité !

La femme alors haussa les épaules :

— Les Turcs disent que la vérité plane et ne se laisse jamais dominer. La tienne rend un son étrange... comme toutes les vérités. Mais, rassure-toi, j'ai déjà entendu des histoires plus bizarres encore que la tienne ! Il te reste à me dire ton nom... et ce que tu allais faire à Constantinople...

Le moment difficile était venu, celui du choix qui pouvait être lourd de conséquences. Depuis le début de cette conversation, Marianne hésitait à déclarer sa véritable identité. Elle avait pensé donner un faux nom, expliquer son voyage sur le navire américain comme la fuite d'une femme éprise désireuse de mettre, entre son bonheur coupable et la colère d'un mari, le plus de distance possible mais à mesure qu'en parlant elle examinait le visage grave de son hôtesse, elle éprouvait de plus en plus de répugnance à lui servir une histoire, d'amour sans doute, mais qu'elle pouvait trouver sordide. De plus, Marianne savait qu'elle mentait difficilement, sans habileté, en femme à qui le mensonge n'est pas familier. Même la simple dissimulation lui réussissait mal : le récent naufrage de son amour en était la preuve éclatante.

Soudain, elle se souvint d'une phrase que lui avait dite François Vidocq tandis qu'ils revenaient ensemble des côtes de Bretagne :

« Notre vie, ma chère amie, est un vaste océan parsemé d'écueils. Nous devons, à chaque instant, nous attendre à faire naufrage. Le mieux est de s'y préparer. Ainsi, on a souvent une chance de s'en sortir... »

L'écueil était là, devant elle, caché derrière ce grand front impénétrable, ces traits énigmatiques... Marianne songea qu'elle n'avait plus rien d'autre à perdre qu'une hypothétique vengeance, et décida de prendre l'écueil de face. Les conséquences, après tout, n'avaient plus aucune importance et si cette femme la jugeait son ennemie et la tuait, cela ne serait pas une grande catastrophe. D'une voix nette elle déclara :

— Je m'appelle Marianne d'Asselnat de Villeneuve, princesse Sant'Anna et je vais à Constantinople par ordre de l'empereur Napoléon, mon maître, afin de convaincre la Sultane, qui est un peu ma cousine, de rejeter l'alliance anglaise, de reprendre des relations plus amicales avec la France... et de poursuivre la guerre avec la Russie ! Voilà, je crois que, maintenant, vous n'ignorez plus rien de moi !

Le résultat de cette franche profession de foi fut étonnant. La femme se releva d'un seul coup, devint très rouge puis, peu à peu, retrouva sa pâleur. Elle considéra la rescapée avec stupeur, ouvrit la bouche pour dire quelque chose mais la referma sans qu'aucun son n'en fût sorti puis, brusquement, tourna les talons et se dirigea vers la porte, comme si elle se trouvait tout à coup devant une trop lourde responsabilité et préférait la fuir momentanément. Mais la voix de Marianne la cloua sur place :

— Je vous ferai remarquer que je vous ai dit tout ce que vous souhaitiez savoir et que, de votre côté, vous n'avez pas encore répondu à la question, cependant bien naturelle, que je vous ai posée tout à l'heure : où suis-je ?... et qui êtes-vous ?

La femme se retourna tout d'une pièce et planta dans celui de Marianne son regard noir qui semblait s'être encore agrandi.

— Ici, c'est l'île de Santorin, l'ancienne Thira, la plus pauvre des îles grecques, celle où l'on n'est jamais sûr de vivre le jour suivant, ni même la fin du jour, parce qu'elle repose sur le feu originel. Quant à moi... tu peux m'appeler Sapphô ! C'est sous ce nom-là que l'on me connaît...

Et, sans ajouter une parole de plus, l'étrange créature quitta la pièce précipitamment mais ferma soigneusement la porte derrière elle. Résignée d'avance à cette nouvelle sorte de prison, Marianne haussa les épaules, reprit le péplos oublié par Sapphô... puisque Sapphô il y avait !... s'enveloppa dedans puis, se recouchant sur ses peaux de chèvres, entreprit de réparer véritablement ses forces par un profond sommeil. Les dés étaient jetés maintenant. La suite ne lui appartenait pas !

La fin du jour se passa pour Marianne, toujours enfermée dans sa chapelle, sans avoir revu âme qui vive, auprès de la petite fenêtre géminée. La vue que l'on y découvrait était bizarre : un champ de ruines et de cendres où chaque chose semblait faite d'une qualité particulière d'argent. Des fûts de colonnes, des pans de murs émergeaient d'une fine poussière où se rejoignaient tous les tons de gris. Cela jaillissait d'un vaste plateau dont l'un des côtés s'étageait en cultures, d'une puissante architecture paysanne, où, sur de larges gradins poussait une vigne courte abritée de figuiers tordus par les vents et argentés par la poussière universelle. L'autre côté du plateau paraissait s'effondrer dans la mer derrière un vieux moulin de pierre aux ailes déchiquetées.

Parfois, de loin en loin, un cube blanc qui était une maison et la silhouette, grise elle aussi, d'un âne qui semblait minéralisé, comme le reste. C'était un paysage déprimant, peu fait pour remonter le moral d'une femme pouvant, à bon droit, se considérer comme prisonnière, mais il n'en fascinait pas moins Marianne qui sursauta quand retentit derrière elle la voix tranquille de Sapphô.

— Si tu veux te joindre à nous, disait cette voix, l'heure approche où nous devons aller saluer le soleil... Habille-toi !

Elle tendait une tunique semblable à celle que Marianne avait vue sur les autres jeunes filles, des sandales et des bandelettes pour attacher les cheveux.

— Je voudrais me laver, dit Marianne. Jamais je ne me suis sentie aussi sale !...

— C'est juste ! Attends, je vais te chercher de l'eau...

Elle revint au bout d'un instant portant un seau plein qu'elle déposa sur le dallage usé. De l'autre main, elle tendait un morceau de savon et une serviette.

— Je ne peux pas t'en donner davantage, dit-elle d'un ton de regret. L'eau est ce qu'il y a de plus rare ici, car nous ne comptons que sur la pluie pour remplir nos citernes et, quand vient l'été, le niveau baisse rapidement.

— Les gens d'ici doivent souffrir alors ?...

Sapphô eut son rapide sourire qui conférait un charme si grand à son visage sévère.

— Moins que tu ne crois. Ils n'aiment guère se

laver et, pour ce qui est de la boisson, nous avons du vin en abondance. Personne ici n'aurait l'idée de boire de l'eau. Dépêche-toi. Je t'attends dehors. A propos, ne parles-tu que ta propre langue?

— Non. Je parle aussi allemand, anglais, italien, espagnol et, autrefois, j'ai étudié le grec antique...

Sapphô fit la moue. Visiblement, elle eut cent fois préféré le plus grossier des dialectes parlés en Grèce. Au bout d'un instant, elle décida:

— Le mieux est encore que l'on t'entende le moins possible, mais si tu dois le faire, emploie l'italien. Ces îles ont longtemps été vénitiennes; c'est un langage que l'on comprend encore. Et n'oublie pas de tutoyer tout le monde. Le langage diplomatique a fort peu cours chez nous...

Rapidement Marianne procéda à sa toilette et tira des miracles du peu d'eau qui lui était imparti. Elle réussit même à laver ses cheveux qu'elle essora de son mieux, tressa encore mouillés et serra autour de sa tête. Le mieux-être qu'elle en ressentit lui parut immense. Les brûlures que le soleil avait laissées sur son visage, son cou et ses bras s'étaient calmées grâce à l'huile du pêcheur et quand elle eut revêtu la tunique plissée, elle se sentit presque aussi fraîche qu'au sortir de son élégante salle de bains parisienne. Enfin, elle tira la porte de bois grossier qui fermait son logis provisoire et trouva Sapphô qui l'attendait, assise auprès de la margelle d'un puits. Elle tenait une lyre à la main et les jeunes femmes que Marianne avait vues le matin l'entouraient, déjà formées en cortège.

A la vue de la nouvelle venue, Sapphô se leva et, de la main, lui indiqua une place entre deux des filles qui ne lui adressèrent même pas un regard. Puis la blanche théorie se mit en route vers l'extrémité du plateau que Marianne découvrit alors dans toute son étendue.

Incliné vers l'est, piqué de vignes et de champs de

tomates, il descendait assez doucement vers la mer, mais se relevait du côté de l'ouest en une crête sommée d'une large et massive construction blanche qui, sans le clocher qui en dépassait, eût facilement passé pour une forteresse et derrière laquelle le soleil semblait s'être réfugié. Quant à l'endroit où Marianne avait passé la journée, c'était en effet une petite chapelle à demi écroulée, dont le dôme d'ocre jaune portait un curieux paratonnerre qui était peut-être une ancienne croix. Autour s'ouvraient les portiques croulants d'une vieille villa byzantine déployés autour de la citerne.

Chantant toujours l'un de ses étranges hymnes archaïques, le cortège gagna un point élevé qui dominait l'étendue bleue de la mer. La poussière grise y faisait place à un bloc de lave noire creusé à la manière d'un trône. Sapphô y monta d'un pas majestueux, sa lyre maintenue sur sa poitrine par ses deux bras croisés, tandis que les jeunes filles s'agenouillaient à ses pieds. Toutes tournaient vers le soleil à son déclin un visage qui s'efforçait d'imiter l'expression extatique dont était empreinte la figure de leur maîtresse et que Marianne eût sans doute jugé passablement ridicule si elle n'avait compris que tout cela n'était qu'une mise en scène et qu'il y avait autre chose, quelque chose d'infiniment fort et respectable caché sous l'espèce de mascarade permanente à laquelle toutes ces femmes s'astreignaient.

« Je passe pour folle » avait dit Sapphô... et, en vérité, elle faisait tout pour en persuader la terre entière. Après s'être un instant recueillie, la tête dans les mains, elle avait préludé sur sa lyre et s'était mise à chanter d'une voix forte, une sorte de longue litanie au soleil dont le rythme n'était pas sans mérite mais que Marianne ne tarda pas à juger ennuyeuse et trop longue pour se donner la peine d'en chercher la signification.

Au bout de quelques instants d'ailleurs, quelques-unes de ses compagnes s'étaient levées et s'étaient mises à danser. C'était une danse lente et cérémonieuse mais cependant curieusement suggestive. Elle semblait offrir au soleil mourant les jeunes corps vigoureux que les plis du lin dessinaient dans les mouvements de la danse...

Bientôt, cet étrange concert eut un contrepoint encore plus étrange. Sur le raidillon qui menait à la forteresse blanche de la crête, trois silhouettes noires, coiffées de mitres, étaient apparues, trois silhouettes en colère qui vociféraient en montrant le poing aux danseuses. Marianne comprit que la forteresse devait être un couvent et que les manifestations chorégraphiques de ses compagnes n'étaient pas du goût des saints hommes qui l'habitaient. Se rappelant le dégoût que lui avait montré le moine, dans la barque de Yorghos, elle n'en fut pas autrement surprise, mais s'inquiéta tout de même quand les trois furieux se mirent à lancer des pierres. Heureusement, ils étaient trop loin et leur tir manquait de précision.

D'ailleurs, ni Sapphô ni sa troupe ne paraissaient s'en soucier. Elles ne s'émurent pas davantage quand l'un des moines dégringola vers deux soldats turcs, deux janissaires en bonnet de feutre et bottes rouges qui passaient sur le chemin et leur désigna les femmes avec des gestes frénétiques. Les Turcs tournèrent à peine la tête, jetèrent vers les danseuses un regard ennuyé, haussèrent les épaules et, repoussant le moine, continuèrent leur route vers le nord.

Au surplus, Sapphô avait fini de chanter. Le soleil avait disparu derrière la crête. La nuit allait venir rapidement. En silence, les femmes se rassemblèrent et reprirent en bon ordre le chemin de la vieille villa, rangées derrière la poétesse et ses joueuses de flûte qui marchaient en tête, l'air plus inspiré que jamais.

Au milieu de la troupe, Marianne cherchait en vain des réponses aux questions qu'elle se posait. Elle était si absorbée dans ses pensées qu'elle ne vit pas une touffe de lentisque poussant au milieu du sentier, buta dedans, trébucha et serait tombée si la fille qui cheminait auprès d'elle ne l'avait retenue d'une main vigoureuse. Si vigoureuse même, qu'elle la considéra avec plus d'attention.

C'était une créature mince et élancée, portant fièrement une tête aux traits fins mais énergiques sous une forêt de boucles noires, coiffées en chignon. Comme la majorité de ses compagnes, elle était grande et solidement charpentée, sans rien de mièvre, mais sans être totalement dépourvue de grâce. Elle eut un bref sourire quand ses yeux sombres rencontrèrent ceux de Marianne, puis elle la lâcha après l'avoir retenue un instant contre elle et reprit sa marche comme si rien ne s'était passé. Mais un nouveau point d'interrogation était venu s'ajouter à ceux qui tourmentaient déjà la rescapée : Sapphô devait entraîner ses filles aussi durement que l'étaient jadis celles de Lacédémone : le corps de celle qui venait de la soutenir était aussi ferme que du marbre.

En arrivant à la villa, le cortège se dispersa. L'une près de l'autre, les jeunes femmes passèrent devant Sapphô, saluèrent et franchirent le portique mais quand Marianne arriva devant elle, la poétesse la prit par la main et l'entraîna vers la chapelle.

— Pour ce soir, il vaut mieux que tu ne te mêles pas aux autres. Rentre chez toi. Je t'apporterai à souper dans quelques instants.

Docilement Marianne obéit et referma sur elle la porte de bois peint. A l'intérieur, il faisait presque sombre et une forte odeur de poisson régnait, une odeur qui n'existait pas quand elle était sortie et dont elle chercha à deviner la provenance. Elle pensa l'avoir

338

trouvée quand elle découvrit, près du lit, un petit poisson plat qui brillait et, machinalement, le ramassa. Elle le contemplait encore sans d'ailleurs parvenir à comprendre comment il avait pu venir là quand Sapphô entra, portant dans un panier posé sur sa tête, des victuailles et une lampe à huile qu'elle alluma aussitôt et posa sur la table.

Mais, en voyant ce que Marianne tenait entre ses mains, elle fronça les sourcils, vint jusqu'à elle et prit le poisson.

— Il faudra que je gronde Yorghos, fit-elle d'un ton léger, qui sonna assez faux. Quand il rapporte sa pêche il a la manie de déposer toujours ses paniers ici parce qu'il trouve que la cuisine est trop loin !

— Ce n'est pas grave, fit la jeune femme avec un sourire. Je me demandais seulement comment le poisson était venu ici...

— Tout naturellement, tu vois... ! Tu vas pouvoir dîner.

Elle avait disposé rapidement sur la table un morceau de chevreau rôti, quelques tomates, du pain, du fromage et l'inévitable raisin, mais, maintenant, ses mains s'attardaient autour des écuelles et des objets familiers qu'elle venait d'étaler comme si elle se donnait encore un peu de temps avant de prononcer les paroles qu'elle était venue dire. Brusquement, elle se décida :

— Quand tu auras dîné, dit-elle, ne t'endors pas. Je viendrai te chercher lorsque la nuit sera noire...

— Pour aller où ?

— Ne pose pas de questions, pas maintenant ! Tout à l'heure tu comprendras beaucoup de choses qui, sans doute, t'ont paru bizarres, sinon insensées. Sache seulement ceci : je ne fais rien qui n'ait une raison profonde et j'ai dû réfléchir longuement, durant toute cette journée, avant de décider ce que je devais faire de toi.

La gorge de Marianne se sécha d'un coup. Le ton de la femme s'était chargé d'une menace, voilée mais farouche. Elle songea soudain que, peut-être, elle avait vraiment affaire à une folle qui, comme tous les fous, s'ignorait elle-même et refusait de reconnaître son état. Mais elle ne voulut pas montrer la peur qui lui venait et se contenta de murmurer :

— Ah !... et tu as décidé ?

— J'ai décidé, oui... de te faire confiance ! Mais malheur à toi si tu me trompes ! La Méditerranée tout entière ne sera pas assez vaste pour te protéger de notre vengeance ! Maintenant, mange et attends-moi ! Ah, j'oubliais...

Du panier, elle tira un paquet d'étoffes noires qu'elle jeta sur le lit.

— Tu mettras ça ! La nuit est une cachette sûre à condition de s'y fondre aussi complètement que possible !

Quelle étrange créature ! Bien qu'elle portât encore ses absurdes vêtements à l'antique, cette Sapphô était maintenant totalement différente de ce qu'elle avait été jusqu'à présent. C'était comme si, tout d'un coup, elle avait choisi de rejeter un masque pour apparaître le visage nu. Et ce visage avait quelque chose d'implacable qui pouvait être inquiétant. Pourtant, elle avait dit qu'elle optait pour la confiance mais elle l'avait dit d'une voix si menaçante qu'on avait l'impression qu'elle le regrettait et que, peut-être, elle n'avait pas vraiment choisi son attitude. Elle obéissait aux circonstances.

Quoi qu'il en soit, Marianne pensa que le mieux était de lui obéir dans ce qu'elle commandait puisque son sort en dépendait, mais, tout de même, de se tenir sur ses gardes. Avec la force, le goût de la vie lui revenait... Calmement, elle se mit à table, mangea de bon appétit et prit même un certain plaisir au vin, fort et chaleureux, qui était la gloire de l'île et qui faisait couler dans ses veines une si agréable sensation de bienêtre. De plus, elle avait tellement dormi qu'elle se sentait reposée, presque prête pour un nouvel affrontement avec les obstacles que le destin semblait prendre un malin plaisir à jeter sur son chemin.

Lorsque Sapphô revint dans la chapelle, la nuit était close depuis longtemps et Marianne, prête elle aussi depuis longtemps, attendait sans impatience, assise sur un tabouret, les mains croisées autour de ses genoux. Elle avait revêtu le costume qu'on lui avait donné, celui des paysannes des îles grecques : large jupe de cotonnade noire à mince bordure rouge, camisole assortie, serrée à la taille, grand foulard noir à fines broderies rouges drapé sur les cheveux qu'il enfermait complètement.

Vêtue à peu près de la même façon, la femme l'enveloppa d'un regard approbateur.

— Dommage que tu ne parles pas notre langue! On te prendrait sans peine pour une fille de chez nous. Jusqu'à tes yeux! Ils sont aussi sauvages que si tu étais née ici. Maintenant, éteins la lampe et suis-moi sans faire de bruit.

L'obscurité les enveloppa. Dans l'ombre, Marianne sentit la main de Sapphô qui saisissait la sienne et l'entraînait. Au-dehors, la nuit lui parut noire comme de l'encre et lui jeta au visage des senteurs de myrte et de thym mêlées à des relents de bergerie. Sans la main qui la soutenait, elle fût sans doute tombée durant les premiers pas car elle marchait en aveugle, tâtant le terrain du bout du pied avant de le poser.

— Avance donc! chuchota Sapphô avec impatience. A cette allure, nous n'y serons jamais!

— C'est que je n'y vois rien! plaida Marianne qui s'abstint de demander vers quel endroit on la menait si vite.

— Cela ne va pas durer ! Tes yeux vont s'habituer...

Ils s'habituèrent, en effet, plus vite même que Marianne ne l'avait imaginé et, du même coup, elle comprit la raison des précautions prises par Sapphô en l'habillant de sombre et en lui recommandant le silence : à quelques toises de la villa et caché par elle tant que les deux femmes n'eurent pas franchi le mur croulant, un feu brillait dans la nuit. Il était allumé devant une construction blanche, informe, d'ailleurs, qui tenait de la mosquée et du hangar, et servait autant à éclairer les figures farouches et moustachues de quelques soldats turcs réunis autour qu'à cuire le contenu d'une grande marmite de cuivre suspendue au-dessus.

A la lueur de ce feu, Marianne vit que le sentier dans lequel Sapphô l'avait engagée passait à proximité de ce poste de garde mais, déjà, la poétesse mettant un doigt sur ses lèvres l'entraînait silencieusement derrière un pan de mur ruiné qui devait être un reste d'antique fortification. Des broussailles de tamarins et de genêts poussaient derrière et engloutirent les deux femmes qui, sous cette double protection, se mirent à progresser lentement, le dos courbé, évitant de faire craquer la moindre branche. Sous cet abri précaire, on passa assez près des Turcs pour sentir l'odeur de leur cuisine. La peur étreignait Marianne. Enfin, le dangereux passage fut franchi et les deux femmes, après avoir marché encore quelques instants, retrouvèrent le chemin qui serpentait maintenant dans ce qui devait être un antique cimetière marqué par de vieilles stèles et des cuves vides qui avaient sans doute été des sarcophages de pierre. Mais arrivée là, Sapphô obliqua fermement vers la gauche et s'engagea dans un raidillon pierreux, véritable sentier muletier qui grimpait capricieusement vers le sommet de la crête.

Les yeux de Marianne étaient suffisamment habitués à l'obscurité maintenant pour qu'elle pût distinguer les détails du paysage et jusqu'aux taches blanchâtres des fleurs de ciste qui poussaient au hasard le long du sentier. Mais celui-ci, malgré ses méandres, semblait bien se diriger vers les murailles blanches et hostiles du couvent.

Marianne tira doucement sur la jupe de sa compagne qui grimpait devant elle :

— Ce n'est tout de même pas là que nous allons ? fit-elle en désignant le sommet quand Sapphô se retourna.

— Si. C'est là que nous allons. Le couvent d'Ayios Ilias[1].

— A en juger d'après ce que j'ai vu tout à l'heure, vos relations avec les moines qui habitent là-haut ne sont pas excellentes.

Sapphô s'arrêta un instant, les mains aux hanches, pour souffler un peu. La montée, en effet, était rude et fatigante, même pour une habituée.

— Il y a les apparences, fit-elle, et il y a la réalité. Celle-ci veut qu'à onze heures, l'higoumène Daniel nous reçoive. Ce que tu as vu au coucher du soleil n'était rien d'autre qu'un dialogue en langage convenu. Mon chant demandait une réponse... et la réponse est venue !

— A coups de pierres ? fit Marianne abasourdie.

— Justement. Onze pierres ont été lancées. Elles signifiaient onze heures. Il est temps que tu le saches, étrangère, tous ici, comme dans toutes les îles de l'archipel, comme dans la Grèce entière, nous avons consacré nos vies à secouer le joug turc qui nous opprime depuis des siècles. Nous sommes tous au service de la liberté : les paysans, les riches, les pauvres, les brigands, les moines... et les fous ! Mais il faut reprendre notre chemin et nous taire car la montée est

1. Saint-Élie.

dure et nous en avons encore pour un bon quart d'heure avant d'atteindre Ayios Ilias...

Vingt minutes plus tard, en effet, Marianne et sa compagne prenaient pied sous les hautes murailles blanches du monastère. Pas encore très bien remise de sa récente épreuve, Marianne était à bout de souffle mais bénissait la nuit. De jour et en plein soleil, cette escalade devait constituer un véritable calvaire, car il n'y avait ni un arbre, ni même une touffe d'herbe. Sous ses cotonnades noires, elle était en nage et apprécia à sa juste valeur le courant d'air qui régnait sous le portique d'entrée, épaisse voûte en plein cintre surmontée d'un fronton à jour dans les baies duquel pendaient des cloches. Une grille de fer, timbrée de l'aigle bicéphale du mont Athos, dont dépendait Ayios Ilias, s'ouvrit en grinçant. Une ombre se détacha de celles, épaisses et noires, de l'entrée, mais elle n'avait rien d'inquiétant. C'était celle, replète, d'un gros caloyer [1] tout en barbe et en tignasse qui ne devait pas gaspiller inconsidérément la précieuse eau de l'île si l'on en jugeait par l'odeur de sainteté qui émanait de lui. Il chuchota quelque chose à l'adresse de Sapphô puis, roulant sur ses courtes jambes, précéda les deux femmes à travers une longue terrasse à flanc de mur blanc, contourna un puits de maçonnerie et une élégante vasque byzantine, puis s'engouffra dans un dédale de couloirs, de baies arrondies sur des vestibules déserts, d'escaliers qui, à la lumière de quinquets fumeux accrochés ici et là, semblaient taillés dans de la neige et, finalement, ouvrit une porte peinte qui donnait sur la chapelle du couvent.

Deux hommes s'y tenaient debout sous la lumière d'une grosse lampe de chœur en bronze, devant une grande iconostase du XVIIIe, sculptée et peinte, avec un

1. Moine grec.

art naïf, comme un livre d'images pour enfant. Mais si la chapelle, avec ses icônes d'argent et ses murs blancs ornés de l'aigle bicéphale de la Sainte Montagne avait quelque chose d'ingénu, ses deux occupants n'évoquaient en rien l'enfance et sa fraîche innocence.

L'un d'eux, longue robe noire et croix pectorale brillante, était l'higoumène Daniel. Son étroit visage émacié prolongé d'une barbe grise était celui d'un ascète, son regard visionnaire celui d'un fanatique. Devant lui le temps reculait et Marianne, en traversant la chapelle, eut l'impression déprimante que l'abbé voyait à travers elle et qu'elle n'avait plus ni substance ni personnalité.

L'autre était presque un géant. Charpenté comme un ours, il érigeait, au-dessus d'une stature athlétique, une tête dont les traits poussaient l'énergie jusqu'à la sauvagerie. Il avait des yeux farouches et dominateurs, de longs cheveux qui, d'une calotte ronde à gland de soie, tombaient dans son cou, des moustaches arrogantes et, sous la veste sans manches, en peau de chèvre, qui l'habillait, on devinait, passés dans une large ceinture rouge, la crosse d'argent d'un pistolet et le manche d'un long poignard.

Sapphô cependant, oubliant sans doute ses prières à Aphrodite était venue, humblement, baiser l'anneau de l'higoumène.

— Voici celle que je t'ai annoncée, Père très Saint, dit-elle en dialecte vénitien. Je crois qu'elle peut nous être d'une grande utilité.

Le regard du prêtre grec transperça Marianne mais sa main ne s'étendit pas vers elle.

— A condition qu'elle le veuille ! fit-il observer d'une voix lente qui, dans le chuchotement habituel de la vie monastique avait pris une bizarre tonalité feutrée. Mais, le voudra-t-elle ?

Avant que Marianne ait pu répondre, le géant s'était jeté impétueusement au travers du dialogue :

— Demande-lui plutôt si elle veut vivre ou mourir...
ou encore pourrir ici jusqu'à ce que sa peau se des-
sèche et quitte son squelette. Ou bien elle nous aidera,
ou bien elle ne reverra jamais son pays !

— Calme-toi, Théodoros, intervint Sapphô. Pourquoi la traites-tu en ennemie ? Elle est française et les
Français ne nous sont pas hostiles, au contraire ! Songe
à Koraïs ! De plus, je sais qu'à Corfou, les réfugiés
trouvent asile. Et, ici, c'est ce qu'elle est : une réfugiée. C'est la mer qui nous l'a amenée et, je le crois
sincèrement, pour notre plus grand bien.

— Cela reste à voir, gronda le géant. N'as-tu pas dit
qu'elle est cousine de la Sultane Haseki ? Cela devrait
t'inciter à la prudence, princesse !

Surprise de ce titre qui s'adressait visiblement à sa
compagne, Marianne tourna vers elle un regard étonné
qui arracha un sourire à l'adoratrice d'Aphrodite.

— J'appartiens à l'une des plus anciennes famille
de la Grèce et je m'appelle Mélina Koriatis, dit-elle
avec une simplicité qui n'excluait pas l'orgueil. Je t'ai
dit que je te ferais confiance. Quant à toi, Théodoros,
tu nous fais perdre un temps précieux. Comme si tu ne
savais pas que Nakhshidil est une Franque jadis enlevée par les Barbaresques et offerte comme esclave au
vieil Abdul Hamid !...

Comme le géant conservait un front têtu, Marianne
pensa qu'elle avait suffisamment gardé le silence et
qu'il était temps pour elle d'intervenir :

— J'ignore, dit-elle, ce que vous désirez obtenir de
moi, mais, avant d'en débattre, ne serait-il pas plus
simple de me le dire ? Ou bien n'ai-je que le droit
d'accepter sans discussion ? Je vous dois la vie, soit !...
mais vous pourriez penser que je souhaite en faire
autre chose que vous la consacrer !

— Je t'ai dit quel choix était le tien, grogna Théodoros.

— Elle a raison, coupa l'higoumène, et il est vrai aussi que nous perdons du temps. Puisque tu as accepté qu'elle vienne jusqu'ici, Théodoros, tu dois l'entendre. Quant à toi, jeune femme, écoute ce que nous avons à te demander. Ensuite tu nous diras ton sentiment mais, avant de répondre prends garde : nous sommes ici dans une église et sous le regard de Dieu ! Si ta langue se prépare à être fausse, il vaut mieux te retirer sans plus attendre ! Tu ne sembles guère disposée à nous aider...

— Je n'aime ni le mensonge ni la dissimulation, affirma la jeune femme. Et je sais que, si vous avez besoin de moi, j'ai moi aussi, en retour, besoin de vous. Parlez !

Le prêtre alors parut se recueillir. Il laissa tomber sa tête sur sa poitrine, ferma les yeux un instant puis se tourna vers l'icône d'argent de saint Élie, comme pour lui demander conseil et inspiration. Ensuite, seulement, il commença.

— Dans vos pays d'Occident, vous ignorez ce qu'est la Grèce ou plutôt vous l'avez oublié parce que, depuis des siècles, nous n'avons plus le droit de vivre libres et d'être nous-mêmes...

De son étrange voix assourdie où passaient, cependant, des éclats d'amertume, de colère, de douleur, l'higoumène Daniel passa rapidement en revue l'histoire tragique de son pays. Il dit comment le sol d'où était venue la lumière la plus pure de la civilisation avait été ravagé successivement par les Wisigoths, les Vandales, les Ostrogoths, les Bulgares, les Slaves, les Arabes, les Normands de Sicile et finalement par les Croisés d'Occident amenés par le doge Henri Dandolo qui, après la prise de Byzance, avaient partagé le pays en une multitude de fiefs. Ces fiefs, le Turc s'en était emparé et, pendant presque deux cents ans, la Grèce avait cessé de respirer. Livrée au despotisme des fonctionnaires ottomans, elle avait été réduite à l'esclavage sous le fouet des pachas auprès desquels le poste de bourreau n'était jamais vacant. La seule liberté qu'on lui avait laissée était la liberté religieuse, le Coran faisant preuve, à ce sujet, d'une grande tolérance et l'unique responsable, devant la Sublime Porte, des faits et gestes des Grecs asservis était le seul patriarche de Constantinople, Gregorios.

— Mais nous n'avons jamais cessé d'espérer, continua l'higoumène, et nous ne sommes pas encore tout à fait morts. Depuis une cinquantaine d'années, le cadavre de la Grèce remue et fait des efforts pour se relever. Les Monténégrins de l'Empire se sont soulevés en 1766, les Maniotes en 69, les Souliotes plus récemment. En 1804, Ali de Tebelen, ce chien galeux qui travaille pour son propre compte, les a écrasés dans le sang, comme les autres l'avaient été avant eux, mais le sang des martyrs fait lever la moisson. Nous voulons toujours et plus que jamais secouer le joug. Regarde cette femme...

Sa main maigre où brillait l'anneau vint se poser, affectueuse, sur l'épaule de la fausse Sapphô.

— Elle appartient à l'une des familles les plus riches du Phanar, le quartier grec de Constantinople. Depuis un siècle, les siens, choisissant de donner des gages aux Turcs ont occupé de hautes charges. Plusieurs ont été hospodars de Moldavie, mais les plus jeunes d'entre eux ont choisi la liberté, gagné la Russie, notre sœur de religion, et combattent à cette heure l'ennemi dans ses rangs. Mélina, elle, est riche, puissante. Cousine du patriarche, elle pourrait vivre sans souci dans ses palais du Bosphore ou de la mer Noire. Pourtant, elle préfère vivre ici, en passant pour folle, dans une maison à demi ruinée et sur cette île abandonnée du ciel qui périodiquement la voue au feu, justement parce que Santorin, sous laquelle le volcan ne dort jamais que d'un œil, est de toutes les îles la plus mal gardée par les Turcs. Elle ne les intéresse pas et ils considèrent même comme une disgrâce d'y être envoyés.

— Dans quel but fais-tu cela ? demanda Marianne en se tournant vers son étrange compagne. Qu'espères-tu donc de cette vie bizarre que tu t'es faite ?

Mélina Koriatis haussa les épaules avec un sourire qui la rajeunissait.

— Je sers de relais et d'agent de liaison entre l'Archipel, la Crète, Rhodes et les anciennes cités d'Asie Mineure. Ici les nouvelles viennent et se croisent. Ici aussi peuvent venir sans trop de crainte ceux qui ont besoin d'aide. As-tu bien regardé les filles qui vivent avec moi ? Non, bien sûr, tu étais trop épuisée et trop inquiète pour ton propre compte. Eh bien, tu les regarderas mieux et tu t'apercevras qu'à l'exception de quatre ou cinq qui m'ont suivie ici par pur dévouement, la plupart d'entre elles sont des garçons !

— Des garçons ? souffla Marianne qui, en même temps, se souvint de l'étrange vigueur de ces femmes qui l'avaient portée et de la dureté des muscles de sa compagne de tout à l'heure. Mais qu'en fais-tu ?

— Des soldats pour la Grèce ! riposta farouchement la princesse. Certains sont les fils de pères massacrés ou exécutés que je recueille ici pour qu'ils ne soient pas enrôlés de force dans les rangs des janissaires. D'autres, enlevés par les pirates de l'Archipel, car malheureusement nous sommes aussi affligés d'une peste maudite de renégats et de traîtres qui travaillent pour leur propre compte comme Ali de Tebelen, ont été achetés par moi ou pour moi sur les marchés de Smyrne ou de Carpathos. Chez moi, ils redeviennent eux-mêmes : ils oublient la honte, mais pas la haine. Dans les cavernes de l'île, je les entraîne à la guerre comme l'étaient jadis les guerriers de Sparte, ou les athlètes d'Olympie puis, quand ils sont prêts, Yorghos ou son frère Stavros les emmènent là où l'on a besoin de bons combattants... et m'en ramènent d'autres. Je n'en manque jamais : les Turcs ne sont jamais las de faire tomber les têtes, ni les trafiquants de gagner de l'or !

Envahie d'un sentiment d'horreur et de pitié à se retrouver ainsi confrontée de nouveau à l'infamie du trafic humain, Marianne ouvrit de grands yeux. L'audace de cette femme la stupéfiait. N'y avait-il pas un poste turc à quelques toises du refuge qu'elle avait créé ? Pour la première fois elle se sentit vraiment attirée vers elle et lui sourit avec chaleur, une chaleur dont elle n'eut même pas conscience elle-même.

— Je ne peux que t'admirer, dit-elle, sincère, et si je peux t'aider, je le ferai volontiers mais je ne vois pas comment. Ainsi que cet homme l'a rappelé lui-même, mon maître m'envoie à la Sultane pour essayer de renouer avec elle des liens amicaux qui se sont relâchés...

— Mais il donne aussi asile aux têtes pensantes de chez nous. L'un de nos plus grands écrivains, Koraïs, qui a consacré toutes ses forces à notre renaissance, vit en France, à Montpellier, et Rhigas, notre poète, a été exécuté par les Turcs parce qu'il voulait rejoindre Bonaparte et nous assurer son appui !...

L'homme que l'on avait appelé Théodoros intervint. Visiblement, ce cours d'histoire l'agaçait et il avait hâte d'en venir à l'actualité immédiate.

— Napoléon souhaite que la guerre entre la Turquie et la Russie continue, lança-t-il brusquement, dis-nous pourquoi ? Nous aussi nous le souhaitons, et jusqu'à l'écrasement de la Porte, mais nous aimerions connaître les raisons de ton empereur...

— Je ne les connais pas vraiment, fit Marianne après une toute légère hésitation. (Elle pensait, en effet, qu'elle n'avait aucun droit de révéler les plans, encore secrets, de Napoléon.) Je pense qu'il désire surtout soustraire le Sultan à l'influence anglaise.

Théodoros approuva de la tête. Il regarda Marianne comme s'il cherchait à examiner le tréfonds de son âme, puis, sans doute satisfait, il se tourna vers l'higoumène :

— Dis-lui tout, Père. Elle paraît sincère et je suis prêt à tenter l'aventure. De toute façon si elle me trahissait, elle ne vivrait pas assez pour s'en vanter ! Les nôtres y veilleraient.

— Cessez de me soupçonner continuellement ! Je n'ai l'intention de trahir personne, s'insurgea Marianne. Dites ce que vous voulez une bonne fois et finissons-en !

Le prêtre des deux mains, fit un geste de paix.

— Une nuit prochaine, tu partiras dans la barque de Yorghos. Celui-ci t'accompagnera, dit-il en désignant le géant. Il est l'un de nos chefs. Il sait manier les hommes et, pour cela, depuis cinq ans, les Turcs l'ont chassé de sa Morée natale et il doit vivre caché, ne séjournant jamais longtemps à la même place. Continuellement, il parcourt l'Archipel, toujours traqué, mais toujours libre, soufflant le feu sur les âmes tièdes pour y allumer le brandon de la révolte et aidant de son mieux ceux qui ont besoin de son aide, de son courage et de sa foi. Aujourd'hui, c'est la Crète qui a besoin de lui, mais sa présence ne serait d'aucune utilité alors qu'aux rives du Bosphore il pourrait agir efficacement. La nuit dernière Yorghos a ramené ici, en même temps que toi, un caloyer du monastère d'Arkadios, en Crète. Là-bas, le sang coule et le cri des opprimés s'élève vers le ciel. Les janissaires du pacha rançonnent, pillent, brûlent, torturent et empalent sur le moindre bruit, le plus léger soupçon. Il faut que cela cesse. Et justement Théodoros pense avoir le moyen de faire cesser cet état de choses. Mais, pour cela, il lui faut entrer à Constantinople, ce qui, pour lui, équivaut à se jeter dans la gueule du loup. Avec toi, il a une chance non seulement d'y entrer mais encore d'en sortir vivant. Nul ne songerait à inquiéter une grande dame française voyageant avec un serviteur : il sera ce serviteur.

— Lui ? Mon serviteur ?...

Incrédule, elle considéra l'aspect sauvage du géant, ses moustaches agressives et son costume hautement pittoresque : le tout ne ressemblait en rien à l'idée que l'on se faisait, au faubourg Saint-Germain, d'un valet de grande maison ou d'un majordome.

— Il modifiera son aspect, fit Mélina avec un sourire amusé, et il sera l'un de tes domestiques italiens, puisqu'il ne parle pas français. Tout ce que nous te demandons, c'est de partir avec lui et de l'introduire avec toi dans Constantinople. Tu logeras, je pense, à l'ambassade de France ?

Se souvenant de ce que le général Arrighi lui avait dit des appels au secours réitérés de l'ambassadeur, le comte de Latour-Maubourg, Marianne ne douta pas un instant d'être, en effet, chaleureusement accueillie.

— Je ne vois pas bien, admit-elle où je pourrais aller en dehors de cela...

— Parfait. Nul ne songera à chercher Théodoros au palais de France. Il y restera quelque temps ; puis, un beau jour il disparaîtra et tu n'auras plus à t'en préoccuper.

Marianne fronça les sourcils. Elle se voyait mal, alors que sa mission auprès de la Sultane s'annonçait déjà comme délicate et difficile, risquer de surcroît les pires ennuis en introduisant avec elle un chef de rebelles proscrit et sans doute assez connu puisqu'il n'osait pas entrer sans couverture dans Constantinople. C'était un coup à faire échouer sa mission d'une part, et, d'autre part, à l'envoyer elle-même réfléchir sa vie durant sur la paille humide d'une prison turque, en admettant qu'on voulût bien lui laisser la vie.

— Est-il indispensable, dit-elle, au bout d'un moment de réflexion, qu'il se rende en personne là-bas ? Et ne puis-je le remplacer d'une manière ou d'une autre ?

Le géant eut un sourire féroce qui découvrit des dents blanches et aiguës, tandis que sa main allait caresser la garde d'argent ciselé de son poignard. Il ricana :

— Non, tu ne peux pas me remplacer car tu n'es rien qu'une femme étrangère et je n'ai pas assez confiance en toi ! Mais tu as aussi la possibilité de refuser. Après tout, nul ne sait que tu es ici...

C'était clair : si elle refusait, cette brute était capable de l'égorger séance tenante, église ou pas église. De plus, elle désirait vraiment remplir sa mission et aussi sortir de ce trou à rats, chercher à retrouver le brick, son bandit de médecin et surtout, surtout Jason et ses amis. Si, après celle d'avoir rendu un signalé service à Napoléon, la seule joie qu'il lui restât encore à éprouver en ce monde était de voir pendre John Leighton, elle ne voulait pas manquer une chance, si minime soit-elle, d'y parvenir. Et cette chance ne se trouvait pas à Santorin.

— C'est entendu, dit-elle enfin, je suis d'accord !

La princesse Koriatis eut un cri de joie mais Théodoros n'était pas encore satisfait. Sa grosse main velue s'abattit sur le poignet de Marianne et il l'entraîna au pied même de l'iconostase :

— Tu es chrétienne, n'est-ce pas ?

— Naturellement, je le suis, mais...

— Mais ton église n'est pas la nôtre, je le sais ! Néanmoins, Dieu est le même pour tous ses enfants, quelle que soit la manière dont ils le prient. Aussi, tu vas jurer ici, devant ces saintes images, de faire loyalement tout ce qu'il te sera demandé de faire pour m'aider à entrer dans Constantinople et à y séjourner. Jure !

Sans hésiter, Marianne étendit la main vers les images d'argent qui luisaient doucement avec des reflets dorés sous la flamme mouvante de la lampe :

— Je le jure ! déclara-t-elle d'une voix forte ! Je ferai de mon mieux ! Mais... (et, laissant retomber sa main, elle se tourna lentement vers la fausse Sapphô :) ... sache bien que ce ne sera pas pour toi, ou parce que j'ai peur de toi : je le ferai pour elle, parce qu'elle m'a aidée et parce que j'aurais honte de la décevoir.

— Eh ! qu'importe tes raisons ! Mais sois damnée dans l'éternité si tu manques à ton serment ! Maintenant, Père, je crois que nous pouvons nous retirer !...

— Non. Nous avons encore à faire ! Suivez-moi !...

Derrière la robe noire de l'higoumène, ils quittèrent la chapelle, retrouvèrent les couloirs et les escaliers blancs et débouchèrent finalement sur la plus haute terrasse du monastère qui, sous la lune à son lever, apparut blanche comme un champ de neige fraîche. Sur cette cime, le vent soufflait en permanence et, sous ses vêtements minces, Marianne frissonna. Mais le spectacle qui s'offrait à ses yeux était fantastique.

De là-haut, on découvrait Santorin tout entière, long croissant de laves et de scories accumulées par le volcan, semé de traînées blanches qui étaient les villages. Une chaîne d'îlots sauvages fermaient presque entièrement sa baie profonde et retraçaient le bord de l'ancien cratère qui se perdait sous les eaux. Sur l'une des deux plus grandes de ces terres émergées, Paléa Kaïmeni, Marianne aperçut des fumées légères. Une odeur de soufre venait, apportée par le vent. Quant à la terre sur laquelle était bâti le monastère, elle s'effondrait bru-

talement dans la mer par une falaise vertigineuse qui
dominait l'eau noire de quelque six cents mètres.
Aucun arbre n'apparaissait dans la froide lumière de la
lune. C'était un paysage de fin du monde, une terre
quasi minérale sur laquelle l'homme s'accrochait par
un miracle d'obstination et au risque de sa vie. Ces
fumerolles ne disaient rien de bon à Marianne qui les
regardait avec crainte. Presque toute sa vie s'était
écoulée dans la grasse verdure de la campagne anglaise
où l'on imaginait mal une terre brûlée comme celle-là !

— Le volcan respire ! remarqua Mélina qui, les bras
croisés sur sa poitrine luttait peut-être contre un frisson. La nuit dernière, je l'ai entendu gronder ! Fasse le
ciel qu'il ne se réveille pas bientôt.

Mais l'higoumène Daniel n'écoutait pas. Il avait
marché vers l'une des extrémités de la terrasse où se
dressait un petit pigeonnier. Aidé de Théodoros, il en
tira un gros pigeon, attacha quelque chose à l'une de
ses pattes et lui donna la volée. L'oiseau tournoya un
instant autour de la terrasse puis prit son vol vers le
nord-ouest.

— Où va-t-il ? demanda Marianne qui avait suivi
des yeux le petit météore blanc.

Mélina passa familièrement son bras sous celui de sa
nouvelle amie et se dirigea avec elle vers l'escalier.

— Chercher un navire plus digne de l'ambassadrice
de l'empereur des Français que la modeste barque de
Yorghos. Le pêcheur vous conduira seulement jusqu'à
Naxos ! Le navire vous y rejoindra, dit-elle. Viens,
maintenant, il nous faut rentrer. Minuit est passé et le
premier office de la nuit ne va pas tarder à sonner... Il
ne faut pas que l'on te voie ici...

Après avoir salué l'higoumène, les deux femmes
reprirent le chemin de la sortie sous la conduite du gros
caloyer. Théodoros, sur un bref adieu, s'était enfoncé
dans les profondeurs du couvent où il demeurait depuis

plusieurs jours. La nuit était claire maintenant et sur la longue terrasse de la citerne, les moindres détails se révélaient, ciselés dans un univers de blancheur.

Quand les deux femmes franchirent le portique des cloches, le son grave des simandres appelant les moines à la prière éveillaient les échos du couvent. Le gros caloyer, sur une bénédiction précipitamment bredouillée, se hâta de refermer la grille tandis que Marianne et sa compagne s'élançaient dans le sentier en pente pour rentrer à la villa.

Le voyage de retour s'effectua beaucoup plus rapidement qu'à l'aller et le passage du poste de garde se passa sans encombre. Le feu se mourait et, auprès de lui, deux soldats seulement étaient demeurés et dormaient, accrochés à leur long fusil. Le pas léger des femmes ne les éveilla pas plus que le doux froissement des branches. Quelques minutes plus tard, Mélina refermait sur elles la porte de la vieille chapelle et rallumait la lampe à huile.

Un instant, elles demeurèrent face à face, se regardant sans rien dire comme si, enfin, elles se découvraient mutuellement et prenaient vraiment conscience l'une de l'autre. Puis, lentement, la princesse grecque vint jusqu'à sa nouvelle amie et l'embrassa sur le front :

— Je veux te dire merci, dit-elle simplement. J'ai compris ce qu'il t'en coûte de partir avec Théodoros et je souhaite que tu saches, au moins, que même si tu avais refusé je ne l'aurais pas laissé te tuer...

— Il le fera peut-être quand nous serons loin d'ici, murmura Marianne qui ne pouvait s'empêcher de garder au géant une certaine rancune.

— Certainement pas. D'abord, il a besoin de toi... et ensuite il a de l'honneur un sens intransigeant. Il est violent, emporté, brutal, mais dès l'instant où tu seras sa compagne de route, il se fera tuer pour toi si tu es en

356

danger. Ainsi le veut la loi des clephtes de la montagne !

— Les clephtes ?

— Ce sont des montagnards de l'Olympe, du Pinde et du Taygète. Certes, ils vivent surtout de brigandage, mais ils s'apparentent davantage à vos bandits d'honneur corses qu'à de vulgaires voleurs. Théodoros, comme son père Constantin était leur chef. La libération de la Grèce n'a pas de plus vaillant combattant !... Quant à toi, tu es des nôtres maintenant. Le service que tu nous rends te donne le droit de demander aide et protection à n'importe lequel d'entre nous ! Dors, maintenant, et que la paix soit avec toi !

La paix ? Marianne eut beau faire d'héroïques efforts, elle ne parvint pas, cette nuit-là, à la retrouver. Ce qui l'attendait ne prédisposait en rien à la tranquillité d'esprit car jamais, en fait, elle ne s'était trouvée dans une situation aussi embrouillée. Pour la première fois depuis qu'elle avait quitté Paris, elle se prit à regretter le calme douillet de sa maison de la rue de Lille, les roses de son jardin et la présence ironique et rassurante de sa cousine Adélaïde. Adélaïde qui devait attendre tranquillement, entre les papotages du voisinage, les offices à Saint-Thomas d'Aquin et les incessants petits repas qu'elle absorbait dans la journée, la lettre qui l'appellerait en Amérique auprès de Marianne et de son vieil ami Jolival... une lettre qui ne viendrait jamais. A moins, vraiment, que le destin ne consentît à mettre de l'ordre dans ses fils et il n'en prenait pas le chemin !

« Tu me paieras tout cela, Jason Beaufort ! s'insurgea soudain Marianne reprise à la fois par ses souvenirs et par sa colère. Si tu n'es pas mort, où que tu sois, je te retrouverai et je te ferai payer tout ce que j'ai enduré à cause de toi et de ton stupide entêtement ! Cette histoire insensée qui m'embarque avec des rebelles dangereux est, elle aussi, à porter à ton débit... »

Pour un peu, elle eût fait sienne la plainte révoltée d'Antigone : « Je suis faite pour l'amour, non pour la haine », mais cela lui faisait du bien de se retrouver elle-même, Marianne des fureurs impuissantes, Marianne des douleurs, des bagarres et des folies, comme elle avait trouvé un réconfort à évoquer, fût-ce pour les regretter, sa maison et sa cousine.

Il lui était arrivé déjà tant de choses, elle avait subi tant d'avatars divers, que sa situation actuelle, après tout, n'était pas pire que certaines autres de sa vie passée. Même son état de femme enceinte d'un homme détesté avait fini par perdre de son importance. C'était devenu un problème mineur. Une pointe de philosophie en vint à se glisser sous sa révolte :

« Il me manque de me retrouver un jour chef de brigands, songea-t-elle, mais, avec ce Théodoros, je n'en suis peut-être plus si loin ! »

Et puis l'important n'était-il pas de gagner enfin ce maudit Constantinople ? Bien sûr, elle n'avait plus de papiers, plus de passeport, plus de lettres accréditives, plus rien qui pût prouver sa qualité, mais elle se savait de taille à se faire reconnaître, au moins de l'ambassadeur, et puis une voix intérieure, plus forte que toutes les raisons et toutes les logiques du monde, lui soufflait qu'il fallait, à tout prix, gagner la capitale ottomane, même sur un bateau de pêche, même à la nage ! Et Marianne avait toujours eu, en ses voix intérieures, une grande confiance...

CHAPITRE X

L'ÎLE DU TEMPS ARRÊTÉ

La barque de Yorghos déborda, glissa sur l'eau noire dans l'ombre du récif et prit la vague. Debout à l'entrée de la petite grotte qui servait de discret embarcadère, la silhouette blanche de Mélina Koriatis recula. Son geste d'adieu se fondit dans l'obscurité, tandis que l'entrée de la caverne elle-même disparaissait.

Avec un soupir, Marianne se recroquevilla dans le grand manteau noir que son hôtesse lui avait donné, s'abritant de son mieux des embruns derrière la forte toile, lacée sur la main courante de chaque bord pour protéger de la mer la cargaison : en l'occurrence quelques jarres de vin.

Le bateau du pêcheur était un scapho, l'un de ces curieux bateaux grecs assez mal bâtis qui n'ont pas grand-chose de méditerranéen, sinon les bariolures de leurs voiles : un petit foc et un immense phare carré à corne tendu sur un espar aussi long qu'un obélisque. La coque, basse sur l'eau, justifiait pleinement l'écran de toile, surtout quand la mer, comme cette nuit, était plutôt houleuse. Il avait dû se produire un grain quelque part, car la nuit était froide et Marianne bénissait le chaud lainage dont on l'avait empaquetée par-dessus une robe en haillons.

Elle avait éprouvé, en quittant la fausse Sapphô, une

espèce de tristesse. Avec ses étrangetés et son courage, la princesse révolutionnaire lui plaisait. Elle reconnaissait en elle aussi bien sa propre image que celle des autres femmes, capables d'empoigner la vie à pleines mains, qu'elle avait pu connaître, telles que sa cousine Adélaïde ou son amie Fortunée Hamelin.

Leurs adieux avaient été simples :

— On se reverra peut-être ! avait dit Mélina en lui serrant virilement la main, mais, si nos routes ne se croisent plus jamais, va avec Dieu !

Elle n'en avait pas dit davantage mais elle avait accompagné ceux qui allaient partir dans l'escalier de rocher, étroit et obscur, ouvert sous l'une des dalles de la chapelle qui avait servi de logis à Marianne.

En voyant Yorghos soulever la lourde pierre et se glisser dans le trou sombre avec une aisance qui dénonçait une longue habitude, celle-ci avait compris comment, au soir de son arrivée, elle avait pu trouver dans sa chambre un poisson. L'explication, d'ailleurs, lui en avait été paisiblement fournie par Mélina : quand Yorghos et son frère apportaient dans leurs paniers des objets de contrebande tels que des armes, de la poudre, des balles ou autres, ils recouvraient leur chargement de poisson frais et empruntaient l'escalier sous la chapelle. Celui-ci, au moyen d'une longue cheminée en pente relativement douce, taillée dans le roc, aboutissait à une grotte à demi noyée où un bateau de pêche pouvait accoster hors de toute vue.

Poussé par un vent du sud qui emplissait ses voiles et gonflait le flot, le scapho filait bon train, longeant la côte orientale de Santorin avant de piquer droit sur la haute mer. Depuis que l'on avait quitté la grotte personne n'avait soufflé mot. Séparés les uns des autres comme s'ils se méfiaient et s'épiaient mutuellement, les passagers occasionnels s'abandonnaient aux mouvements de la vague. Seul, Théodoros aidait à la manœuvre.

Quand il était arrivé, tout à l'heure, avec Yorghos, Marianne avait eu du mal à le reconnaître : vêtu de guenilles délavées, assez semblables à celles dont on avait enguirlandé Marianne, mais à demi dissimulé sous une couverture de laine rude, le visage envahi par une barbe fluviale qui rejoignait ses cheveux et noyait sa moustache, il avait l'air d'un prophète fou. Certes, son aspect était assez curieux en tant que domestique d'une élégante maison française, mais en tant que naufragé récent, il était parfaitement réussi.

L'histoire imaginée par Mélina pour réintégrer Marianne dans la vie normale était assez simple : Yorghos en se rendant à Naxos pour livrer son vin était censé avoir trouvé la princesse Sant'Anna et son serviteur dérivant, accrochés à quelques planches, entre Santorin et Ios, le navire sur lequel ils avaient pris place ayant été coulé par l'un des pirates de l'Archipel (apparemment il y en avait beaucoup et il était assez dans leurs habitudes de couler les navires !). Une fois à Naxos où demeurait une importante population d'origine vénitienne et où les Turcs toléraient plusieurs communautés catholiques, le pêcheur conduirait les deux faux naufragés chez son cousin Athanase qui remplissait les fonctions indéfinies d'intendant-jardinier-homme à tout faire du dernier descendant de l'un des anciens maîtres de l'île, le comte Sommaripa. Celui-ci, naturellement, ne pourrait faire autrement que recevoir une grande dame italienne en difficulté, en attendant que relâchât à Naxos un navire capable de la mener enfin à Constantinople. Lequel navire, d'ailleurs, ne se ferait guère attendre si le pigeon d'Ayios Ilias avait accompli normalement son office.

Cette histoire de navire qui devait venir la chercher tourmentait assez Marianne. Selon elle, n'importe quel bateau aurait pu faire l'affaire, même un chebec turc puisque tout ce qu'elle souhaitait était de gagner au plus vite la capitale ottomane, seul endroit d'où il lui serait possible de faire rechercher la « Sorcière des Mers ». Elle ne voyait pas pourquoi il lui fallait à tout prix faire son entrée sur un navire grec... à moins que ses nouveaux et mystérieux amis n'aient quelque chose derrière la tête. Mais quoi ?

— Dans l'île d'Hydra, lui avait dit Mélina, nous possédons une flotte marchande à laquelle même les Turcs hésitent à s'attaquer. Ses marins sont sûrs et ne connaissent pas la peur. Ils sillonnent l'Archipel et viennent mouiller sans encombre au quai du Phanar. Ils transportent des grains, des huiles, des vins... et beaucoup de nos espoirs ! C'est à Hydra qu'est allé le pigeon.

« En fait, avait songé Marianne, ce sont certainement des corsaires déguisés en marchands ! » Elle en était venue à se demander si son nom n'allait pas couvrir, outre l'entrée d'un rebelle dont la tête était mise à prix, celle de tout un équipage. D'ailleurs, des rebelles, maintenant, elle en voyait partout.

Un autre passager, en effet, s'était embarqué en même temps qu'elle et l'inquiétant Théodoros sur la barque de Yorghos et elle n'avait été qu'à peine surprise de reconnaître, sous le bonnet drapé d'un pêcheur, la grande fille brune qui l'avait empêché de tomber dans le chemin du rocher où Sapphô allait saluer le soleil couchant.

Débarrassée de ses draperies antiques, la jeune pensionnaire de la princesse conspiratrice se montrait telle que la nature l'avait voulue : un garçon mince et vigoureux, au profil hardi qui, en l'aidant à monter dans le scapho, lui avait souri avec une joyeuse complicité. Elle savait maintenant que c'était un jeune Crétois, nommé Démétrios, dont le père avait été décapité un an plus tôt pour avoir refusé de payer l'impôt et qu'il allait maintenant rejoindre un poste déterminé à l'avance dans l'un des points mystérieux où mûrissait lentement la rébellion générale, dont aucun de ces Grecs ne doutait qu'elle ne viendrait bientôt !

Le voyage se passa sans incident. La houle se calma vers le matin et si, de ce fait, le vent tomba un peu, il en demeura tout de même suffisamment pour que la baie de Naxos ouvrît vers midi devant l'étrave du scapho ses dunes frissonnantes de longues graminées et de grands lys verdâtres. Au fond, une petite ville d'une blancheur aveuglante somnolait au soleil, agrippée à une colline pointue au sommet de laquelle l'inévitable forteresse vénitienne se désagrégeait lentement sous les plis désabusés de l'étendard vert aux trois croissants du Sultan.

Sur un îlot, près du port, un petit temple abandonné laissait tomber lui aussi ses blanches colonnes découragées...

Pour la première fois depuis le départ, Marianne s'approcha de Théodoros :

— Nous abordons dès maintenant ? Je pensais que nous attendrions la nuit ?

— Pourquoi donc ? A cette heure, tout le monde dort et bien plus profondément que la nuit. Il fait si chaud que nul ne songerait à mettre le nez dehors. Même les Turcs font la sieste.

La chaleur, en effet, était accablante. Le blanc des murs où elle se réverbérait la restituait avec une intensité difficilement soutenable et les autres couleurs s'y fondaient, égalisées dans la décoloration générale. L'air vibrait, comme habité d'invisibles abeilles et aucune trace de vie humaine ne se décelait sur le quai incendié. Tous les volets étaient clos sur l'ombre des maisons et les rares êtres humains que l'on apercevait dormaient, assis à même le sol, le dos à la muraille et le bonnet ou le turban sur les yeux, à l'abri de quelque auvent de roseau ou dans l'ouverture sombre d'une porte. C'était l'île de la Belle au Bois Dormant. Chacun, sur ce port figé par l'enchantement du sommeil, se reposait avec application de ne pas faire grand-chose.

Le scapho vint au quai et se fondit dans la masse bariolée des coques et des mâts, caïques et tchektirmes turcs mêlés aux sacolèves et aux scaphos grecs. Le port dégageait une puanteur puissante due aux détritus qui fermentaient sous le soleil à la surface de son eau et, en approchant de cette ville blanche, si glorieuse dans la lumière du lointain, Marianne s'aperçut que la saleté et l'abandon y régnaient en maîtres. Les beaux murs blancs portaient des lézardes et les nobles demeures qui cernaient la citadelle, en haut de la colline, menaçaient ruine presque autant que la vieille forteresse ou que le temple blanc qui, là-bas, se dissolvait comme un glacier.

— Difficile de croire que cette île est la plus riche des Cyclades, n'est-ce pas ? marmotta Théodoros. Les oranges et les olives poussent à foison dans l'arrière-pays, mais on les laisse pourrir sans s'en soucier autrement ! Nous ne voulons pas travailler pour les Turcs...

Le débarquement s'effectua discrètement sans attirer l'attention de qui que ce soit. Seul, un chat dérangé miaula et s'enfuit en crachant vers un endroit plus tranquille. Maintenant, Marianne et Théodoros, l'un sous son manteau noir, l'autre sous sa couverture transpiraient abondamment, suffoqués par la chaleur. Mais leur supplice fut de courte durée. En quelques pas sur les pierres brûlantes du quai, ils eurent atteint une maison blanche à peu près entretenue qui ouvrait un porche arrondi sous une vigne poussiéreuse : la maison d'Athanase, le cousin de Yorghos.

Il n'était pas chez lui. Les arrivants ne trouvèrent qu'une vieille femme empaquetée de draperies noires dont le visage craquelé de rides apparut à peine dans l'entrebâillement prudent de la porte qu'elle voulut aussitôt leur refermer au nez. Yorghos alors, entreprit de parlementer dans un dialecte rapide, haletant mais, derrière sa porte, la vieille hochait la tête et tenait bon. Visiblement, elle ne voulait rien savoir. Alors Théodoros écarta Yorghos et s'avança. Sous la poussée de sa main, la porte s'écarta tandis que la vieille filait vers le fond d'un couloir en criant, comme une souris terrifiée.

— Je ne sais pas si nous étions attendus, murmura Marianne, mais je ne crois pas que nous soyons les bienvenus!

— Nous allons l'être! assura le géant.

S'avançant dans le couloir, il dit seulement quelques mots d'une voix rude et autoritaire et ces mots eurent un effet magique.

Avec la mine extasiée d'un réprouvé soudain tiré de l'enfer pour trouver le salut, la vieille femme revint et, sous le regard stupéfait de Marianne, s'agenouilla et baisa avec un respect fanatique la large main de Théodoros qui, d'ailleurs la releva sans trop de douceur. Après quoi, elle se lança dans une foule d'explications volubiles, ouvrit devant les nouveaux arrivés la porte d'une pièce basse et fraîche sentant fortement le lait aigre et l'anis, puis disparut dans un tourbillon de cotonnades noires après avoir disposé sur une table de bois grossier une bouteille, des gobelets et une gargoulette embuée qui évoquait toute la fraîcheur du puits.

— C'est la mère d'Athanase, commenta Théodoros. Elle va chercher son fils pour qu'il nous mène chez le Vénitien.

D'un geste précis, il remplit d'eau l'un des godets, l'offrit à Marianne puis, renversant la tête en arrière, fit couler le filet d'eau fraîche directement de la gargoulette dans son gosier.

Yorghos, prudemment, avait disparu pour retrouver

son bateau. Même l'heure sacrée de la sieste pouvait ne pas rebuter les voleurs et il tenait à ses jarres de vin.

Le jeune Démétrios était reparti avec lui. Marianne et son pseudo-serviteur demeurèrent un moment seuls, lui accoudé à la petite fenêtre garnie de barreaux en croix, elle assise sur une banquette de pierre à peine adoucie d'un mince coussin de toile empli d'herbe sèche, luttant contre la somnolence. Elle n'avait guère dormi dans le bateau et la houle de la nuit l'avait secouée. De plus, son moral n'était pas très haut. Peut-être parce qu'elle se sentait lasse et solitaire, elle en venait à s'imaginer que, comme jadis Ulysse de retour de la guerre de Troie, elle allait errer ainsi d'une île à l'autre, au milieu de gens bizarres et d'événements étrangers à sa vie normale, mais que, cependant il lui fallait subir. Cet Orient qu'elle avait dans son imagination habillé aux couleurs d'un voyage d'amoureux lui paraissait maintenant aride et inhospitalier. Le regret lui revenait de son jardin et des roses qui, en ce moment, devaient y être si belles ! Où était la senteur qui se mêlait si bien, les soirs d'été, à celle du chèvrefeuille ?...

Le retour de la vieille femme vint interrompre le cours de sa rêverie désabusée, au moment où elle constatait avec rancune qu'elle n'avait même plus le droit de demander à être conduite à Athènes pour y reprendre un bateau en direction de la France. Outre les ennuis qu'elle pourrait y avoir avec Napoléon si elle rentrait sans avoir accompli sa mission, il y avait maintenant ce grand diable qu'il lui fallait traîner à sa suite et qui la surveillait aussi étroitement qu'une bonne ménagère la casserole de lait qu'elle a posée sur le feu !

L'homme qui accompagnait la vieille la réconcilia un peu avec l'existence. Athanase était un petit bonhomme tout lisse et tout rond qui offrait, sous une couronne de boucles grises, un visage de chérubin joufflu et l'agréable embonpoint d'un bedeau de cathédrale normande. Il accueillit ce grand diable déguenillé de Théodoros comme un frère disparu depuis vingt ans et l'espèce de bohémienne sale et échevelée que représentait Marianne comme la reine de Saba en personne.

— Mon maître, lui déclara-t-il en s'inclinant aussi bas que le permettait son ventre, attend la Sérénissime Princesse pour lui faire les honneurs de son palais. Il implore seulement qu'elle veuille bien lui pardonner de ne pas venir à sa rencontre à cause de son grand âge et de ses rhumatismes !

La sérénissime princesse remercia comme il convenait l'intendant du comte Sommaripa, mais songea à part elle que le brave homme aurait, à travers sa personne, une étrange idée de ce que pouvait être une noble dame franco-italienne. Son aspect minable allait produire un curieux effet dans un palais ! Néanmoins, elle n'envisageait pas sans plaisir de retrouver, pour un moment, le luxe et le confort d'une grande maison aristocratique et ce fut avec un certain entrain que, suivie de Théodoros, elle se mit en route avec l'obligeant Athanase pour gagner ce paradis.

Par un dédale de venelles et de raidillons douloureusement pavés de gros galets ronds, par d'étranges rues médiévales malodorantes et tortueuses, des escaliers et des passages voûtés dont la fraîcheur fugitive était la bienvenue, on gagna le sommet de la colline et le quartier vénitien tassé autour de la citadelle et des anciens remparts. Il y avait, en effet, des couvents où la croix latine s'étalait, celui des Frères de la Merci côtoyant celui des Ursulines, une cathédrale sévère qui semblait s'être trompée de cadre et de nobles façades où s'inscrivaient encore les reflets pâlis de la splendeur des anciens ducs de Naxos et de leur cour vénitienne. Les maisons, jadis seigneuriales, et leurs armoiries

367

rongées s'appuyaient au rempart comme pour lui demander un reste de force, mais, en franchissant le seuil croulant, timbré d'une devise latine, du palais Sommaripa, Marianne comprit que le digne Athanase n'avait pas non plus une idée bien nette de ce que devait être un vrai palais.

Celui-là n'en était plus que le fantôme : une coquille creuse habitée par l'écho qui, amplifiant le moindre bruit, s'efforçait vainement de recréer la vie. Ce n'était pas là que Marianne retrouverait les joies douillettes de la civilisation et elle étouffa un soupir de regret.

Le vieillard qui parut au seuil d'une grande salle vide, meublée uniquement de bancs de pierre, d'une énorme table de cèdre et d'un géranium rouge qui saignait d'une poterie ronde posée sur une adorable fenêtre à colonnettes, devait être le génie familier de ce lieu retiré du temps : un long personnage décoloré, au regard vide, dont les amples vêtements gris avaient l'air taillés dans les toiles d'araignée qui pendaient du plafond. Il était aussi pâle que s'il avait vécu plusieurs années dans une caverne privée de jour et d'air. Jamais, sans doute, le soleil de l'île ou le vent de la mer ne l'avaient touché. Sans doute il avait dû vivre depuis longtemps à l'ombre de ses vieilles pierres en tournant le dos à la réalité.

Mais, insensible lui aussi à l'aspect extérieur de Marianne, il la salua avec la dignité d'un grand d'Espagne en face d'une infante, l'assura de l'honneur qu'éprouvait sa maison à la recevoir et lui offrit un poing, rugueux comme un nœud d'olivier pour la conduire jusqu'au logis qu'il lui réservait.

Pourtant, malgré l'heure de la sieste, le passage de deux étrangers déguenillés à travers les rues de Naxos n'avait pas échappé aux guetteurs turcs et, au moment où le comte dirigeait la jeune femme vers un escalier de pierre aux marches disjointes, une dizaine de soldats, chaussés de maroquin rouge et coiffés de turbans rayés de bleu et de rouge, envahissaient le porche du palais. Un odabaschi, surmonté d'une sorte de mitre en feutre blanc à fond vert les commandait. Son grade correspondait à celui de capitaine d'artillerie, mais il avait aussi, dans l'île, la haute main sur les auberges. Ces arrivants avaient l'air de l'intéresser...

Il maniait languissamment un chasse-mouches et sa mauvaise humeur visible traduisait clairement l'ennui qu'il éprouvait à se voir tirer de l'ombre fraîche de la forteresse à une heure particulièrement chaude. Le ton qu'il employa pour s'adresser au comte Sommaripa s'en ressentit. C'était celui d'un maître envers un serviteur insubordonné.

Mais, peut-être parce qu'une femme, et une femme étrangère, était présente, le vieil homme parut s'éveiller. A l'apostrophe hargneuse de l'odabaschi il répliqua vertement et, bien que Marianne ne comprît pas un mot de la langue ottomane, elle saisit tout de même le sens général de l'explication en entendant son nom accolé plusieurs fois à celui de « Nakhshidil Sultan » : le comte devait informer, non sans hauteur, l'officier turc de la qualité de cette naufragée et de l'urgence qu'il y avait à la laisser tranquille.

L'odabaschi, d'ailleurs, n'insista pas. Sa hargne se changea en sourire et, après avoir salué aussi agréablement qu'il lui était possible la cousine de son impératrice, il quitta les lieux avec son escouade.

Planté à trois pas derrière sa prétendue maîtresse, Théodoros le rebelle, raide comme un piquet, n'avait pas bronché tant qu'avait duré la dangereuse explication, mais au soupir bruyant qui dégonfla sa poitrine quand on se dirigea enfin vers l'escalier, Marianne comprit qu'il avait eu tout de même un instant d'émotion et sourit intérieurement : après tout, ce foudre de guerre, malgré ses dimensions, était un homme comme les autres et pouvait connaître l'inquiétude !

La chambre dans laquelle le vieux seigneur introduisit cérémonieusement Marianne n'avait pas dû servir depuis le règne des derniers ducs de Naxos. Un lit, capable d'abriter toute une famille sous ses rideaux de brocatelle déteinte, y trônait dans une superbe solitude entre quatre murs glorieusement décorés d'étendards roussis et déchirés, tandis que quelques tabourets défoncés jouaient mélancoliquement aux quatre coins. Mais elle ouvrait sur la mer par une superbe fenêtre à meneau.

— Nous n'attendions pas un tel honneur, s'excusa le vieux comte. Mais votre serviteur va vous apporter quelques objets nécessaires et nous allons faire demander une robe convenable à la supérieure des Ursulines... car nous ne sommes pas de votre taille...

Le pluriel qu'il employait était bizarre, mais pas plus que le reste de sa personne ou sa voix un peu mécanique et Marianne ne s'y arrêta pas...

— J'accepte volontiers la robe, seigneur comte, répondit-elle avec un sourire, mais pour le reste je vous supplie de ne pas vous déranger. Nous n'aurons sans doute aucune peine à trouver un navire...

Le regard si curieusement vide du vieil homme parut s'animer à ce mot :

— Les grands navires viennent rarement ici. Nous sommes sur une terre oubliée, Madame, une terre que dédaignent maintenant le bruit, la gloire et les pensées des grands. Heureusement elle suffit à nous nourrir, mais il se peut que votre séjour se prolonge plus que vous ne l'imaginez... Viens avec moi, mon ami.

Les derniers mots, bien sûr, s'adressaient à Théodoros que la fenêtre avait déjà attiré comme un aimant et qui dévorait des yeux la mer vide. A contrecœur, il s'arracha à sa contemplation et suivit le comte pour jouer son rôle de domestique bien stylé. Il revint peu après, transportant avec Athanase une lourde table

370

qu'il plaça devant la fenêtre. Quelques ustensiles de toilette suivirent puis du linge point trop effrangé.

Tout en s'appliquant à rendre la chambre à peu près habitable, Athanase bavardait, visiblement heureux de servir une dame étrangère et de voir de nouvelles têtes, mais plus il devenait expansif et plus Théodoros se renfrognait.

— Par le Christ! s'écria-t-il enfin quand le petit intendant l'invita à l'aider à faire le lit, nous ne devons rester ici que quelques heures, frère! Tu fais comme si nous devions nous y installer pour des mois! Notre frère Tombazis, à Hydra, doit avoir reçu le pigeon et le navire peut apparaître d'un instant à l'autre!

— Même si votre bateau arrivait maintenant, répondit paisiblement Athanase, il ne serait pas prudent que Madame ne joue pas son rôle : elle et toi êtes des naufragés. Vous devez être épuisés, à bout de forces... Il vous faut au moins une nuit de repos! Les Turcs ne comprendraient pas que vous vous précipitiez ainsi, sans prendre le temps de respirer, sur le premier navire venu! L'odabaschi Mahmoud est bête... mais pas à ce point-là! Et puis le maître est heureux! L'arrivée de Madame la Princesse lui rend un peu de sa jeunesse. Jadis, tu sais, il est allé vers les pays d'Occident, à la cour du doge de Venise et même chez le roi de France!

Théodoros haussa les épaules, la mine dégoûtée :

— Il devait être riche, alors! On dirait qu'il ne lui en reste guère!

— Il en reste plus que tu ne crois, fit Athanase avec un sourire, mais il n'est pas bon de tenter la cupidité de l'ennemi. Le maître sait cela depuis longtemps. C'est même tout ce dont il se souvient encore clairement! Maintenant je vais chez les Ursulines chercher une robe, conclut-il avec un sourire à l'adresse de Marianne. Tu ferais mieux de venir avec moi : aucun serviteur digne de ce nom ne resterait chez sa maîtresse quand elle souhaite se reposer.

Mais, apparemment, la patience du géant était déjà usée. D'un geste rageur, il envoya à travers la chambre la couverture de soie passée qu'il venait de retirer du lit.

— Je ne suis pas fait pour ce genre de vie, s'écria-t-il. Je suis un clephte! pas un valet!...

— Si vous le criez si fort, remarqua Marianne froidement, dans un moment plus personne ici ne l'ignorera. Non seulement vous avez accepté ce rôle mais encore vous l'avez demandé! Personnellement, je ne tiens nullement à continuer mon chemin avec vous! Vous êtes d'un encombrant!...

Sous ses sourcils broussailleux, Théodoros la regarda comme un chien prêt à mordre. Elle crut un instant qu'il allait montrer les dents, mais il se contenta de grogner.

— J'ai un devoir envers mon pays à remplir!

— Alors, remplissez-le en silence! Avez-vous remarqué la devise qui est gravée au-dessus de l'entrée de ce palais? Il est écrit : « Sustine vel Abstine! »

— Je n'entends pas le latin.

— Cela veut dire, en gros : « Endure ou ne t'en mêle pas! » C'est ce que, personnellement, je fais depuis pas mal de temps et je vous conseille de m'imiter. Vous êtes là à ronchonner continuellement! Le sort, on ne le choisit pas, on le subit! Encore heureux quand il vous offre un but qui en vaille la peine.

La figure de Théodoros vira au rouge brique, tandis que ses yeux lançaient des éclairs.

— Je sais ça depuis longtemps et ce n'est pas une femme qui me dictera ma conduite! cria-t-il.

Puis, sous l'œil indigné d'Athanase qui, de toute évidence, ne comprenait pas que l'on pût traiter une dame avec une telle brusquerie, il se rua hors de la pièce dont la porte retomba sur lui avec un bruit de tonnerre. Le petit intendant hocha la tête et se dirigea à son tour vers ladite porte mais son regard souriait quand il s'inclina avant de sortir :

— Madame la Princesse sera de mon avis, fit-il, les serviteurs stylés se font rares de nos jours...

Contrairement aux craintes de Marianne, qui pensait le voir revenir avec une monastique robe de bure, Athanase rapporta, emballée dans une toile et dans les compliments de la Mère Supérieure, une jolie robe grecque en toile écrue, brodée par les religieuses de soies multicolores. Une sorte de châle pour envelopper la tête l'accompagnait ainsi que plusieurs paires de sandales de tailles différentes.

Bien sûr, cela ne ressemblait en rien aux élégantes créations de Leroy qui emplissaient les malles de Marianne et voguaient présentement dans les entrailles du brick américain, destinées sans doute à être revendues au seul bénéfice de John Leighton en compagnie des joyaux ancestraux des Sant'Anna. Mais une fois lavée, peignée et vêtue, Marianne se retrouva tout de même un peu plus semblable à l'image d'elle-même qu'elle préférait.

De plus, elle se sentait presque bien, les malaises qui l'avaient tant fait souffrir sur la « Sorcière » ayant pratiquement disparu. Si une faim perpétuelle, dévorante, ne l'avait tourmentée presque sans arrêt, elle eût pu oublier qu'elle attendait un enfant et que le temps travaillait contre elle. Car, à moins qu'elle ne réussît à s'en débarrasser rapidement, elle ne pourrait bientôt plus le faire sans risquer dangereusement sa vie.

Le soleil couchant incendiait sa chambre. En bas, le port avait repris son activité. Des bateaux sortaient pour la pêche nocturne, d'autres rentraient, leurs ponts cuirassés d'écailles brillantes. Mais ce n'étaient que des bateaux de pêche : aucun n'était le « grand navire » digne de « transporter une ambassadrice » et Marianne, appuyée au meneau de pierre sentit grandir en elle l'impatience qui dévorait Théodoros. Elle ne l'avait pas revu depuis sa sortie bruyante de tout à l'heure. Il devait être sur les quais, mêlé aux gens de l'île où Ariane avait été abandonnée, scrutant l'horizon, guettant les huniers, les phares carrés d'un navire de haut bord... Apparaîtrait-il jamais, ce vaisseau qu'un pigeon blanc était allé chercher pour elle, afin de la mener dans une ville quasi légendaire où l'attendait une sultane blonde en qui, inconsciemment, elle avait mis désormais tous ses espoirs ?

Cent fois, depuis que chez Mélina elle avait repris conscience et goût de la vie, Marianne s'était répété ce qu'elle ferait en arrivant : courir à l'ambassade, voir le comte de Latour-Maubourg, obtenir par lui une audience impériale, ou sans lui, en forçant les portes si cela était nécessaire, mais porter sa plainte à quelqu'un d'honnête, à quelqu'un de puissant, capable de faire chasser le brick pirate sur toute la Méditerranée. Les Barbaresques, elle le savait, étaient de grands marins, leurs chebecs des navires rapides et leurs moyens de communication presque aussi efficaces que les machines de M. Chappe que Napoléon prisait tellement : en faisant vite, Leighton pouvait se trouver arrêté en face de n'importe quel port de l'Afrique méditerranéenne, cerné par une meute féroce qui lui ferait regretter d'être jamais né... et ses passagers malgré eux pouvaient être sauvés, s'il en était temps encore.

En évoquant Arcadius, Agathe et Gracchus, Marianne sentit ses yeux se mouiller. Elle ne pouvait pas penser à eux sans éprouver une douleur profonde. Jamais elle n'aurait cru, quand ils vivaient quotidiennement auprès d'elle, qu'ils lui étaient devenus chers à ce point. Quant à Jason, elle appliquait toutes ses forces et toute sa volonté à le chasser de sa pensée quand il s'y présentait... et ce n'était que trop souvent !

Mais comment penser à lui sans s'abandonner au désespoir et sans se laisser déchirer par les griffes des regrets ? Elle ne lui en voulait plus de sa cruauté ni de tout le mal qu'il lui avait fait, consciemment ou inconsciemment, car elle admettait avec loyauté que tout était de sa faute à elle. Si elle avait eu plus de confiance en lui, si elle n'avait pas eu cette peur terrible de perdre son amour, si elle avait osé lui avouer la vérité sur son enlèvement de Florence, si elle avait eu... un tout petit peu plus de courage ! Mais, avec des « si » un enfant pourrait refaire le monde en quelques heures...

Ses doigts minces caressèrent la pierre chaude comme pour y puiser un peu de réconfort. Il avait dû voir tant de choses, ce vieux palais dont la devise sévère conseillait l'acceptation des souffrances ! Tant de fois le soleil qui, là-bas, s'effondrait dans les flammes en éclaboussant la mer de son écume dorée, s'était posé sur cette fenêtre ! Mais sur quels visages, sur quels sourires ou sur quelles larmes ? La solitude de Marianne se peuplait, tout à coup, d'ombres sans visages, de formes légères qui tournaient dans la poussière d'ambre soulevée par la brise du soir comme pour la réconforter. Les voix éteintes de toutes les femmes qui avaient vécu, aimé, souffert entre ses murs vénérables où la gloire était devenue cendre, lui soufflaient que tout ne s'arrêtait pas là, dans un vieux palais perché au bord d'une île, comme un héron mélancolique, un vieux palais un instant réveillé, mais qui retomberait bientôt au néant du sommeil...

Il y avait pour elle des jours encore à naître, où l'amour peut-être aurait beaucoup à dire.

« L'Amour ? Qui donc a donné le premier son nom à l'amour ? Du nom d'agonie, bien mieux, il eût pu se servir... »

Un jour, quelque part, Marianne avait entendu ces

deux vers et en avait souri. C'était il y a longtemps quand, dans l'enthousiasme de ses dix-sept ans, elle croyait aimer Francis Cranmere. Qui donc les avait prononcés? Sa mémoire, pourtant fidèle, refusait ce soir de le lui rappeler, mais c'était quelqu'un qui savait...

— Si Madame la Princesse veut bien se donner la peine de descendre, Monsieur le comte l'attend pour souper.

La voix cependant très douce d'Athanase lui fit l'effet de la trompette du Jugement dernier. Ramenée brusquement sur terre, Marianne lui offrit un sourire indécis.

— Je viens... je viens tout de suite...

Elle quitta la chambre tandis qu'Athanase, derrière elle, fermait la fenêtre et tirait, sur les songeries démoralisantes, d'épais volets de bois. Mais, comme elle allait atteindre l'escalier et tendait la main vers la rampe de marbre blanc poli par le contact de centaines de paumes, l'intendant la rattrapa.

— Puis-je demander à Madame la princesse de ne s'étonner de rien de ce qu'elle verra ou entendra pendant le souper? pria-t-il. Monsieur le comte est bien vieux et, voici bien longtemps que personne n'était entré ici. Il est sensible à l'honneur qui lui est fait ce soir mais... mais il vit avec ses souvenirs depuis trop d'années. En quelque sorte, ils font... partie de lui, ils sont présents presque à chaque minute de sa vie. Madame a dû remarquer qu'il employait toujours le pluriel. Je ne sais pas si je me fais bien comprendre...

— Ne vous tourmentez pas, Athanase, fit doucement Marianne. Il y a beau temps que je ne m'étonne plus de rien!

— C'est que, Madame la Princesse est si jeune!...

— Jeune? Oui... peut-être! Mais moins sans doute que je n'en ai l'air... Soyez sans inquiétude, je ne ferai pas de peine à votre vieux maître... et je ne chasserai pas ses ombres familières !

Pourtant, ce repas devait lui laisser une curieuse impression d'irréalité. Moins sans doute à cause de l'antique costume de satin vert que son hôte avait revêtu en son honneur et qu'il avait dû porter, jadis, à la cour du doge de Venise, qu'à cause du fait qu'il ne lui adressa pratiquement pas la parole.

Avec solennité, il l'accueillit à la porte d'une grande salle où des armures rouillées montaient la garde devant des fresques écaillées et la mena par la main tout au long d'une interminable table chargée de vieille argenterie jusqu'à un fauteuil disposé à la droite du fauteuil seigneurial dans lequel il prit place, lui-même, à un bout de la table.

A l'autre extrémité un couvert était mis devant un siège, semblable en tous points à celui du maître de céans, mais, sur l'assiette bleue en vieille faïence de Rhodes, un éventail de nacre et de soie peinte, était à demi déployé auprès d'une rose qui trempait dans un cornet de cristal.

Et tout le temps que dura le souper ce fut à une invisible maîtresse de maison, bien plus qu'à sa jeune voisine que le vieux seigneur s'adressa. Rarement, il se tournait vers Marianne, s'ingéniant à mener la conversation comme si c'eût été, en fait, l'ombre de la comtesse qui en eût la direction et le mérite. Il y mettait une galanterie tendre et surannée qui faisait monter les larmes aux yeux de sa jeune convive, étranglée d'émotion en face de cette fidélité d'amour qui supprimait le tombeau et mettait une si touchante obstination à recréer la disparue.

Elle sut qu'elle se nommait Fiorenza. Et si forte était la volonté d'évocation du mari qu'elle en devenait hallucinante. Par deux fois, Marianne crut voir s'agiter la soie légère de l'éventail...

De temps en temps, par-dessus le dossier armorié du fauteuil de son hôte, elle cherchait le regard d'Athanase qui se tenait là, dans son habit noir ordinaire qu'il avait agrémenté de gants blancs, s'étonnant à peine de le trouver trop brillant. Et, malgré l'abondance et la fraîcheur des mets présentés, malgré ce terrible appétit qu'elle traînait avec elle et qui rappelait tant celui d'Adélaïde, Marianne fut incapable de faire honneur au repas. Elle grignota, s'efforçant de tenir sa partie dans ce concert fantômal, et au supplice, pria silencieusement pour que cela ne durât pas trop longtemps.

Quand, enfin, le comte se leva et lui offrit la main en s'inclinant, elle retint avec peine un soupir de soulagement, se laissa reconduire à la porte en retenant de son mieux une folle envie de courir et alla même jusqu'à offrir un salut et un sourire au siège vide.

Athanase, armé d'un flambeau, suivait à trois pas.

Au seuil, elle pria le comte de ne pas la raccompagner plus avant insistant sur le fait qu'elle ne voulait pas interrompre sa soirée, et sentit son cœur se serrer en constatant la hâte joyeuse qu'il mettait à regagner la salle à manger. La porte enfin refermée, elle adressa à l'intendant qui l'observait un regard égaré :

— Vous avez bien fait de me prévenir, Athanase ! C'est effrayant ! Le pauvre homme !...

— Il est heureux ainsi. Madame la Princesse ne devrait pas le plaindre. Et, pendant d'innombrables soirées, il parlera de la visite de Madame la Princesse... avec la comtesse Fiorenza. Elle est vivante, pour lui. Il la voit aller et venir, s'asseoir en face de lui et, parfois l'hiver, il joue pour elle sur le clavecin qu'il avait fait venir jadis à grand frais d'une ville d'Allemagne qui s'appelle Ratisbonne, car elle aimait la musique...

— Et... il y a longtemps qu'elle est morte ?

— Mais elle n'est pas morte ! Ou si elle l'est maintenant nous ne le saurons jamais. Elle est partie, voici vingt ans avec le gouverneur ottoman de l'île qui l'avait séduite. Si elle vit encore à l'heure présente, ce doit être au fond de quelque harem...

— Elle est partie avec un Turc ? fit Marianne abasourdie. Elle devait être folle ? Votre maître semble un homme si bon, si doux... en dehors du fait qu'à cette époque il ne devait pas être si vilain...

Athanase eut un mouvement d'épaules qui donnait la juste mesure qu'il accordait à la logique féminine et se contenta d'une réponse en forme d'excuse qui n'en était pas une.

— Folle, non ! C'était une jolie femme à la tête légère seulement et qui s'ennuyait beaucoup ici !

— Évidemment, au harem elle a dû s'amuser énormément ! remarqua Marianne sarcastique.

— Bah ! Les Turcs ne sont pas si fous ! Il y a bien des femmes qui sont faites pour ce genre de vie. D'autres supportent mal qu'on les hisse sur un piédestal : elles s'y sentent seules et elles ont peur. Notre comtesse appartenait à ces deux catégories à la fois. Elle aimait le luxe, la paresse, les sucreries et considérait son époux comme un pauvre homme parce qu'il l'aimait trop ! C'est du jour de son départ que, chez Monsieur le comte, quelque chose s'est dérangé. Il n'a jamais voulu admettre qu'elle n'était plus là et il a continué à vivre avec son souvenir comme si rien ne s'était passé. Je crois qu'à force d'avoir tant souhaité la revoir, maintenant il la revoit vraiment et il atteint à une sorte de bonheur plus grand peut-être que si elle était demeurée auprès de lui, puisque les années n'ont pas marqué l'objet de son amour... Mais j'ennuie Madame la Princesse qui doit souhaiter prendre un peu de repos.

— Vous ne m'ennuyez pas et je ne suis pas fatiguée. Simplement un peu émue... Mais, dites-moi, où est Théodoros ? Je ne l'ai pas revu.

— Il est chez moi. Le port exerce sur lui une telle attraction que j'ai préféré l'y renvoyer : ma mère s'occupera de lui. Mais si ses services...

— Non merci, coupa Marianne avec un sourire. Les services de Théodoros ne me sont nullement indispensables. Montons, s'il vous plaît.

En regagnant sa chambre, la jeune femme s'aperçut qu'un petit plateau chargé de fruits, de pain et de fromage avait été disposé auprès de son lit.

— J'ai pensé, fit Athanase que Madame n'aurait pas très faim, à table, mais qu'une fringale pouvait lui venir dans la nuit.

Cette fois Marianne alla vers lui, prit sa main grassouillette dans les siennes et la serra :

— Athanase, dit-elle, si vous n'étiez le dernier bien que possède réellement votre maître, je vous aurais demandé de me suivre. Un serviteur comme vous est un don du ciel, s'écria-t-elle.

— Cela tient à ce que j'aime mon maître... Madame la Princesse ne doit avoir aucune peine à susciter des dévouements aussi grands, sinon plus, que le mien. Je souhaite une bonne nuit à Madame la Princesse... Et surtout qu'elle ne regrette rien !...

La nuit, sans doute, eût été aussi bonne que le souhaitait le digne serviteur si seulement elle avait pu se poursuivre jusqu'au bout. Mais alors que Marianne était plongée dans son premier sommeil, elle en fut tirée par une main vigoureuse qui secouait son épaule sans ménagements :

— Vite, levez-vous ! chuchota la voix pressée de Théodoros, le bateau est là !

Elle ouvrit avec peine un œil, considéra le visage crispé du géant éclairé par la lueur tremblante d'une bougie :

— Qu'est-ce que vous dites ! fit-elle d'une voix ensommeillée.

— Je dis que le bateau est arrivé, qu'il nous attend et qu'il faut vous lever. Allons, debout !

Pour l'obliger à se réveiller et à se hâter, il empoigna les couvertures et les rejeta au pied du lit, découvrant un spectacle auquel, dans sa hâte, il ne s'était pas attendu : un corps féminin sans autre voile qu'une masse de cheveux noirs en désordre et que la flamme de la chandelle dorait agréablement. Cette vue le cloua littéralement sur place, tandis que Marianne, bien réveillée cette fois, se jetait sur le drap avec une exclamation de fureur.

— En voilà des manières ? Êtes-vous devenu fou ?...

Il déglutit avec peine et passa sur son menton barbu une main tremblante mais son regard agrandi fixait toujours l'endroit du lit, vide maintenant, où la jeune femme était étendue l'instant précédent.

— Excusez-moi !... articula-t-il péniblement. Je ne savais pas. Je ne pouvais pas penser...

— Laissons là vos pensées ! Si j'ai bien compris vous êtes venu me chercher ? Qu'est-ce que cette histoire ? Nous partons maintenant ?

— Oui... tout de suite. Le bateau nous attend ! Athanase est venu me prévenir.

— Mais enfin, c'est insensé ! Il fait nuit noire ! Quelle heure est-il ?

— Minuit, je crois... ou un peu plus !

Toujours rivé à la même place, il parlait comme dans un rêve. Retranchée derrière les rideaux du lit, Marianne l'observait avec inquiétude. Il était beaucoup moins pressé, tout à coup. Pour un peu, on aurait dit qu'il avait oublié pour quelle raison il était là mais il y avait sur cette figure sauvage une douceur qu'elle n'y avait encore jamais vue. Théodoros était en train de se laisser emporter par une espèce d'enchantement dont il convenait de le tirer au plus vite.

Sans quitter son abri, elle tendit un bras vers une

petite cloche de bronze qu'Athanase lui avait laissée au cas où elle aurait besoin de quelque chose, mais hésita encore à éveiller les échos de la maison endormie.

— Allez vous coucher, conseilla-t-elle. C'est une excellente chose que le bateau soit là, mais il nous est impossible de partir ainsi, sans prévenir personne...

Le Grec n'eut pas le temps de répondre, en admettant même qu'il en eût envie. Par la porte restée entrouverte, Athanase venait de se glisser. Un coup d'œil lui permit de juger l'étrangeté de la scène : la princesse était retranchée dans les courtines du lit d'où n'apparaissaient que sa tête et ses épaules nues, tandis que Théodoros regardait le lit comme s'il allait s'y laisser tomber.

— Eh bien? chuchota-t-il d'un ton de reproche, que faites-vous donc? Le temps presse!

— Ce que dit cet homme est donc vrai? fit Marianne sans bouger. Nous partons maintenant? Je croyais qu'à cause des Turcs nous devions rester ici quelques jours?

— En effet. Pourtant il faut faire vite si vous voulez éviter de graves ennuis. Ceux que nous risquons ici avec les Turcs sont peu de chose à côté! Le capitaine de la polacre envoyée d'Hydra a appris que trois navires des frères Kouloughis, les pirates renégats, font voile vers Naxos. S'ils arrivent en vue de l'île avant que vous ne l'ayez quittée, vous risquez de ne jamais atteindre Constantinople mais d'aboutir à Tunis où les Kouloughis ont leur marché d'esclaves...

— D'es... je vous suis! Faites seulement sortir ce Théodoros qui a l'air changé en statue de sel pour que je m'habille!

Il y avait décidément des mots capables de faire sortir Marianne de ses propres limites et celui d'esclavage était de ceux-là. Tandis qu'Athanase remorquait Théodoros hors de sa chambre, elle se hâta de s'habiller puis alla rejoindre les deux autres dans la galerie obscure qui desservait les chambres. Quand elle apparut, sa chandelle à la main, Théodoros semblait redevenu lui-même. Il lui jeta un regard plein de rancune qui lui fit comprendre que le géant ne lui pardonnerait pas de sitôt l'instant de faiblesse — ou ce qu'il considérait comme tel! — dont elle avait été la cause.

Mais Athanase lui sourit d'un air encourageant et lui prit la main pour l'aider à descendre l'escalier.

— J'ai honte de partir ainsi, furtivement, protesta Marianne. J'ai l'air d'une voleuse! Que va dire le comte Sommaripa?

Par-dessus la flamme de la bougie, les yeux de l'intendant rejoignirent ceux de la jeune femme.

— Mais il ne dira rien! Que pourrait-il dire d'autre que : « Voilà qui est bien... » ou encore « C'est une excellente idée... » quand je lui aurai appris que Madame est partie faire une promenade dans l'île avec la comtesse Fiorenza? Ce sera aussi simple que cela...

Guidés par Athanase qui semblait avoir des yeux de chat, Marianne et Théodoros dégringolèrent le dédale de ruelles qui menait au port mais, une fois le quai atteint, ils se dirigèrent du côté de l'îlot où s'élevaient les ruines du petit temple.

Un grand trois-mâts, dont la proue s'effilait comme le museau d'un espadon, était à l'ancre près de la langue de terre. Son gréement impressionnant mariait de façon bizarre voiles auriques et voiles latines. Aucune lumière ne se montrait à bord et, posé sur l'eau calme du port, il ressemblait assez à quelque vaisseau fantôme.

— Le canot attend devant la chapelle des chevaliers de Rhodes! chuchota Athanase. Il est là, tout près...

Mais, à mesure que l'on approchait du vaisseau, Théodoros paraissait se renfrogner.

— Ce n'est ni le navire de Miaoulis, ni celui de

Tombazis, bougonna-t-il. Ce n'est même pas une vraie polacre ! A qui est ce bateau ?

— Il appartient à Tsamados ! fit Athanase agacé. C'est en effet, une polacca-chebec, sa dernière prise et un fameux marcheur, paraît-il ! De toute façon que t'importe puisque c'est le navire que ceux d'Hydra t'envoient ? Évidemment, si tu ne veux plus t'embarquer...

La grosse patte du géant se posa, apaisante, sur l'épaule du petit intendant.

— C'est toi qui as raison, frère, et je te demande pardon. Mais je crois que jamais je n'ai été aussi nerveux. Voilà ce que c'est, ajouta-t-il entre ses dents, que voyager avec une femme !

La chaloupe, en effet, attendait près d'un petit escalier de pierre d'où surgirent deux formes sombres, celles des matelots chargés de mener à bord les deux passagers.

Malgré elle, Marianne serra plus fort la main d'Athanase qu'elle n'avait pas lâchée. Elle se sentait inquiète, tout à coup, sans bien savoir pourquoi. Peut-être à cause de cette nuit si sombre, de ce vaisseau inconnu... elle avait l'impression qu'en quittant son guide elle allait abandonner son dernier ami pour plonger dans un inconnu plein de menaces et elle se sentait glacée.

L'intendant dut sentir cette inquiétude car il chuchota :

— Madame la Princesse n'a pas peur, j'espère ? Les gens d'Hydra sont de braves gens et des gens braves. Elle n'aura rien à craindre avec eux ! Qu'elle me permette seulement de la remercier de sa visite et de lui souhaiter bon voyage !

Ces quelques mots suffirent pour la rasséréner.

— Merci à vous, Athanase ! Merci pour tout...

Les adieux furent rapides. Aidée par l'un des matelots, Marianne descendit presque à tâtons les degrés raides et glissants, pensant à chaque pas piquer une tête dans le port. Mais elle atteignit sans encombre le plancher mouvant de la barque dans laquelle Théodoros sauta plutôt qu'il ne descendit. Puis, poussé par une gaffe, le canot déborda et les rames, maniées par quatre mains vigoureuses plongèrent silencieusement dans l'eau noire. Sur le quai, la silhouette replète d'Athanase diminua tandis que les maisons, déjà, prenaient leurs distances.

On atteignit le vaisseau sans qu'une parole eût été échangée. Théodoros, debout à l'avant de la barque, un pied sur le bordage, brûlait visiblement d'impatience de monter à bord et, à peine eut-on atteint l'échelle de corde qui pendait au flanc du navire qu'il s'élança dessus, grimpa avec une agilité incroyable chez un tel colosse et disparut par-dessus la lisse.

Marianne suivit plus lentement, mais avec assez de souplesse et d'aisance pour ne pas nécessiter l'aide des marins.

Pourtant, quand elle atteignit le bordage, des poignes vigoureuses s'emparèrent d'elle pour la déposer sur le pont. Là, elle eut tout de suite l'impression que quelque chose n'allait pas...

Théodoros était là, debout en face d'une troupe immobile et noire que la jeune femme ne put s'empêcher de trouver menaçante à cause même de ce silence : elle ressemblait trop à ces ombres qui, du pont de la « Sorcière » l'avaient regardée, sans un mot, descendre jusque dans la chaloupe où Leighton l'avait condamnée à périr !

Théodoros, lui, parlait dans cette langue romaïque qu'elle ne connaissait pas. Mais sa voix autoritaire d'homme habitué au commandement avait d'étranges fêlures où sa compagne décelait une angoisse mal cachée par la colère. Il parlait seul et c'était cela qui était effrayant car personne ne lui répondait.

Les deux matelots du canot étaient montés, à leur tour, et Marianne les sentait, juste derrière elle, si près qu'elle pouvait les entendre respirer.

Puis, tout à coup, quelqu'un démasqua une lanterne, l'approcha d'un visage qui parut jaillir de la nuit dans l'ombre du grand mât : celui d'un homme à la peau jaune, aux traits forts, au nez arrogant au-dessus d'une moustache tendue horizontalement qui s'achevait en touffes, aux yeux durs sous un grand front creusé de sillons et, ce qui était terrible, c'est que ce visage-là riait, riait en silence, lui aussi, mais avec une cruauté qui fit trembler Marianne.

Sur Théodoros, l'apparition de cette figure démoniaque avait fait l'effet de la tête de Méduse. Il poussa une exclamation de rage puis, tournant vers sa compagne un visage couleur de craie sur lequel, pour la première fois, elle put lire la peur :

— Nous avons été trahis ! souffla-t-il. Ce navire, c'est celui de Nicolaos Kouloughis, le renégat !...

Il ne put en dire davantage. Déjà la foule silencieuse des pirates se jetait sur eux pour les entraîner dans les entrailles du navire.

La dernière chose qu'aperçut Marianne terrifié, avant de disparaître, avalée par l'écoutille noire fut, très haut, dans une enfléchure, une grosse étoile brillante qu'une voile que l'on hissait cacha soudain, comme une main placée devant un œil gigantesque pour en dissimuler les larmes...

CHAPITRE XI

DE CHARYBDE EN SCYLLA...

L'entrepont était noir, étouffant, puant la crasse et l'huile rance.

Dès le bas de l'échelle, Marianne avait été jetée sans cérémonie dans un coin, tandis que l'on entraînait Théodoros vers une destination plus lointaine. Elle était tombée sur quelque chose de rêche qui devait être un vieux sac et s'y était tapie sans oser bouger, assourdie par les hurlements qui l'environnaient.

Le silence oppressant de tout à l'heure avait volé en éclats et, à considérer le vacarme que menaient maintenant les pirates, leurs grandes exclamations et leur caquetage volubile qui couvraient les rugissements de fureur du prisonnier, on pouvait se demander si dans ce mutisme qu'ils avaient observé sur le pont n'entrait pas une bonne part de stupeur. C'était un peu comme s'ils ne s'attendaient pas à une prise de cette importance.

Car, il n'y avait pas à s'y tromper : pour ces hommes, le plus important c'était Théodoros et Marianne n'offrait qu'un intérêt très secondaire. Elle s'en était aperçue à la désinvolture avec laquelle on s'était débarrassé d'elle comme d'un colis encombrant... un colis que l'on songerait peut-être à récupérer pour le vendre au plus offrant sur le marché de Tunis comme Athanase le lui avait fait craindre...

En évoquant soudain l'intendant du comte Sommaripa, la pensée que la trahison dénoncée par Théodoros
avait pu venir de lui n'effleura même pas Marianne.
C'était lui, pourtant, qui avait vu arriver la polacre, lui
qui était entré en contact avec son équipage (n'avait-il
pas dit qu'il appartenait à un certain Tsamados ?), lui
encore qui avait alerté les fugitifs, les avait pressés de
partir malgré les questions gênantes que l'odabaschi
risquait de poser à son maître... Mais la jeune femme
ne pouvait croire à tant de noirceur dans l'âme d'un
homme qui, au bout de vingt années, avait encore les
larmes aux yeux en regardant son maître marivauder
avec une ombre.

Peut-être les gens d'Hydra étaient-ils moins sûrs
qu'on ne le pensait... ou peut-être tout ceci n'était-il
qu'une erreur tragique !

Athanase, en voyant arriver ce grand bateau, avait
pu penser, honnêtement, que c'était bien celui que l'on
attendait (le comte n'avait-il pas dit à Marianne que les
navires de fort tonnage étaient rares à Naxos ?). Il avait
pris langue avec les pirates sans avoir la moindre idée
de ce qu'il avait en réalité devant lui et les autres, flai-
rant une bonne affaire, s'étaient hâtés d'entrer dans le
jeu en se gardant bien de le détromper... Mais ce
n'était là qu'une supposition parmi toutes celles qui
tournaient dans l'esprit de la passagère malgré elle et
qu'elle s'efforça, d'ailleurs, de chasser : ce n'était vraiment pas le moment choisi pour se livrer au jeu des
probabilités ! Et devant la menace, inattendue mais terrible qui pesait maintenant sur elle, Marianne s'efforça
de concentrer toutes ses pensées sur cette idée unique :
en sortir !

Un rayon de lumière glissa dans l'entrepont
jusqu'aux marches de l'escalier : les hommes revenaient après avoir mis leur prisonnier en lieu sûr. Ils
parlaient tous en même temps, supputant peut-être le

profit qu'ils allaient tirer de ce Théodoros dont Marianne s'avisait pour la première fois qu'elle ne connaissait même pas le nom, mais qui devait être quelqu'un de beaucoup plus important qu'elle ne l'avait imaginé.

Au milieu de ses matelots, éclairé par la lanterne que portait l'un d'eux, elle reconnut le chef.

Décidée à engager le fer aussi rapidement que possible, elle se leva et vint se camper devant l'échelle, barrant le passage et priant silencieusement pour que la différence de langage ne fût pas un obstacle insurmontable.

L'heure lui semblait venue, même si cela ne devait servir à rien, de faire sonner ici le nom de l'Empereur des Français qui paraissait avoir une certaine importance, même dans ces contrées à peu près sauvages. Ce n'était peut-être qu'une mince chance, mais cela valait la peine de la tenter. Aussi, pour rester fidèle à son personnage, fut-ce en français qu'elle apostropha le renégat.

— Ne croyez-vous pas, Monsieur, que vous me devez quelques explications ?

Sa voix claire sonna comme une trompette. Les hommes se turent brusquement. Leurs regards convergèrent aussitôt sur la mince silhouette en robe claire qui se dressait devant eux avec une fierté qui les frappa bien qu'ils n'eussent probablement pas saisi le sens de ses paroles. Quant à Nicolaos Kouloughis, ses pupilles se rétrécirent et il émit un petit sifflement qui pouvait être aussi bien admiratif que venimeux.

Mais, à la grande surprise de Marianne, ce fut la langue de Voltaire, assaisonnée d'un furieux accent, qu'il employa lui aussi :

— Ah ! Tu es la dame française ? Je croyais que ce n'était pas vrai ?

— Qu'est-ce qui n'était pas vrai, selon vous ?

— Justement, cette histoire de dame française. Quand nous avons pris le pigeon messager, j'ai pensé que c'était un prétexte, que cela cachait quelque chose d'intéressant, sinon pourquoi se donner tant de mal pour une chose si peu importante qu'une femme, même française ? Et nous avions raison puisque nous avons pris le plus grand des rebelles, l'homme insaisissable, celui pour lequel le Grand Seigneur donnerait son trésor : Théodoros Lagos lui-même ! C'est la meilleure affaire de ma vie : sa tête vaut très cher !

— Je ne suis peut-être qu'une femme, riposta Marianne à qui ce nom n'avait rien dit du tout, mais ma tête à moi aussi vaut très cher : je suis la princesse Sant'Anna, amie personnelle de l'Empereur Napoléon Ier et son ambassadrice auprès de ma cousine, Nakhsidil, sultane haséki de l'empire ottoman !

Cette bordée de noms pompeux parut impressionner un instant le pirate mais, alors même que Marianne pensait déjà gagner la partie, il éclata d'un rire strident qu'imitèrent aussitôt avec servilité les hommes qui l'entouraient, ce qui leur valut, d'ailleurs, d'être renvoyés à leurs travaux en quelques aboiements. Après quoi Kouloughis se remit à rire.

— J'ai dit quelque chose de drôle ? demanda Marianne sèchement. En ce cas, je pense que l'Empereur mon maître n'apprécierait guère votre sens de l'humour. Et je n'ai pas l'habitude que l'on se moque de moi !

— Mais... je ne me moque pas de toi ! Je t'admire, au contraire : tu avais un rôle à jouer, tu le joues parfaitement. J'ai même failli m'y laisser prendre !

— Ainsi, selon vous, je ne suis pas ce que je prétends être ?

— Bien sûr que non ! Si tu étais une envoyée du grand Napoléon, et une de ses amies par-dessus le marché, tu ne serais pas en train d'errer sur les mers, habillée en femme grecque et en compagnie d'un rebelle notoire, cherchant un navire commode pour gagner Constantinople et y perpétrer vos méfaits ! Tu serais sur une belle frégate battant pavillon français et...

— J'ai fait naufrage, coupa Marianne avec un haussement d'épaules. Cela arrive fréquemment, il me semble, dans ces parages !

— Cela arrive, en effet, fréquemment : surtout quand souffle le meltem, le dangereux vent de l'été, mais ou bien il n'y a pas du tout de survivants... ou bien il y en a un peu plus de deux. Ton histoire ne tient pas debout...

— C'est pourtant ainsi que les choses se sont passées. Croyez-le ou ne le croyez pas...

— Mais... je ne le crois pas !...

Et, sans transition, il adressa à la jeune femme un bref et violent discours en langue grecque, discours dont elle ne saisit pas, et pour cause, un traître mot et qu'elle écouta sans sourciller, s'offrant le luxe même d'un sourire méprisant.

— Ne vous fatiguez pas, conseilla-t-elle, j'ignore complètement ce que vous voulez dire.

Il y eut un silence. Avec une grimace qui rapprocha dangereusement son grand nez de son menton agressif, Nicolaos Kouloughis considéra la femme impassible qui lui faisait face. Visiblement, elle le déroutait. Quelle femme peut accepter d'entendre sans broncher, et même avec le sourire, une certaine qualité d'insultes mélangées à la description des tortures savantes qu'on lui réserve pour la faire parler ? Or celle-ci n'avait, en effet, rien paru comprendre de ce qu'il disait... Mais ce n'était pas un homme à hésiter longtemps : d'un mouvement d'épaule rageur, il se débarrassa du doute comme d'un fardeau gênant.

— Il se peut, après tout, que tu sois étrangère... à moins que tu ne sois vraiment très forte ! Quoi qu'il en soit cela ne change rien à l'affaire : ton ami Théo-doros sera remis au pacha de Candie qui me versera la prime. Quant à toi, tu parais assez belle pour que je te garde jusqu'au retour à Tunis où le bey, si tu lui plais, pourrait se montrer généreux. Viens avec moi, je vais te conduire dans un endroit où tu voyageras plus confortablement : une marchandise abîmée se vend moins bien !

Il l'avait saisie par le bras et l'entraînait dans le raide escalier malgré la résistance qu'elle lui opposait. Même pour améliorer son état physique, elle n'avait aucune envie d'être emmenée trop loin de son compagnon dont elle découvrait maintenant qu'il lui était devenu précieux d'une certaine manière. C'était, en tout cas, un homme vaillant et, victime de la même trahison involontaire du petit messager volant, elle se sentait étroitement solidaire de lui. Mais les doigts noueux du renégat, durement serrés autour de son bras mince, lui faisaient aussi mal que s'ils eussent été de fer.

Comme elle le craignait, ce fut vers le château arrière que Kouloughis l'entraîna. Devinant qu'il l'emmenait dans ses propres quartiers, elle se prépara pour une défense vigoureuse. Qui pouvait dire, en effet, si ce pirate n'aurait pas l'idée d'expérimenter personnellement sa captive avant de l'exposer sur le marché ? Cela devait se produire assez fréquemment.

La porte qu'il ouvrit devant elle, et referma aussitôt avec beaucoup de soin, était en effet celle de son carré. Un carré d'ailleurs parfaitement inattendu chez un pirate de l'Archipel que l'on pouvait imaginer sans peine voué au désordre et au faste mêlé à la plus orien-tale des crasses.

Cette pièce-là était sévère avec ses acajous foncés et ses instruments de cuivre, d'une élégance sobre que n'eût pas désavouée un amiral anglais. Elle était, en outre, d'une méticuleuse propreté mais, par contre, elle n'était pas vide.

Lorsque Marianne y entra, poussée par Kouloughis, elle aperçut, à demi étendu sur la couchette parmi des coussins de velours pourpre qui mettaient dans cette chambre la seule note colorée, un jeune garçon dont l'aspect était suffisamment surprenant pour retenir un moment l'attention la plus flottante car, à sa manière, c'était une espèce d'œuvre d'art mais d'un art passablement déviationniste.

Vêtu avec recherche d'un ample pantalon bouffant en soie bleu pâle, assorti à une sorte de dolman garni de larges brandebourgs de soie et impitoyablement sanglé sur une taille de jeune fille, coiffé d'une calotte à long gland d'or d'où s'échappaient d'épaisses boucles noires, le jeune éphèbe ouvrait avec langueur des yeux de biche ombrés de kohol et vigoureusement allongés au crayon. Quant à la bouche en fleur qui gonflait sa moue boudeuse dans un visage d'une blancheur laiteuse, elle devait visiblement la plus grande partie de sa floraison au rouge qui la maquillait.

Très beau, d'ailleurs, mais d'une beauté résolument féminine, cet être hybride occupait ses longs doigts souples au nettoyage minutieux d'une statuette de faune, d'une rare obscénité, qu'il polissait avec des soins de mère. C'était là, sans doute, la curieuse ménagère d'un logis aussi bien entretenu.

L'entrée tumultueuse de Kouloughis et de sa prisonnière ne parut pas le troubler. Il se contenta de froncer ses beaux sourcils épilés et de jeter sur la jeune femme un regard où l'indignation le disputait à la répugnance. Il aurait certainement eu le même air offusqué si Kouloughis avait soudain déversé dans son univers raffiné un plein seau de détritus : une expérience nouvelle et inattendue lorsque l'on est l'une des plus jolies femmes d'Europe !

La grande chambre était bien éclairée par des bouquets de bougies parfumées. Kouloughis traîna Marianne auprès de l'un d'eux et, d'un geste preste, arracha le châle brodé qui enveloppait sa tête et ombrageait ses yeux. La masse, noire et brillante, de sa chevelure tressée apparut en pleine lumière tandis que la fureur faisait étinceler ses prunelles vertes. Quand la main du renégat l'avait touchée, elle s'était reculée instinctivement.

— Qu'est-ce qui vous prend ? Que faites-vous ?

— Tu le vois bien : j'examine l'article que je vais proposer à un connaisseur. Incontestablement, ton visage est beau et tes yeux magnifiques, mais on ne sait jamais ce que dissimulent les draperies des femmes de mon pays ! Ouvre la bouche !

— Que je...

— J'ai dit : ouvre la bouche. Je veux voir tes dents.

Et, avant que la jeune femme ait pu l'en empêcher, il avait saisi sa tête à deux mains et lui avait ouvert les mâchoires d'un geste précis qui traduisait une longue habitude. Malgré l'indignation qu'elle éprouvait à se voir ainsi traitée comme un simple cheval, il fallut bien que Marianne se résignât à subir l'humiliant examen qui, d'ailleurs, parut donner toute satisfaction à l'examinateur. Mais, quand Kouloughis voulut ouvrir sa robe, elle fit un bond en arrière et alla chercher refuge derrière la table de travail qui occupait le centre du carré.

— Ah non ! Pas ça !...

Le renégat eut l'air surpris puis, haussant les épaules avec agacement, appela :

— Stephanos !

C'était là, de toute évidence, le nom du ravissant occupant de la couchette et, non moins évidemment, Kouloughis l'appelait à la rescousse.

Cela ne lui plut pas car il se mit à pousser des cris

affreux, se rencogna plus profondément dans ses coussins comme s'il défiait son maître de l'en faire sortir et, d'une voix haut perchée qui passa sur les nerfs de Marianne comme une râpe, débita un flot de paroles dont le sens général était des plus clairs : le délicat personnage refusait de salir ses jolies mains au contact d'une créature aussi repoussante qu'une femme !

Marianne, qui lui rendait son horreur avec usure, espérait qu'un tel refus d'obéissance allait valoir au mignon une solide raclée, mais Kouloughis se contenta de hausser les épaules avec un sourire indulgent qui allait aussi mal que possible à sa figure... et fonça sur Marianne.

Fascinée par la scène qui se déroulait sous ses yeux, elle ne s'y attendait pas. Mais, au lieu de tenter une nouvelle fois d'ouvrir la robe, il se contenta de palper rapidement tout le corps de la jeune femme, s'arrêtant de préférence à la poitrine dont il éprouva la fermeté avec un grognement de satisfaction. Un tel traitement ne fut pas du goût de Marianne qui, folle de rage, administra au marchand d'esclaves une vigoureuse paire de gifles.

Un court instant, elle goûta les joies violentes du triomphe. Kouloughis, changé en statue de la stupeur, frottait machinalement l'une de ses joues, tandis que son charmant ami, raide d'indignation, semblait sur le point de s'évanouir. Mais ce ne fut vraiment qu'un instant car, la minute suivante, elle comprit qu'elle allait payer son geste.

D'un seul coup la bile parut envahir le visage déjà jaune du trafiquant et il devint vert. La rage d'avoir subi une telle humiliation sous les yeux de son bel ami s'empara de lui et Marianne, les yeux agrandis, vit soudain se jeter sur elle un être qui n'avait plus rien d'humain.

Excité par les cris du garçon qui maintenant vociférait sur le mode nasillard d'un muezzin fou, il empoigna la jeune femme et la traîna hors de la cabine plus qu'il ne l'y conduisit.

— Tu vas me payer ça, chienne ! grinça-t-il. Je vais te montrer qui est le maître !

« Il va me faire fouetter, pensa Marianne effrayée en voyant qu'il la tirait vers l'une des caronades qui armaient la polacre, ou pire encore ! »

Et, de fait, en un tournemain, elle se trouva liée à la pièce d'artillerie que deux hommes venaient de recouvrir d'une raide toile goudronnée. Mais ce n'était pas par souci de lui épargner un contact désagréable avec le fer du canon.

— Le meltem se lève, fit Kouloughis. Nous allons avoir une tempête et tu vas rester ici, sur le pont, jusqu'à ce qu'elle soit finie. Cela te calmera peut-être et, quand on te libérera, tu n'auras plus envie de frapper Nicolaos Kouloughis. Tu t'agenouilleras devant lui et tu lécheras ses bottes pour qu'il t'épargne d'autres tortures... si toutefois les coups de mer ne t'ont pas assommée.

C'était vrai que la mer se gonflait de façon inquiétante et que le bateau commençait à danser. Marianne sentit dans son estomac les signes avant-coureurs du mal de mer, mais elle s'efforça de lui tenir tête, car à aucun prix, même pour tout l'or du monde, elle n'eût voulu montrer à ce misérable qu'elle se sentait mal. Il eût pris cela pour de la peur. Au contraire, elle fit front et, audacieusement, lança :

— Vous n'êtes qu'un imbécile, Nicolaos Kouloughis et vous ne savez même pas où se trouve votre intérêt !

— Mon intérêt est de venger l'offense qui m'a été faite devant l'un de mes hommes !

— Un homme ? Ça ? Laissez-moi rire ! Mais ce n'est pas de lui qu'il s'agit. Vous vous apprêtez à perdre beaucoup d'argent.

C'était là un mot que l'on ne prononçait pas devant Kouloughis, quelles que puissent être les circonstances, sans éveiller immédiatement son intérêt. Il en oublia que la minute précédente il avait eu envie d'étrangler cette femme et aussi qu'il y avait un certain ridicule à discuter avec une captive liée à l'affût d'une caronade.

Presque machinalement, il demanda :

— Que veux-tu dire ?

— C'est simple : vous avez dit, tout à l'heure, que vous vouliez remettre Théodoros au pacha de Candie et me vendre, moi, à Tunis. C'est bien cela ?

— C'est bien cela.

— Voilà pourquoi je dis que vous allez perdre de l'argent. Croyez-vous que le pacha de Candie vous paiera la totalité de ce que vaut le prisonnier ? Il ergotera, donnera un acompte, dira qu'il lui faut réunir la somme... tandis que le Sultan paierait cher, et tout de suite, et en bel or sonnant ! De même pour moi : puisque vous ne voulez pas reconnaître ma qualité réelle ni entendre raison, vous admettrez au moins que je vaux mieux que le harem crasseux d'un seigneur tunisien. Aucune femme n'est aussi belle que moi dans le harem du Grand Seigneur, affirma-t-elle audacieusement...

Le plan qu'elle poursuivait était clair : si elle pouvait seulement l'amener à changer de route, à faire voile vers le Bosphore au lieu de l'entraîner vers cette Afrique où elle serait à jamais perdue et qui l'épouvantait, elle savait que ce serait déjà une forme de victoire. L'important, comme elle l'avait déjà pensé dans la barque de Yorghos, était d'arriver là-bas, et peu importait dans quelles conditions...

Avec angoisse elle guetta sur le visage rusé du trafiquant le cheminement de ses paroles. Elle savait qu'elle avait touché la corde sensible et faillit pousser un soupir de soulagement quand il murmura enfin :

— Tu as peut-être raison...

Mais, aussitôt, le ton réfléchi explosa et fit place aux grincements de la colère et de la rancune.

— Cependant, s'écria-t-il, tu n'en subiras pas moins ton châtiment parce que tu l'as mérité. Après la tempête je te ferai connaître ma décision... peut-être !

Et il s'éloigna vers l'avant du navire, laissant Marianne livrée à elle-même sur le pont désert. Allait-il modifier la marche du bateau ? L'impression que quelque chose n'allait pas tout droit envahissait Marianne. Dans la tempête qu'avait rencontrée la « Sorcière » quand on avait quitté Venise, elle avait pu observer le comportement des marins de Jason et il ne ressemblait en rien à celui de ceux de Kouloughis.

Les hommes du brick avaient presque entièrement dépouillé les vergues, ne gardant que les focs et les voiles d'étai. Ceux de la polacre, massés à l'avant du bateau, semblaient tenir un conciliabule animé par les hurlements de leur capitaine. Quelques-uns, les plus courageux sans doute, carguaient mollement les voiles basses en jetant des coups d'œil anxieux aux voiles hautes pour voir comment elles se comportaient. Personne ne faisait mine de grimper dans les haubans que les gesticulations du navire rendaient évidemment dangereux.

La plupart, égrenant leur chapelet à gros grains d'ambre, couraient s'agenouiller en masse vers l'avant et s'y entassaient en entamant une litanie qui de toute évidence allait durer autant que le grain ; mais personne, et c'était au moins aussi étrange, n'avait l'idée d'aller s'enfermer dans les entrailles du navire.

Pour sa part, Marianne se sentait de plus en plus mal. Le navire dansait maintenant comme un bouchon dans l'eau bouillante et les cordes qui la liaient commençaient à lui entrer dans les chairs. Un paquet de mer lui arriva droit dessus, la suffoqua, puis laissa glisser son écume par les dalots.

Néanmoins, quand Kouloughis, embardant d'un bout à l'autre du bateau pour regagner la dunette passa près d'elle, la jeune femme ne put s'empêcher de lui jeter :

— Vous avez là de drôles de marins ! Si c'est ainsi qu'ils espèrent lutter contre la tempête...

— Ils s'en remettent à Dieu et à ses saints, riposta le trafiquant avec hargne. La tempête vient du Ciel : c'est à lui de décider de ses résultats. Tous les Grecs savent ça !

Entendre cet homme, ce pirate, ce renégat parler de Dieu était la dernière chose à laquelle on pouvait s'attendre. Mais Marianne commençait à se former des Grecs une idée personnelle : des gens étranges, à la fois braves et superstitieux, impitoyables et généreux, parfaitement illogiques la plupart du temps.

Avec un haussement d'épaules elle commenta :

— C'est sans doute pour cette raison que les Turcs en viennent à bout si facilement. Ils ont une autre méthode... mais vous devriez savoir cela, vous qui avez choisi de les servir.

— Je le sais. C'est pourquoi je vais prendre la barre, même si cela ne sert à rien !

Marianne ne put en dire davantage. Une nouvelle gerbe salée l'engloutit, balayant le pont sur presque toute sa longueur. Elle s'efforça de retrouver sa respiration, toussant et crachant pour libérer ses poumons. Quand elle put à nouveau distinguer quelque chose, elle aperçut Kouloughis campé à la barre qu'il serrait à deux mains, fixant la mer démontée d'un œil farouche. L'homme de barre, tapi dans un coin, avait lui aussi tiré son chapelet.

Le jour était venu, lentement. Un jour gris, étalé sur une mer sinistre qui, à la manière d'une coquette entrée dans les voies de la pénitence, avait échangé ses satins bleus contre des haillons gris. Les vagues étaient maintenant hautes comme des montagnes et l'air n'était plus qu'écume. Le bateau, malgré la présence de Kouloughis à sa barre, filait en aveugle vers une destination connue de lui seul et, sans doute, du Diable, malgré l'obstination illogique que mettaient ces pirates à se vouloir dans la seule main de Dieu.

Le renégat semblait accepter les patenôtres de ses hommes comme toutes naturelles et peut-être, après tout, s'en remettait-il à la tempête de trancher pour lui son débat intérieur : continuer sur la Crète ou changer de cap et faire route vers Constantinople.

L'un des focs s'envola, son gréement rompu, et partit dans le ciel fuligineux comme un oiseau ivre. Personne ne parut même songer à établir une nouvelle voile, mais les invocations au Ciel se firent plus pressantes, tout au moins quand l'eau ne les éteignait pas ou quand les hurlements de la tempête ne les couvraient pas. Dans les nuages, les mâts dansaient une sarabande.

Mais, bientôt, Marianne fut hors d'état de remarquer quoi que ce soit. Trempée jusqu'aux os, aveuglée par l'eau et assourdie par les coups de mer, meurtrie par les cordes mouillées qui se resserraient cruellement, elle découvrait que la pénitence était plus rude encore qu'elle ne l'avait imaginée et souhaitait perdre connaissance. Mais ne s'évanouit pas qui veut et ce traitement brutal avait l'avantage de chasser le mal de mer. Par contre, le risque de périr noyée grandissait à chaque instant et Marianne commençait à penser qu'elle allait sans doute mourir là, noyée comme un rat dans son trou...

Peut-être le trafiquant eut-il la même idée et craignit-il, en prolongeant l'épreuve, de voir un profit certain lui échapper, car, utilisant une légère accalmie, il amarra la barre et, dégringolant l'escalier de la dunette, vint trancher les cordes qui retenaient Marianne.

Il était temps. Elle était à bout de forces et il dut la soutenir à pleins bras pour l'empêcher de glisser sur le pont qu'une embardée du bateau venait de redresser brusquement. Moitié portant, moitié traînant, il alla jusqu'à l'écoutille, ouvrit le panneau et redescendit sa victime dans l'entrepont, où il l'abandonna, non sans faire entrer avec eux la majeure partie d'une vague.

Ce que les rafales de la mer n'étaient pas arrivées à faire, l'atmosphère étouffante de l'entrepont, l'odeur qui stagnait là y parvinrent sans peine et Marianne, secouée de spasmes, restitua tout ce qu'elle avait dans le corps. Ce fut violent et pénible mais, ensuite, elle se sentit mieux, chercha, dans la semi-obscurité, les sacs où elle avait été posée à l'arrivée et s'y étendit.

Mais l'eau qui était entrée dans l'entrepont et sa robe inondée eurent tôt fait de les rendre aussi humides que le tillac et elle pensa qu'il lui fallait maintenant prendre son mal en patience. Du moins n'avait-elle plus froid, car il régnait là-dedans une chaleur d'étuve.

Peu à peu, elle reprit ses esprits, aidée en cela par une migraine qui lui serrait les tempes. Dans cet espace clos, les bourrades de la mer résonnaient comme dans un tambour et il lui fallut un moment pour se rendre compte que les coups qui lui faisaient si mal ne provenaient pas tous de la tempête : dans le fond de l'entrepont, quelqu'un cognait lourdement contre du bois.

Pensant soudain à Théodoros, elle se dirigea péniblement, et le plus souvent à quatre pattes pour étaler les sursauts du bateau jusqu'à l'endroit d'où venait le bruit. Il y avait là une porte, faite d'énormes planches à peine rabotées, mais fermée par une grosse serrure.

Anxieuse, elle colla son oreille au ventail en se cramponnant de son mieux. Au bout d'un instant, le bruit se reproduisit et, sous ses mains, elle sentit trembler la porte.

— Théodoros ! appela-t-elle. Êtes-vous là ?

Une voix furieuse qui lui parut s'éloigner lui répondit, cependant que le bateau, en plongeant, la plaquait contre le bois.

— Naturellement, je suis là! Ces brutes m'ont ficelé si étroitement que je n'arrive pas à me retenir et je viens cogner cette maudite cloison chaque fois que ce rafiot de malheur se redresse à la lame! Si seulement la tempête se calmait : je suis rompu !

— Si seulement je pouvais ouvrir cette porte... mais je n'ai rien, absolument rien sous la main.

— Comment? Vous n'êtes pas attachée?

— Non...

En quelques mots, Marianne fit à son compagnon le récit de ce qui s'était passé entre elle et le renégat. Un instant, elle l'entendit rire, mais cet éclat s'acheva en gémissement, tandis que la cloison sonnait de nouveau sous l'assaut de l'involontaire bélier humain. Néanmoins, le bruit avait été moins fort.

— On dirait que ça se calme un peu, commenta Théodoros au bout d'un instant. Vous devriez tout de même regarder partout, dans l'endroit où vous êtes. Il y a peut-être quelque chose qui traîne et qui pourrait m'aider à me détacher. Il y a un espace sous la porte par où l'on pourrait glisser un morceau de fer, une lame... que sais-je ?

— Mon pauvre ami, j'ai bien peur de vous décevoir mais je vais tout de même chercher.

Toujours sur les genoux, elle allait entreprendre l'exploration de son obscur domaine quand la voix du Grec lui parvint de nouveau :

— Princesse !

— Oui, Théodoros? fit-elle surprise car c'était la première fois qu'il employait ce terme.

Jusque-là il n'avait pas jugé utile de lui donner quelque appellation que ce soit. C'était aussi la première fois qu'il renonçait à la tutoyer.

— Je voudrais vous dire... que je regrette de vous avoir traitée comme je l'ai fait. Vous êtes une femme vaillante... et un bon compagnon de combat ! Si on s'en sort... j'aimerais que nous soyons amis ! Voulez-vous ?

Malgré le tragique de leur situation, elle eut un sourire tandis qu'une vague de chaleur faisait battre son cœur un tout petit peu plus vite et lui rendait courage. Cette amitié virile qui s'offrait et qu'elle savait sûre, c'était tout juste ce dont elle avait le plus besoin ! A partir de cet instant, elle avait l'assurance de n'être plus seule et, brusquement, elle eut envie de pleurer.

— Oui, Théodoros, je veux bien ! dit-elle d'une voix qui s'étranglait un peu. Et même, je crois que rien ne pourrait me faire plus plaisir !

— Alors, du courage ! Vous dites ça comme si vous alliez fondre en larmes !... Vous verrez qu'on s'en tirera...

L'exploration de l'entrepont, difficile mais consciencieuse, ne donna rien. Désolée, elle revint annoncer à Théodoros qu'elle avait échoué.

— Cela ne fait rien ! soupira-t-il. Il faut attendre. Peut-être qu'une occasion se présentera. Quand la tempête se calmera, il faudra bien, j'imagine que ces chiens nous donnent à manger. Nous aviserons à ce moment-là. Jusque-là, il faut essayer de vous reposer pour reprendre quelques forces. Tâchez de vous caler dans un coin et de dormir un peu...

Marianne fit de son mieux mais ce n'était pas facile. Elle parvint tout de même à trouver un peu de repos quand l'ouragan perdit de sa violence.

Lorsque vint le soir, le vent et la mer s'étaient calmés. Le plancher où elle reposait était redevenu à peu près horizontal et elle goûtait un peu de paix.

De l'autre côté de la cloison plus aucun bruit ne se faisait entendre et elle pensa que Théodoros s'était endormi. Une nuit opaque, d'ailleurs, avait envahi l'entrepont, aucune lumière ne venant plus des interstices des faux sabords. Par contre l'air se faisait humide et plus froid.

La prisonnière en était à se demander si, d'aventure, on allait les oublier là jusqu'à l'arrivée à Candie... ou ailleurs, puisqu'elle n'avait aucun moyen de connaître la route, quand le panneau d'écoutille fut enlevé.

La lumière d'une lanterne, deux jambes habillées de toile et chaussées de bottes de mer apparurent dans des vapeurs de brume. Le brouillard au-dehors avait succédé à la tempête et ses longues écharpes s'infiltraient dans l'escalier comme les tentacules de quelque poulpe fantôme.

Étendue à terre, non loin des degrés, Marianne ne bougea pas. Elle resta couchée dans l'attitude d'une femme parvenue aux derniers degrés de l'épuisement afin que le nouveau venu ne se méfiât pas d'elle et afin de pouvoir observer ce qu'il allait faire... surtout s'il se rendait auprès de Théodoros.

En effet, l'homme transportait deux cruches de terre et deux boules noirâtres qui devaient être du pain : la nourriture des prisonniers que Kouloughis, de toute évidence, n'entendait pas faire bénéficier des joies culinaires du bord. Mais, entre ses cils mi-clos, Marianne vit descendre, derrière lui, une autre paire de jambes : celles-là perdues dans les plis multiples d'un pantalon de soie qu'il lui sembla bien reconnaître.

Que venait faire dans l'entrepont le ravissant Stephanos ?

Elle n'eut pas le loisir de se le demander longtemps. Tandis que le pas lourd du matelot s'éloignait vers la cloison, celui, léger, de son compagnon s'arrêtait au bas des degrés... et appliquait, dans les côtes de la jeune femme, un coup de pied aussi brutal que sournois. Avec un gémissement, elle ouvrit les yeux, le vit debout près d'elle, sur le point de recommencer. Tout en caressant la lame d'un long poignard courbe, il souriait, d'un sourire à la fois stupide et cruel qui glaça le sang de Marianne. Dans ses prunelles dilatées, la pupille n'était plus qu'un point noir, gros comme une tête d'épingle. De toute évidence, il était venu là pour faire subir à une créature qu'il considérait comme abjecte, mais peut-être dangereuse, un traitement approprié aux sentiments qu'elle lui inspirait.

Marianne ne réfléchit même pas. Elle se ramassa sur elle-même comme pour fuir le second coup de pied, mais, emportée par l'instinct et par la haine, son élan fut irrésistible. Se détendant comme une panthère qui attaque, elle sauta à la gorge de l'éphèbe, qui, surpris par l'assaut inattendu, voulut reculer et s'écroula dans l'escalier. Instantanément elle fut sur lui, saisit sa tête à deux mains et la cogna sur une marche avec tant d'énergie et de précision à la fois que le délicat personnage s'évanouit aussitôt, tandis que le poignard lui échappait des mains.

Elle s'en empara aussitôt, le serra contre elle avec un extraordinaire sentiment de triomphe et de puissance. C'était la vue de cette arme, bien plus que les coups de pied, qui avait déclenché son réflexe. Se tournant alors vers le fond de l'entrepôt, elle aperçut le matelot qui, après avoir ouvert la porte dans une débauche de grincements, se disposait à entrer chez le prisonnier.

Tout avait été si vite qu'il n'avait rien entendu : seulement un bruit de chute qui n'avait pas dû l'émouvoir outre mesure. Dans l'espace d'un éclair, Marianne comprit qu'il ne fallait pas que cette porte se refermât.

Serrant le poignard dans sa main, elle courut vers l'ouverture que le reflet de la lanterne découpait nettement. L'homme, qui était grand et fort, se courbait déjà pour la franchir. Alors, avec la rapidité de la foudre, elle sauta sur son dos et frappa...

Le matelot eut un râle et s'écroula comme une masse près de sa lanterne, entraînant Marianne dans sa chute.

Stupéfaite de ce qu'elle venait de faire, elle se releva, considérant la lame courbe tachée de sang avec une sorte d'hébétude. Elle venait de tuer un homme sans plus hésiter que la nuit où elle avait assommé Ivy Saint-Albans avec un chandelier après avoir blessé, en duel, Francis Cranmere que, d'ailleurs, elle était bien persuadée alors d'avoir tué.

— La troisième fois !... murmura-t-elle. La troisième !...

La voix mi-joyeuse, mi-admirative de Théodoros la tira de cette espèce de prostration.

— Magnifique, princesse ! Vous êtes une véritable amazone ! Maintenant, délivrez-moi, vite ! Le temps presse et l'on peut venir.

Machinalement, elle ramassa la lanterne, et à sa lumière jaune aperçut le géant, ficelé comme un saucisson et couché de tout son long. Ses yeux riaient franchement dans son visage marqué par ce qu'il avait enduré et où la barbe repoussait déjà. Elle se jeta à genoux auprès de lui et se mit à trancher les cordes qui le liaient. Elles étaient grosses et solides. Elle y mit tant d'acharnement que la première céda bientôt. Dès lors, ce fut facile et en quelques secondes, elle eut débarrassé Théodoros de ses liens.

— Dieu que ça fait du bien ! soupira-t-il en étirant ses longs membres ankylosés ! Voyons maintenant si nous pouvons sortir d'ici... Savez-vous nager ?

— Oui, je sais...

— Décidément, vous êtes une créature extraordinaire. Venez !

Passant le poignard à sa ceinture sans se soucier des taches de sang, Théodoros prit Marianne par le bras, la fit sortir de son cachot dont il referma soigneusement la porte après avoir tiré à l'intérieur le cadavre de l'homme mort. Mais, en se retournant, il aperçut le corps de Stephanos qui faisait une tache claire sur les marches de l'escalier et il regarda sa compagne avec stupeur :

— Celui-là aussi vous l'avez tué ?

— Non... je ne crois pas ! Assommé seulement... C'est à lui que j'ai pris le poignard... Il me donnait des coups de pied... et je crois qu'il voulait me tuer !

— Mais, ma parole, on dirait que vous cherchez des excuses quand vous ne méritez que des félicitations ! Si vous ne l'avez pas tué, vous avez eu tort... mais un tort peut toujours se réparer.

— Non, Théodoros ! Ne le tuez pas ! C'est le... le... enfin, je crois que le capitaine y tient beaucoup ! Si nous ne réussissons pas à fuir, il nous tuera impitoyablement...

Le Grec se mit à rire silencieusement.

— Ah ! C'est le beau Stephanos ?

— Vous le connaissez ?

Théodoros haussa les épaules avec un dédain amusé.

— Les goûts de Kouloughis sont connus de tout l'Archipel. Mais, vous avez raison quand vous dites qu'il tient beaucoup à cette petite ordure ! Aussi allons-nous procéder autrement...

Il se baissait déjà pour ramasser le corps inerte, quand un choc énorme se produisit. Le bateau trembla dans toutes ses membrures, tandis qu'avec un craquement sinistre, l'une des parois s'ouvrait.

— Nous avons touché ! gronda Théodoros. Ce doit être quelque récif. Profitons-en !

Un véritable tintamarre de hurlements éclata au-dessus de leurs têtes tandis que le bateau craquait de nouveau. Une voie d'eau apparut... D'une vigoureuse torsion de ses reins, Théodoros chargea Stephanos sur son épaule à la manière d'un sac de farine en faisant retomber sa tête sur sa poitrine, afin d'avoir le cou du garçon à portée de la lame courbe qu'il avait reprise. Visiblement, il pensait s'ouvrir un passage à travers les pirates en menaçant de tuer le grand amour de Nicolaos.

A sa suite, Marianne rampa le long de l'escalier, regarda au-dehors. Le pont était couvert de brume à travers laquelle les matelots s'agitaient comme des spectres en hurlant et en gesticulant, mais personne ne songeait à s'occuper d'eux.

Le vacarme était assourdissant. De la main qui tenait le poignard, Théodoros fit un signe de croix à l'envers, en bon orthodoxe :

— Varenta la madona ! souffla-t-il. Ce n'est pas un récif... C'est un vaisseau de haut bord !

En effet, contre le flanc droit de la polacre, une sorte de muraille hérissée de canons se dressait, éclairée par les lueurs fuligineuses des rares lanternes du pont grec.

Avec une exclamation de joie, Théodoros laissa tomber son fardeau à terre sans la moindre précaution.

— Nous sommes sauvés ! souffla-t-il à sa compagne. Nous allons grimper à bord...

Il s'élançait déjà, mais elle le retint, anxieuse :

— Vous êtes fou, Théodoros ! Vous ignorez à qui appartient ce vaisseau ! Si c'était un Turc ?

— Un Turc ? Avec trois rangées de sabords ? Allons donc, c'est un vaisseau occidental, princesse ! Il n'y a que les gens de vos régions pour bâtir ces espèces de forteresses flottantes. Je parie pour un vaisseau de ligne ou une grande frégate ! Avec ce brouillard on ne voit même pas ses vergues. Il est vrai qu'on les sent.

En effet, les gréements des deux navires avaient dû s'enchevêtrer plus ou moins malgré la différence de taille et de lourds débris de bois tombaient du ciel invisible.

— On va se faire assommer ! Allons-y !

Dans une atmosphère de fin du monde, Théodoros entraîna Marianne vers l'arrière. Les pirates, en effet, se massaient à l'endroit où la polacre avait abordé, c'est-à-dire sensiblement vers l'avant. Mais le Grec dut tout de même assommer deux ou trois matelots qui surgirent de la brume et prétendirent se mettre en travers de son chemin. Ses poings énormes frappaient comme des massues.

L'éclairage de ce côté était bien meilleur. On y voyait briller les fanaux du navire abordé et les fenêtres de son château qui mettaient un halo dans la nuit laiteuse.

— Voilà ce qu'il nous faut ! fit le Grec qui cherchait quelque chose. Grimpez sur mon dos, mettez vos jambes autour de ma taille et serrez bien vos bras autour de mon cou. Vous ne saurez jamais vous servir d'une corde comme d'un escalier.

Il se penchait déjà pour charger la jeune femme. Devant eux, un filin pendait, à portée de main, mais dont l'extrémité semblait se perdre dans le ciel même.

— J'ai su autrefois, fit Marianne, mais maintenant...

— Justement. Nous n'avons pas le temps de faire des expériences : grimpez et cramponnez-vous !

Elle obéit tandis qu'il empoignait le filin. Aussi aisément que si son fardeau n'eût rien pesé, il s'éleva le long du cordage avec une incroyable aisance.

Sur le navire de Kouloughis, la panique était à son comble. Le bordage avait dû subir une grave avarie et le bateau visiblement s'enfonçait déjà. Les hurlements des matelots occupés à mettre les chaloupes à la mer étaient dominés par les cris féroces de Kouloughis qui appelait avec angoisse :

— Stephanos ! Stephanos !...

— Il n'a qu'à regarder par terre, grogna Théodoros. Il le trouvera son Stephanos !

Sur le grand vaisseau, cependant, on s'agitait aussi,

mais beaucoup plus calmement. Le pont résonnait du claquement précipité des pieds nus des matelots mais, à l'exception d'une voix qui parlementait avec les gens de la polacre dans un romaïque teinté d'un curieux accent, aucun autre bruit ne se faisait entendre, sinon un murmure discret de conversation.

Soudain, amplifié par le porte-voix, un ordre partit de la dunette inconnue. C'était un ordre sans aucune importance pour Marianne. Pourtant, l'entendre lui causa un choc si violent que, de saisissement, elle faillit bien lâcher son compagnon.

— Théodoros! souffla-t-elle. Ce navire... est anglais!

Lui aussi accusa le coup. Ce n'était pas une bonne nouvelle. La chaleur des récentes relations entre l'Angleterre et la Porte, en faisait l'ennemie naturelle des Grecs révoltés. S'il était découvert, Théodoros serait livré au Sultan aussi simplement que par Koulloughis. La seule différence serait que l'opération ne coûterait pas un dinar au souverain qui réaliserait ainsi une sérieuse économie.

La coupée vers laquelle ils grimpaient n'était plus loin. Théodoros, un instant, arrêta son ascension :

— Vous êtes française, souffla-t-il. S'ils apprennent qui vous êtes, que se passera-t-il ?

— Je serai arrêtée, emprisonnée... Déjà, voici quelques semaines, une escadre anglaise a attaqué le navire qui me portait pour s'emparer de moi !

— Alors, il ne faut pas qu'ils le sachent. Il y a au moins quelqu'un qui parle grec, sur ce navire : je dirai que nous avons été razziés par Koulloughis, que nous réclamons asile, que vous êtes ma sœur... et que vous êtes sourde et muette ! De toute façon, nous n'avons pas le choix : quand on s'échappe de l'enfer, princesse, qu'importe si c'est sur le dos d'un cheval emballé !...

Et il reprit son ascension. Quelques instants plus

tard, tous deux s'écroulaient sur le pont de l'Anglais, aux pieds d'un officier qui se promenait en compagnie d'un homme vêtu d'un impeccable costume de toile blanche, aussi tranquillement que si le navire eut poursuivi, en mer une paisible et agréable croisière.

L'intrusion de ces deux étrangers sales et assez loqueteux ne parut pas les surprendre outre mesure, mais plutôt les choquer comme une incongruité :

— *Who are you*[1]? demanda l'officier d'une voix sévère. *What are you doing here*[2]?

Théodoros se lança dans une longue et volubile explication, tandis que Marianne, oubliant soudain le danger qu'elle courait, regardait autour d'elle avec étonnement. Elle éprouvait tout à coup un sentiment indéfinissable : c'était comme si l'Angleterre de son enfance lui avait sauté au visage et elle en respirait le parfum avec une joie parfaitement inattendue. Cela tenait sans doute à ces deux hommes tirés à quatre épingles, au pont superbement briqué, aux cuivres étincelants de ce navire. Tout cela lui semblait extraordinairement familier. Il n'était jusqu'au visage de l'officier, qui d'ailleurs, au vu de ses insignes, devait être le commandant, dont les traits encadrés de favoris grisonnants, mais à demi dissimulés sous l'ombre du grand bicorne noir, ne lui parût bizarrement coutumier.

L'homme au costume blanc discutait maintenant avec Théodoros aussi âprement que lui, mais le commandant ne disait rien. Il devait regarder Marianne que l'un des fanaux éclairait, car elle sentait ses yeux attentifs sur elle aussi nettement que s'il avait posé une main sur son épaule.

L'interlocuteur du Grec se tourna soudain vers l'officier :

1. Qui va là?
2. Que faites-vous ici?

— Le bateau qui nous a abordés est celui de l'un des frères Kouloughis, les pirates renégats. Cet homme dit que lui et sa sœur ont été enlevés à Amorgos et qu'on les emmenait à Tunis pour les vendre comme esclaves. Ils ont pu s'évader à la faveur de l'abordage et ils demandent asile. La jeune femme est, paraît-il, sourde et muette ! Nous ne pouvons pas les rejeter à la mer n'est-ce pas ?...

Mais le commandant ne répondit pas. Il tendit le bras et, sans un mot, prit la main de Marianne, l'entraînant jusque sur la dunette où une grosse lanterne éclairait la barre. Il la conduisit vers cette lumière et là, durant un moment, il scruta son visage.

Fidèle à son rôle, Marianne n'osait rien dire. Et soudain :

— Vous n'êtes ni grecque, ni sourde, ni muette, n'est-ce pas, ma chère enfant ?

Aussitôt, d'ailleurs, il ôtait son bicorne, découvrait un visage plein et coloré où deux yeux couleur de pervenche brillaient joyeusement. Un visage si brusquement remonté des profondeurs du passé que Marianne ne put s'empêcher d'y mettre un nom :

— James King ! s'écria-t-elle. Le commodore James King ! C'est incroyable !

— Moins que de vous retrouver ici voguant sur un bateau pirate en compagnie d'un géant grec ! Mais je n'en suis pas moins extraordinairement heureux de vous revoir, ma chère Marianne ! Bienvenue à bord de la frégate « Jason » en route pour Constantinople !

Et, prenant la jeune femme aux épaules, le commodore King l'embrassa sur les deux joues.

CHAPITRE XII

UN ARCHÉOLOGUE IRASCIBLE

Se retrouver tout à coup sur une mer du bout du monde, en face d'un vieil ami de la famille transformé en adversaire sans le savoir et en sauveteur involontaire, est une épreuve qui pose de singuliers problèmes.

Aussi loin que remontaient les souvenirs de Marianne, sir James King y avait sa place. Dans les rares intervalles de ses longues absences, quand il n'était pas en mer, lui et sa famille, dont la résidence se situait à quelques lieues de Selton Hall, comptaient parmi les rares visiteurs qui franchissaient le seuil, si difficile d'accès, de tante Ellis. Peut-être parce qu'elle les trouvait à la fois reposants et dignes d'estime.

Pour la farouche vieille fille, menant de main de maître son vaste domaine et fleurant toujours un peu l'écurie, lady Mary, l'épouse de sir James, qui, avec ses taffetas changeants et ses chapeaux aériens avait toujours l'air de descendre de quelque toile de Gainsborough, était un perpétuel sujet d'étude et d'étonnement. Les choses de la vie, même les plus rudes, semblaient glisser, sans le faire craquer, sur le vernis de grâce souriante et d'exquise courtoisie qui l'enveloppait comme un voile.

Marianne, qui lui vouait cette admiration que les enfants portent, d'instinct, vers les choses parfaites, l'avait vue traverser une épidémie de variole, dont ses deux plus jeunes enfants avaient d'ailleurs été victimes, et attendre interminablement le retour d'un époux que l'on avait cru longtemps perdu en mer, sans que la sérénité apparente de son doux visage en fût affectée. Simplement, ses yeux bleus qui avaient perdu un peu de leur couleur tendre et son sourire teinté d'une indéfinissable mélancolie avaient trahi, à peine, la souffrance et l'angoisse. C'était une femme qui vivait debout et la tête droite.

Marianne, souvent, avait pensé, en la voyant, que sa mère, dont elle ne possédait qu'une miniature, devait lui ressembler et elle aimait voir venir lady Mary.

Malheureusement, celle-ci n'était pas en Angleterre au moment du mariage de sa jeune amie. Une grave maladie de sa sœur l'avait appelée à la Jamaïque où elle avait dû prendre en main la direction d'une grande plantation. Son mari, d'ailleurs, était alors à Malte et son fils aîné en mer, lui aussi. Marianne avait donc eu le regret de ne pas voir ceux qu'elle considérait comme ses meilleurs amis au nombre des rares assistants d'un événement qu'elle avait si vite considéré comme un désastre.

Eussent-ils été présents que les choses, très certainement, se fussent déroulées de façon bien différente et Marianne, après le drame de sa nuit de noces, n'eût pas eu besoin de chercher au-delà de la mer un refuge que les King lui eussent offert sans la moindre hésitation.

Et parfois, dans les heures difficiles vécues jusqu'au moment où, enfin, elle avait retrouvé, dans la maison de ses pères, rue de Lille, à la fois un port et un semblant de foyer, Marianne avait pensé à cette famille anglaise qu'elle ne reverrait certainement plus, puisque, entre la Grande-Bretagne et elle-même, un rideau opaque était désormais tiré. Elle y avait pensé avec un peu de tristesse puis, peu à peu, les remous de sa vie les avait fait reculer dans les brumes du souvenir, trop loin, bientôt, pour qu'il fût encore possible de les évoquer.

Et voilà que, tout à coup, ils reparaissaient en la personne d'un vieil officier de marine qui, en si peu de paroles, avait soudain renoué la chaîne rompue !

Les retrouvailles n'avaient pas été tellement faciles pour Marianne. Sir James, bien entendu, avait dû apprendre son mariage avec Francis Cranmere, mais que savait-il de ses suites ?

Marianne se voyait mal lui déclinant sa flatteuse mais dangereuse identité actuelle : comment dire à cet homme, dont elle connaissait la droiture, l'intransigeant sens de l'honneur et l'amour profond qu'il portait à son pays, qu'elle était cette princesse Sant'Anna qu'une escadre anglaise avait tenté de capturer au large de Corfou, sans le placer dans une situation difficile ? Le commodore King n'hésiterait certainement pas : la petite fille de Selton disparaîtrait de sa mémoire, même si cela lui coûtait un effort cruel et la sérénissime messagère de Napoléon serait enfermée dans quelque cabine bien close avec impossibilité d'en sortir et, peut-être, à l'horizon quelque vigoureuse prison britannique...

Aussi fut-elle presque soulagée quand sir James, le premier moment d'émotion passé, lui demanda :

— Où donc étiez-vous passée depuis tout ce temps ? J'ai su, à mon retour de Malte, quelle catastrophe avait été ce mariage que ma femme, certainement, aurait formellement déconseillé à votre tante. On m'a dit que vous vous étiez enfuie après avoir blessé gravement Francis Cranmere et tué sa cousine... Mais j'ai toujours refusé de voir en vous une criminelle, car, selon moi et aussi selon quelques personnes de bon sens, ces gens ne méritaient pas mieux. Ils avaient dans la société une détestable réputation et il fallait être aussi aveugle que cette pauvre lady Ellis pour accorder la main d'une enfant telle que vous à pareil chenapan!...

Marianne sourit, amusée. Elle avait oublié combien sir James pouvait être bavard. C'était un travers plutôt rare chez un Anglais. Sans doute se payait-il ainsi des longs silences qu'imposait la vie en mer et, en tout cas, il savait aussi écouter, car il semblait assez bien renseigné sur son désastreux mariage.

— Qui donc vous a appris tout cela, sir James? Est-ce lady Mary?

— Dieu, non! Il y a seulement six mois que ma femme est revenue de Kingston, malade d'ailleurs! Elle a pris une fièvre là-bas et il lui faut se ménager. Elle ne quitte plus notre maison des champs. Non, celle qui m'a raconté votre malheureuse histoire, c'est la nièce de feu lord Chatham, lady Hester Stanhope. Au début de l'année dernière, elle s'est embarquée sur ce bateau pour gagner Gibraltar. La mort du ministre, son oncle, l'avait laissée désemparée et lui avait valu de nombreux déboires. Elle a décidé de voyager, de visiter la Méditerranée, de gagner l'Orient dont le mirage l'attirait. Je ne sais où elle se trouve à l'heure présente, mais, au moment de son départ, l'histoire de votre mariage était vieille de trois ou quatre mois et faisait encore les frais de nombreuses conversations; les uns plaignant Francis Cranmere, qui se remettait fort lentement de sa blessure, les autres vous donnant raison... Personnellement, j'étais demeuré trop peu de temps à Portsmouth pour avoir eu le loisir d'apprendre tous ces potins. C'est donc lady Hester qui m'a mis au courant. Ajouterai-je qu'elle vous donnait pleinement raison? Elle jurait que Cranmere n'avait eu que ce qu'il méritait et qu'il fallait être insensé pour vous avoir mariée à un coquin de cette espèce. Mais votre pauvre tante, je crois, n'a obéi qu'à des motifs sentimentaux... et à des souvenirs!

416

— Je n'y avais pas mis obstacle, avoua Marianne. J'aimais Francis Cranmere, ou je croyais l'aimer.

— Cela se conçoit. Il est fort séduisant, à ce que l'on dit. Savez-vous ce qu'il est devenu ? Le bruit court qu'il a été arrêté comme espion en France et qu'il serait emprisonné on ne sait trop où...

Marianne se sentit pâlir. Elle revit, tout à coup, la machine rouge dressée dans le fossé boueux de Vincennes, l'homme enchaîné qui, dans son sommeil, se débattait déjà contre la mort... Le froid de cette terrible nuit d'hiver la pénétra de nouveau et elle frissonna.

— J'ignore... ce qu'il est devenu, balbutia-t-elle d'une voix altérée. S'il vous plaît, sir James... J'aimerais prendre un peu de repos ! Nous avons vécu, mon compagnon et moi, des heures si terribles...

— Mais bien sûr ! Pardonnez-moi, ma chère ! J'étais si heureux de vous revoir que je vous tiens là, au milieu de ce tintamarre. Venez vous reposer. Nous parlerons plus tard... Au fait, ce Grec, qui est-il ?

— Mon serviteur ! répondit Marianne sans hésitation. Il m'est dévoué comme un chien. Pourriez-vous le loger près de moi ? Il serait perdu si on l'éloignait...

Elle n'était pas, en effet, sans inquiétude au sujet des réactions de Théodoros devant ce bouleversement total du plan qu'il avait établi et il importait qu'elle pût s'expliquer avec lui le plus vite possible.

En effet, elle n'augurait rien de bon de ses sourcils froncés et de l'air méfiant avec lequel il avait suivi, sans en comprendre un mot, et pour cause, la conversation visiblement amicale entre « la grande dame française » et un officier ennemi de son pays. Prévoyant des difficultés, elle préférait y faire face dans les plus brefs délais.

De fait, à peine leur eut-on attribué des logis dans le vaste château arrière du navire (une cabine et une sorte de cagibi pourvu d'un hamac), que Théodoros vint la rejoindre et entama le débat, à voix contenue, mais non sans violence.

— Tu m'as menti, jeta-t-il furieusement, et ta langue est fausse comme celle de la plupart des femmes ! Ces Anglais sont tes amis et...

— Je n'ai pas menti, coupa sèchement Marianne qui ne tenait pas à le laisser développer ses griefs. Cet officier anglais est, en effet, un ancien ami, mais il se transformerait en ennemi implacable s'il savait qui je suis !

— Allons donc ! Il est ton ami, tu le dis toi-même et il ne sait pas qui tu es ? Tu te moques de moi ! Tu m'as attiré dans un piège !

— Vous savez très bien que non, fit la jeune femme avec lassitude. Comment aurais-je pu ? Ce n'est pas moi qui ai prié Kouloughis de nous enlever, ni qui ai fait venir ici cette frégate... et si je dis que je n'ai pas menti, c'est parce que c'est vrai ! Je suis française, mais je suis née pendant la Grande Révolution. Mes parents sont morts sur l'échafaud et j'ai été élevée en Angleterre. C'est là que j'ai connu le commodore King et sa famille ; mais j'ai eu là-bas de graves ennuis et je me suis enfuie en France pour y retrouver ce qu'il pouvait rester des miens. C'est alors que j'ai connu l'Empereur et qu'il m'a... prise en amitié. J'ai épousé un peu plus tard le prince Sant'Anna. Mais le commodore ne m'a pas vue depuis longtemps et l'ignore. C'est assez simple, comme vous voyez...

— Et ton mari ? Où est-il ?

— Le prince ? Il est mort. Je suis veuve, donc libre et c'est pourquoi l'Empereur a décidé d'utiliser mes services.

A mesure qu'elle parlait, la colère désertait peu à peu les traits convulsés du géant, mais la méfiance demeurait.

— Que lui as-tu dit de moi à cet Anglais ? demanda-t-il.

— J'ai dit ce que nous avions convenu à Santorin : que vous étiez mon serviteur et j'ai ajouté que j'étais très fatiguée, que nous parlerions plus tard. Cela nous laisse un peu de temps pour réfléchir, car cette rencontre inattendue m'a prise au dépourvu... D'ailleurs, ajouta-t-elle, se souvenant tout à coup des premières paroles que lui avait adressées sir James, ce navire fait route vers Constantinople. N'est-ce pas le plus important ? Bientôt nous y débarquerons. Qu'importe, dès lors, le moyen que nous employons pour y entrer ! Bien plus ! Ne sommes-nous pas plus en sûreté sur une frégate anglaise que sur n'importe quel navire grec ?

Théodoros réfléchit un moment, si long d'ailleurs que Marianne, épuisée, alla s'asseoir sur la couchette qu'on lui avait attribuée pour attendre le résultat de ses cogitations. Le géant, les bras croisés, la tête basse, l'œil fixe, devait peser chacun des mots qu'elle avait prononcés. Finalement, il releva la tête et enveloppa la jeune femme d'un regard lourd de menaces :

— Tu as juré sur les saintes icônes, rappela-t-il. Si tu me trahis, non seulement tu seras damnée pour l'éternité, mais je t'étranglerai de mes mains !

— Ainsi donc, vous en êtes là ? fit-elle tristement. Avez-vous déjà oublié que j'ai tué un homme pour vous délivrer ? Et est-ce là tout ce qu'il demeure de cette amitié dont vous me parliez voici encore bien peu de temps ? Si nous avions abordé un vaisseau grec, ou même turc, nous serions demeurés compagnons de combat. Mais, parce que celui-ci est anglais, il n'en reste rien ?... Pourtant, j'ai tellement besoin de vous, Théodoros ! Vous êtes la seule force qui me reste alors que je suis environnée de périls ! Vous pouvez me perdre : il vous suffirait de dire la vérité à cet homme vêtu de blanc qui parle aisément votre langue. Peut-être qu'en me voyant jetée à fond de cale, vous n'auriez plus de doute... mais alors ni votre mission ni la mienne n'auraient plus la moindre chance de réussite.

Elle parlait lentement, avec une espèce de résignation qui peu à peu pénétrait l'esprit empli d'orages du Grec. Il la regarda, la vit à la fois fragile et pitoyable dans sa robe tachée et déchirée qui, encore mouillée, collait à son corps, à ce corps dont, même au plus pénible de sa lutte contre la tempête, il n'avait pu chasser de son esprit l'image lumineuse.

Elle aussi le regardait, avec ses grands yeux verts où la fatigue et l'angoisse mettaient des cernes singulièrement émouvants. Jamais encore, il n'avait rencontré de femme aussi désirable et il éprouvait, envers elle, la triple et contradictoire tentation de la protéger, de la violer pour apaiser cette soif qui lui était venue d'elle ou encore de la tuer pour cesser d'en être obsédé...

Il céda à une quatrième : la fuite. Sans même prendre la peine de lui répondre, il se jeta hors de la petite pièce dont la porte claqua derrière lui et qui, privée tout à coup de sa gigantesque silhouette, parut prendre de nouvelles dimensions.

Cette sortie laissa Marianne interdite. Que signifiait ce silence ? Théodoros n'allait-il pas la prendre au mot ? Était-il parti à la recherche de l'homme en blanc pour lui raconter la vérité sur sa fausse maîtresse ?... Il fallait qu'elle s'en assurât...

Elle fit un effort pour se lever, mais elle était affreusement lasse et, pour spartiate que fût la couchette qu'on lui avait donnée, elle avait des draps blancs et lui paraissait plus moelleuse qu'un duvet après les planches de l'entrepont. Néanmoins, elle résista à la tentation, s'obligea à marcher vers la porte qu'elle ouvrit... et referma tout aussitôt avec un sourire. Théodoros n'était pas allé loin : en bon serviteur style « chien fidèle », il s'était couché en travers de sa porte et, terrassé de fatigue, sans doute, s'y était déjà endormi.

Soulagée, Marianne revint vers son lit et s'y laissa tomber sans avoir même le courage d'ouvrir les draps, sans penser à souffler la lanterne. Elle avait droit à un peu de repos sans arrière-pensée.

Au-dehors, le vacarme allait décroissant. Avec des gaffes, les marins de la frégate avaient réussi à repousser la polacre qui s'engloutissait lentement tandis que les hommes de Kouloughis s'entassaient sur les trois chaloupes de secours pour tenter de gagner des eaux plus hospitalières.

La voix du commodore King, traduite par un interprète, leur avait signifié d'avoir à s'éloigner au plus tôt s'ils ne voulaient pas être envoyés par le fond et aucun d'entre eux n'aurait eu l'idée de renouveler l'exploit de Théodoros et d'escalader la forteresse flottante.

Mais tous ces bruits ne pénétraient plus que noyés de brume dans l'esprit de Marianne qui s'enfonçait bienheureusement dans le sommeil...

Quand la frégate nommée « Jason » reprit sa route, elle voguait elle-même depuis longtemps à bord d'un navire de rêve, aussi blanc qu'une mouette et aussi rapide, qui l'emportait vers un but inconnu plein de douceur et de joie, mais qui, cependant, avait le visage tragique de son amant quand elle l'avait vu pour la dernière fois. Et, à mesure qu'avançait le bateau blanc, le visage reculait et s'abîmait dans les flots en poussant une clameur désespérée. Puis il renaissait pour s'éloigner encore et disparaître à nouveau dès que les bras de Marianne se tendaient vers lui...

Combien de temps dura ce rêve, reflet fidèle de la pensée inconsciente de Marianne où alternaient dramatiquement depuis tant de jours, l'espoir et la désespérance, le regret, l'amour et la rancune ? Mais quand la jeune femme ouvrit de nouveau les yeux sur un monde réel débarrassé de toutes les brumes, de tous les renégats du monde, et empli de soleil, l'impression en demeura fichée en elle comme une flèche empoisonnée.

En retrouvant un cadre plus conforme à celui des jours enfuis, Marianne qui, dans les dangers, n'avait plus guère songé qu'à sauvegarder sa vie et sa liberté, découvrait maintenant les regrets amers dans cette cabine de bateau qui lui en rappelait une autre où, cependant, elle avait souffert une agonie, mais qu'au prix d'autres tortures elle aurait retrouvée avec joie.

En se réveillant seule dans cet espace clos, elle eut une conscience plus aiguë de ce que, justement, elle était seule avec ses rêves meurtris dans le monde impitoyable des hommes, s'efforçant encore, comme une mouette blessée, d'atteindre enfin le port où elle pourrait se cacher dans quelque trou, panser ses blessures et reprendre souffle.

Dire qu'il y avait, un peu partout sur cette planète folle qui la ballottait comme une bouteille jetée à la mer, des femmes qui avaient le droit de ne vivre que pour leur maison, leurs enfants et l'homme qui leur avait donné tout cela ! Elles s'éveillaient le matin et s'endormaient le soir dans la chaleur rassurante du compagnon choisi ; elles mettaient leurs enfants au monde dans la joie et la sérénité ! Et, ces enfants, elles les avaient voulus, désirés, non subis comme une malédiction. Elles étaient des femmes, enfin, pas des pièces d'échecs ou des enjeux ! Elles avaient des vies normales, pas des destins aberrants réglés par quelque démiurge fou, qui semblait prendre un malin plaisir à tout défigurer !

Maintenant qu'elle se savait en route vers Constantinople, où cependant elle avait tant rêvé d'aller, Marianne découvrait qu'elle n'en avait plus envie ! Elle n'avait plus envie de plonger encore dans un monde inconnu, peuplé de visages inconnus, de voix inconnues et d'y plonger seule, terriblement, désespérément seule ! Et par-dessus le marché, le navire qui l'y conduisait portait, par une de ces grimaces ironiques auxquelles le Destin se complaisait, le nom de l'homme qu'elle aimait et qu'elle croyait bien perdu pour elle !

« C'est ma faute, songea-t-elle amèrement, je n'ai que ce que je mérite ! J'ai voulu forcer le sort, j'ai voulu contraindre Jason à capituler et j'ai manqué de confiance en son amour ! Si c'était à refaire, je lui dirais tout, tout de suite et sans hésiter, puis, s'il voulait encore de moi, je partirais avec lui où il voudrait et le plus loin serait le mieux !... »

Seulement, il était beaucoup trop tard maintenant et le sentiment d'impuissance qui l'envahit fut si violent qu'elle éclata en sanglots et se mit à pleurer bruyamment, la tête dans ses bras repliés et posés sur ses genoux. C'est ainsi que la trouva Théodoros quand, attiré par le bruit de sanglots, il passa la tête par l'entrebâillement de la porte.

Elle était tellement plongée dans son désespoir qu'elle ne l'entendit pas entrer. Un moment il la contempla, ne sachant que faire, emprunté comme l'est un homme devant un chagrin de femme dont il ne connaît pas la cause. Mais, constatant bientôt que cette crise de larmes amorçait une crise de nerfs, que la jeune femme tremblait comme une feuille, qu'elle poussait des gémissements inarticulés et semblait sur le point de suffoquer, il lui releva la tête et, posément, méthodiquement la gifla.

Les sanglots s'arrêtèrent net. La respiration aussi et une seconde Théodoros se demanda s'il n'avait pas frappé trop fort. Marianne le regardait avec des yeux dilatés qui, cependant n'avaient pas l'air de voir. Elle semblait changée en statue et il s'apprêtait à la secouer pour la réveiller de cette bizarre torpeur, quand d'une voix parfaitement calme elle dit soudain :

— Merci ! Cela va mieux !...

— Vous m'avez fait peur, fit-il enfin avec un soupir de soulagement. Je ne comprenais pas ce qui vous arrivait. Vous avez bien dormi, pourtant. Je le sais, je suis venu plusieurs fois !

— Je ne sais pas ce qui m'a pris. J'ai fait des rêves bizarres et puis, en me réveillant, j'ai pensé à bien des choses... des choses que j'ai perdues !

— C'est de ce bateau que vous avez rêvé. Je vous ai entendue... vous prononciez son nom !

— Non, pas du bateau... mais d'un homme qui porte le même nom !

— Un homme... que vous aimez ?

— Oui... et que je ne reverrai jamais !...

— Pourquoi ? Il est mort ?

— Peut-être... Je ne sais pas !

— Alors, fit-il revenant au tutoiement qui lui était presque instinctif, pourquoi dis-tu que tu ne le reverras pas ? L'avenir est dans la main de Dieu et tant que tu n'as pas vu le cadavre de ton amant ou son tombeau tu ne peux dire qu'il est mort ! Tu es bien une femme pour user de tes forces en larmes et en regrets quand nous sommes encore en danger. Que vas-tu dire au maître de ce bateau ? Y as-tu pensé ?

— Oui. Je vais dire que j'allais à Constantinople rejoindre un parent éloigné. Il sait que je n'ai plus de famille : il me croira...

— Alors, dépêche-toi de préparer ton histoire parce qu'il viendra te voir dans une heure. L'homme habillé de blanc me l'a dit. Il m'a donné aussi ces étoffes pour toi, pour que tu essaies de t'habiller un peu avec. Ils n'ont pas de robes de femme à bord de ce bateau. Je dois aussi aller te chercher à manger...

— Je ne veux pas que vous vous donniez tant de peine pour moi ! Un homme tel que vous !

424

Il eut un sourire rapide qui éclaira brièvement son visage rude :

— Je suis ton serviteur dévoué, princesse. Il faut bien que je joue mon rôle. Les gens d'ici ont l'air de trouver ça tout naturel ! Et puis tu dois avoir faim...

En effet, la seule évocation de la nourriture rappela à Marianne qu'elle mourait de faim. Elle dévora ce qu'on lui apporta, puis se lava, se drapa à la manière antique dans une pièce de soie qui avait dû être achetée par sir James comme souvenir de voyage... et se sentit mieux !

Ce fut avec une certaine sérénité retrouvée qu'elle attendit la visite de son hôte. Quand il fut assis sur l'un des deux sièges qui meublaient la cabine, elle le remercia gracieusement de son hospitalité et des soins qu'il prenait d'elle.

— Maintenant que vous êtes reposée, lui dit-il, me direz-vous au moins où je dois vous conduire ? Nous sommes, je vous l'ai annoncé, en route pour Constantinople, mais...

— Constantinople me conviendra parfaitement, sir James. C'est là que j'allais lorsque... j'ai fait naufrage. Je m'étais embarquée... voici longtemps déjà, pour rejoindre là-bas un membre de la famille de mon père. Il était français, vous le savez, et, lorsque j'ai fui l'Angleterre, je suis passée en France pour tenter d'y retrouver ce qu'il pouvait rester de ma famille paternelle. Il ne m'en restait rien... ou si peu ! Une vieille cousine assez mal vue par la police impériale. Elle m'a dit qu'à Constantinople vivait une de nos lointaines parentes qui serait certainement heureuse de m'accueillir et, qu'après tout, les voyages forment la jeunesse. Je suis donc partie, mais ce naufrage m'a fait demeurer durant plusieurs mois dans l'île de Naxos. C'est là que j'ai connu Théodoros, mon serviteur. Il m'avait recueillie, sauvée de la noyade et il m'a soignée comme une mère. Malheureusement, les pirates sont venus...

Sir James eut un bon sourire qui remonta ses favoris jusqu'aux oreilles :

— Il vous est, en effet, fort dévoué. C'est une chance pour vous de l'avoir eu à vos côtés. Je vous conduirai donc à Constantinople. Nous y serons, si le vent reste favorable, dans cinq ou six jours. Mais je ferai escale à Lesbos pour essayer de vous trouver quelques vêtements. Vous pouvez difficilement débarquer ainsi accoutrée ! C'est fort joli, bien sûr, mais assez peu conforme aux usages. Il est vrai que nous sommes déjà en Orient !

Il parlait maintenant d'abondance, détendu par les demi-confidences de Marianne, heureux de ce petit plongeon dans le passé et mêlant aux perspectives du court voyage qu'ils allaient faire ensemble les souvenirs d'autrefois qui leur donnaient, à tous deux, l'impression d'être revenus un instant sur les vertes pelouses du Devonshire.

Marianne se contentait de l'écouter. Elle se remettait mal d'avoir découvert tout à coup avec quelle facilité elle pouvait mentir... et être crue ! Elle avait mêlé la vérité à la fiction avec une aisance qui la stupéfiait et l'inquiétait tout à la fois. Les mots lui étaient venus tout seuls. Même, elle s'apercevait qu'avec l'habitude elle prenait maintenant un certain plaisir à cette comédie qu'il lui fallait jouer, une comédie sans autre public qu'elle-même pour juger de la réussite, mais qui l'obligeait au naturel, cette suprême expression du talent ; car, l'échec ne se traduirait pas par des coups de sifflet, mais bien par la prison ou par la mort. Et la conscience même du danger avait quelque chose d'excitant qui lui rendait le goût de la vie et lui faisait comprendre ce qui faisait la force d'un Théodoros.

Certes, il luttait pour l'indépendance de son pays,

mais aussi il aimait le danger, il le recherchait pour la joie violente de se colleter avec lui et de le vaincre. N'eût-il pas eu de liberté à revendiquer qu'il se fût jeté quand même dans de difficiles aventures pour rien, pour le plaisir...

Elle-même découvrait soudain à sa mission une autre couleur que celle, amère, du devoir et de la contrainte : une saveur qu'une heure plus tôt elle lui eût refusée farouchement. Peut-être parce qu'elle lui avait coûté trop cher jusqu'ici pour ne pas l'accomplir jusqu'au bout !

Du long monologue de sir James, elle démêla aussi que l'homme au costume blanc était un certain Charles Cockerell, jeune architecte londonien passionné de vieilles pierres. Il s'était embarqué sur le « Jason » à Athènes, en compagnie de son associé, un architecte de Liverpool nommé John Foster, avec lequel il se rendait à Constantinople, afin d'obtenir du gouvernement otto-man une autorisation de fouilles archéologiques concernant un temple qu'ils prétendaient avoir décou-vert, autorisation que leur refusait le pacha d'Athènes pour des raisons tout à fait obscures. Tous deux voya-geaient pour le compte du club anglais des Dilettanti et venaient d'Égine où ils avaient déjà exercé leurs talents.

— Personnellement, j'aurais bien préféré qu'ils prissent passage sur un autre bateau que le mien, avoua sir James. Ce sont des hommes difficiles à vivre et pleins d'orgueil qui risquent de nous causer quelques difficultés avec la Porte. Mais le succès de lord Elgin, qui vient de rapporter à Londres une extraordinaire collection de pierres sculptées provenant du grand temple d'Athènes, leur tourne la tête : ils prétendent faire aussi bien, et même mieux ! Aussi harcèlent-ils notre ambassadeur à Constantinople de lettres et de réclamations concernant la mauvaise volonté des Turcs et l'apathie des Grecs. Quant à moi, si je ne les avais pas acceptés à bord, je crois qu'ils se seraient lancés à l'abordage !...

Mais les passagers occasionnels de la frégate n'intéressaient que médiocrement Marianne. Elle ne souhaitait pas se mêler à eux et le déclara sans détour au commodore.

— Le mieux serait, je pense, que je ne quitte pas cette cabine avant l'arrivée, dit-elle. D'abord vous ne sauriez trop sous quel nom me présenter. Je ne suis plus Mlle d'Asselnat et il ne saurait être question que j'emploie le nom de Francis Cranmere...

— Pourquoi pas lady Selton ? Vous êtes la dernière descendante et vous avez parfaitement le droit de porter le nom de vos ancêtres. De toute façon, vous aviez bien un passeport en quittant la France ?...

Marianne se mordit la langue. La question était plus que pertinente et elle découvrait que les joies du mensonge avaient aussi leur choc en retour.

— J'ai tout perdu dans le naufrage, dit-elle enfin, le passeport avec... et, bien sûr, il était à mon nom de jeune fille. Mais ce nom français, sur un bateau anglais...

Sir James se leva et lui tapota paternellement l'épaule :

— Bien sûr, bien sûr... Mais nos difficultés avec Bonaparte n'ont rien à voir avec nos anciennes amitiés ! Vous serez donc Marianne Selton... car je crains qu'il ne vous faille vous montrer tout de même : outre que ces gens sont curieux comme des chats, ils ont une imagination incroyable. Votre arrivée romantique les a beaucoup frappés et ils seraient capables d'inventer Dieu sait quelle histoire de brigands qui me vaudrait peut-être des ennuis avec l'Amirauté. Pour notre confort à tous les deux, il vaut bien mieux que vous redeveniez tout à fait anglaise !

— Une Anglaise qui erre dans les îles grecques avec un serviteur tel que Théodoros? Vous croyez que cela peut leur paraître acceptable?

— Tout à fait, affirma sir James en riant. Chez nous l'excentricité n'est pas un péché: ce serait plutôt une marque de distinction. Nos deux lascars sont de braves bourgeois. Vous êtes vous une aristocrate: c'est ce qui fait toute la différence! Ils vont être à vos pieds et, d'ailleurs, vous les passionnez déjà...

— En ce cas, je satisferai la curiosité de vos architectes, sir James, concéda Marianne avec un sourire résigné. Au surplus, je vous dois bien cela et je serais navrée que mon sauvetage vous causât le moindre désagrément.

CHAPITRE XIII

NUIT SUR LA CORNE D'OR

Un quart d'heure plus tard, la frégate anglaise relâchait au petit port de Gavrion, dans l'île d'Andros et une chaloupe mettait à terre Charles Cockerell, que sa connaissance du grec désignait tout naturellement pour la mission de confiance dont il avait presque supplié le commodore de le charger.

C'était peut-être un homme impossible, mais certainement aussi un homme plein de ressources, car il revint, une heure plus tard, avec un assortiment de vêtements féminins qui, pour être exclusivement locaux, n'en étaient pas moins aussi seyants que pittoresques. Marianne commençait à s'accoutumer aux modes de l'Archipel et se montra ravie de sa nouvelle garde-robe. D'autant plus que le galant architecte y avait ajouté quelques ornements d'argent et de corail qui faisaient grand honneur à l'artisanat local comme à son goût personnel.

Pourvue d'amples robes blanches à triples manches flottantes, d'un manteau sans manches et sans col, brodé de laine rouge, de bas rouges, de chaussures à boucles d'argent et même d'un grand bonnet de velours rouge, Marianne présida le soir même la table de sir James où les uniformes sévères des officiers du navire et les fracs des deux archéologues tranchaient d'amusante façon avec le côté baroque de sa propre mise.

Elle était la seule note légèrement discordante dans un concert typiquement anglais. Fort attaché aux traditions britanniques, sir James veillait à ce que tout, dans son carré, fût absolument anglais : depuis l'argenterie, la porcelaine de Wedgwood et les meubles pesants de la reine Anne, jusqu'à la bière tiède, l'odeur de whisky... et la cuisine regrettablement insulaire.

Malgré les nourritures quasi spartiates qu'elle avait ingurgitées au cours de son invraisemblable odyssée, Marianne s'aperçut que son séjour en France avait marqué ses goûts en matière culinaire et ne reconnut pas les plats qui lui plaisaient quand elle était enfant. Pouvait-on vraiment, après les merveilles de la cuisine d'un Talleyrand, trouver quelque saveur à une sauce à la menthe, accompagnant du mouton bouilli ?

On porta un toast au Roi, un à l'Amirauté, un à la Science et un à « lady Selton » qui trouva quelques paroles pleines d'émotion pour remercier son sauveur et ceux qui prenaient d'elle des soins si touchants.

Les deux architectes buvaient littéralement ses paroles, visiblement impressionnés par sa grâce et son élégance naturelle. L'un comme l'autre... et comme d'ailleurs la majorité des hommes présents, subissaient son charme, mais réagissaient de façon différente : tandis que Charles Cockerell, un de ces Anglais sanguins et un peu trop nourris, qui regardent la vie comme un immense pudding de Noël, dévorait la jeune femme des yeux et se répandait en galanteries où le style de Versailles se mêlait curieusement au siècle de Périclès, son ami Foster, un personnage mince et timide que ses longs cheveux roux faisaient ressembler étonnamment à un setter irlandais, ne lui adressait que de petites phrases courtes et de rapides coups d'œil, mais ne les adressait qu'à elle seule, comme si tous les autres convives avaient subitement cessé d'exister.

La conversation, après avoir roulé d'abord autour des ferments de révolte qui bouillonnaient sourdement dans les îles de l'Archipel, en arriva bientôt aux seuls exploits des deux compères, à Égine et à Phigalie, puis le duo tourna franchement à la compétition, chacun des deux exécutants s'efforçant sans vergogne de s'attribuer la majeure partie de la gloire au détriment de l'autre, le chœur ne se reformant, finalement, que pour critiquer sévèrement lord Elgin qui n'avait eu « qu'à se baisser pour ramasser la fortune » avec les admirables métopes du Parthénon.

— Au train où nous allons, soupira sir James quand, le repas terminé, il raccompagna sa passagère jusqu'à sa cabine, il se peut que cette croisière... et la belle entente de ces messieurs s'achèvent en pugilat... Il est vrai que j'aurai toujours la ressource de les confier à mon maître d'équipage pour qui les règles édictées par le marquis de Queensbury n'ont pas de secrets ! Mais, pour l'amour du ciel, ma chère enfant, n'adressez pas un sourire de plus à l'un qu'à l'autre !... sinon je ne réponds de rien ! C'est une chose effrayante qu'un savant qui veut briller !

Marianne, bien sûr, promit en riant mais dut bien reconnaître par la suite que cette promesse amusée était plus difficile à tenir qu'elle ne l'avait imaginé car, durant les quelques jours qui amenèrent la frégate aux abords des détroits, l'assaut de rivalité se poursuivit. Elle ne pouvait apparaître sur le pont, pour y prendre l'air, sans que l'un ou l'autre des deux hommes, sinon les deux, ne se précipitât pour lui tenir compagnie. A croire qu'ils montaient la garde devant sa porte... Une compagnie qu'elle ne tarda pas, d'ailleurs, à trouver obsédante, car la conversation de l'un reflétait celle de l'autre et tournait incessamment autour des grandes découvertes qu'ils brûlaient d'exploiter.

Cependant, il y avait aussi un autre passager que les

deux architectes exaspéraient : c'était Théodoros. Il les jugeait ridicules des pieds à la tête avec leurs chapeaux de paille, leurs vastes cravates foulard flottant sur leurs étroits vêtements de toile blanche et les parasols verts dont ils abritaient obstinément leurs teints pâles d'insulaires et, pour Foster, une collection de taches de rousseur.

— Quand nous serons à Constantinople, tu ne pourras jamais te débarrasser d'eux, dit-il un soir à Marianne. Ils te suivent comme ton ombre et, une fois à terre, ils continueront. Que feras-tu d'eux ? Penses-tu les conduire à ta suite chez l'ambassadeur de France ?

— Ce ne sera pas nécessaire. Ils s'occupent de moi parce qu'ils n'ont rien de mieux pour se distraire sur ce bateau et aussi parce qu'on m'appelle milady. Cela les flatte. Mais, une fois au port, ils auront bien autre chose à faire que s'intéresser à nous : tout ce qu'ils souhaitent c'est obtenir leur fameuse autorisation et repartir au plus vite pour la Grèce.

— Une autorisation de quoi ?

— Oh, je ne sais trop ! Ils ont découvert un temple en ruine et veulent pouvoir fouiller le sol afin de découvrir les pierres que le temps y a enterrées. Ils veulent aussi pouvoir prendre des dessins, faire des recherches sur l'architecture antique... que sais-je encore ?

Mais le visage du Grec s'était durci.

— Un Anglais est déjà venu en Grèce. C'était un ancien ambassadeur à Constantinople et il a eu l'autorisation de faire tout cela. Mais ce n'était pas seulement retrouver ou reproduire qu'il voulait : c'était emporter les pierres sculptées dans son pays, c'était voler les anciens dieux de mon pays. Et il l'a fait : des bateaux entiers ont quitté Le Pirée avec les dépouilles du temple d'Athéna. Mais le premier d'entre eux, le plus important, n'est jamais arrivé : la malédiction s'est abattue sur lui et il a coulé ! Ces hommes rêvent de faire la même chose... je le sens, j'en suis sûr !

— Nous n'y pouvons rien, Théodoros, dit Marianne doucement en posant une main apaisante sur le bras, noueux comme un tronc d'olivier de son insolite compagnon, votre mission et la mienne sont plus importantes que quelques pierres. Nous ne devons pas les compromettre, d'autant plus que nous ne sommes sûrs de rien. Et puis... leur bateau fera peut-être naufrage, lui aussi !

— Tu as raison, mais tu ne m'empêcheras pas de haïr ces vautours qui viennent arracher à mon peuple misérable le peu qui subsiste encore d'une gloire immense !...

L'amertume de cet homme, qu'elle considérait maintenant comme son ami, avait frappé Marianne, mais elle pensait l'incident clos et la cause entendue, quand les événements lui apportèrent un brutal démenti.

Le « Jason » s'était engagé dans le détroit des Dardanelles et voguait entre des étendues désolées de terres noires et de sables fauves, des croupes pelées piquées de ruines blanchies et de petites mosquées sur lesquelles tournait inlassablement le vol neigeux des oiseaux de mer.

La chaleur, dans ce couloir d'un bleu intense qui avait l'air d'un fleuve paresseux, était accablante, renvoyée d'une rive à l'autre par une terre sans arbres qui semblait minéralisée. Le moindre mouvement, dans cet univers incandescent, devenait un effort et liquéfiait le corps. Aussi Marianne, étendue sur sa couchette, sans autre vêtement qu'une chemise qui collait à sa peau, cherchait-elle une respiration qui se faisait difficile malgré la fenêtre ouverte sur le sillage du navire, et s'abstenait-elle soigneusement de remuer. Seule, sa main armée d'un léger éventail en fibres d'aloès tressées s'agitait doucement pour tenter de rafraîchir un air qui semblait soufflé par une fournaise.

Même la pensée était devenue une fatigue et sur la vague de torpeur où s'enlisait son esprit, elle n'en laissait plus surnager qu'une seule : le lendemain on serait à Constantinople ! Elle ne voulait rien imaginer de plus : ces ultimes heures appartenaient au repos et le bateau voguait dans un silence d'éternité...

Mais, brusquement, ce beau silence s'envola dans les éclats d'une voix furieuse qui vociférait à quelques pas de la jeune femme, sur la dunette même, et cette voix c'était celle de Théodoros. Comme elle s'exprimait en grec, Marianne ne comprit pas le sens des paroles, mais la fureur du ton ne laissait place à aucun doute et quand lui répondant, elle crut reconnaître, bien qu'elle fût bizarrement étouffée, celle de Charles Cockerell, le vent singulièrement tonique de l'effroi passa sur elle et la jeta à bas de son lit. Enfilant une robe à la hâte, et sans même prendre le temps de chausser des sandales, elle se précipita hors de sa cabine et arriva juste à temps pour voir deux marins qui avaient littéralement escaladé Théodoros et s'efforçaient de lui arracher l'architecte. Le Grec tenait son ennemi à la gorge et celui-ci, à demi agenouillé devant le géant, râlait déjà.

Épouvantée, la jeune femme se précipita, mais n'eut pas le temps de parvenir jusqu'au Grec. Déjà d'autres matelots arrivaient, sous la conduite d'un officier et, submergé sous le nombre, il fallut bien que le géant lâchât sa victime qui, déséquilibrée, roula jusqu'à la lisse, cherchant à arracher sa cravate pour retrouver l'usage de ses poumons.

Mais, malgré l'aide que lui apporta Marianne, il fut un moment avant de pouvoir parler. Entre-temps, on avait enfin maîtrisé Théodoros, et sir James, sorti de son carré, était arrivé sur les lieux du drame.

— Mon Dieu, Théodoros, qu'avez-vous fait ? gémit Marianne en tapotant les joues de Cockerell pour le ranimer plus vite.

— Justice !... J'ai voulu faire justice ! Cet homme est un bandit... un voleur !... affirma le Grec hors de lui.

— Ne dites pas que vous avez voulu... le tuer ?

— Si je le dis ! et je le répète !... Il ne mérite que la mort ! Aussi à l'avenir, il devra se garder car je le poursuivrai de ma vengeance...

— Si toutefois vous en avez les moyens ! coupa la voix glacée de sir James qui insérait l'impeccable silhouette de l'ordre entre la jeune femme affolée et le groupe gesticulant qui maintenait avec peine le Grec déchaîné. Mettez-moi cet homme aux fers, vous autres, ajouta-t-il dans sa langue natale, il devra répondre devant les autorités du bord de sa tentative d'assassinat sur un Anglais !

L'épouvante de Marianne devint de la panique. Si sir James faisait appliquer à Théodoros l'impitoyable loi qui régnait dans la Marine anglaise, la carrière du rebelle grec risquait de se terminer au bout d'une vergue ou sous le fouet du maître d'équipage. Elle vola à son secours.

— Par pitié, sir James, laissez-le au moins s'expliquer. Je connais cet homme : il est bon, loyal et juste ! Il ne se serait pas livré à de telles voies de fait sans une raison sérieuse ! Souvenez-vous aussi qu'il n'est pas anglais, mais grec et qu'il est mon serviteur. Moi seule puis répondre de lui et de sa conduite. Ajouterai-je que j'en assume toute la responsabilité ?

— Lady Marianne a raison, intervint timidement le jeune médecin du bord qui était accouru et qui, occupé à donner quelques soins à Cockerell n'en volait pas moins au secours d'une femme aussi follement séduisante. Vous ne pouvez, monsieur, faire moins qu'entendre les raisons de cet homme. Songez qu'il est avant tout le fidèle serviteur d'une noble dame et qu'il pousse son devoir jusqu'au fanatisme...

Visiblement, ce nouveau chevalier de Marianne n'était pas loin de suspecter Cockerell d'avoir tenté de s'introduire par force chez la jeune femme, crime qui, selon son échelle personnelle des valeurs, devait mériter au moins la corde. Cet enthousiasme arracha au commodore un imperceptible sourire, mais il n'en rembarra que plus rudement son subordonné :

— Et si vous vous mêliez de ce qui vous regarde, Kingsley ? Si j'ai besoin de votre avis, je le solliciterai ! Faites ce que vous avez à faire et disparaissez ! Néanmoins... je veux bien entendre ce que cet énergumène peut nous dire pour sa défense.

Cela tenait en assez peu de mots. Cockerell, au cours d'une de ces conversations avec Théodoros qu'il recherchait afin d'entretenir ses connaissances en langue grecque, en était arrivé à son sujet de conversation favori : ses découvertes. Or, le géant, à son tour venait de découvrir que la fameuse autorisation tant désirée par l'Anglais concernait justement les ruines d'un temple qu'il considérait, lui, Théodoros, un peu comme sa propriété personnelle, parce qu'il avait vu le jour tout près de ses nobles colonnades, perdues au cœur du massif d'Arcadie et envahies par les broussailles, mais qui n'en étaient pas moins chères à son cœur farouche.

— Mon père m'avait appris que, voici cinquante ans, un maudit voyageur français était venu à Bassae, qu'il avait regardé, admiré, fait des dessins mais heureusement il était vieux, fatigué ! Il est reparti mourir chez lui et on ne l'a jamais revu. Mais celui-là est jeune et ses dents sont longues ! Si on le laisse faire, il dévorera le vieux temple d'Apollon comme l'autre Anglais a dévoré celui d'Athéna ! Et moi, j'ai décidé de ne pas le laisser faire !...

Jamais le commodore King ne s'était trouvé en face d'un tel motif d'agression, ni dans un tel embarras. Intérieurement, il maudissait l'architecte, sa langue trop longue et ses appétits de démolition qui échappaient à son âme de marin. De plus, il y avait Marianne qui plaidait avec ardeur pour son serviteur et, selon toute évidence, ne lui pardonnerait pas de le sacrifier à ce civil envahissant. Mais, d'autre part, l'attaque avait été publique et avait eu pour théâtre un vaisseau de Sa Majesté. Il pensa tout concilier en déclarant que Théodoros serait mis aux fers, comme il en avait donné l'ordre, mais que l'on attendrait d'être arrivés à destination pour statuer sur son cas, qui, après tout, était peut-être imputable à l'effet de la chaleur sur un sang trop ardent, et, qu'en tout état de cause, il faisait pleinement confiance à lady Selton pour châtier comme il convenait un tel manquement aux usages. C'était sous-entendre qu'après quelque trente-six heures de punition, Théodoros serait libre d'aller se faire pendre ailleurs, mais qu'au moins l'architecte serait à l'abri de ses entreprises.

Marianne, soulagée, respira. Malheureusement ce verdict indulgent ne faisait pas l'affaire de Cockerell. Il avait eu trop peur pour n'être pas furieux et sa voix retrouvée s'élevait aigrement, soutenue par celle de son collègue en qui la solidarité s'était miraculeusement réveillée, pour réclamer le châtiment immédiat et impitoyable du coupable.

— Je suis sujet britannique ! s'écria-t-il et vous, commodore King, officier au service de Sa Majesté, me devez défense et justice. J'exige que cet homme soit pendu sur l'heure pour avoir attenté à ma vie !

— Mais vous n'êtes pas mort, que je sache, mon cher Cockerell, plaida l'interpellé d'un ton conciliant, et il ne serait pas juste de sacrifier une vie humaine à votre ressentiment ! A l'heure qu'il est, votre agresseur est à fond de cale et y restera jusqu'à ce que nous ayons jeté l'ancre...

— C'est insuffisant! Je veux, j'ordonne...

Cette volonté était de trop. Le temps de la patience était passé pour le vieux marin.

— Ici, coupa-t-il rudement, je suis le seul à pouvoir dire j'ordonne! Lady Selton a déclaré, et vous l'avez entendue comme moi, qu'elle assumait toute la responsabilité du geste de son serviteur. Il semble qu'après tant de protestations de galant dévouement dont vous l'avez accablée, vous l'ayez oublié. Tenez-vous vraiment à la désobliger gravement?

— Lady Marianne a toute mon admiration et tout mon respect, mais je respecte fort aussi ma propre vie. Si vous la tenez ainsi pour quantité négligeable, sir James, je me vois dans l'obligation de ne l'en défendre que mieux. Aussi, ou bien cet homme sera puni comme il convient, ou bien vous jetez l'ancre dans le premier port de la côte anatolienne et vous me débarquez : je gagnerai Constantinople à cheval! Nous n'en sommes plus si loin...

— C'est de la folie, Mr Cockerell, intervint Marianne, et je suis toute prête à vous faire toutes les excuses que vous voudrez à la place de mon domestique. Croyez que je regrette de tout mon cœur cet incident et que je châtierai le coupable dès que nous serons à terre!

— Il vous est aisé de parler d'incident, milady, et je vous baise les mains, fit aigrement l'architecte, mais je ne vois pas les choses avec votre aimable indulgence. Aussi vous me permettrez de m'en tenir à ce que j'ai décidé : sa punition ou mon débarquement.

— Hé, allez au diable! s'écria sir James excédé. On vous débarquera puisque vous y tenez! Monsieur Spencer? ajouta-t-il en se tournant vers son second, nous toucherons terre à Erakli. Vous veillerez à ce que les bagages de ces messieurs soient descendus, car j'imagine que Mr Foster vous suivra?

— Naturellement, opina majestueusement ce dernier. Nous autres, gens de Liverpool, n'abandonnons nos amis ni dans le malheur ni dans l'iniquité! Je suis avec vous, Cockerell!

— Je n'en ai jamais douté, Foster! Allons nous préparer! Nous ne laisserons guère de regrets ici!...

Et après s'être serré les mains avec une dignité triste qu'ils estimaient pleine de noblesse, les deux compagnons, oubliant leur rivalité d'un moment, se dirigèrent vers leurs quartiers respectifs pour préparer leurs bagages sous l'œil mi-furieux, mi-sarcastique du commodore King à qui cette touchante manifestation n'arracha qu'un haussement d'épaules méprisant.

— Regardez-les! grogna-t-il à l'adresse de Marianne interdite. Dirait-on pas Pylade consolant Oreste après les dédains d'Hermione? Ce que ces imbéciles ne digèrent pas c'est que leur chère lady Selton n'ait pas embrassé leur cause et offert d'elle-même la tête du coupable! Ils m'en veulent, mais c'est à vous qu'il ne pardonneront pas!

— Vous croyez?

— Naturellement. Ils se sont donné tant de mal pour vous plaire et vous êtes demeurée de glace! Vous n'avez pas apprécié leurs efforts. C'est avec ces sortes de gens que l'on fait des révolutions : ils haïssent ce qu'ils ne peuvent séduire ou égaler.

— Mais pourquoi quitter le navire? Théodoros est aux fers. Mr Cockerell n'a plus rien à craindre...

— Pour arriver avant nous à Constantinople et arracher à l'ambassadeur un ordre d'arrestation, bien sûr!

Le cœur de Marianne manqua un battement. A peine Théodoros venait-il d'échapper, grâce à l'amitié de sir James, à un sérieux danger, qu'un autre, plus grave encore, se présentait. Si le Grec était arrêté quand on arriverait au port, rien ne pourrait le sauver. Elle se rappelait trop ce que lui avait dit Kouloughis : la tête du chef rebelle était mise à trop haut prix pour qu'un diplomate soucieux de se concilier un souverain qu'il cherchait à séduire ne se fît pas une joie de la lui offrir. Et, une fois aux mains de la justice, son frêle incognito serait certainement très vite détruit. Or, elle avait juré devant les icônes d'Ayios Ilyias de faire tout au monde pour que son compagnon pût entrer sans encombre dans la capitale ottomane...

Elle leva sur son vieil ami des yeux qui se mouillaient.

— Ainsi donc, murmura-t-elle tristement, votre bonté envers ce pauvre garçon aura été inutile : son mouvement d'humeur, bien excusable chez un homme qui aime sa terre natale, lui vaudra la corde ! Néanmoins... je ne vous en remercie pas moins de tout mon cœur, sir James. Vous avez fait tout ce que vous pouviez... et je vous aurai vraiment causé beaucoup de tourments...

— Allons donc ! Sans vous, ce voyage aurait été un monument d'ennui ! Et je ne suis pas le seul à penser ainsi ! Vous en avez fait un jardin fleuri ! Quant à votre encombrant terre-neuve... le mieux sera qu'il s'évade dès que l'ancre glissera dans les eaux du Bosphore. Il en aura le temps, car je ne pense pas que nous trouvions sir Stratford Canning, notre ambassadeur, planté sur le quai avec une escouade, à attendre notre arrivée ! L'histoire est trop mince et les plaignants aussi ! Cessez donc de vous tourmenter et venez prendre une tasse de thé avec moi. Il fait une damnée chaleur et je ne connais rien comme le thé bouillant pour en venir à bout !...

Malgré les paroles réconfortantes de sir James, Marianne n'était pas tranquille. Le dépit et la rancune de ces deux hommes pouvaient présenter un danger, pour peu qu'ils aient quelque crédit auprès des autorités anglaises, mais elle avait compris, aux regards offensés que lui avaient lancés ses ex-adorateurs, qu'elle perdrait à la fois son temps et sa dignité à essayer de fléchir leur mesquine résolution. Ils avaient l'entêtement des gens sans largeur de vues et ne verraient, dans le geste de la jeune femme qu'une incompréhensible, et combien regrettable, faiblesse envers un homme qu'ils considéraient très certainement comme un rebut de l'humanité. Le mieux était encore de s'en remettre au jugement de sir James et à son amitié : ne lui avait-il pas implicitement laissé entendre qu'il ne s'opposerait pas à l'évasion du coupable ? Elle en eut même la certitude quand il l'autorisa à faire parvenir dans la cale, un petit billet avertissant Théodoros d'avoir à prendre la fuite dès qu'il entendrait descendre la chaîne de l'ancre.

— Les fers lui seront enlevés quand nous aurons quitté ce port, lui dit-il quand le navire arriva au coucher du soleil en vue de l'ancienne Héraclée de Marmara. Il n'aura donc aucune peine à nous fausser compagnie. Mais il se peut aussi que nous bâtissions un roman et que nous prêtions à vos adorateurs des idées plus noires qu'ils n'en ont !

— De toute façon, ce sera une bonne précaution, fit Marianne et je vous remercie de tout mon cœur, sir James !

Aussi fut-ce d'un œil rasséréné qu'elle assista au débarquement des deux Anglais dans une débauche de bagages passés de main en main et de cris des bateliers et des porteurs qui les transportèrent du pont de la frégate dans un caïque, et du caïque sur un quai encombré d'une foule bruyante que la fin du jour, atténuant la chaleur, mettait en joie.

Sans un mot d'adieu, Cockerell et Poster quittèrent le navire et l'on put voir longtemps les parasols verts voguer sur une mer de turbans et de bonnets de feutre. Enfin, ils disparurent dans la masse compacte des maisons bariolées et des mosquées, juchés sur des ânes qu'escortaient des gamins braillards et des guides armés de bâtons.

— Quelle ingratitude! soupira la jeune femme. Ils ne vous ont même pas salué! Votre hospitalité méritait mieux!

Pour toute réponse, sir James se mit à rire et donna l'ordre d'appareiller. Et la frégate, comme si elle se sentait soudain allégée d'un poids désagréable, reprit sa course dans le soleil mourant, sur une mer couleur d'améthyste, tachetée d'îlots dorés, autour desquels dansaient des dauphins d'argent.

On entamait, cette fois, la dernière étape. Le long, l'épuisant voyage qui avait failli lui coûter la vie plusieurs fois s'achevait. Constantinople n'était plus qu'à une trentaine de milles et Marianne, maintenant, s'étonnait presque de la savoir si proche.

A mesure que s'écoulaient les jours difficiles qu'elle avait vécus, la ville de la sultane blonde, dont elle attendait tellement de choses et, avant tout, une raison d'espérer encore, s'était peu à peu muée en une espèce de mirage, une sorte de cité de légende qui reculait éternellement dans le temps et dans l'espace. Et voilà que le port était proche maintenant... Les voiles nombreuses qui pointaient sur la mer bleuissante l'annonçaient et aussi ce ciel profond, dont le velours déjà nocturne s'éclairait de traînées laiteuses.

Tard dans la soirée, tandis que le navire, voilure amollie à cause du vent brusquement tombé, voguait doucement dans un bruit de soie froissée, Marianne resta sur le pont, regardant les étoiles et cette nuit d'Orient, tellement semblable à celles dont elle avait rêvé la douceur au temps où l'avenir s'écrivait encore « Jason Beaufort ». Où était-il à cette heure? Sur quelle mer promenait-il son orgueil ou sa misère ? Où se gonflaient en ce moment les voiles blanches de sa belle « Sorcière » ? Et à quels ordres obéissait-elle ? Respirait-il seulement encore à la surface du monde, l'homme impérieux et fier qui proclamait, hier encore, n'aimer au monde que deux objets : la femme qu'il n'avait gagnée que pour la reperdre et le navire qui lui ressemblait ?...

En cette dernière nuit d'errance, l'assaut des regrets se faisait plus impérieux. Pour atteindre cette ville, dont elle sentait l'approche, pour tenter d'en ramener le cœur brûlant mais fragile, puisque féminin, vers une alliance trois fois séculaire, Marianne avait semé au long d'une douloureuse voie tout ce qui comptait pour elle, tout ce qui était la vérité de sa vie : amour, amitié, estime de soi-même, fortune, jusqu'à ses vêtements, sans compter l'époux jamais approché que la folie d'un misérable avait supprimé. La moisson lèverait-elle un jour ? Pourrait-elle au moins rapporter vers la France la vieille amitié reconquise ? Ou bien l'échec doublerait-il le désastre personnel que constituait cette vie tenace, tapie au fond de son corps et qui s'y cramponnait si bien que les pires conditions d'existence n'en venaient pas à bout ?

Longtemps, la jeune femme contempla les grosses étoiles brillantes, y cherchant un signe, un encouragement, un espoir. L'une d'elle parut se détacher de la voûte bleue, fila vers l'horizon comme un minuscule météore et s'y engloutit de nouveau.

Vivement, Marianne se signa et, les yeux fixés vers le point où l'étoile avait disparu, elle murmura, jetant au vent léger le vœu traditionnel :

— Le revoir, Seigneur ! Le revoir à n'importe quel prix ! S'il vit encore, faites que je le revoie au moins une fois...

Que Jason fût encore en vie, au fond, elle n'en dou-

444

tait pas trop. Malgré la cruauté qu'il lui avait montrée, malgré sa folle jalousie et son comportement si étrange qu'elle en était venue à se demander si Leighton n'avait pas usé contre lui d'une de ces drogues qui déchaînent la frénésie et le meurtre, elle savait qu'il était si profondément enfoui dans la chair de son cœur que l'en arracher équivaudrait à le détruire et que, même au bout du monde, sa vie ne pouvait pas s'éteindre sans qu'elle en eût conscience à ces mystérieux frémissements qui sont les voix mêmes de l'âme...

La ville impériale apparut avec le soleil levant. Ce fut d'abord, loin à l'horizon de la mer nacrée, un profil argenté de brume, arrondi de dômes nébuleux et hérissé des flèches pâles des minarets.

La mer, où s'écroulaient les collines d'Asie en masses luxuriantes d'un vert profond piqué de villages blancs, était constellée de bateaux qui avaient l'air surgis d'un conte oriental : mahones brunes emportées par les bras solides de rameurs aux costumes bariolés, caïques dorés et peints comme des odalisques, chebecs rouges ou noirs, profilés comme des squales, galères archaïques posées sur les flots comme de gigantesques insectes aux longues pattes synchronisées, tchektirmes aux voiles aiguës menaçant le ciel... tout cela volait vers ce mirage qui scintillait au soleil.

A mesure qu'il grandissait, la ville entière s'étala, coulant des grandes murailles ocre étirées, depuis le château des Sept Tours tout au long des Sept Collines et des Sept Mosquées, pareilles aux arches d'un pont gigantesque, jusqu'aux noirs cyprès de la pointe du Sérail, étonnant éboulis de toits rouges, de dômes translucides, de jardins et de vestiges antiques que semblaient retenir de leurs robustes épaules, juste au moment de sa chute dans la mer, les coupoles bleues étagées entre six minarets de la mosquée d'Ahmed et les puissants contreforts de Sainte-Sophie.

La longue ligne crénelée des digues apparut quand on doubla l'île aux Princes et l'énorme perle irisée précisa ses contours.

La frégate, inclinant doucement ses grandes voiles blanches au vent du matin, comme pour une révérence, doubla la pointe du Sérail et s'engagea dans la Corne d'Or.

A cette croisée des bras de mer où se rejoignaient le bouillonnement de la vieille Europe et le silence de l'Asie, la majesté de la triple cité se fit écrasante. On y entrait comme dans la caverne d'Ali Baba, sans plus savoir où regarder, où admirer, les yeux meurtris à force d'éclats et de lumière. Mais la vie ardente de ce creuset, où s'amalgamaient les civilisations, vous sautait aussitôt à la gorge et vous emportait.

Cramponnée à la lisse de la dunette, auprès de sir James qui, blasé, regardait sans s'étonner, Marianne dévorait des yeux le port immense et grouillant qui s'ouvrait devant elle et dont la langue bleue s'insinuait entre deux mondes.

A gauche, aux quais de Stamboul, s'enchevêtraient les navires ottomans, pittoresques et bariolés ; en face, aux échelles de Galata, les bateaux de l'Occident se rangeaient : noirs vaisseaux génois, anglais, hollandais, dont les pavillons colorés, aux branches des mâts dépouillés, ressemblaient à des fruits oubliés par un jardinier négligent.

Sur les rives, gesticulait tout un monde vivant directement ou indirectement de la mer : matelots, commissionnaires, fonctionnaires, scribes, agents des négociants ou des ambassades, porteurs, débardeurs, marchands et cabaretiers, au milieu desquels passaient les silhouettes guerrières et les hauts bonnets de feutre des janissaires chargés de la police des navires.

Remorquée par des barques chargées de rameurs frénétiques, la frégate gagnait majestueusement son mouillage, quand une chaloupe montée par des marins anglais en chapeaux de cuir bouilli, quitta le bord et vint à sa rencontre. Debout à l'arrière, se tenait un homme très grand, très mince et très blond, d'une extrême élégance, dont les bras se croisaient sous l'aile volante d'un ample manteau clair.

A sa vue, sir James eut un hoquet de stupeur :

— Mais... cet homme, c'est l'ambassadeur !...

Arrachée à sa contemplation, Marianne sursauta :

— Que dites-vous ?

— Que nos deux énergumènes ont le bras plus long que je ne l'imaginais, ma chère enfant, car voici lord Stratford Canning en personne qui se dirige vers nous !

— Cela signifie... qu'il vient lui-même pour arrêter ici un pauvre diable de Grec parce qu'il s'est permis de secouer un peu un malheureux architecte ?

— C'est incroyable... mais cela m'en a tout l'air ! Monsieur Spencer, ajouta-t-il se tournant vers son second, allez voir dans la cale si le prisonnier est encore là. Si oui, jetez-le à l'eau s'il le faut, mais faites-le filer ! Sinon je ne réponds plus de lui. J'espère que les fers ont été convenablement faussés ?

— Soyez tranquille, mylord, sourit le jeune homme. J'y ai veillé personnellement...

— Alors, conclut le marin en s'épongeant discrètement le front sous son bicorne, il ne reste plus qu'à accueillir au mieux Son Excellence. Non, ne partez pas, ma chère, ajouta-t-il en retenant Marianne qui esquissait déjà un mouvement de recul, il vaut mieux que vous demeuriez avec moi. Il se peut que j'aie besoin de vous... et puis il vous a vue !

En effet, le regard de l'ambassadeur, levé, s'était attaché au groupe qui occupait la dunette et Marianne, dans ses vêtements de couleurs vives, était plus visible que quiconque.

Résignée, elle regarda le diplomate approcher du

navire, s'étonnant de le trouver si jeune. Sa haute taille et la raideur de son maintien n'ajoutaient pas beaucoup d'années à un visage incontestablement juvénile. Quel âge pouvait avoir lord Canning ? Vingt-quatre, vingt-cinq ans ? Pas beaucoup plus en tout cas ! Et qu'il était donc beau !... Les traits de son visage auraient pu convenir à une statue grecque. Seuls, la bouche, mince et réfléchie, et le menton un peu long, appartenaient à l'Occident. Les yeux, enfoncés sous les arcades, étaient profonds et, sous la froideur protocolaire du diplomate, trahissaient les rêves du poète.

Quand la chaloupe accosta le navire, il s'élança sur l'échelle de coupée avec l'aisance d'un homme rompu à tous les exercices du corps et quand, enfin, il atteignit la dunette, Marianne put constater qu'il était encore plus séduisant de près que de loin. Il se dégageait de sa personne, de ses manières et de sa voix grave un charme certain.

Pourtant quand son regard croisa pour la première fois celui du beau diplomate, la jeune femme eut soudain la sensation d'être en face d'un danger. Cet homme avait la dureté, l'éclat et la pureté d'une lame d'acier vierge. Sa courtoisie elle-même, pour parfaite qu'elle fût, avait quelque chose d'inflexible. A peine d'ailleurs eut-il échangé avec le commodore les civilités d'usage, qu'il se tourna vers la jeune femme et, sans attendre que sir James eût fait les présentations, il s'inclina avec une extrême politesse, puis déclara d'un ton parfaitement uni :

— Vous me voyez, Madame, tout à fait charmé de pouvoir enfin saluer Votre Altesse Sérénissime. Elle a tant tardé que nous n'espérions plus guère son arrivée. Dirai-je que, personnellement, j'en suis à la fois heureux... et rassuré ?

Aucune trace d'ironie dans ces paroles et Marianne, à les entendre sans surprise, comprit qu'obscurément elle s'y était attendue dès l'instant où elle avait aperçu l'ambassadeur. Pas une seconde elle n'avait cru qu'un si haut fonctionnaire se fût dérangé pour un simple domestique grec...

Cependant, sir James, croyant à une méprise, éclatait de rire :

— Altesse sérénissime ? s'écria-t-il, mon cher Canning, je crains que vous ne commettiez là une erreur singulière... Madame...

— ... est la princesse Sant'Anna, ambassadrice aussi extraordinaire que discrète de Napoléon ! affirma tranquillement Canning. Je serais étonné qu'elle le nie : une aussi grande dame ne s'abaisse pas à mentir !

Prisonnière du regard perspicace de l'ambassadeur, Marianne sentit ses joues devenir brûlantes, mais ne détourna pas le sien. Au contraire, elle le planta avec un calme égal dans celui de l'ennemi !

— C'est vrai, admit-elle, je suis celle que vous cherchez, mylord ! Puis-je au moins savoir comment vous m'avez trouvée ?

— Oh, mon Dieu, c'est assez simple... J'ai été réveillé à l'aube par deux bien curieux personnages qui réclamaient je ne sais quelle justice de je ne sais quel attentat commis contre l'un d'eux par le serviteur d'une jeune dame, aussi noble qu'extraordinaire, surgie tout à coup des eaux de la mer Égée par une nuit de brume. L'affaire de ces gentlemen m'intéressait peu... par contre, la description enthousiaste qu'ils firent de la noble dame me passionna : elle correspondait, trait pour trait, à un signalement que l'on m'avait fait parvenir, voici déjà quelque temps. Et quand je vous ai vue, Madame, le dernier doute s'est envolé : j'étais prévenu de ce que j'aurais affaire à l'une des plus jolies femmes d'Europe !

Ce n'était pas un madrigal. Rien qu'une paisible constatation qui arracha un sourire mélancolique à celle qui en était l'objet.

— Eh bien! fit-elle avec un soupir, vous voilà désormais sûr de votre fait, lord Canning! Pardonnez-moi, sir James, ajouta-t-elle en se tournant soudain vers son vieil ami qui avait écouté cet incroyable échange de paroles avec une stupeur qui, peu à peu, se changeait en tristesse, mais il ne m'était pas possible de vous dire toute la vérité. Il fallait que je fasse tout au monde pour arriver jusqu'ici et, si j'ai trompé votre hospitalité, songez que je ne l'ai fait qu'au nom d'un devoir plus grand que moi.

— Envoyée de Napoléon! Vous!... Qu'en penserait votre pauvre tante?

— Honnêtement, je ne sais pas, mais j'aime à croire qu'elle ne m'aurait pas condamnée. Voyez-vous, tante Ellis a su, de tout temps, qu'en moi le sang français réclamerait un jour ses droits. Elle a tout fait pour l'éviter, mais elle s'y était préparée! Maintenant, Excellence, reprit-elle en revenant à Canning, me direz-vous ce que vous comptez faire? Je ne pense pas que vos pouvoirs vous autorisent à me faire arrêter: c'est ici la capitale de l'empire ottoman et la France y possède une ambassade tout comme l'Angleterre, pas davantage... mais pas moins! Il vous était loisible de m'arrêter en route, ainsi que votre amirauté a tenté de le faire dans les eaux de Corfou; ce n'est plus possible maintenant...

— Aussi n'en ferai-je rien. Nous sommes, en effet, dans les eaux turques... Cependant, sur le pont de ce vaisseau, nous sommes en Angleterre: il me suffira de vous y retenir!

— Cela signifie?...

— Que vous ne descendrez pas à terre. Vous êtes, madame, la prisonnière du Royaume-Uni. Bien entendu, il ne vous sera fait aucun mal: simplement le commodore King voudra bien vous enfermer dans votre cabine et vous y faire garder durant les quelques heures où il restera dans ce port. Demain matin, il remettra à la voile pour vous ramener, sous étroite surveillance en Angleterre... où vous serez le plus précieux... et le plus charmant des otages ! Vous avez compris, sir James ?

— J'ai compris, Excellence ! Vos ordres seront exécutés !

Marianne ferma les yeux, saisie d'un vertige. Tout était fini ! Elle échouait lamentablement, en touchant au but, sur le plus stupide des écueils : la rancune de deux bourgeois vindicatifs ! Mais son orgueil lui fit honte de sa faiblesse et la ranima. Ouvrant tout grands ses larges yeux, elle les posa, étincelants de colère et de larmes contenues, sur le visage parfait de l'ambassadeur :

— Est-ce que vous n'abusez pas de votre droit, mylord ?

— Nullement, Madame ! C'est au contraire de bonne guerre... et nous sommes en guerre ! Je vous souhaite un excellent voyage de retour dans un pays qui, peut-être, vous est demeuré cher dans certaines limites !

— Dans des limites certaines, mylord... et fort réduites ! Je vous salue ! Maintenant, sir James, faites votre devoir et enfermez-moi !

Tournant le dos à l'ambassadeur, elle effleura du regard le visage fermé du commodore et abandonna son dernier espoir. Comme elle l'avait deviné quand elle avait embarqué sur le « Jason », James King ne mettrait jamais en balance son devoir et ses sentiments. Peut-être même allait-il y joindre le ressentiment bien naturel d'avoir été dupé et pris au piège d'une ancienne amitié !...

Avec un soupir, Marianne détourna la tête, jetant par-dessus la lisse arrière un dernier regard sur la cité interdite. C'est alors qu'elle vit la « Sorcière des Mers »...

Croyant à une illusion née du désir désespéré qu'elle avait eu de la revoir, elle hésita, passa sur ses yeux une main incertaine qui craignait inconsciemment de détruire le merveilleux mirage. Mais elle ne se trompait pas : c'était bien le brick de Jason.

Il se balançait doucement à quelques encablures, ancré à peu de distance des quais et tirant sur ses chaînes comme un chien sur sa laisse. Avec une immense joie qui l'envahit d'un seul coup, montant de son cœur à sa gorge qu'elle étrangla, à ses mains qu'elle fit trembler, Marianne reconnut sa propre image sculptée à la proue. Le doute n'était plus possible : Jason était là, dans ce port, où cependant il ne voulait pas venir et que l'abandonnée avait, elle, espéré comme une terre promise.

Mais comment avait-il pu y arriver ?

— Venez-vous, Madame ?

La voix glacée de sir James la rappelait à la réalité. Elle n'était plus libre de courir vers celui qu'elle aimait. Et, pour qu'elle achevât de s'en persuader, deux marins armés vinrent l'encadrer. Elle était désormais une prisonnière politique... rien de plus !

Désemparée, elle jeta au vieil officier impassible un regard qui s'égarait :

— Où me conduisez-vous ?

— Mais... dans votre cabine ! Votre... Altesse Sérénissime y sera gardée, comme il convient, ainsi que lord Canning l'en a prévenue. Elle ne pensait pas, j'espère, qu'on la mettrait aux fers ? Une dame mérite des égards... même celles qui servent Bonaparte !

Elle détourna la tête pour qu'il ne vît pas qu'elle avait blêmi. L'ami indulgent de naguère avait disparu à jamais. Il avait fait place à un étranger, un officier anglais qui ferait tout son devoir aveuglément, même si ce devoir était celui d'un geôlier. Et Marianne n'était pas très sûre que, dans l'amertume de sa déception, il ne regrettât pas de ne pouvoir la traiter avec plus de rigueur.

— Non, sir James, dit-elle enfin, je ne le pensais pas. Mais j'aurais aimé que vous ne me gardiez pas rancune !

Avec un dernier regard au brick silencieux où aucune vie ne se montrait et qui, indifférent, semblait se détourner et regarder ailleurs, elle se laissa emmener et conduire jusque chez elle.

Le bruit de la clef tournant dans la serrure lui passa sur les nerfs comme une râpe, tandis que retentissait le bruit des armes que l'on reposait. Les marins, désormais, tout au moins tant que l'on ne serait pas en pleine mer, garderaient sa porte avec un soin vigilant. L'Angleterre ne lâcherait pas facilement l'amie de Napoléon !...

Lentement, elle alla jusqu'à la fenêtre qu'elle ouvrit, se pencha au-dehors et ne put que constater ce qu'elle savait déjà : située tout près de la chambre du capitaine, sa cabine dominait l'eau d'une belle hauteur. Peut-être, dans son désarroi se fût-elle décidée tout de même à un plongeon hasardeux pour échapper, malgré tout, à son sort et à ses gardiens, mais même ce moyen extrême lui était interdit : contre le navire arrêté s'était reformée la mosaïque de petits bateaux, naves, caïques ou pérames, qui se pressaient autour de tous les autres comme des poussins autour de grosses pondeuses et qui servaient aux continuels transbordements d'une rive à l'autre de l'immense port. Sauter équivalait à se briser les os.

Découragée, elle revint vers sa couchette, s'y laissa choir... et constata que les draps en avaient été enlevés. Apparemment, sir James était décidé à ne plus rien laisser au hasard et ne lui accordait pas la moindre chance !...

Avec un peu d'amertume, elle songea à Théodoros

qui devait être loin maintenant. Il avait bénéficié, juste à temps, de l'indulgence coupable du commodore pour une petite Marianne qui devait tout au souvenir et dont personne maintenant ne viendrait fausser les entraves pour lui permettre de prendre son vol.

Le Grec avait atteint le but de son voyage. Il ne lui restait, à elle, que l'intime mais faible satisfaction d'avoir tenu le serment de Santorin. De ce côté-là, au moins, elle était libérée... mais c'était bien le seul !

Les heures chaudes du jour coulèrent une à une, chacune d'elles plus pesante que la précédente et plus rapide. Il était si court le temps que la captive passerait encore à Constantinople ! Et la proximité de la « Sorcière » en rendait l'inexorable fuite plus désespérante encore.

Bientôt, quand un nouveau jour se lèverait, la frégate anglaise hisserait ses voiles et emporterait la princesse Sant'Anna vers un inconnu morose qui, perdu dans les brumes britanniques n'aurait même pas l'attrait du danger. On l'enfermerait dans quelque coin et voilà tout ! Peut-être pour l'y oublier si Napoléon ne se souciait plus d'elle...

Le cri aigu des muezzins appelant la foule à la prière vint avec le coucher du soleil. Puis ce fut la nuit. La vie tumultueuse du port s'affaiblit et mourut tandis que s'allumaient les fanaux des navires. Avec elle apparut le vent froid venu du nord qui, entrant dans la cabine, fit frissonner Marianne, mais elle ne put se résoudre à fermer sa fenêtre parce qu'en se penchant un peu elle pouvait encore apercevoir vaguement le beaupré du vaisseau de Jason.

Un marin entra portant un chandelier allumé, suivi d'un autre avec un plateau qu'ils déposèrent sans un mot. Ils avaient dû recevoir une consigne sévère. Leurs visages étaient à ce point dépourvus d'expression qu'ils en devenaient curieusement semblables et ils ressortirent sans que Marianne eût seulement tenté un geste ou une parole.

Elle enveloppa le plateau d'un coup d'œil indifférent. Il lui importait si peu qu'on la nourrît et qu'on l'éclairât! Le confort d'une prison n'enlève rien aux dures limites qu'elle impose.

Néanmoins, comme elle sentait la soif lui brûler la gorge, elle se versa une tasse de thé, l'avala et s'en préparait une seconde, quand un choc sourd la fit tressaillir et se retourner. Quelque chose venait de rouler sur le tapis...

En se baissant, elle vit que c'était une pierre rugueuse autour de laquelle une mince ficelle était enroulée et nouée serré. Le bout de cette ficelle disparaissait par la fenêtre.

Le cœur battant, elle tira doucement, puis un peu plus fort. La ficelle s'allongea, s'allongea, se continua par un nœud que prolongeait une corde solide. Comprenant tout à coup ce que cela signifiait et envahie d'une joie bien proche de la folie, elle posa spontanément ses lèvres sur le toron de chanvre et l'embrassa comme elle eût embrassé l'ange de la délivrance. Elle avait donc encore un ami?

Soufflant vivement ses chandelles, elle retourna vers la fenêtre et se pencha. En bas, dans l'ombre dense du quai, elle crut bien distinguer une forme humaine, mais ne s'attarda pas à des questions inutiles: le temps pressait et elle avait tellement hâte de s'évader! Elle revint à la porte et y colla son oreille. Un silence profond enveloppait le navire. On n'entendait que le léger grincement de sa charpente quand il bougeait un peu dans l'eau du port. Les sentinelles s'étaient peut-être endormies car elles ne faisaient pas le moindre bruit, elles non plus!

Évitant soigneusement d'en faire elle-même, Marianne attacha solidement la corde au pied de son lit puis se hissa sur la fenêtre avec quelque difficulté car elle n'était pas très large. Immédiatement, elle sentit le filin, maintenu par une main invisible, se tendre fermement et, doucement, elle commença à descendre, s'efforçant de ne pas regarder le trou noir ouvert sous ses pieds et cherchant des points d'appui le long du vaisseau. Heureusement aucune des fenêtres de l'étage inférieur n'était ouverte. Les officiers du navire devaient être à terre pour profiter pleinement de cette unique soirée de liberté.

La descente lui parut interminable et pénible. Ses mains vite écorchées la brûlaient, mais elle sentit soudain que des bras se refermaient sur elle et la soutenaient solidement.

— Lâchez la corde! souffla la voix de Théodoros. Vous y êtes!

Elle obéit et se laissa aller dans le fond du petit bateau où il l'attendait, cherchant dans cette obscurité la main du Grec dont la gigantesque forme sombre la dominait de toute sa hauteur. A se sentir aussi miraculeusement hors de sa prison flottante, elle débordait d'une reconnaissance qu'elle ne parvenait pas à exprimer, cherchant à la fois son souffle et les mots qui pourraient traduire son émotion.

— Je vous croyais loin... chuchota-t-elle, et vous êtes là! Vous êtes venu à mon secours! Oh, merci!... merci! Mais comment avez-vous deviné?... Comment avez-vous su?

— Je n'ai pas deviné; j'ai vu. Quand le grand Anglais blond est arrivé, je venais tout juste de quitter le bateau et je m'étais caché sur le chaland qui est amarré là, tout près, au milieu des piles de bois de construction pour voir comment j'allais me diriger. Cela m'a permis d'observer ce qui se passait sur la frégate et, quand les marins t'ont emmenée entre les fusils, comme une criminelle, j'ai compris que quelque chose n'allait pas. Ils ont découvert qui tu es?

— Oui. Cockerell et Foster sont allés se plaindre et ils ont donné mon signalement.

— J'aurais dû le tuer ! grogna Théodoros. Mais ne restons pas ici. Il faut s'éloigner au plus vite.

Il saisit les avirons, dégagea doucement la pérame et se dirigea vers l'eau libre.

— Nous allons contourner la pointe de Galata et aborder vers la mosquée de Kilidj Ali. Le coin est tranquille et l'ambassade de France n'est pas loin...

Il allait donner une vigoureuse impulsion à son embarcation quand Marianne l'arrêta d'une main posée sur son bras. Là, à bien peu de distance, la silhouette obscure du brick surgissait de l'eau noire. L'un des fanaux seulement était allumé et, dans le gaillard d'avant, on apercevait une faible lueur fauve mais rien de plus.

— C'est là que je veux aller ! dit Marianne.

— Là ? Sur ce navire ? Mais tu es folle ! Pour quoi faire ?

— Il appartient à un ami... très cher et que je croyais perdu. C'est celui dont la mutinerie a failli me coûter la vie... mais il faut que j'y aille !

— Et qui te dit qu'il n'est pas encore aux mains des mutins ? Cherches-tu vraiment à entrer dans cette ville ou bien à augmenter tes malheurs ? N'es-tu pas encore lasse du danger ?

— S'il était toujours aux mains des rebelles, il ne serait pas ici ! L'homme qui s'en était emparé ne voulait pas venir à Constantinople ! Je vous en prie, Théodoros, menez-moi sur ce bateau ! C'est tellement important pour moi ! C'est même ce qui a le plus d'importance puisque je ne croyais plus le revoir !

Tendue comme une corde d'arc, elle essayait de toutes ses forces de le convaincre et, tout bas, comme si elle avait honte d'exiger encore après ce qu'il venait de faire pour elle, elle ajouta :

— Si vous ne voulez pas, j'irai tout de même... à la nage ! Ce n'est pas si loin !

Il y eut un silence. Le Grec avait retenu ses rames et tête basse réfléchissait, tandis que le petit bateau dérivait doucement. Au bout d'un moment, il demanda :

— C'est donc... l'homme qui s'appelle Jason ?

— Oui... c'est lui !

— C'est bien ! Dans ce cas, je vais te conduire et que Dieu nous aide !

Il pesa sur les avirons et la pérame reprit son glissement soyeux sur les flots. Bientôt l'ombre de la « Sorcière » l'enveloppa et ses flancs abrupts se dressèrent devant elle. Là non plus aucun bruit ne se faisait entendre. Théodoros releva les rames et fronça les sourcils.

— On dirait qu'il n'y a personne !

— C'est impossible ! Jamais Jason ne quitte son navire la nuit quand il voyage et stationne dans un port. De plus, le bateau n'est même pas à quai... D'ailleurs, écoutez ! Il me semble que j'entends des voix !

Un murmure, en effet, bourdonnait vers l'avant. Emportée par l'impatience, Marianne se leva tâtant de ses mains la paroi du navire, cherchant quelque chose qui pourrait lui permettre d'y monter.

— Reste tranquille ! grogna le Grec dont les yeux de chat semblaient y voir aussi clair qu'en plein jour, il y a une échelle de corde à la coupée... Et tu vas nous faire chavirer !

Il fit avancer doucement la pérame le long du bateau mais, quand la jeune femme voulut saisir l'échelle, il l'en empêcha.

— Ne bouge pas ! Tout ça ne m'inspire pas confiance. Il y a quelque chose d'anormal et je ne t'ai pas tirée des mains de l'Anglais pour te laisser te jeter dans un autre piège. C'est moi qui vais monter. Toi, tu attendras...

— Non! C'est impossible, s'insurgea la jeune femme qui ne pouvait plus contenir son impatience. Voilà des jours et des jours que je ne vis que pour l'instant où je pourrai de nouveau poser le pied sur ce bateau et vous voulez que je reste ici, dans cette barque, à attendre? Mais à attendre quoi? Tout ce que j'attendais est là... à deux pas de moi! Et vous voyez bien que je n'en peux plus!

Comprenant que rien ni personne ne pourrait la retenir, Théodoros capitula de mauvaise grâce.

— C'est bon, viens! Mais tâche de ne pas faire de bruit. Il se peut que je me trompe, mais il me semble bien que l'on parle turc!

L'un derrière l'autre, ils escaladèrent silencieusement l'échelle, se glissèrent sur le pont désert. Le cœur de Marianne battait à l'étouffer. Tout était à la fois semblable et différent. Le pont avait perdu son impeccable netteté. Des choses indéfinissables y traînaient; les cuivres ne brillaient plus; des filins pendaient, balancés mollement au vent de la nuit. Et puis ce silence...

Elle ne s'expliquait pas l'abandon apparent du bateau. Quelqu'un allait venir... un marin... Craig O'Flaherty, le second... ou encore son vieil ami Arcadius, dont l'absence lui était presque aussi cruelle que celle de Jason lui-même! Mais non. Il n'y avait personne! Rien que cette lueur qui venait de l'avant et vers laquelle Théodoros fit un pas précautionneux, puis un autre... pour reculer bien vite sous la protection du grand mât. Deux hommes portant de longs fusils venaient d'apparaître, sortant de l'écoutille. A leur costume rouge et bleu, leur haut bonnet de feutre blanc où se fixait la cuillère à riz, leurs armes brillantes et leur mine farouche, Marianne et son compagnon les identifièrent aussitôt : les janissaires!

— Ils gardent le bateau! souffla Théodoros. Cela veut dire que l'équipage n'y est pas.

— C'est possible, mais cela ne veut pas dire que le maître n'y soit pas non plus. Laisse-moi aller avoir...

Incapable de supporter plus longtemps cette incertitude, étreinte aussi par une angoisse qu'elle ne parvenait pas à définir et par cette impression d'anomalie qui avait déjà frappé Théodoros, elle fila comme une ombre le long du rouf dont la porte arrachée battait sur le vide, atteignit la dunette et y grimpa en prenant soin d'éviter la pâle traînée lumineuse qui tombait de l'unique fanal.

Un élan la jeta vers la porte qui menait au carré du capitaine pour l'ouvrir et pénétrer dans les appartements. Mais là, elle s'arrêta interdite, regardant sans comprendre la porte barricadée et, sur les planches qui l'encloutaient, les larges sceaux de cire rouge qui ressemblaient à des taches de sang...

Elle jeta alors, autour d'elle, un coup d'œil circulaire, remarquant des détails qui d'abord lui avaient échappé et que le peu de lumière précisait. Les traces de lutte se voyaient partout, dans les éclats de bois arrachés des membrures, les cuivres tordus, les trous faits par les balles... et aussi dans les traînées sombres qui s'élargissaient sinistrement autour de la barre !

Alors, d'un seul coup, l'espoir l'abandonna...

Il n'y avait plus rien à attendre, rien à chercher ! Le beau navire de Jason, c'était maintenant le vaisseau fantôme, l'ombre défigurée de ce qu'il avait été. Quelqu'un, bien sûr, avait dû le reprendre aux mutins, mais ce quelqu'un n'était pas Jason, ce ne pouvait pas être lui, sinon pourquoi ces traces, pourquoi ces scellés ? Un pirate barbaresque peut-être... ou un reis ottoman avait rencontré en pleine mer la « Sorcière » à demi désemparée, aux mains sans expérience des bandits de Leighton et la proie avait été facile...

Dans l'esprit accablé de Marianne, le drame du bateau se lisait clairement dans toutes ces traces lugubres. Tout, ici, criait le combat perdu, le malheur et la mort, tout jusqu'à ces soldats impassibles qui surveillaient ce spectre flottant, parce que, malgré tout, il était la propriété de quelque notable.

Quant à ceux qu'elle aimait et qu'elle avait laissés dans ces lieux qui ne gardaient même plus l'écho de leurs voix, elle ne les reverrait jamais. Maintenant, elle était certaine qu'ils avaient cessé de vivre...

Épuisée par ce dernier coup, Marianne oubliant tout ce qui l'entourait se laissa glisser à terre et, la tête contre la porte close que Jason ne franchirait plus, elle se mit à pleurer tout bas. C'est là que Théodoros la retrouva, recroquevillée sur elle-même, blottie contre ce bois comme si elle cherchait à y mêler intimement sa propre substance.

Il essaya de la relever mais, malgré sa force, il n'y parvint pas : elle était lourde de son poids de chair aggravé d'une immense charge de souffrance et de désespoir qui dépassait même ses possibilités d'homme. Elle gisait là, écrasée par la déception et la douleur qui pesaient sur elle comme des rochers et il sentit qu'elle ne ferait rien, qu'elle ne voulait plus rien faire pour se libérer. Le monde extérieur avait cessé tout à coup de l'intéresser.

S'agenouillant auprès d'elle, Théodoros chercha sa main et la trouva froide comme si tout le sang déjà s'en était retiré. Mais déjà cette main le repoussait.

— Laisse-moi... souffla-t-elle ! Va-t'en !

— Non. Je ne te laisserai pas ! Tu es ma sœur puisque tu souffres. Viens avec moi.

Elle ne l'écoutait pas. Il comprit qu'elle lui échappait et se laissait emporter par le flot amer de ses larmes bien au-delà de tout raisonnement et de toute logique. Précautionneusement, il releva la tête, regarda autour de lui.

Là-bas, vers l'avant, les janissaires n'avaient rien

vu, rien entendu. Assis maintenant sur des rouleaux de cordages, leurs fusils entre leurs jambes, ils avaient tiré de longues pipes et fumaient placidement en regardant la nuit. L'odeur poivrée du tabac parfuma le vent venu de la mer Noire et se mêla à l'odeur des algues. Visiblement, les gardiens n'imaginaient même pas qu'il y eût, sur ce bateau, d'autres humains qu'eux-mêmes...

Un peu rassuré, Théodoros se pencha de nouveau sur Marianne :

— Je t'en supplie, fais un effort ! Tu ne peux rester là... C'est de la folie ! Il faut vivre, combattre encore !

Il essayait de la convaincre avec ses mots à lui, ceux qui résumaient tout ce qu'il aimait au monde. Elle ne répondit même pas, se contentant de refuser d'un hochement de tête presque imperceptible et, sur sa main, le Grec sentit couler des larmes. Elles le bouleversèrent d'une pitié encore inconnue.

Il savait cette femme vaillante, pleine de vie et pourtant les mots de la vie et du combat n'agissaient plus sur elle.

Elle s'était couchée là, comme un chien se couche devant la porte du maître perdu et il sentit qu'elle n'en bougerait plus jamais s'il n'agissait pas. Ce qu'elle voulait c'était attendre ici que la mort la prenne. Et elle était si jeune... si belle !

Une colère le saisit contre tous ceux qui avaient voulu se servir de cette jeunesse, de cette beauté, mal défendues par des titres ronflants qui ne compensaient pas les charges et les responsabilités dont on l'avait accablée, lui comme les autres ! En se rappelant le serment, exigé de cette naufragée, devant les saintes images, il eut honte de lui-même. La passion de la liberté n'excusait pas tout. Et maintenant qu'elle était à bout de forces, cette enfant exténuée qui, malgré tout, l'avait aidé de son mieux et même avait tué pour lui, il se refusait à l'abandonner.

Elle ne bougeait plus mais quand il tenta une fois encore de la relever, il sentit le même refus, la même résistance. Elle se cramponnait de toutes ses forces à ces quelques planches qui représentaient à la fois son passé et son dernier espoir. Il comprit que, s'il insistait, elle était capable de se mettre à crier. Or il était impossible de s'éterniser ici, c'était trop dangereux !

— Je te rendrai à la vie malgré toi, mâcha-t-il entre ses dents, mais, pour ce que je vais faire, pardonne-moi !

Sa large main se leva. Il savait, étant rompu à bien des formes de combat, comment faire perdre conscience à un homme par un coup appliqué derrière la tête. Contrôlant sa force attentivement, il frappa. La résistance cessa et le corps amolli de la jeune femme se détendit. Alors, le chargeant sur une épaule, il reprit, plié en deux pour se confondre avec le bordage, le chemin de la coupée et de l'échelle de corde.

L'effort lui parut facile et le fardeau léger tant il était heureux de l'emmener.

Un instant plus tard, il reprenait les rames et dirigeait la pérame vers la sortie du port. Dans un moment, il aborderait à l'endroit qu'il avait choisi et il emporterait sa compagne jusqu'au palais de France qu'il connaissait bien. Ensuite seulement, il pourrait retourner à ses propres luttes et aux terribles problèmes de sa patrie. Mais elle, cette enfant, il fallait la rendre à son pays, à son milieu. Elle était comme ces fleurs délicates qu'une terre étrangère fait périr et c'est seulement de la sienne qu'elle pourrait tirer encore la force de vivre.

Le bateau doubla la pointe de Galata surmontée des vieilles murailles de son château. Les minarets de la mosquée Kilidj Ali dressèrent leur blancheur diffuse contre le ciel plein d'étoiles, tandis que le bateau, sur les vagues plus fortes du Bosphore, se mettait à danser.

Mais tout à coup, Théodoros, en tirant sur ses rames, se prit à sourire. Malgré le vent froid, la nuit était belle, pure et calme. Ce n'était pas une nuit faite pour le malheur. Il y avait, quelque part, une erreur et il ne pouvait pas deviner laquelle, mais son instinct de montagnard, habitué dès l'enfance à regarder le ciel et à compter les étoiles, lui soufflait que, pour la femme qui reposait, inconsciente au fond de sa barque, le soleil et le bonheur reviendraient un jour, et l'instinct de Théodoros ne l'avait jamais trompé... Il n'est si longue route dont on ne voie la fin, ni si longue nuit qui ne se dissipe avec le jour...

Pour la messagère de l'Empereur, le voyage était terminé et l'heure était venue de prendre pied, enfin, sur la terre du Grand Seigneur et de la sultane blonde.

Avec décision, Théodoros le rebelle engagea sa barque dans l'eau calme d'une petite baie et, d'une énergique impulsion, la lança sur le sable...

Le comte de Latour-Maubourg, ambassadeur de France auprès de la Sublime Porte, regarda avec stupeur le géant, fait comme un épouvantail, qui venait d'envahir son ambassade et le tirer de son lit en faisant un vacarme affreux, tapant sur la porte à coups redoublés et bousculant le concierge.

Puis, son regard myope alla se poser, perplexe, sur la jeune femme évanouie que l'intrus venait de déposer sur un fauteuil avec des soins de mère.

— Vous dites que cette personne est la princesse Sant'Anna ?

— Elle-même, Excellence ! Tout juste évadée de la frégate anglaise « Jason », par laquelle nous avions été recueillis en mer, elle et moi, mais où l'on prétendait la retenir prisonnière. A l'aube, la frégate devait lever l'ancre pour rentrer en Angleterre.

— Une bien étrange histoire ! Qui donc prétendait garder la princesse ?

— Votre collègue anglais qui est monté à bord ce matin et l'a reconnue !

L'ambassadeur eut un mince sourire.

— Lord Canning est un homme de décision ! Mais vous-même, mon ami, qui donc êtes-vous ?

— Simplement le domestique de Son Altesse, Excellence. On m'appelle Théodore.

— Peste ! Elle voyageait donc avec toute sa maison et une maison singulièrement brillante puisque vous parlez turc ! Mais cet évanouissement paraît se prolonger beaucoup ? Car elle est évanouie, n'est-ce pas, rien de plus ? A-t-elle été victime d'un accident ?

— Elle a simplement subi un choc, Excellence, fit Théodoros toujours imperturbable. A mon grand regret... j'ai dû l'assommer pour la sauver du désespoir.

Du coup, l'œil gris de l'ambassadeur se chargea de rêve, mais absolument pas de surprise. La pratique de la diplomatie en pays ottoman lui avait appris à ne s'étonner de rien. Pas plus des situations les plus abracadabrantes que de la psychologie, souvent difficile à saisir, des femmes.

— Je vois ! fit-il seulement. Vous avez sur cette console de l'eau et du cognac. Essayez de ranimer votre maîtresse. Je vais chercher des sels !

Quelques instants plus tard, Latour-Maubourg revenait flanqué d'un personnage qui, dès le seuil de la porte, eut une exclamation de joie :

— Mon Dieu ! Vous l'avez donc retrouvée ?

— Ainsi, c'est bien elle ? Canning ne s'était pas trompé ?

— N'en doutez pas, mon cher comte ! Seigneur ! Je voudrais savoir encore prier !

Et Arcadius de Jolival, les yeux brillants de larmes

et de joie, se précipita vers Marianne toujours évanouie, tandis que, plus lentement, l'ambassadeur venait
promener les sels d'ammoniaque sous les narines de la
jeune femme.

Elle eut un long frisson, gémit avec un geste instinctif pour repousser l'odeur incisive, mais ouvrit les
yeux.

Son regard, d'abord vague, se fixa presque instantanément sur le visage familier de Jolival qui, de soulagement, pleurait comme une fontaine.

— Vous, mon ami?... Mais comment?... Mais où
sommes-nous?

Ce fut Théodoros qui, très digne et le regard à trois
pas comme il sied à un valet de bonne maison, la renseigna :

— A l'ambassade de France, Madame la Princesse,
où j'ai eu l'honneur de ramener Madame la Princesse
après son accident...

— Mon accident?

L'esprit de Marianne errait encore à la recherche des
souvenirs perdus. Ce salon élégant et douillet était rassurant comme aussi le visage mouillé de son vieil ami
qui lui apportait la plus réconfortante des réalités, mais
quel était cet accident qui... Et brusquement, le brouillard se déchira. La jeune femme revit le navire meurtri,
la porte scellée de rouge, les traces de sang, les figures
sauvages des janissaires à la lueur pauvre des lanternes. Un élan la jeta contre la poitrine de Jolival,
cramponnée aux revers de son habit.

— Jason?... Où est-il? Qu'est-il devenu? J'ai vu du
sang sur le pont du vaisseau... Jolival, par pitié, dites-
moi s'il est...

Doucement, il prit entre les siennes les mains crispées si froides encore, et les garda contre lui pour les
réchauffer, mais détourna la tête légèrement. Il ne pouvait supporter l'imploration de ce regard.

— Honnêtement, je n'en sais rien ! fit-il d'une voix enrouée...

— Vous n'en... savez rien ?

— Non. Mais, non moins honnêtement, je crois, de toute ma conviction, qu'il est vivant ! Leighton ne pouvait se permettre de le tuer.

— Alors comment ?... pourquoi ?

Les questions se pressaient en foule sur les lèvres de Marianne, trop nombreuses et trop diverses pour qu'elle parvînt clairement à les énoncer.

L'ambassadeur, alors, intervint :

— Madame, dit-il courtoisement, vous êtes hors d'état d'entendre quoi que ce soit en ce moment ! Vous avez subi un choc, vous êtes épuisée, meurtrie, sans doute affamée... Permettez-moi, au moins, de vous faire conduire à votre chambre, d'y faire monter une collation. Ensuite, peut-être...

Mais, déjà, repoussant Jolival et le fauteuil, Marianne s'était levée. Elle avait cru tout à l'heure, sur ce pont désert, qu'il ne lui restait rien au monde à aimer ou à rechercher et elle avait senti la vie s'enfuir de son corps comme le vin d'un tonneau troué. Maintenant, elle savait qu'elle se trompait : Arcadius était là, en face d'elle, bien vivant et il disait que Jason, peut-être, n'était pas mort...

D'un seul coup lui revenaient toute sa vitalité, toute sa combativité. Une sorte de résurrection ! Une espèce de miracle !

— Monsieur l'ambassadeur, fit-elle avec beaucoup de calme, je vous suis profondément reconnaissante de votre accueil, comme de votre hospitalité dont je vais profiter sans hésiter. Mais, avant de prendre du repos, je vous supplie de me permettre d'entendre ce que mon vieil ami peut m'apprendre. C'est pour moi... une chose vitale, voyez-vous, et je sais que je ne pourrai dormir tant que je ne saurai pas ce qui s'est passé.

Latour-Maubourg s'inclina :

— Ma maison et moi-même sommes à vos ordres, princesse. Je vais me contenter, simplement, d'en donner quelques-uns pour que l'on nous serve, sans tarder, un souper dont vous admettrez certainement que vous avez le plus grand besoin... et nous aussi ! Quant à votre sauveur...

Son regard perspicace alla de la figure figée de Théodoros toujours impassible, au visage anxieux de Marianne qui, honteuse de n'avoir songé qu'à elle-même, le priait justement d'avoir soin de son « serviteur » et de le traiter « convenablement ». Puis il eut un bref sourire :

— Je croyais mériter votre confiance, Madame... et cet homme est infiniment moins votre serviteur que je ne le suis moi-même ! L'ambassade de France est lieu d'asile... monsieur Lagos ! Vous y êtes le bienvenu et vous souperez avec nous !

— Vous le connaissez ? fit Marianne abasourdie.

— Mais oui ! L'Empereur, qui admire le courage des Grecs m'a toujours recommandé de me renseigner aussi étroitement que possible sur tout ce qui les concerne. Peu d'hommes sont aussi populaires, dans les maisons du Phanar, que le Clephte rebelle des montagnes de Morée. Et peu d'hommes peuvent correspondre à sa description : question de dimensions... Vous êtes le bienvenu, mon ami !

Sans répondre, Théodoros s'inclina courtoisement.

Et laissant ses visiteurs mal remis de leur surprise, le comte de Latour-Maubourg quitta la pièce avec une dignité que ne parvenaient pas à diminuer sa vaste robe de chambre en indienne et le madras de soie verte dont il était coiffé.

Aussitôt, Marianne se tourna vers Jolival.

— Maintenant, Arcadius, supplia-t-elle, dites-moi tout ce qui s'est passé depuis que... nous nous sommes quittés !

— Vous voulez dire depuis que ce bandit vous a pour ainsi dire jetée à la mer après nous avoir réduits à l'impuissance et s'être emparé du bateau ? Sincèrement, Marianne, je n'arrive qu'à peine à en croire mes yeux. Vous êtes là, vivante, bien vivante même, alors que, depuis des jours, nous n'osions même plus imaginer que vous ayez pu survivre. Ne comprenez-vous pas que je brûle de savoir...

— Et moi, vous me faites mourir, Jolival ! Et mourir d'angoisse car je vous connais bien : si vous n'aviez une longue suite de désastres à m'annoncer vous seriez déjà en train de me renseigner ! Est-ce donc... si grave ?

Il haussa les épaules et, les mains sous les basques de son habit, se mit à marcher de long en large dans le salon.

— Je ne sais pas ! C'est surtout étrange ! Rien, dès la minute où nous avons été séparés, ne s'est déroulé de façon rationnelle. Mais jugez plutôt...

Pelotonnée au creux d'une bergère, Marianne écoutait déjà et, à mesure que coulaient les paroles, son attention s'y accrochait passionnément, balayant tout ce qui l'entourait.

Jolival, il est vrai, disait des choses tellement extraordinaires...

Le soir qui avait suivi l'abandon criminel de Marianne, alors que la nuit venait de tomber et que la « Sorcière » détournée de sa destination primitive faisait route vers la terre d'Afrique, naviguant à égale distance des côtes de Crète et de Morée, elle avait été rejointe par les chebecs corsaires de Vali Pacha, le redoutable fils d'Ali de Tebelen.

La meute du pacha épirote avait eu raison sans peine d'un navire livré aux seules mains inexpérimentées d'un médecin mégalomane et d'une poignée de forbans. Du moins, les prisonniers, du fond de la cale où ils étaient aux fers, en avaient-ils jugé ainsi d'après la grande brièveté du combat.

Une chose, d'ailleurs, était certaine pour eux : depuis la veille Jason Beaufort ne commandait plus son navire.

— Comment pouvez-vous penser, en ce cas, qu'il puisse être encore vivant ? s'écria Marianne. Leighton l'a certainement tué pour prendre le commandement de la « Sorcière » ?

— Tué ? non. Mais enivré, drogué jusqu'à la moelle ! Et je crois qu'il ne faut pas chercher plus loin l'explication d'une conduite qui, pour nous tous qui le connaissons depuis longtemps, était proprement insensée chez Beaufort. La fureur et la jalousie n'expliquent pas tout et je sais maintenant que, depuis Corfou, notre skipper était au pouvoir de ce Leighton dont nous ne nous sommes pas assez méfiés !... O'Flaherty a fini par m'avouer que le médecin, qui a longtemps pratiqué la traite sur la côte des Esclaves, a appris certains secrets des sorciers de Bénin et d'Ourdah. Après vous avoir dénoncée, il a poussé Beaufort à boire, mais ce que celui-ci absorbait n'était pas uniquement le rhum habituel ou l'honnête whisky !

— S'il n'est pas mort, alors, qu'en a fait Leighton ?

— Il s'est enfui avec lui, sur une chaloupe durant le bref combat. La nuit était noire et le désordre à son comble. Le mousse qui se cachait derrière un canon les a vus embarquer. Il a reconnu son capitaine qui, selon lui, agissait comme un automate et c'est Leighton qui a pris les rames. J'ajoute qu'il a également pris vos joyaux en guise de viatique car, malgré nos recherches, nous ne les avons pas retrouvés parmi vos affaires.

— Jason abandonner son bateau en péril ! fuir un combat ! articula Marianne incrédule, s'embarquer tranquillement tandis que ses hommes se font tuer ! Mais, Arcadius, c'est invraisemblable !

— En effet, mais je crois vous avoir dit qu'il n'était

plus lui-même. Ma chère enfant, si vous vous attachez à tous les côtés invraisemblables de notre odyssée, vous n'êtes pas au bout de vos peines. Car nous étions persuadés, nous autres gens de la cale, que seule la mort nous attendait aux mains des démons du pacha... ou tout au moins l'esclavage. Or... il ne s'est rien passé de tel. Au contraire, Achmet Reis, le capitaine du chebec « amiral » si j'ose dire, nous a traités avec beaucoup de civilité.

— N'est-ce pas au fond assez naturel ? Vous et Gracchus êtes français et le pacha de Janina n'ose guère rompre en visière avec l'empereur. Son fils doit poursuivre la même politique...

Arcadius grimaça un sourire sardonique :

— S'il n'y avait eu que notre qualité de Français pour nous sauver, je ne serais pas ici, à cette heure, pour vous conter ce roman, car nous avons bel et bien failli perdre la tête quand nous avons vu surgir dans notre cale une troupe de gaillards écumants dont les cimeterres s'agitaient fort dangereusement. Mais — et c'est là que la chose devient extraordinaire ! — il a suffi à Kaleb de quelques mots dans la langue de ces énergumènes pour les arrêter net. Ils l'ont même salué bien poliment.

Marianne, abasourdie, le regarda comme s'il délirait :

— Kaleb ?

— Vous n'avez pas oublié, j'imagine, ce dieu de bronze dont vous avez si superbement pris la défense quand Leighton prétendait le faire hacher par le fouet ? Eh bien, je suis obligé de reconnaître que c'est lui qui nous a sauvés ! conclut tranquillement Jolival en acceptant le verre de champagne qu'un valet, curieusement vêtu de flanelle blanche sous son habit à la française, lui offrait.

L'ambassadeur, revenu depuis un instant et affalé

dans un fauteuil ne perdait ni une bribe du récit de Jolival, ni une miette du repas froid, improvisé mais suc-
culent, que ses gens, hâtivement tirés de leur lit, servaient avec une dignité comique.

Marianne, pour sa part, avala d'un trait le contenu
de sa flûte comme pour bien se pénétrer des réalités de
l'heure présente avant de s'exclamer :

— Il vous a sauvés ? Un esclave échappé de chez
les Turcs ? Mais Arcadius, ça ne tient pas debout !

— A première vue, c'est certain ! Mais à ne vous
rien cacher, cet étrange fugitif m'a beaucoup donné à
penser. D'après Beaufort qui, entre nous soit dit, me
paraît plus naïf qu'on ne pourrait le supposer, ce Kaleb
fuyait son esclavage turc sur les quais de Chioggia,
autrement dit à un nombre respectable de lieues du territoire ottoman. Or, pour mieux fuir ledit esclavage, il
s'est fait embarquer sur un navire appartenant à une
nation pratiquant notoirement le trafic des gens de couleur, puis il a accepté sans sourciller que ledit navire le
ramenât... à Constantinople ! Et, là-dessus, nous décou-
vrons qu'il possède une influence certaine sur les
Turcs, ou leurs satellites ! On croit rêver !...

— Vous avez raison : c'est étrange ! Et qu'en avez-
vous conclu, mon ami ?

— Que cet homme sert l'empire ottoman à sa
manière. N'oubliez pas que les Noirs, ou leurs proches
voisins, ont souvent tenu des postes importants auprès
des sultans. Ne fût-ce qu'au harem !

Marianne haussa les épaules. Sa mémoire lui restitua
instantanément la silhouette athlétique de l'Éthiopien,
sa voix profonde et basse.

— Un eunuque, ce garçon ? Allons donc !

— Je n'ai jamais prétendu qu'il le fût. Ce n'est
qu'une hypothèse. Quoi qu'il en soit, il nous a bel et
bien tirés des griffes de Vali Pacha. Nous avons à
peine touché la côte de Morée, sans d'ailleurs quitter le

brick où l'on nous avait permis de regagner nos appartements, puis le chebec nous a escortés jusqu'au Bosphore, après qu'Achmet Reis eut fait passer à bord un équipage de fortune.

— Mais les autres hommes de l'équipage, que sont-ils devenus?

— Les mutins sont morts et le sort que leur a réservé le pacha a dû leur faire regretter la corde! Quant aux autres, ils seront probablement vendus comme esclaves. Seul O'Flaherty a bénéficié de la même clémence que nous-mêmes.

— Et... Kaleb?

Jolival eut un geste des deux mains qui traduisait clairement son ignorance.

— Dès l'instant où nous avons touché Monemvasia, en Morée, Kaleb a disparu et comme personne n'a consenti à nous renseigner, aucun de nous ne sait ce qu'il est devenu. Au moment où il nous a quittés, il nous a salués avec beaucoup de courtoisie, puis il s'est volatilisé sans plus laisser de trace qu'un djinn. J'ajoute qu'il n'a voulu répondre à aucune de nos questions...

— De plus en plus étrange!

Un instant, l'esprit de Marianne s'attarda autour du souvenir de l'esclave éthiopien. Était-il seulement né au pays du Lion de Juda? Quant à être esclave... Il en avait si peu l'air! Non, Arcadius sans doute avait raison : il devait être quelque émissaire du Grand Seigneur, un agent secret peut-être ou Dieu sait quoi? Mais il était sympathique et elle se sentait contente, même s'il les avait dupés, de le savoir libre et sauf, à l'abri des coups de Leighton. Bientôt, d'ailleurs, sa pensée se détourna de la silhouette parfaite de l'homme à la peau foncée et aux yeux clairs, pour revenir passionnément à sa plus chère préoccupation : Jason.

Ce qu'elle éprouvait était bizarre, complexe. Le savoir tombé à ce point au pouvoir d'un misérable l'angoissait et la révoltait mais, paradoxalement, lui causait une sorte de joie. Maintenant qu'elle savait avec quelle diabolique habileté le médecin s'était emparé de son esprit, elle pouvait lui pardonner ses fureurs, ses injustices et tout le mal qu'il lui avait fait, car elle avait désormais la certitude qu'il n'en était pas responsable.

Elle balayait le passé et se tournait vers l'avenir. Il fallait rechercher Jason, le retrouver, l'arracher à Leighton et, enfin, le guérir...

Mais où chercher ? Mais comment ? A qui s'adresser pour tenter de relever la trace de deux hommes disparus en pleine nuit dans un petit bateau quelque part entre la Crète et la Morée ?

La voix de Latour-Maubourg, qui étouffait un bâillement et que l'envie de dormir alourdissait, vint lui apporter, à point nommé, la réponse :

— Hormis vos joyaux, princesse, vous retrouverez ici tout ce qui vous appartient, depuis vos vêtements jusqu'aux lettres de créance de l'Empereur et du général Sébastiani. Puis-je, dès demain, faire au Sérail les ouvertures en vue d'une prochaine audience avec Nakhshidil Sultane ? Pardonnez-moi de sembler vous presser ainsi, car vous avez sans doute besoin de repos, mais le temps, lui aussi, presse et il faudra sans doute plusieurs jours avant d'obtenir satisfaction...

La vie reprenait décidément tous ses droits et, avec elle, cette effarante mission dont l'Empereur avait chargé Marianne.

Par-dessus le bord du verre qu'elle mirait depuis un moment, comme si elle cherchait le secret de l'avenir dans sa transparence dorée, la jeune femme releva sur le diplomate un regard brillant d'espoir.

— Faites ! Monsieur l'ambassadeur et le plus tôt

sera le mieux ! Sachez que votre hâte n'égalera jamais la mienne. Mais... serai-je reçue ?

— Je crois que oui, sourit Latour-Maubourg. La Sultane Haseki a, par quelques bruits que j'ai fait courir, déjà entendu parler de cette voyageuse française, sa cousine, d'ailleurs, qui, courant de grands périls pour venir jusqu'à elle, a soudain disparu. Elle a fait exprimer le désir de la voir si d'aventure on la retrouvait. La curiosité, à défaut d'autre sentiment, vous assurera votre audience ! A vous d'en faire bon usage.

Les yeux de Marianne revinrent au verre de champagne. Maintenant, dans le pétillement des bulles minuscules, elle croyait voir se dessiner un visage flou, sans traits précis, un visage casqué de cheveux clairs aussi fluides et brillants que le vin doré, le visage encore inconnu de celle qui jadis, aux îles, répondait au doux nom d'Aimée et qui, à cette heure, régnait, invisible et toute-puissante, sur l'empire guerrier des Bayezid et des Soliman : Nakhshidil ! La Sultane française, la Sultane blonde, celle qui, seule, avait assez de pouvoir pour lui rendre l'homme qu'elle aimait...

Souriant à cette image, Marianne ferma les yeux... pleine de confiance !

Dans les confidences de l'Histoire

Secret d'État

Sylvie de Valaines, fille d'honneur d'Anne d'Autriche, est au cœur des intrigues politiques qui agitent le siècle. Dépositaire du secret qui entoure la naissance de Louis XIV, ennemie de Richelieu qui la poursuit sans relâche, elle trouvera, de la cour à l'exil, de trahisons en complots, un fidèle protecteur. C'est François de Vendôme, chef de file de la Fronde, croisé au cœur vaillant, et père naturel d'un futur grand roi….

1. La chambre de la reine
2. Le roi des Halles
3. Le prisonnier masqué

Il y a toujours un Pocket à découvrir

Cet ouvrage a été composé
par EURONUMÉRIQUE à 92120 Montrouge, France

Imprimé en France sur Presse Offset par

BRODARD & TAUPIN

GROUPE CPI

8158 – La Flèche (Sarthe), le 19-06-2001
Dépôt légal : avril 2001

POCKET – 12, avenue d'Italie - 75627 Paris cedex 13
Tél. : 01.44.16.05.00